TERRE H

CIVILISATIONS E

Collection dirigée par Jean MALAURIE

Terre Humaine, depuis bientôt trente ans, s'est imposée en France et à l'étranger comme un carrefour privilégié de témoignages et un courant de pensée. Elle décrit les cohésions sociales et dénonce l'inhumanité de l'histoire contemporaine. Regards multiples sur des civilisations en mouvement, cette collection, qui confronte l'observateur avec l'observé, témoigne des rapports secrets entre l'homme et son lieu. **Terre Humaine,** indépendante de toute idéologie, s'interroge et questionne, contribuant, livre après livre, à une plus large intelligence de notre évolution humaine.

Selim Abou - LIBAN DÉRACINÉ - Immigrés dans l'autre Amérique - Autobiographies de quatre Argentins d'origine libanaise.

Première édition : 1972.
Seconde édition revue et augmentée (1978).
664 p., 2 cartes, 37 ill. hors texte.

Les problèmes d'intégration et d'assimilation à l'Argentine que vivent ces hommes et ces femmes se trouvent directement liés à ceux de la collectivité libanaise — catholique de rite maronite — dont les immigrés sont issus.
Au-delà des individus, c'est le destin politique et culturel de tout un peuple, — mosaïque du Moyen-Orient — qui se profile à travers cet important essai d'ethnopsychanalyse.

James Agee et Walker Evans - LOUONS MAINTENANT LES GRANDS HOMMES - Alabama : trois familles de métayers en 1936.

Première édition en langue française : 1972.
Traduction : J. Queval.
450 p., 40 ill. hors texte.

Livre d'exception sur la misère des années 1930 au sud des États-Unis. Jamais un lieu — quatre fermes de pauvres métayers de l'Alabama —, une condition de classe n'ont été décrits dans les détails les plus infimes de la vie quotidienne avec un si âpre respect. Agee semble littéralement habité par sa quête désespérée pour forcer l'incommunicabilité entre les hommes.
Cet ouvrage dont l'écriture « visuelle » est une révolution littéraire semble avoir été dicté par une force intérieure exceptionnelle. Un des grands livres de notre génération.

PLON. 8, rue Garancière, 75285 Paris Cedex 06
Télex : Paris 204 807   Tél. 634 12-80

Alexander Alland - LA DANSE DE L'ARAIGNÉE - Un ethnologue américain chez les Abrons (Côte d'Ivoire).

Première édition française : 1984.
Traduction : Didier Pemerle.
300 pages, 30 illustrations hors texte, 3 illustrations in texte, index, annexes.

« Ce livre est le récit de la découverte d'un peuple de Côte d'Ivoire (Afrique de l'Ouest), les Abrons. Nous partageons la vie de cette société complexe dans son intimité et son imaginaire. L'auteur, avec un souci du détail vrai, plein d'humour, nous fait saisir sur le terrain son métier d'ethnologue. Les moments heureux, mais aussi ses échecs... Les difficultés que peut rencontrer un « Blanc » formé à l'université américaine pour comprendre de l'intérieur une société noire africaine. Alexander Alland, après des études anthropologiques approfondies aux États-Unis, a été professeur-associé à l'université de Nanterre pendant les événements de mai 1968. Le livre évoque, en annexe, cette période : appréciation de la recherche française en sciences sociales. A. Alland est, aujourd'hui, directeur du département d'anthropologie à Columbia (New York) qu'ont illustré Franz Boas et Margaret Mead. »

Amicale d'Oranienburg - Sachsenhausen - SACHSO - Au cœur du système concentrationnaire nazi.

Première édition : 1982.
617 p., 32 ill. hors texte, index.

Trois cents déportés ont donné leur témoignage collectif à cette œuvre, la plus complète et la plus diversifiée sur la vie des Français dans un camp de concentration allemand durant la dernière guerre mondiale. Avec « Ravensbrück », camp voisin de femmes déportées, Sachso est le seul livre collectif publié en France sur un camp de concentration allemand.

Aucun autre ouvrage en langue étrangère n'a été, sous cette forme, consacré à Oranienburg-Sachsenhausen. A trente kilomètres de Berlin, Himmler en avait fait le quartier général de l'inspection centrale SS qui dirigeait tous les autres camps de l'Europe hitlérienne. C'était le centre de la toile d'araignée nazie.

Les résonances contenues dans le diminutif « Sachso » recèlent les liens secrets, ineffaçables d'une collectivité de déportés-résistants qui, quarante ans après, obligent chacun de nous au réveil lucide de sa mémoire et de sa conscience devant le péril concentrationnaire.

Georges Balandier - AFRIQUE AMBIGUË.

Première édition : 1957.
Nouvelle édition revue et augmentée (1982).
432 p., 54 ill. in texte, 30 ill. hors texte, index.

« Une ceinture de feu flambe autour des tropiques », et, dans ce feu, l'Afrique se forge un avenir qui ne saurait se confondre avec le nôtre. De chapitre en chapitre, G. Balandier précise et dégage la signification de cette Afrique occidentale ambiguë — Sénégal, Guinée, Niger, Mali, Libéria, Côte-d'Ivoire, Nigéria, Congo, Gabon —, traditionnelle et révolutionnaire, fraternelle et menaçante.

Traduit en langues allemande, anglaise, espagnole, italienne, japonaise, portugaise.

Ettore Biocca - YANOAMA - Récit d'une femme brésilienne enlevée par les Indiens.

Première édition en langue française : 1968.
Traduction : G. Cabrini.
460 p., 30 ill. in texte, 49 ill. hors texte, index.

Enlevée dès l'âge de onze ans sur le Rio Negro par des guerriers indiens du Brésil, rebelles à tout contact amical avec les Blancs, Helena Valero a vécu vingt-deux ans parmi différentes tribus indiennes de l'immense forêt équatoriale encore inexplorée. Témoignage unique, ce document nous fait découvrir la vie quotidienne et intime, les angoisses et les folies de la tribu Yanoama au sein de laquelle aucun Blanc n'avait pu pénétrer jusqu'alors.

Adélaïde Blasquez - GASTON LUCAS, SERRURIER - Chronique de l'anti-héros.

Première édition : 1976.
272 p., 29 ill. hors texte.

Sans l'intervention de l'écrivain — Adélaïde Blasquez —, la voix de ce serrurier qui a failli mourir de silence et de solitude n'aurait pu se faire entendre et proclamer que, finalement, seules les joies et les difficultés de son métier ont donné un sens à sa vie. La vie d'un simple artisan à travers notre temps : le Front populaire, la Seconde Guerre mondiale ; la captivité en Allemagne et l'après-guerre. Une étude anthropologique surgie de l'anonymat des hommes obscurs qui en définitive font l'histoire. Un livre exemplaire et qui a fait date dans l'écriture du Je-Nous-Ils.

Traduit en langue italienne.

Ronald Blythe - MÉMOIRES D'UN VILLAGE ANGLAIS - Akenfield (Suffolk).

Première édition en langue française : 1972.
Nouvelle édition augmentée d'une postface (1980).
Traduction : J. Hess.
368 p., 54 ill. hors texte, index.

Ce livre — résultat d'une minutieuse enquête en 1967 — étudie un lieu inconnu : Akenfield, village anglais de Charsfield, de l'Est-Anglie (Suffolk) à cent quarante-huit kilomètres de Londres qui commence à être transformé par les résidences secondaires.
Dans cette Grande-Bretagne, berceau , des Trade-Unions, les classes sociales demeurent aussi murées qu'avant la 1re Internationale. Avec un rare talent d'écrivain et de poète-historien plus que de sociologue — et il faudrait ajouter l'œil aigu d'un paysagiste —, Ronald Blythe fait surgir, hautes en couleur, les images de vie du « chaumier » au forgeron, du sonneur de cloches au valet de ferme, du gentleman au médecin, les membres les plus divers de l'ethnie « Akenfield », comme au matin d'une seconde naissance. Postface : Akenfield — 15 ans après.

Pierre Clastres - CHRONIQUE DES INDIENS GUAYAKI **- Ce que savent les Aché, chasseurs nomades du Paraguay.**

Première édition : 1972.
289 p., 23 ill. in texte, 1 carte, 34 ill. hors texte, index.

Ce livre est une chronique qui n'esquive aucun des problèmes que pose à l'ethnologie cette population indienne de l'est du Paraguay. De l'écologie très particulière d'une société de chasseurs à la logique la plus secrète de leur pensée, de leur chefferie à l'inversion sexuelle, c'est la vie même d'un univers inconnu qui se révèle ici.

Traduit en langues anglaise, italienne.

Georges Condominas - L'EXOTIQUE EST QUOTIDIEN **- Sar Luk, Vietnam central.**

Première édition : 1966.
Nouvelle édition, augmentée d'une postface (1977).
555 p., 30 ill. in texte, 3 cartes, 47 ill. hors texte, index.

« Comment peut-on être métis ? Enfant des quatre vents, qui suis-je ? » A travers la description minutieuse d'une société vietnamienne inconnue, les Mnong-gar de la forêt des montagnes du Centre Vietnam, l'ethnologue G. Condominas — auteur du célèbre livre « Nous avons mangé la forêt » — essaie de répondre à toutes les questions que lui posent sa personnalité, sa vie et son œuvre.

René Dumont - TERRES VIVANTES **- Voyages d'un agronome autour du monde.**

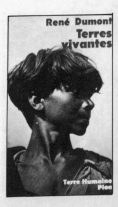

Première édition : 1961.
Nouvelle édition augmentée d'une postface (1982).
364 p., 4 ill. in texte, 10 cartes, 16 ill. hors texte, index.

Tout au long des milliers de kilomètres parcourus en Asie, en Afrique, au Moyen-Orient, en Europe par R. Dumont : l'étude de centaines de sociétés rurales. Au terme de ces voyages, deux certitudes : trois milliards d'êtres humains à nourrir, sept, demain — c'est le problème absolu — mais aussi, de la rizière à la pampa, de la montagne à la savane, la présence universelle de l'homme de la terre, giflé d'eau et de vent, opiniâtre, pathétique.

Traduit en langues anglaise, espagnole, italienne.

Josef Erlich - LA FLAMME DU SHABBATH - Le Shabbath — moment d'éternité — dans une famille juive polonaise.

Première édition en langue française : 1978.
Traduction : M. et L. Rittel.
289 p., 9 ill. et 1 carte in texte, 16 ill. hors texte, index.

Dans ce livre dont l'aura mystique est d'une grande élévation, Josef Erlich, modeste ouvrier de Wolbrom, petite ville polonaise près de Cracovie, nous fait assister, au cours d'un rigoureux hiver des années trente, à la préparation et au déroulement de ces heures sacrées durant lesquelles, chaque semaine, « s'établit un pont entre le juif et son Dieu ». L'auteur nous fait partager l'intimité de ces communautés juives profondément respectueuses des plus sévères prescriptions religieuses et plongées, avec une ferveur grave et émerveillée, dans l'attente de la venue du Messie qui doit délivrer le monde.

Traduit en langue allemande.

Eduardo Galeano - LES VEINES OUVERTES DE L'AMÉRIQUE LATINE - Une contre-histoire.

Première édition en langue française : 1981.
Traduction : Cl. Couffon.
469 p., 41 ill. hors texte, 3 cartes, une postface inédite, index.

Ouvrage essentiel sur l'exploitation de l'homme par l'homme, à l'échelle d'un continent : l'Amérique latine. Siècle après siècle, nous suivons le pillage implacable de ces forces vives. Classique, ce livre est lu et commenté dans les grandes universités nord-américaines ; il dénonce avec la retenue passionnée d'un grand écrivain, le talon d'Achille des États-Unis, un univers où règnent la faim, l'angoisse et les pires inégalités sociales.

Margit Gari - LE VINAIGRE ET LE FIEL - La vie d'une paysanne hongroise.

Mémoires recueillis et présentés par Edith FEL.
Première édition en langue française : 1983.
Traduction : Laszlo Pödör et Anne-Marie de Backer.
430 p., 30 illustrations hors texte, 30 illustrations in texte, index.

« Un document exceptionnel. Margit Gari appartient à cette couche de la population de Hongrie, que sa pauvreté et la précarité de sa situation plaçaient, au début de notre siècle, au niveau le plus bas de la société. Ouvrière agricole, elle a notamment travaillé la plus grande partie de sa vie, et durant six mois de l'année, dans des « latifundia », ces camps de travail implacables où hommes, femmes et enfants étaient traités comme des bêtes de somme. Encore aujourd'hui, « mère prière » à Mezökövesd, son village natal, Margit Gari a conservé des principes moraux solidement attachés à une religion populaire, issue d'un ensemble de rites et de croyances médiévales. Ce livre n'est pas seulement le récit bouleversant de courage et de vitalité joyeuse d'une paysanne, il est la révélation de la vie religieuse qui fut jusqu'à nos jours celle des « misérables » de toute la chrétienté européenne. Un grand livre de littérature. »

Luis González - LES BARRIÈRES DE LA
SOLITUDE - Histoire universelle de San José
de Gracia, village mexicain.

Première édition en langue française : 1977.
Traduction : A. Mayer.
274 p., 32 ill. hors texte.

Quelques kilomètres carrés au centre du vieux Mexique,
quelques milliers de ces hommes des Altos, paysans et
cavaliers, apparemment l'histoire d'un modeste terroir.
Et pourtant... Luis González nous offre un extraordinaire témoignage de « mémoire collective » dont le plus
haut moment est sans doute le récit de la rébellion des
cristeros fanatisés, d'une intensité dramatique. Dans le
champ des sciences humaines, c'est sans doute le
témoignage le plus novateur écrit sur les campagnes
mexicaines durant ces vingt dernières années.

Eduardo Gonzalez-Viaña - PARLE, CACTUS,
APPELLE LES SORCIERS ! - Confessions d'El
Tuno, chaman péruvien.

Première édition française : 1984.
Traduction : Laure Bataillon.
240 pages, 3 cartes, 25 illustrations hors texte.

« Mémoires d'une vitalité joyeuse d'El Tuno, guérisseur
et sorcier péruvien, qui vit près de Moché, dans la province de Trujillo. Sa sagesse chamanique, éclairée par la
consommation d'extraits de cactus, enseigne avec précision comment guérir certaines maladies, débarrasser
une maison de ses maléfices ; comment, aussi, traverser
l'océan sans bateau ni avion, comment parler aux
grands ancêtres dans les ruines inca et s'entretenir avec
les montagnes et les oiseaux. Sorcellerie, survivance
d'une religion très ancienne mêlée à un ésotérisme occidental introduit par les Espagnols. Après la célèbre initiation africaine d'un père jésuite — Les Yeux de
ma chèvre, d'Eric de Rosny — ce livre d'une grande
richesse nous fait vivre la science magique, conversant
avec l'invisible, il fait parler les pierres et nous entretient
du Diable. »

Pierre Gourou - TERRES DE BONNE
ESPÉRANCE - Itinéraires d'un géographe
dans le monde tropical.

Première édition : 1982.
448 p., 36 ill. hors texte, 24 cartes, index.

« Une grande partie des tropiques est faiblement habitée, et par des populations pauvres. Est-ce inévitable ? »
Les échecs ne sont pas toujours imputables à de maléfi-
ques conditions naturelles. Les réussites des civilisations ne sont pas nées de la baguette des fées. L'examen
des diverses physionomies de notre globe révèle que
des situations humaines malheureuses proviennent de
causes historiques. C'est ce qu'analyse ce livre, où l'auteur à travers ses patientes enquêtes et son vaste itinéraire — le delta du fleuve Rouge tonkinois, l'Amazonie,
l'Afrique, l'Inde — nous fait suivre les méandres de sa
pensée. Voyage philosophique du grand géographe de
synthèse du Vietnam et de l'Afrique.

Tewfik el Hakim - UN SUBSTITUT DE CAMPAGNE EN ÉGYPTE - Journal d'un substitut de procureur égyptiens.

Première édition en langue française : 1974.
Nouvelle édition augmentée d'un avant-propos et de textes inédits (1978).
Traduction : G. Wiet et Z.M. Hassan.
263 p., 38 ill. hors texte.

En Égypte, les régimes qui se succèdent se ressemblent toujours sur un point : l'éternelle misère du pauvre fellah. Décrits par un magistrat à l'œil aigu et tchékhovien, nous retrouvons semblables à eux-mêmes les fonctionnaires corrompus qui traitent le petit peuple avec autant de mépris que du bétail et continuent d'exercer impunément sur lui leur pouvoir éhonté.

Pierre Jakez Hélias - LE CHEVAL D'ORGUEIL - Mémoires d'un Breton du pays bigouden.

Première édition : 1975.
Nouvelle édition augmentée d'un index (1982).
Traduit du breton par l'auteur.
587 p., 1 carte, 32 ill. hors texte, index.

Cette recherche du temps perdu breton, l'auteur l'a dédiée à la mémoire particulière de ses deux grands-pères — très particulièrement à celle d'Alain Le Goff — avec une vénération et une reconnaissance exemplaires.
Grâce à ce récit vécu, minutieux, il a ressuscité toute la vie d'une paroisse bretonnante de l'extrême ouest armoricain, Plozévet, bourg de Pouldreuzic, durant la première moitié de ce siècle et a rendu son honneur perdu avec Bécassine. Les messieurs des villes ne riront plus jamais des Bigoudens et a fortiori de tous les paysans. Le peuple prend conscience de sa différence ; lui aussi écrit et témoigne. Ethnographie à contre sens de l'ordre établi universitaire : « le Cheval d'orgueil » va de l'intérieur vers l'extérieur.
Le paysan devient enfin ethnologue de sa propre histoire. Un grand classique qui est à l'origine d'une nouvelle littérature.

Traduit en langues anglaise et russe.

William H. Hinton - FANSHEN - La révolution communiste dans un village chinois.

Première édition en langue française : 1971.
Traduction : J.-R. Major.
759 p., 47 ill. in texte, 5 cartes, 52 ill. hors texte.

En chinois, faire « fanshen », c'est littéralement « retourner son corps », se lever et se dresser. Fanshen ? une nouvelle condition humaine, son espérance et son héroïsme mais aussi ses limites et ses échecs. Le lecteur suit pas à pas, dans leur ombre, les acteurs chinois de ces bouleversements. Il assiste aux décisions du village de « la longue courbe » (près de Pékin) et vit les crises et les contradictions du Parti.
Un ouvrage fondamental sur la révolution chinoise.

Francis Huxley - AIMABLES SAUVAGES - Chronique des Indiens Urubu de la forêt amazonienne.

Première édition en langue française : 1960.
Traduction : M. Lévi-Strauss.
293 p., 14 ill. in texte, 1 carte, 22 ill. hors texte, glossaire.

F. Huxley a retrouvé au nord du Brésil une tribu indienne de langue « Tupi », les Urubu, descendants des Tupinamba anthropophages massacrés par les conquérants européens. Il nous les présente dans une intimité quotidienne qu'il nous livre avec un sens aigu de la vérité et une description de ce qui paraît au-delà de la culture : comportement, silence, code de la politesse, cancans : tous ces « petits riens » qui sont en fait le fondement de la civilisation d'un peuple.

Francis A.J. Ianni - DES AFFAIRES DE FAMILLE. LA MAFIA A NEW YORK - Liens de parenté et contrôle social dans le crime organisé.

Première édition en langue française : 1973.
Traduction : G. Magnane.
313 p., 11 ill. in texte, 30 ill. hors texte, 1 carte, index.

La création et l'organisation des activités hors la loi, base même de l'ascension sociale, la psychologie et le ténébreux comportement du mafioso taciturne, cruel et loyal, la complexité des structures parentales, la subtile tactique du chef pour maintenir son pouvoir sont parmi les sujets de réflexion que propose ce livre exceptionnel sur le « milieu » encore si mystérieux de la Mafia.

Bruce Jackson - LEURS PRISONS - Autobiographies de prisonniers et d'ex-détenus américains.

Première édition en langue française : 1975.
Préface : M. Foucault. Traduction : M. Rambaud.
505 p., 32 ill. hors texte, index.

Document rare qui reprend le contenu de nombreuses interviews — dans les prisons de New York — présentées dans leur intégralité sans souci d'effet littéraire et regroupées autour de trois thèmes principaux : le monde de la rue, le monde des prisons, le monde des homosexuels. Ce livre dénonce l'univers carcéral. La répression favorise la permanence des maux qu'elle est censée guérir et l'éclosion de ceux qu'elle est chargée de prévenir.

Robert Jaulin - LA MORT SARA - L'ordre de la vie ou la pensée de la mort au Tchad.

Première édition : 1967.
Nouvelle édition (1982).
320 p.. 25 ill. in texte. 27 hors texte. index.

Les populations sara vivent au sud de la république du Tchad, en Afrique centrale. Les jeunes sont introduits à la vie tribale par une mort jouée et organisée. C'est le yondo.

L'auteur nous fait saisir, par-delà sa propre aventure d'ethnologue et d'initié, l'imbrication des manifestations de la mort : la « fausse » — rituelle, éducative, collective — et la « vraie » — biologique —, toutes deux unies en leur propre dépassement. Témoignage unique, d'autant plus original que le Tchad subit une modernité qui l'éloigne de sa véritable identité.

Théodora Kroeber - ISHI - Testament du dernier Indien sauvage de l'Amérique du Nord.

Première édition en langue française : 1968.
Traduction : J. Hess.
362 p., 15 ill. in texte, 5 cartes, 31 ill. hors texte, index.

Dernier survivant des Yana, tribu indienne de la Californie du Nord, Ishi a fait un bond prodigieux de l'âge de la pierre à celui de la civilisation technicienne occidentale. Ce testament est le livre sur l'horreur de la conquête, la dénonciation du racisme, de la sottise, de la cruauté et des occasions perdues, notamment celles d'une co-existence entre les Indiens et les Blancs.

Jacques Lacarrière - L'ÉTÉ GREC - Une Grèce quotidienne de 4 000 ans.

Première édition en langue française : 1976.
427 p., 21 ill. in texte, 2 cartes, 51 ill. hors texte, index.

L'originalité de l'approche de Jacques Lacarrière, dont on dit qu'il est l'un des interprètes les plus modernes de la pensée antique, est — littéralement — dans sa démarche. « Chemin faisant », selon le titre même de l'un de ses livres, nous avançons avec lui, poursuivant la Grèce jusqu'en ses plus secrets retranchements.

Traduit en langues allemande, grecque.

Photo de l'auteur

Photo Yad Vashem/Jerusalem

Photo de l'auteur

Photo Walker Evans

Photo de l'auteur

Photo de l'auteur

PIERRE JAKEZ HÉLIAS
LE CHEVAL D'ORGUEIL
JEAN MALAURIE
LES DERNIERS ROIS DE THULÉ
GEORGES CONDOMINAS
L'EXOTIQUE EST QUOTIDIEN

JAMES AGEE ET WALKER EVANS
LOUONS MAINTENANT LES GRANDS HOMMES
WILFRED THESIGER
LE DÉSERT DES DÉSERTS

res des livres de **Terre Humaine**

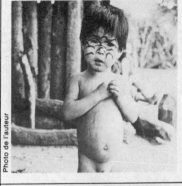

Photo de l'auteur

Photo de l'auteur

Photo de l'auteur

JOSEPH ERLICH
LA FLAMME DU SHABBATH
THÉODORA KROEBER
ISHI
WILFRED THESIGER
LES ARABES DES MARAIS

PIERRE CLASTRES
CHRONIQUE DES INDIENS GUAYAKI
ROBERT JAULIN
LA MORT SARA

Richard Lancaster - PIEGAN - Chronique de la mort lente. La réserve indienne des Pieds-Noirs.

Première édition en langue française : 1970.
Traduction : J. Hess.
394 p., 35 ill. in texte, 2 cartes, 41 ill. hors texte.

Chronique de l'extinction d'une tribu cantonnée dans une réserve au territoire progressivement réduit, ce livre nous permet de mesurer l'action insidieuse des administrations plus soucieuses de désindianisation que de réalités historiques. Humiliations et déchéances qui ne peuvent que nourrir de nouveaux courants de résistance dont l'agitation des minorités constitue les premières manifestations.

Claude Lévi-Strauss - TRISTES TROPIQUES.

Première édition : 1955.
504 p. 38 ill. in texte, 1 carte, 63 ill. hors texte, index.

Plus encore qu'un livre de voyage, il s'agit d'un livre su le voyage. Sans renoncer aux détails pittoresques de son existence parmi les sociétés indigènes du Brési central — Caduveo, Bororo, Nambikwara, Tupi-Kawahı — le grand ethnologue entreprend en ce livre désormai classique de situer sa biographie intellectuelle dans une perspective plus vaste : rapports entre l'Ancien et le Nouveau Monde : place de l'homme dans la nature ; sen de la civilisation et du progrès.

Traduit en langues allemande, anglaise, catalane, espa gnole, grecque, hongroise, italienne, japonaise, néer landaise, norvégienne, polonaise, portugaise roumaine, serbo-croate, suédoise, tchèque.

Mahmout Makal - UN VILLAGE ANATOLIEN - Récit d'un instituteur paysan.

Première édition en langue française : 1963.
Nouvelle édition augmentée d'une postface (1977).
Traduction : O. Ceyrac et G. Dino.
381 p., 31 ill. in texte, 2 cartes, 36 ill. hors texte.

« Un village anatolien » est la somme d'une expérience de quinze années. C'est le paysan turc lui-même qui, pour la première fois, par la voix malaisée d'un des siens, va se faire entendre à travers ce livre brutal comme un cri. C'est aussi un document capital sur la nouvelle intelligentsia paysanne turque dont l'auteur est manifestement l'une des individualités les plus marquantes.

Traduit en langues hongroise et italienne.

Jean Malaurie - LES DERNIERS ROIS DE THULÉ - Avec les Esquimaux polaires face à leur destin.

Première édition : 1955.
Quatrième édition revue et augmentée (1981).
642 p., 89 ill. in texte, 11 cartes, 62 ill. hors texte, index.

Anthropogéographe, Jean Malaurie nous donne, en cette réédition revécue avec le recul du temps et vingt années d'expérience, un livre essentiel sur le peuple esquimau, dont il a partagé la vie rude au cours de missions répétées. Ce livre est le symbole d'une de ces confrontations de cultures — la société archaïque la plus septentrionale du globe et l'une des plus puissantes bases nucléaires américaines — que connaît l'espace circumpolaire à l'heure de la découverte du pétrole et du gaz arctiques.
Traduit en langues allemande, anglaise, bulgare, danoise, espagnole, estonienne, islandaise, italienne, japonaise, polonaise, russe, serbo-croate, suédoise, tchèque.

Margaret Mead - MŒURS ET SEXUALITÉ EN OCÉANIE. 1) Trois sociétés primitives de Nouvelle-Guinée (région du Sepik). 2) Adolescence à Samoa.

Première édition en langue française : 1963.
Traduction : G. Chevassus.
533 p., 18 ill. in texte, 3 cartes, 38 ill. hors texte, index.

Quatre sociétés océaniennes sont présentées mais dont chacune fonde l'ensemble de ses structures sur une valeur unique : celle-là, globalement, n'est que de douceur, celle-ci de violence, cette autre proscrit les passions et, chez la dernière, hommes et femmes ont échangé leurs traits de caractère. La richesse de connaissance de la célèbre ethnologue américaine dans un livre, qui est un chef-d'œuvre d'intelligence et d'humour.

C.-F. Ramuz - LA PENSÉE REMONTE LES FLEUVES - Essais et réflexions.

Première édition : 1979.
Préface : J. Malaurie.
358 p., 3 ill. in texte, 32 ill. hors texte, index.

« La Pensée remonte les fleuves », titre tiré du journal de l'auteur, se propose de faire découvrir Ramuz philosophe, essayiste, politique. Ces pages nous font mesurer la solitude de l'homme prenant conscience de sa différence.
La voix de Ramuz, d'une extraordinaire actualité, est plus que jamais nécessaire dans notre Europe inquiète dont les contradictions nationales risquent de déboucher sur un confusionnisme mortel.
Les essais — Besoin de grandeur. Taille de l'homme —, les nouvelles, articles et extraits de journal réunis en ce livre remarquable constituent le premier effort cohérent pour cerner le sens profond de l'œuvre du grand écrivain de la Suisse romande.

Jean Recher - LE GRAND MÉTIER. Journal d'un capitaine de pêche de Fécamp.

Première édition : 1977.
486 p., 14 ill. in texte, 5 cartes, 32 ill. hors texte, index.

« Le Grand Métier » est d'abord la mémoire d'une des professions les plus dures dans des mers et des régions cruelles entre toutes, celles de l'Arctique : Terre-Neuve, Groenland, île aux Ours, mer de Barents... Ce témoignage irremplaçable est aussi un livre politique : à la honte des pouvoirs publics successifs, la grande pêche française, jusqu'alors en tête de la pêche mondiale et forte d'une tradition de quatre cent cinquante ans, subit une crise si profonde que Fécamp, jadis forêt de mâts, désarme aujourd'hui ses navires.

Éric de Rosny - LES YEUX DE MA CHÈVRE - Sur les pas des Maîtres de la nuit en pays Douala (Cameroun).

Première édition : 1981.
458 p., 27 ill. in texte, 36 ill. hors texte, 2 cartes, index.

L'extraordinaire aventure d'un jésuite français. Cinq ans d'initiation volontaire parmi les guérisseurs du Cameroun : Douala. Ce document raconte avec précision l'itinéraire de l'auteur qui, au terme de son initiation, peut voir « l'invisible », trouver un regard différent sur « les choses de la vie ». Entre ce prêtre et ces Maîtres de la nuit, une rencontre difficile mais rendue possible par leur domaine commun : le sacré. Cette expérience, relatée dans les moindres détails, interpelle une psychothérapie européenne qui se voudrait universelle. Au moment où l'Afrique se mondialise, ce livre est une interrogation — parfois douloureuse — sur les rapports du christianisme d'origine judaïque avec une société africaine traditionnelle aux pouvoirs méconnus.

Gaston Roupnel - HISTOIRE DE LA CAMPAGNE FRANÇAISE.

Première édition (T.H.) : 1974.
Postface : G. Bachelard, E. Le Roy Ladurie.
P. Chaunu, P. Adam, J. Malaurie.
377 p., 30 ill. hors texte.

« Une physiologie de la campagne française », comme le soulignait justement Lucien Febvre.
Au moment où, au nom de l'expansion industrielle, s'annoncent à la fois la fin du paysage rural et le crépuscule du paysannat, ce livre visionnaire restitue la dimension réelle du dialogue millénaire des hommes avec la terre, dialogue que nous ne pouvons pas interrompre sans rompre avec nos commencements, sans nous exiler de nous-mêmes.

Victor Segalen - LES IMMÉMORIAUX.

Première édition (T.H.) : 1956.
279 p., 40 ill. in texte, 2 cartes, 25 ill. hors texte, index.
Les Immémoriaux, ce sont les derniers païens des îles de Polynésie. Largement illustré de hors texte, tous de Gauguin, de dessins, de documents tahitiens, ce livre est complété par d'importantes annexes qui établissent à partir de quels faits et observations, Victor Segalen a écrit un des rares romans ethnographiques que compte notre littérature. L'un des livres capitaux du grand poète.

Traduit en langue allemande.

Mary Smith et Baba Giwa - BABA DE KARO - L'autobiographie d'une musulmane haoussa du Nigeria.

Première édition en langue française : 1969.
Traduction : G. Mayoux.
370 p., 26 ill. in texte, 21 ill. hors texte.

Baba de Karo est la première femme africaine non alphabétisée qui nous ait transmis sa vie. Née en 1890 dans un des émirats du Nord Nigérian, Baba de Karo a connu le temps des rapts, de l'esclavage. Informations inestimables et vivantes sur une société paysanne de l'Ouest africain.

Jacques Soustelle - LES QUATRE SOLEILS - Souvenirs et réflexions d'un ethnologue au Mexique.

Première édition : 1967.
Deuxième édition augmentée d'une postface (1982).
339 p., 23 ill. in texte, 32 ill. hors texte.

« Les Quatre Soleils » résument trente-cinq ans de recherches et de réflexions au Mexique, notamment sur les Lacandons, un des peuples les plus archaïques de l'Amérique centrale ; ce livre déborde largement le cadre historique et géographique du pays. L'auteur s'est efforcé de présenter des vues générales sur la naissance, l'évolution et le déclin des civilisations qui grandirent et disparurent comme les « quatre soleils » de la cosmogonie aztèque.

Traduit en langues anglaise, espagnole, italienne.

Antoine Sylvère - TOINOU - Le cri d'un enfant auvergnat (Pays d'Ambert).

Première édition : 1980.
Préface : P.J. Hélias.
404 p., 31 ill. et 3 cartes hors texte, index.

Témoignage d'un fils de métayer, né à la fin du siècle dernier dans la région d'Ambert (Auvergne). Le combat d'un enfant contre une société-laminoir. La vie d'extrême pauvreté de cette famille nous est décrite sur un ton digne des « Misérables » et avec une angoisse contenue, mais la fraîcheur des sensations et la truculence des caractères font aussi songer à Daudet. Témoignage impitoyable sur l'École des Frères qui conditionne ses élèves mais tente cependant parfois — sans succès pour Toinou — de sauver les plus doués grâce au séminaire. Un document implacable et unique sur l'enfance et l'adolescence dans les campagnes. Ce livre, préfacé par Pierre Jakez Hélias, est une dénonciation du travail assassin des usines à la Belle Époque

Don C. Talayesva - SOLEIL HOPI - L'autobiographie d'un indien Hopi.

Première édition en langue française : 1959.
Préface : C. Lévi-Strauss. Traduction : G. Mayoux.
461 p., 56 ill. in texte, 2 cartes. 16 ill. hors texte.

« Soleil hopi », c'est l'autobiographie d'un Indien Pueblo qui témoigne avec naïveté, vivacité et sagesse, de son attachement réfléchi aux cadres traditionnels hopi. Talayesva, chef du clan du Soleil, est né à l'est du grand canyon du Colorado, en mars 1890. Hostile par expérience à une américanisation des siens et de sa tribu, il ne se refuse toutefois pas à une évolution nécessaire bien qu'il l'estime quant à lui tragique. Un livre rare que sa précision, son intimisme et sa qualité d'inspiration établissent comme une œuvre littéraire d'avant-garde

Wilfred Thesiger - LE DÉSERT DES DÉSERTS - Avec les Bédouins, derniers nomades de l'Arabie du Sud.

Première édition en langue française : 1978.
Traduction : M. Bouchet-Forner.
456 p., 8 cartes in texte, 32 ill. hors texte, index.

Thesiger est probablement le dernier, et l'un des plus grands, de ceux qui ont exploré l'Arabie des Sables « Le Désert des Déserts » — indispensable complément des « Sept Piliers de la Sagesse » — s'inscrit dans la lignée des grands ouvrages d'exploration de Terre Humaine. Ayant parcouru pendant six années l'**Empty Quarter,** au sud de l'Arabie Saoudite, Thesiger décrit dans le moindre détail cette société bédouine qui n'a pour tout bien que sa fierté et les traditions sur lesquelles est fondé le Coran.

Wilfred Thesiger - LES ARABES DES MARAIS -Tigre et Euphrate.

Première édition française : 1983.
Traduction : Pauline Verdun.
280 p., 38 illustrations hors texte, 3 cartes in texte, index.

« Douze mille kilomètres carrés de marécages, au nord de Bassora, là où le Tigre et l'Euphrate se rejoignent. Dans sa longue tarada, se frayant un chemin entre les végétaux décomposés d'une forêt de roseaux, par 50° à l'ombre et dans un nuage de moustiques, W. Thesiger nous fait vivre avec les Maadans, hommes d'un autre âge, stoïques, fatalistes, méprisant l'argent. Le témoignage de ce très grand explorateur nous permet de découvrir l'une des sociétés les plus anciennes et les plus singulières de l'histoire, qui, depuis l'exploitation des puits de pétrole de Bassora, s'avance à grands pas vers sa ruine, précipitée par la guerre irano-irakienne. »

Tahca Ushte/Richard Erdoes - DE MÉMOIRE INDIENNE - La vie d'un Sioux, voyant et guérisseur.

Première édition en langue française : 1977.
Traduction : J. Queval.
335 p., 20 ill. in texte, 33 ill. hors texte, glossaire.

« De mémoire indienne » est appelé à être un classique. Il dénonce les menaces de l'aveugle civilisation technicienne, Tahca Ushte, dans sa quête du savoir, dans cet appel destiné à tout son peuple d'un nécessaire retour à la nature et à ce qui fonde l'homme, n'écrit pas seulement un récit du passé. Il nous confie, avec un humour typiquement indien, des Mémoires d'avenir. Un livre de vie et de sagesse puisé aux sources résurgentes de la tradition amérindienne. « Ceci est un texte honnête, tel que je le voulais », a déclaré Tahca Ushte, mort en janvier 1977 à Denver (Colorado).

A PARAITRE :

W.J. Cash — L'ESPRIT DU SUD. États-Unis.

Mark Zborowsky — LE SEL DE LA VIE — Le rituel dans une petite ville de Juifs Ashkenazes de l'Est de l'Europe.

Andreas Labba — ANTA — Ma vie de Lapon (Suède).

« Terre Humaine, qu'est-ce que c'est ? C'est d'abord une direction, une ligne suivie avec une rigueur inflexible. D'abord l'authenticité. Ensuite, une certaine façon par laquelle les auteurs acceptent de se compromettre dans leur livre. »
Michel TOURNIER

« Dans Terre Humaine, on vérifie irrésistiblement cette vérité banale et pourtant si forte, qu'il n'est possible de saisir les différences, peut-être irréductibles, qu'à partir de la fondamentale ressemblance. »
Claude ROY

« Chacun de nous, si civilisé et si banalisé qu'il se pense, est un sauvage pour un autre, et, dans une pénétration révélatrice, pour soi.
Terre Humaine répond à la double exigence nouvelle de l'authenticité et de la pluri-disciplinarité. Plus que témoignage, c'est radioscopie. »
Edgar FAURE

« Chaque volume de Terre Humaine témoigne de la certitude d'avoir visé juste, là où parle la bouche d'ombre que la classe docte ou technocratique ignore. »
Jean-Maurice de MONTRÉMY, **La Croix.**

« D'authentiques chefs-d'œuvre qui devraient figurer dans toutes les bibliothèques dignes de ce nom. »
Pierre SUEUR, **Var Matin.**

« Terre Humaine répond à une attente, à un désarroi, à des espoirs aussi plus ou moins confus.
Ce sont pour la plupart des livres militants, non au sens réducteur auquel on résume le plus souvent ce terme, mais parce qu'ils ont une valeur de dénonciation. »
Léa CHAPIGNAC, **Rouge.**

« Une collection ? Des collections, on en trouve chez tous les éditeurs. Ici, il ne s'agit pas de cela, mais d'un édifice qui s'est construit peu à peu, au cours d'une trentaine d'années. Comme si, autour de Jean Malaurie, — et sans que ce dernier en ait formulé la doctrine — s'était composée, de livres en livres, une forme originale, invisible pour chaque auteur en particulier. Cela pourrait se comparer au travail de création littéraire dont Paulhan a été, à la N.R.F., le centre moteur. »
Jean DUVIGNAUD

« Terre Humaine, titre beau et exigeant. La solitude de l'écrivain est totale face à la page blanche. Nous disposons tous des mêmes mots. Cependant, chaque écrivain est unique. Dans Terre Humaine, impossible, me semble-t-il, de séparer pensée et style. On ne peut dire ceci est la chaîne et cela la trame, car ils sont une même chair et une même mise à nu de ce que nous sommes. »
Anne PHILIPE

« Terre Humaine représente pour moi ce qu'il y a de plus précieux dans les livres : un voyage, un enseignement... Ce sont des rencontres, aussi, sans doute les seules rencontres qui aient eu une valeur dans l'histoire des hommes, je veux dire, comme celles que faisaient jadis les grands voyageurs... Ces rencontres extraordinaires, illuminantes, nécessaires, ce sont celles-là même qu'on voit se faire dans les livres de « Terre Humaine », elles sont à nouveau possibles, bouleversant la vie d'hommes, qui ne s'y attendaient pas, et faisant d'eux des « témoins » — dans le sens presque religieux du mot... L'enseignement de ces livres est une révolte exemplaire : il y a quelque chose d'indestructible dans leurs mots, quelque chose qui va au-delà de la mort : la mémoire, simplement. »
J.M.G. LE CLEZIO

Terre Humaine souhaite apporter le supplément tragique qui permet à l'individu le plus humble de trouver un destin.
Jean MALAURIE

TERRE HUMAINE/POCHE

en Presses Pocket

*« Saluons comme un événement
la parution en poche des ouvrages
de la collection* Terre Humaine. »

LIRE, 1982

Cette édition reproduit dans son
intégralité le texte original, à l'exception des index, des photographies et des annexes. L'édition
classique, dont tous les titres sont
disponibles, continue à être enri-
chie d'illustrations in texte, de photographies, d'index, d'annexes,
dont le dossier « Débats et Critiques ».

A paraître :

**Histoire de la Campagne
Française** par Gaston Roupnel
Soleil Hopi par
Don C. Talayesva

Louons maintenant les grands hommes
Photo Walker Evans

James Agee et Walker Evans

Paris, le 22 octobre 1983

POUR L'AFRIQUE,
J'ACCUSE

TERRE HUMAINE

CIVILISATIONS ET SOCIÉTÉS
COLLECTION D'ÉTUDES ET DE TÉMOIGNAGES DIRIGÉE PAR JEAN MALAURIE

POUR L'AFRIQUE, J'ACCUSE

Le Journal d'un agronome au Sahel en voie de destruction

par

René DUMONT

en collaboration avec
Charlotte Paquet

Postface de Michel Rocard

*Avec 39 illustrations hors texte,
11 illustrations in texte, 8 cartes et un index*

PLON

© Librairie Plon, 1986
ISBN : 2-259-01455-0
ISSN : 0492-7915

Aux paysannes et paysans, aux éleveurs du Sahel,
que « nous » avons contribué à enliser dans une
situation dramatique...

Aux responsables africains, français, européens et
mondiaux, pour qu'ils réfléchissent un peu mieux...

PRÉFACE

« L'abondance est trompeuse ; elle endort et s'enfuit ;
La disette effrayante et la faim qui la suit,
Nous arrachent trop tard à notre léthargie ;
Surpris, découragé, l'homme est sans énergie ;
S'il a su les prévoir, il peut les détourner. »

(Recherches sur les végétaux nourrissans qui, dans les temps de disette, peuvent remplacer les aliments ordinaires. Parmentier, Imprimerie royale, 1781, 599 pages.)

Cette *Afrique noire*, je la déclarais *« mal partie »*, dès 1962 ; d'aucuns me l'ont reproché. Le vieil ordre colonial de Paris voulait maintenir ses dominations, et le nouvel ordre « néocolonial » des minorités urbaines africaines s'installait dans les avantages tirés de sa complicité, à l'intérieur d'une soi-disant indépendance : « L'indépendance, c'est seulement pour la ville », me disait judicieusement, dès 1961, un paysan congolais. *L'Afrique noire est mal partie* fut donc interdit dans toute l'Afrique francophone. Son auteur, déclaré persona non grata par les responsables politiques, fut aussi accusé par les jeunes révolutionnaires — les étudiants de la FEANF[1] — « de trahir la *Révolution*, laquelle devait résoudre tous les problèmes[2] ».

---

1. Fédération des étudiants d'Afrique noire en France, longtemps subventionnée par notre gouvernement.
2. Au cours d'une confrontation tumultueuse, dans une salle face à Saint-Germain-des-Prés, je répondis que j'allais étudier des pays ayant fait la Révolution (Cuba, URSS, Chine...), pour voir s'il y subsistait « des problèmes »...

Le livre ayant été traduit en anglais, je fus appelé, en 1967, puis en 1979, par Julius Nyerere, en Tanzanie, et Kenneth Kaunda, en Zambie, pour « critiquer » les politiques conduites dans ces pays. Les réalisations notées, lors de mes études de 1979, ne se révélèrent pas, hélas, à la hauteur des espoirs nés en 1967, et plus particulièrement de ceux nés de la « déclaration d'Arusha » (6 février 1967)... d'où *l'Afrique étranglée*[1].

Le titre de ce livre reprenait le dernier mot prononcé par le Premier ministre tanzanien, Édouard Sokoine, lorsque, le 15 août 1979, je pris congé de lui après qu'il m'eut si cordialement aidé. Édouard Sokoine a été depuis — c'est la version officielle — tué dans un accident de voiture... mais je savais qu'il menait une lutte constante et acharnée contre une Mafia de la corruption...

Le président Abdou Diouf[2], qui m'avait appelé en 1981 afin d'étudier les « problèmes » — multiples et complexes — du développement rural sénégalais, eut le courage, après mûre réflexion, d'autoriser la publication de nos « observations »[3], pour ne pas dire de notre « rapport ».

Par la suite, j'allais m'intéresser aux problèmes du « socialisme », en *Albanie* totalitaire, au *Nicaragua* menacé et hésitant, et en *Pologne* occupée. Enfin, durant l'été 1982, je fus invité en Chine (avec Charlotte Paquet[4]). Bien que la Chine ait *décollectivisé*, elle maintient pourtant une répression d'autant plus injustifiable qu'elle abandonne totalement, même en paroles, l'objectif socialiste de justice sociale. 1983 fut l'année du *Bangladesh-Népal* au sujet de : *l'Aide contre le développement*, le troisième livre de la série : « Finis les lendemains qui chantent ». Cet ouvrage critique plus spécialement la Banque Mondiale et l'aide alimentaire « dévoyée ».

---

1. Que je signais avec Marie-France Mottin en 1980, Le Seuil, Paris.
2. Léopold Sédar Senghor devait reconnaître publiquement — au moment de quitter le pouvoir — qu'il avait eu grand tort de ne pas tenir compte de mes avis. Mais hélas, la ruine des sols et de la paysannerie était déjà fort avancée. Si seulement l'Académie française l'avait coopté vingt ans plus tôt, la situation du Sénégal serait peut-être moins catastrophique.
3. Publié par l'ENDA (Dakar, B.P. 3370) sous le titre : *le Défi sénégalais* (avec M.F. Mottin). J'avais proposé de titrer : *Libération paysanne,* pour un autre développement.
4. Qui, depuis juin 1982, m'apporte une aide tellement précieuse.

C'est en mars 1983, alors que je projette une dernière tournée en Asie du Sud-Est, que je suis appelé par le capitaine Thomas Sankara, à l'époque Premier ministre du Burkina-Faso[1], à faire une analyse « sans complaisance » de la situation économique du pays, dénommé alors « Haute-Volta ». Ce qui devait me frapper dans cette étude de terrain, retardée jusqu'en janvier 1984 mais menée ensuite très librement, fut l'effroyable péril que représente une extension rapide de la désertification qui menace d'ensevelir véritablement une grande partie du Sahel, ses champs et même ses villes. Ces pays risquent fort, comme nous l'affirment les agronomes maliens, d'être *rayés de la carte* : « On visitera bientôt les ruines de nos villes, comme celles du Sahara ! »

Pris à la gorge par cette menace de mort, j'écris alors au Mali et au Niger, sollicitant la possibilité d'autres études. Le Niger répond sans tarder par la voix du président du Conseil national de développement, S.E. Oumarou Mamane, le deuxième personnage de cet État.

Peu après, le haut-commissaire de l'Organisation de Mise en Valeur du fleuve Sénégal (l'OMVS, qui regroupe le Sénégal, la Mauritanie et le Mali) m'invite à étudier sur place « les problèmes d'après-barrages ». Il s'agit de deux énormes ouvrages de béton — longtemps contestés — en cours de construction, à Diama et Manantali, sur le fleuve Sénégal. Le vin est tiré, il faut le boire ! Il faut donc tenter d'obtenir de l'irrigation des bénéfices réels, tant pour les trois pays, que pour les producteurs directs, les paysans, qui vont passer du « sec » à « l'irrigué » et changer de cultures sinon de « culture ». Voilà qui n'est pas une mince « Révolution ». Elle va me confirmer non seulement que le *béton prioritaire* est très généralement une erreur économique et sociale ; mais qu'ici, ses conséquences risquent d'être *mortelles.*

Le manuscrit était fort avancé quand je décidai, pour le compléter et chercher à l'améliorer, de passer un mois (fin 1984, début 1985) au Sénégal et plus particulièrement à Dakar, avec

---

1. Le Burkina-Faso « le pays des hommes intègres », est le nouveau nom de la Haute-Volta, adopté le 4 août 1984, premier anniversaire de la « Révolution ».

mes amis de l'ENDA[1], Jacques Bugnicourt en tête. Ce centre de recherches, de formation et d'aide à l'organisation réalise un travail tout à fait remarquable. Il aide les démunis, paysans, pasteurs et *bidonvillois* à s'organiser pour mieux produire, préserver leur patrimoine foncier et leur culture ; à se défendre contre une misère croissante qui menace leur survie. En décembre 1984, j'ai été à Ouagadougou, l'hôte du « Congrès mondial des jeunes agriculteurs ».

De retour de nombreuses tournées dans les savanes et les steppes malheureusement fort peu arrosées (même en juillet-août, la saison des pluies), je recueille une somme considérable d'informations obtenues sur le terrain auprès des cadres, des techniciens, des chercheurs et autres responsables et surtout auprès des paysans et des éleveurs. J'y ajoute une surabondante documentation (qui était très faible dans les années 1960-1962).

Après la grande sécheresse de 1968-1973, des missions de secours avaient été ordonnées ; mais désorganisées et trop tardives, elles n'avaient pu éviter les souffrances inhumaines de trop nombreuses victimes (femmes, enfants, hommes... et bétail). C'est en 1974 qu'avait été mis sur pied le CILSS (Comité inter-États de lutte contre la sécheresse au Sahel) ; et que l'OCDE[2] à Paris, elle, avait créé une sorte de contrepartie, le Club du Sahel, un organisme où l'on discute beaucoup, avec des résultats forcément limités.

Un objectif — qui sera repris par l'OUA[3] en 1980, avec le plan de Lagos[4] — y est déclaré prioritaire. Un développement *autocentré* reconnaît d'abord nécessaire la *participation*, la « responsabilisation » (terme ambigu) des paysans. Il se propose d'atteindre, pour l'ensemble du Sahel, *l'autosuffisance alimentaire* en l'an 2000 ; ce qui réduirait sa *dépendance*. Nous

---

1. ENDA, Environnement et Développement en Afrique : Centre de recherches et de publications sur tous les problèmes alternatifs, techniques et socio-économiques du développement, des villages aux bidonvilles. Le président Kountché préside ce centre. Ses observations et ses publications critiques nous ont permis de faire des progrès sensibles.
2. Organisation de coopération et de développement économique qui réunit l'ensemble des pays développés. (Château de la Muette, Paris 16ᵉ).
3. Organisation de l'Unité africaine — si désunie, incapable de régler le moindre conflit, du Polisario au Tchad, de l'Érythrée à l'Angola et au Mozambique. Sans même rappeler l'affreux conflit du Biafra. Ce sont partout les enfants, les pauvres et les réfugiés qui paient pour des fautes qu'ils n'ont pourtant pas commises.
4. Il n'a absolument pas été appliqué ; il restait bien vague.

voici en 1986, et, depuis 1974, *cet objectif n'a cessé de s'éloigner.* Les conditions économiques et politiques, « l'ordre » mondial, comme les dominations urbaines locales, ont continué d'accentuer la *paupérisation des paysanneries,* rendues de ce fait moins capables de résister aux avancées du désert. La misère rurale est une cause essentielle de la désertification, laquelle ne cesse de l'aggraver : cercle vicieux, spirale descendant vers *l'enfer du désert et de la Faim.*

Le Sénégal de 1983-1984 n'a produit que 31 % de ses besoins céréaliers ; durant la dernière décennie, il n'a même pas produit *la moitié* des céréales qu'il a consommées. Partout dans le Sahel, ce *déficit* ne cesse de se creuser. La *malnutrition* — trop souvent due à de dures disettes, sinon à des famines — s'accroît en même temps que le volume de *l'aide* alimentaire et des *importations* commerciales, donc que le niveau de *dépendance.* Pour prétendre encore que la *loi du marché,* le libéralisme économique, permettrait aux pays du Sahel de s'en sortir, il faut être aussi ignorant que Reagan, et aussi ambigu que ses conseillers. Toutefois, on peut les comprendre aisément : cette loi conforte l'hégémonie économique des États-Unis, dans une lutte — celle du pot de terre contre le pot de fer — dont l'issue n'est que trop connue.

En réalité, cette loi du marché ne s'applique guère, dans son intégralité, qu'*aux produits primaires* (agricoles et minerais) *des pays pauvres.* Toutes les agricultures des pays riches (Europe, Amérique du Nord, Japon, etc.) sont fortement protégées. On parle beaucoup, à Bruxelles, des *coûts de production* du blé, du lait, du sucre de betteraves, de l'huile d'olive et même du vin. On n'y parle point des coûts de production du café, du cacao, du thé, des huiles tropicales, du caoutchouc ou du coton.

La priorité de certaines responsabilités apparaît ainsi très clairement. Les dominations et les inégalités interafricaines, que je n'ai cessé de dénoncer, renaissent de leurs cendres après chaque changement de régime, même si le terme de « révolution » est préféré à celui de « coup d'État ». Coiffant le tout, nous dit dans un remarquable essai[1] l'ami Henri Rouillé d'Orfeuil : c'est « l'état de jungle, dans les périphéries de l'économie — monde *affamé, dégradé, asphyxié* ... Trois règles simples depuis le XIXe siècle, époque à laquelle elles se sont

1. *Coopérer autrement, l'engagement des organisations non gouvernementales aujourd'hui,* Rouillé d'Orfeuil, L'Harmattan, Paris, 1984, 301 pages.

imposées à l'ensemble du monde : tout est marchandise, tout s'échange sur le marché ... qui va chercher les marchandises partout, grâce aux conditions de "transparence" imposées par les systèmes régulateurs, monétaires et commerciaux... Le FMI et le GATT[1] interviennent partout, tout le temps, pour *imposer* une articulation internationale des monnaies et l'échange libre des produits... Entre le maintien de l'ordre capitaliste et l'extension de la démocratie, le gendarme a choisi : la carte politique du tiers monde ne laisse aucun doute sur ce choix ».

Voilà vingt-quatre ans que je signalais déjà l'extrême gravité de la situation de l'Afrique et de son avenir, quand celle-ci se voit obligée de brader, sans avoir les moyens de les valoriser, ses *ressources minérales* : minerais de fer ou de cuivre, bauxite, cobalt, uranium, etc. Quand ce continent sera en mesure de construire des complexes industriels lui appartenant en propre, ses meilleurs minerais seront déjà épuisés. Il lui restera les latérites.

Et voici que s'accentue une autre dégradation, au moins aussi grave, de son patrimoine foncier : les *sols africains* sont de plus en plus appauvris, dégradés, quand ils ne sont pas *ruinés*, par les érosions et la désertification que les paysans, démunis, n'ont plus la force ni les moyens de combattre efficacement. Et le *climat* s'en trouve aussi — on le sait depuis peu — *aridifié*.

Enfin, un danger terrible — voire mortel — a surgi, dont trop peu d'Africains reconnaissent l'extrême gravité : *la menace démographique*. Pourtant, depuis la Conférence mondiale sur la population, à Bucarest (1974)[2], et surtout de Mexico (1984), la quasi-totalité du tiers monde en a pris conscience. Une esquisse de mesures de régulation des naissances — et de respect envers les femmes — se dessine. Mais l'Afrique sub-saharienne fait encore exception, ce qui confère à ses dirigeants une lourde responsabilité. Leurs descendants risquent de ne pas leur pardonner une imprévoyance que les Chinois[3], depuis 1976, reprochent amèrement à celui qui fut pourtant leur libérateur : Mao Tsé-toung.

---

1. General Agreement on Tariffs and Trade.
2. J'y étais, mais dans la contre-conférence.
3. Et plus encore les Chinoises : ce sont elles qui ont le plus souffert, et souffrent encore le plus, de tous les errements de leur politique démographique.

La plume est une arme dangereuse[1] ; trop longtemps au service de la plus redoutable des dominations : *la domination culturelle*. Je vais essayer, une fois encore, d'en éviter le piège... et, bien qu'elles soient moins lourdes que celles des dirigeants africains, d'assumer, dans ce livre, toutes mes responsabilités.

*
**

Pour l'Afrique, j'accuse... : ce titre veut alerter, avant qu'il ne soit trop tard. Car enfin de l'Éthiopie et du Soudan *au Sahel,* et même de Somalie en Mozambique, *l'Afrique,* ce continent perdu, *est menacée de mort.* Trop d'hommes, trop de bétail, une politique agricole absente (ou dirigée seulement vers la production) ; la désorganisation et la destructuration, par le mépris, des sociétés paysannes et pastorales... et voici tout l'environnement qui se dégrade si vite, que le *désert avance.* S'agit-il d'évoquer la mort des enfants d'aujourd'hui et nous réagissons ; mais lorsqu'en 1953 j'annonçais la mort prochaine des sols et de la végétation, on ne s'en souciait guère. « Prenez garde, consuls », c'est un dernier avertissement. En 1978, l'ambassade des États-Unis à Addis-Abeba indiquait que les hauts plateaux d'Éthiopie perdaient plus d'un milliard de tonnes par an de sol superficiel *(top soil)* par érosion ; cela signifiait plus d'un million de morts, à la prochaine sécheresse : c'est fait. Demain, au Sahel, il faudra peut-être les compter par millions[2]. J'ai quelque honte à le souligner, mais pas le droit de me taire : car je ne veux pas perdre l'espoir ; et j'apporte ici un *livre d'espoir.*

Merci à ceux qui nous ont aidés : ils sont si nombreux des paysans(annes) aux cadres, chercheurs et responsables..., que nous ne pouvons les citer tous, et nous nous en excusons. Merci à notre vieux complice Jacques Bugnicourt de l'ENDA et aux membres de son équipe, en particulier Tamsir Sall et Emmanuel N'Dione ; à Sanoussi Fofana et l'équipe des jeunes agronomes de la DSA (Direction des services agricoles) à Ouagadougou ; à l'ami Assane Diop de l'OMVS ; à Michel et Thérèse Keita, au Niger ; à Michel Diabo et Jacques Moineau,

---

1. Certes différente de l'arme alimentaire, que rend plus efficace l'imprévoyance démographique.

2. Dès la mi-février 1985, plus de dix millions d'Africains avaient abandonné leurs villages ; beaucoup d'entre eux étaient dans les camps de réfugiés.

au Mali ; à Gueye Cheik Sidi, de Boghé en Mauritanie ; à Mamadou Boucoum de l'OMVS à Saint-Louis ; à Samba Faye de Louga, etc.

Qu'enfin le capitaine Thomas Sankara soit assuré de notre reconnaissance ; son invitation, assez inattendue, le rend, en fin de compte, « coresponsable » de ce travail, qui n'aurait pas eu lieu sans elle. Notre souhait est, qu'en en prenant connaissance, il ne regrette plus que notre « rapport » ait été largement diffusé...

Enfin, je tiens là remercier mon ami Jean Malaurie d'avoir tenu à publier, dans la prestigieuse collection Terre Humaine, deux de mes livres — et particulièrement celui-ci qui tente d'exprimer, avec toute la ferveur angoissée que je porte à l'Afrique, l'essentiel de mon œuvre et de mon combat.

PREMIÈRE PARTIE

LE SAHEL
« EN VOIE DE DESTRUCTION » :
LA SÉCHERESSE...
MAIS LES HOMMES !

La Haute-Volta n'est pas un pays
« en voie de développement » ;
mais un pays
« en voie de destruction[1] ».

Cela est vrai de tout le Sahel :
POURQUOI ?

---

1. Titre du rapport remis au chef de l'État, capitaine Thomas Sankara, comme compte rendu de l'étude qu'il nous avait demandée.

CHAPITRE PREMIER

LE DÉSERT AVANCE... AVEC L'AIDE DE SES ALLIÉS

LA SÉCHERESSE S'ACCENTUE, LE DÉSERT GAGNE, L'HOMME EN
EST RESPONSABLE

Le Sahara fut longtemps peuplé de bovins et d'éleveurs ; les gravures rupestres en témoignent. Les éléphants de l'armée d'Hannibal passèrent les Alpes, mais leurs ancêtres avaient, auparavant, traversé le Sahara à raison de 400 kilos d'herbe ou de feuilles par jour. Les armées marocaines qui parvinrent jusqu'à Tombouctou et bien au-delà avaient pu, sans grandes difficultés, franchir cet obstacle, alors moins redoutable. Le commerce transaharien devait fleurir, même après l'arrivée des Portugais sur les côtes d'Afrique, jusqu'à ce que le trafic maritime finisse par le remplacer...

La sécheresse est une calamité qui s'aggrave depuis plusieurs millénaires. Savoir si elle va continuer à s'accentuer — car depuis 1968 il en est ainsi, et de façon croissante — dans les prochaines décennies est une question dont les climatologues ne cessent de débattre. La période sèche 1968-1973, qui culmina en 1973, ne manquait certes point de précédents historiques. Quand, en juillet 1951, à l'Office du Niger, qui gère le grand réseau d'irrigation du Mali, j'évoquai 1914 — c'est-à-dire, pour moi, la Grande Guerre — devant un vieux paysan malien[1], il m'arrêta aussitôt : « Oui, l'année de la plus grande famine ! » Et en effet, cette terrible famine qui l'avait profondément touché dans sa chair était bien plus présente à son esprit que le lointain conflit européen. L'agronome nigérien Adamou Idé

---

1. Le Mali s'appelait alors le Soudan, colonie française.

17

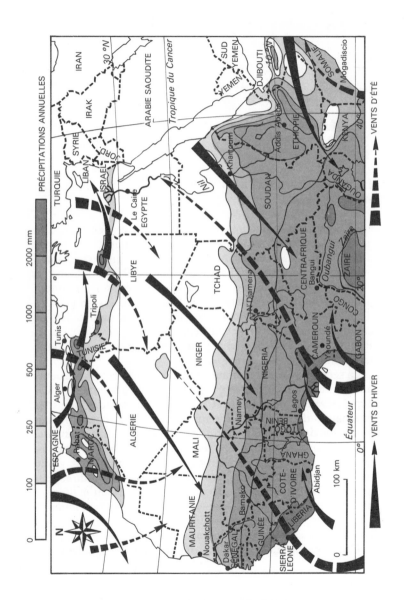

Carte générale des pays du Sahel

rappelle[1] qu'en 1913, on entendait souvent dire : « Un franc vaut mieux qu'un parent. » En effet, la détresse due à la famine était alors si profonde que même la solidarité africaine — pourtant bien plus forte que la nôtre — avait cédé. Et Adamou Idé ajoute que « 1929-1930 s'appelait *couteau tranchant* ; car il y aurait eu plus de 30 000 morts[2] ».

Les années 1983-1984 ont été plus redoutables que les années 1968-1973, car alors la zone forestière avait été relativement épargnée. La sécheresse de 1983 a frappé le Ghana et la Côte-d'Ivoire jusqu'à la côte ; leurs grands barrages hydro-électriques n'ont pas été remplis. Le fastueux Cocody, le « beau quartier » d'Abidjan, a dû s'éclairer à la bougie. Des dizaines de milliers d'hectares de plantations de café et même de cacao, situés en zone forestière, autrefois si humide, ont été détruits par des feux de brousse, ceux-ci ayant été attisés, en janvier-février 1983 par les vents d'harmattan et une atmosphère aussi desséchée qu'en savane.

On me dit qu'un tiers des cacaoyères du Ghana a également brûlé. Ce fait, sans précédent, est-il susceptible de se renouveler ?

Le Fouta-Djalon, le massif montagneux des Peuls de Guinée, a été, lui aussi, largement déboisé : ce n'est pas sans influencer le climat.

Dans leur excellente étude « Reversing Africa's Decline »[3] Lester R. Brown et Edward C. Wolf parlent de changements climatiques *provoqués* par la population. « L'humidité charriée sur les continents est recyclée par les forêts — tombant en pluie, puis retournant dans l'air par évapotranspiration... Quand les forêts sont défrichées, la partie de l'eau qui s'écoule augmente et l'évaporation diminue. La disparition des forêts de Côte-d'Ivoire et du Nigeria peut réduire le recyclage de l'eau, donc la quantité de vapeur d'eau disponible pour générer (...) la pluie sur le Sahel. » Claude Reboul, chercheur à l'INRA (Institut national de la recherche agronomique) assimile donc à juste titre ce déboisement à une *piraterie climatique*.

---

1. Mémoire IEDES, Université Paris I, *Crise de l'élevage bovin dans le Faraka*.
2. Cette sécheresse est étudiée en détail par Hervé Derriennic, *Famines et dominations en Afrique noire*, L'Harmattan, Paris, 1977.
3. State of the World, 1986, Worldwatch Institute, Washington, 1986, 263 pages.

Dans la revue *Hérodote*[1], le géographe François Durand-Dastès hésite entre l'auto-entretien de la sécheresse sahélienne par modification du couvert végétal et d'autres causes. D'abord il ne parle que de couvert végétal du Sahel, qui joue certes un grand rôle, mais il laisse de côté la zone forestière. « Si cette hypothèse se révèle juste, dit-il, on doit protéger la végétation, voire reboiser. Sinon, si ce mécanisme ne joue pas, il est *inutile d'engager des politiques de reboisement très onéreuses.* » Avant d'écrire cela, il eût mieux fait de lire les études sur le déboisement et l'avancée du désert. Jean Clément et Sylvain Strasfogel en font paraître une de plus à L'Harmattan sur *le bois de feu.* Au lieu de se perdre en conjectures, Durand-Dastès devrait savoir que le reboisement reste, en toutes circonstances, la mesure la plus efficace pour juguler l'avancée du désert. Le bois de feu fournit aux populations pauvres la seule source d'énergie assez économique, la seule à leur portée. En son absence, l'Inde brûle les excréments et tous les débris végétaux disponibles, ce qui ruine ses sols ; et le Sahel s'est engagé dans ce processus de destruction.

Il reste que des phénomènes climatologiques et océanographiques extérieurs au Sahel (sur lesquels on ne peut agir, mais dont on peut prévoir les conséquences) restent essentiels. Ils sont fort bien étudiés par Charles Weiss[2].

Dans leur étude, Jean Clément et Sylvain Strafogel nous montrent que cette crise du bois de feu n'est pas seulement la crise énergétique des pauvres, mais met en jeu « la préservation de l'environnement, le développement des productions agricoles et la qualité de la vie. L'autosuffisance alimentaire et la conservation des forêts sont aujourd'hui des enjeux déterminants et complémentaires pour la vie d'une partie du Monde ». La conférence mondiale Sylva (février 1986)[3] souligne le drame que représente le déboisement du Fouta-Djalon, qui est le château d'eau de l'Afrique de l'Ouest : c'est là que deux de ses grands fleuves — Niger et Sénégal — prennent naissance l'un près de l'autre. Le fleuve Sénégal avait un débit annuel « historique » estimé à 24 milliards de mètres cubes. Mais à Bakel en

---

1. N° 39, 4e trimestre 1985. La Découverte, Paris.
2. « Le Phénomène ENSO », *revue Cérès* (de la FAO), novembre-décembre 1985.
3. Paris, à l'instigation du gouvernement français.

1983, celui-ci n'est plus que de 7 milliards. On a même noté quelques jours sans écoulements.

Pour la première fois depuis qu'on en mesure le débit, le fleuve Niger a cessé de couler en juin 1985, fin de la saison sèche, à Niamey.

Dans une étude remarquable[1] à laquelle nous empruntons certains chiffres, Lester Brown et E.C. Wolf soulignent que *le Sahel sans arbres est mort.* Car l'arbre recycle l'eau du sous-sol, la renvoie dans l'atmosphère d'où elle peut retomber en pluie. Sous forêt dense un quart de l'eau des pluies va à la mer, les trois autres quarts retournent dans l'air. Sur sol dégradé, un quart retourne dans l'air, les trois autres quarts ruissellent. Un sol dénudé reflète plus la chaleur, augmentant l'aridité. De sorte que la destruction de la végétation, que l'on attribue à tort à la seule sécheresse, accroît la désertification, déclenche un cercle vicieux d'auto-intensification.

Les déserts ne cessent de gagner, et certains estiment leur avance à l'échelle mondiale à 200 000 km^2 par an : plus du tiers de la France. 30 millions de kilomètres carrés, soit 20 % des terres émergées du globe, sont en zones arides ou semi-arides, menacées par la désertification[2].

En 1984, au Kenya, lors d'une conférence mondiale sur la désertification, le programme des Nations unies pour l'environnement reconnaît : « Le but que nous nous étions fixé (en 1977) de stopper la désertification en l'an 2000 doit être considéré comme irréaliste », car les pays riches ont refusé de financer le programme : il fallait 4,5 milliards de dollars chaque année, pendant au moins vingt ans. Faute de dépenser ces 90 milliards de dollars, les pertes, pour la seule production agricole, sont estimées à 520 milliards en vingt ans !

C'est la survie même de l'humanité qui est en jeu.

La désertification, au sujet de laquelle l'alerte est donnée trop tardivement, ne relève pas seulement des variations climatiques, de la seule sécheresse. Elle n'a rien d'un phénomène naturel inéluctable ; le moment est venu de mettre l'homme en face de ses responsabilités.

---

1. *Reversing Africa's Decline. op. cit.* Les aspects socio-économiques — et politiques — sont, dans cette étude, esquivés. Dommage.
2. N'exagérons pas : l'Office soudano-sahélien des Nations unies a tort d'écrire « qu'en 1983 seulement, le Sahara a avancé de 150 km vers le sud ».

Revoyons les faits ; un certain équilibre s'était établi entre un bétail encore conduit en liberté et les potentialités naturelles, les possibilités de l'écosystème. Le bétail bovin étant périodiquement décimé par les grandes épizooties, il ne détruisait pas le couvert végétal et n'empêchait guère les régénérations des pâturages naturels, comme du couvert arboré, caractéristique de cette savane. Les pacages et les champs cultivés restaient parsemés d'arbres reconnus utiles, comme le karité et le néré ; près des villages, les tamariniers et les manguiers, sinon les goyaviers, donnaient aussi des produits de cueillette et de culture fort appréciés.

Arrive le colonisateur et, avec la conquête, le vétérinaire militaire, chargé de soigner la cavalerie de l'armée coloniale. Grâce aux vaccins, il parvient rapidement à juguler les plus graves épizooties ravageant le bétail ; de ce fait, il déclenche une véritable *explosion démographique* du bétail, sans se soucier des ressources fourragères, bientôt épuisées.

Tant que l'humanité demeurait peu nombreuse, la « civilisation pastorale » pouvait la nourrir sans autre travail que les « promenades » de la transhumance, héritage des migrations naturelles des troupeaux sauvages. Le lait et la viande fournissaient en abondance la base d'une alimentation riche en protéines. Mais la densité de population atteinte au Sahel a exigé de longue date sa mise en culture, le travail de son sol, axé sur la production des céréales. Et pourtant les pasteurs ont longtemps tenu les agriculteurs en esclavage ; leur richesse relative leur attire encore le respect — sinon la complicité des pouvoirs publics — quand leurs troupeaux envahissent les cultures.

Quand des troupeaux de pasteurs eurent détruit la production d'un jardin maraîcher, produit du dur travail des paysannes burkinabés, près de Fada N'Gourma, celles-ci allèrent porter plainte aux autorités, qui ne firent aucun cas de leur requête. « Nous n'avons pas, nous, un veau à offrir au préfet »... nous dirent ces femmes. Souvent, une partie de ces troupeaux sous la garde des pasteurs appartient aux riches des villes[1], sinon même aux fonctionnaires locaux chargés d'appliquer la loi. Devant un tel phénomène, qui commence à prendre de l'ampleur et au sujet duquel règne une sorte de complicité du silence, que les paysans n'ignorent pas, comment espérer en arriver à imposer une discipline du bétail ?

Cette divagation[2], j'ai souligné (au Burkina-Faso, puis dans le reste du Sahel) à quel point elle était un *facteur de désertification*. Les chèvres, broutant les pousses des jeunes arbres spontanés, freinent ou interdisent la régénération naturelle, le remplacement des arbres âgés ou coupés pour le bois.

Les cultures de saison sèche (la morte-saison) — qui sont aisées à réaliser dans les bas-fonds, là où la nappe phréatique est proche — et le reboisement (cheval de bataille des chefs d'État du Sahel) nécessiteraient l'achat et la pose de clôtures capables de résister aux assauts d'un bétail à demi affamé, que la moindre verdure affole.

Le grillage, ses poteaux et sa pose, coûtaient, en 1984, environ deux millions de francs CFA[3] le kilomètre. Cette option revient donc plus cher (et ce sont des dépenses en devises) qu'un vaste programme de mise en culture ou de plantation d'arbres.

Cependant, la discipline du bétail, l'arrêt de toute divagation, l'obligation de garder efficacement, effectivement tout animal en déplacement[4] sont possibles : quand tous les paysans se mettent d'accord, dès qu'ils en ont compris l'intérêt. Alors la régénération naturelle des arbres les plus utiles au maintien de la fertilité du sol (par la fixation d'azote et la remontée des éléments minéraux du sous-sol) comme l'acacia albida (appelé *gao* au Niger et *cadd* au Sénégal) prend tout son essor.

Ainsi, dans la vallée de la Majjia, cette autodiscipline a-t-elle permis de protéger depuis dix ans déjà, sans aucune clôture,

---

1. Qui ont peu confiance dans les banques et savent ce que signifie l'inflation : ils épargnent en bétail.

2. Dont l'importance n'a pas été assez reconnue.

3. Un franc CFA (F) vaut 2 centimes de franc français (FF). Dans le texte, F ou le mot franc signifie franc CFA.

4. L'arrêt de la divagation ne signifie nullement l'interdiction des déplacements du bétail vers les pâturages naturels, l'eau, le marché, sinon les transhumances...

des brise-vent de neem[1] et d'acacias, qui ont élevé de 20 % les rendements de mil et procuré du bois. De plus, la désertification a reculé, démontrant que la sécheresse n'est pas seule cause du désastre. Partout ailleurs, à mesure que l'on monte au nord, vers plus d'aridité, il faut protéger non seulement (comme partout) les cultures de saison sèche, mais aussi celles de l'hivernage — la grande saison de cultures durant laquelle (normalement), il pleut. Pour ce faire, pas question d'acheter du grillage afin de faire pousser un petit mil, donnant (mais seulement s'il pleut) 300 ou 400 kilos de grains à l'hectare. Alors, on coupe tous les épineux du voisinage, qu'on entasse en une haie morte, assez haute et épaisse pour arrêter les chèvres. Mais cette solution coûte cher en travail et, surtout, elle augmente un déboisement abusif, inutile. Elle *accélère la désertification*.

SURNOMBRE DU BÉTAIL : RUINE DES ÉLEVEURS

De 1970 à 1974, 40 % des bovins sahéliens seraient morts de faim et de soif, estime la FAO[2] (en Mauritanie, c'est peut-être 80 %). Les services de l'élevage se sont inquiétés de la « reconstitution du cheptel », objectif prioritaire qui, dès 1983, a été atteint dans tout le Sahel — et parfois même dépassé. Pourtant en été 1984, le long de la route qui longe le fleuve Sénégal (côté Sénégal) j'ai vu des dizaines de cadavres de bovins, conséquence de l'hécatombe (toutefois plus modérée) de la saison sèche précédente (déc. 1983 - fév. 1984).

Cependant, au nord de Dakoro, ville située au nord de Maradi (au Niger), certains éleveurs vendaient leurs bêtes, affamées et à bout de forces, entre 500 et 750 F, en juillet-août 1984. La peau, seule, valait 1 200 F, mais leurs propriétaires n'avaient pas la force d'en assurer le dépeçage. Les Dioulas, qui les achetaient, étant quant à eux assez vigoureux pour s'en

---

1. Azadirachta indica, arbre introduit de l'Inde au début du siècle, propagé au Sénégal en 1944, se répand dans tout le Sahel pour le bois de feu et le bois d'œuvre, les poteaux, l'ombrage.

2. Organisation des Nations unies chargée de l'agriculture et de l'alimentation ; son siège est à Rome.

charger, retiraient ainsi de chaque bête 10 000 F environ[1]. L'éleveur qui avait vendu ses bovins, même 1 000 F en moyenne, ne trouvait alors à acheter du mil qu'à 25 000 F le sac de 100 kilos (ou du riz à 18 500 F). Il lui aurait donc fallu vendre 25 têtes, pour obtenir le prix d'un sac... de quoi nourrir sa famille — disons six personnes — *pendant un bon mois* ! Voilà ce que l'on peut appeler une dégradation *interne* des termes de l'échange, puisqu'elle met en cause la survie même des familles d'éleveurs.

Mais la Mauritanie de 1960 avait encore un couvert végétal sur 15 % de sa surface ; celui-ci est descendu aujourd'hui à moins de 5 %.

Nous sommes en présence, compte tenu de la régression rapide des ressources fourragères, d'un *surnombre chronique* des cheptels[2], à l'exception des années qui suivent les hécatombes. Il n'est pourtant question de leur diminution, du « déstockage », qu'à la dernière extrémité : quand il est trop tard, que les mares sont taries, que les bêtes n'ont plus la force de descendre vers le sud, vers les marchés de la côte. Ceux-ci, du reste, sont ravitaillés par les non-Africains, depuis l'Argentine jusqu'à la Communauté européenne, laquelle subventionne les exportations, ce qui ruine les éleveurs d'Afrique. Pour décider les éleveurs à diminuer leurs troupeaux, il faudrait leur offrir — et pas seulement en temps de crise — la possibilité économique de vivre correctement d'un cheptel moins nombreux et plus productif ; pour cela une seule solution : relever le prix de la viande.

La ruine des éleveurs fait aussi la fortune des maquignons, ceux qui ont les moyens de « retaper » ces bêtes achetées à vil prix, soit avec les résidus locaux de culture, soit avec les aliments de complément — graines de coton et son de blé[3] — mais qui ne sont disponibles qu'en quantités très limitées.

---

1. La viande était bouillie, puis séchée au soleil.
2. De moins de 300 millions vers 1950, le bétail africain (bovins, ovins, caprins) serait monté à 520 millions en 1983.
3. Les éleveurs ruinés ne peuvent guère acheter du son. S'ils le font, c'est souvent pour le manger eux-mêmes.

Le surpâturage m'est apparu partout sous-estimé, sinon nié par les vétérinaires africains. Ces derniers, responsables de l'élevage, sont souvent assez ignorants en zootechnie et plus encore en matière de fourrages.

La productivité des pacages naturels, broutés dès l'apparition des premières pousses, s'en trouve réduite de 5 ou même de 10 à 1. Quand les plantes sont rasées, les plaques du sol dénudé — rendu compact par l'alternance de pluies battantes et de soleil — deviennent vite des taches de désertification éparses dans les terroirs.

Un Peul d'un village au sud de Fada N'Gourma, dans le pays Gourmantché de l'est de la Haute-Volta, m'expliquait qu'il menait son troupeau passer la saison sèche (l'hiver) au nord du Togo. Il ne revenait dans son village, où il avait ses champs, que lorsque les herbes atteignaient — et il me montra d'un geste de la main la hauteur requise — 30 à 40 cm de haut. Lui, au moins, pourtant analphabète, savait ce que signifie le surpâturage.

Privé d'herbe, par le surnombre et par le surpâturage, l'éleveur se rabat sur le pâturage aérien. En cas de disette, il ébranche à mort les acacias épineux, les balanites et autres fourrages arborés. Un déboisement qui s'ajoute aux coupes abusives pour clôtures et bois de feu. A la disparition du couvert herbacé s'ajoute ainsi celle du couvert arboré. Le sol, mis à nu, est alors attaqué par l'érosion éolienne et par les tornades. Les *vents de sable* arrachent — même en saison dite de pluies — tous les éléments fins du sol[1]. Restent les éléments grossiers, et le sol, appauvri, n'a plus aucune capacité de rétention ni de l'eau ni des éléments fertilisants. Il peut s'y ajouter l'érosion par l'eau, mais celle-ci résulte plus souvent de cultures imprévoyantes.

Trop nombreux par rapport aux ressources fourragères, le bétail ne dispose alors que d'une ration de *survie*. Il lui faudrait plus d'abondance pour que le surplus de nourriture puisse être transformé en viande, en lait, sinon en travail. Dans l'opuscule

---

1. Ces poussières sont même arrivées jusqu'à Paris, phénomène sans précédent, les 9-10 novembre 1984 et le 14 juillet 1985 ; puis en avril 1986, en Provence.

intitulé *Mort de la brousse*[1], Diuldé Yala rapporte les propos des vieux éleveurs : « Après l'épizootie de 1924, parce qu'il y a de la brousse, une seule vache peut nourrir la famille... Lorsque trois de ces vaches mettent bas, tu ne vas pas chercher du mil. Avec cinq ou six vaches, tu es comblé. »

J'ai pu expliquer[2] que si l'Inde diminuait de moitié le nombre de ses vaches, elle parviendrait à doubler sa production laitière. En effet, chaque lactation des meilleurs sujets mieux nourris pourrait aisément quadrupler, même sans accroissement des fourrages. Ceci serait également vrai pour le Sahel, mais un tel raisonnement se heurte aux traditions. C'est ainsi que le désert ne cesse de se propager, même loin au sud, sous les formes prémonitoires de *dégradation du couvert végétal*.

EXCÈS D'HOMMES, SURCULTURES, ÉROSIONS :
LE DÉSERT "S'INFILTRE" PARTOUT

Avec le vétérinaire, est arrivé le médecin militaire et les vaccins de M. Pasteur. La mortalité s'en est vite trouvée réduite, et ce, malgré l'insuffisance (persistante) des services de santé. Et voici que s'est esquissée, ces temps derniers, *la plus redoutable des explosions démographiques*.

Le système de culture traditionnelle alternait la jachère (soit les années de non-culture du sol) avec les cultures à dominance de petit mil et de sorgho[3]. Pendant cette jachère, la végétation naturelle couvrait et protégeait les sols, nourrissait le bétail. Quand on l'enfouissait pour la remise en culture, les débris végétaux apportaient de l'humus. *Le phénomène de surpopulation*, s'ajoutant aux problèmes issus des cultures d'exportation, a obligé à réduire, ou même à supprimer, les jachères. Le résultat en est la disparition de l'humus. Privée du seul élément protecteur, la structure des sols n'a cessé de se dégrader, et s'est trouvée exposée à *l'érosion éolienne*. Les vents de l'harmattan

---

1. ENDA, Dakar, 1983. Enquête de juin 1974, juste après la grande sécheresse.

2. *Terres vivantes,* Terre Humaine, Plon, Paris, 1961, (364 pages).

3. Celui-ci est parfois appelé gros mil. Il préfère les terres plus argileuses, tandis que le petit mil (le pennisetum) s'accommode des terres sableuses et d'une pluviométrie plus réduite, à condition qu'elle soit bien répartie.

ont enlevé limons et sables fins, ne laissant subsister qu'un squelette de sable grossier. La fertilité s'en est trouvée si réduite, — aussi du fait d'une pluviométrie plus faible et plus erratique — qu'on a souvent cessé de les cultiver. Ces terres sont devenues autant de fragments du désert.

Cette dégradation du sol est relevée partout, même là où les cultures d'exportation n'ont eu qu'un rôle très secondaire. Claude Raynaut l'a souligné à maintes reprises[1] pour le sud des départements de Maradi et Zinder, autrefois greniers du Niger. « Les sols intensément utilisés ont atteint *un degré d'épuisement avancé* », écrivait-il en 1974. Douze années, après ces premières études, 30 % des terres arables y sont abandonnées, et les rendements moyens de mil, qui atteignaient 500 kg/ha vers 1920 et jusqu'en 1960, et même 600 kilos en 1962, sont tombés autour de 350 kilos.

Au Burkina-Faso, cette dégradation touche l'ensemble du *plateau Mossi*, et plus spécialement le Yatenga du Nord-Ouest ; et les jeunes paysans doivent partir. Ceux qui ne vont pas en Côte-d'Ivoire « marchent au sud[2] » ; pour cultiver, ils y défrichent les dernières parcelles de terres neuves, autour de la Volta Noire et de Bobo Dioulasso. Après quelques années de cultures répétées, sans jachères ni fumures, les sols ainsi surchargés et maltraités sont vite épuisés. Les autochtones de ces régions, qui ont toléré ces « envahisseurs-prédateurs » sur leur terroir, les nomment « les oiseaux de mil[3] ». De la même manière, au Sénégal, les marabouts mourides, avec leurs talibés (semi-esclaves) ont marché vers l'est, en y grignotant l'espace pastoral.

Dès qu'il y a la moindre pente (1 % suffit en sols sableux) *l'érosion hydraulique* prend vite, sur des sols ainsi surcultivés, des proportions effrayantes. Elle décape le sol superficiel, le seul qui renferme encore un peu d'humus, à raison de 10 à 20 tonnes de terres enlevées par hectare et par an.

Le cercle vicieux de dégradation des sols ne peut que s'amplifier. Si les courbes actuelles de production et de population se

---

1. *Sécheresse et famine du Sahel,* Maspero, I, 156 pages. II, 144 pages, Paris, 1975.
2. Comme les fermiers des États-Unis, au XIXᵉ siècle, « marchaient à l'ouest ».
3. Titre d'un livre de l'ORSTOM, par Michel Benoit, dont je reproduis la préface en Annexe VI.

maintenaient, l'Afrique ne produirait même plus, en l'an 2020, la moitié de ses besoins alimentaires. Et d'ici là la *surpopulation* (relative au système de production) sera déjà devenue *la cause essentielle de la ruine de l'écosystème sahélien, de sa désertification croissante* ; et d'une malnutrition qui ne cesse de s'aggraver.

DÉBOISEMENT, « DÉSHERBEMENT », « URBANISATION » DU BÉTAIL

L'ensemble du continent africain perdrait 3,6 millions d'hectares de forêt par an, soit 0,5 % de son total. Mais dans la zone côtière d'Afrique de l'Ouest, la perte dépasse 5 % l'an ; la Côte-d'Ivoire qui avait 15 millions d'hectares de forêts vers 1950 n'en compte plus guère que 2 millions en 1986.

Au moins aussi grave est la dénudation progressive, au nord de la zone forestière, de la *savane* autrefois largement *boisée* du Sahel. Année après année, le paysage s'éclaircit terriblement, comme en témoignent les photographies comparées du même village faites par le Père Marin Terrible de Bobo Dioulasso, ce valeureux défenseur de l'environnement au Sahel.

Quoique bien tardivement, la gravité du déboisement est enfin reconnue aujourd'hui. Autour de chaque capitale, on va chercher toujours plus loin le bois de chauffe pour la cuisine.

Et le couvert semi-arboré des arbres dispersés dans les champs s'éclaircit, tandis que les derniers lambeaux de forêts plus ou moins dégradées disparaissent... On accorde des permis de coupe, mais ceux qui les obtiennent dépassent leurs droits ; le Sénégal perdrait ainsi 75 000 hectares de forêts par an...

Dakar, et plus encore Nouakchott cuisinent surtout au charbon de bois. Au lieu d'utiliser d'abord les arbres tués par la sécheresse — plus durs à couper —, les charbonniers coupent les arbres encore vivants. Le Sénégal, nous dit Bernard Duhamel[1], brûlerait par an 1,7 million de tonnes de bois et 223 000 tonnes de charbon de bois, lesquelles correspondent à plus de 1,1 million de tonnes de bois. « La part urbaine représente 40 % de cette consommation, pour 20 % de la population totale »...

J'ai déjà signalé — outre le bois d'œuvre — les autres sources de déboisement : surcoupe des arbres servant de fourrage

---

1. *Le Monde Diplomatique*, Paris, mai 1984.

aérien, et abattis d'épineux pour clôtures, un gaspillage absolument inacceptable du travail et de l'environnement.

Mais j'ai pu constater un autre fait, moins connu, moins étudié, je l'ai nommé « la couronne de désherbement ». En entrant dans Zinder, j'ai été frappé de voir des centaines d'ânes et de chameaux apportant, sur leurs dos bâtés, des charges de foin[1], ou même d'herbes séchées arrachées avec leurs racines — tout se mange — dans les bas-fonds humides, jusque-là couverts d'une belle végétation. Ceci pour nourrir un *cheptel urbain*, dont le nombre s'accroît avec la richesse des villes, richesse qui procède surtout du commerce — le Nigeria est proche — et est en partie acquise aux dépens des campagnes.

Jules Dumont, mon oncle, cultivateur des Ardennes, répétait volontiers : « Qui vend son foin vend sa ferme en morceaux. » Car qui ne donnait point tout son foin à son propre bétail, fabriquait moins de fumier. *L'urbanisation du bétail* semble s'accentuer dans le Sahel. C'est, avec le déboisement, une nouvelle source d'appauvrissement : les auréoles désherbées entourant les grandes villes se multiplient. Si les crottes de brebis et de chèvres retournent souvent dans les jardins, elles ne vont point aux champs. Et les urines sont perdues, faute de litières pour les absorber, et de traditions pour faire de bons fumiers.

UN AUTRE FACTEUR DE DÉGRADATION :
LES CULTURES D'EXPORTATION

Dès 1953, je dénonçais l'extension excessive de la culture d'arachide d'exportation, qui a ruiné le nord du Sénégal. Le paysan de 1860 y disposait de terres libres : les mils et sorghos avaient un bon rendement et il pouvait leur adjoindre l'arachide, sa culture lui permettant un meilleur emploi de ses sols et de ses bras. Mais les traitants, les coloniaux, les chemins de fer qui en tiraient profit, ont poussé à une extension excessive de cette culture.

Quand l'excès de cultures — arachides et céréales — eut supprimé les jachères et dégradé ses sols, le paysan s'aperçut un

---

1. Ce qui prouve que le paysan peut faire du foin, s'il le vend bien. Mais son cheptel le valorise mal.

peu tard (après la Seconde Guerre mondiale) que Dakar ne voulait plus de céréales africaines, leur préférant le riz d'importation, trois à quatre fois moins cher.

L'arachide avait commencé aussi à faire de gros dégâts dans le sud du Niger. On est passé de 73 000 hectares en 1934 à 349 000 en 1961. Elle constituait alors la principale ressource d'exportation du tout jeune Niger. A cette distance de la mer, c'était, pour l'exportation, une absurdité économique ; d'autant plus que le proche chemin de fer du Nigeria lui était interdit : elle devait gagner la mer sans quitter les colonies (ou ex-colonies) françaises, ce qui imposait un surcoût important. Plus grave, elle a contribué à dégrader les sols des zones les plus fertiles, au sud de Maradi et de Zinder.

Depuis la grande sécheresse, les grains ont retrouvé, au Niger (contrairement au Sénégal), une priorité absolue. L'arachide s'est donc effondrée, au point que les huileries locales ne sont presque plus ravitaillées. La production d'autoconsommation reste cependant assurée pour l'arachide de bouche, riche en protéines.

La CFDT[1] a eu pour mission, dès 1949, de propager la culture du coton dans toutes « nos » colonies d'Afrique. Du Tchad et de l'Oubangui-Chari, où elle existait déjà en « cultures forcées » (aussi abominables humainement que déplorables techniquement[2]), on l'a donc étendue dans les savanes d'Afrique occidentale « encore française ». En Burkina-Faso, cette culture a été propagée trop au nord, jusqu'à Kongoussi, en Yatenga : alors que, même à la fin des années cinquante, il n'y pleuvait pas assez pour la réussir. Cependant, on ne peut l'accuser[3] d'avoir été l'agent principal de la dégradation des sols du plateau Mossi — le surpeuplement en est ici responsable.

Mais, si limitée qu'elle soit en surface, la culture cotonnière accapare une part excessive de la recherche, de l'encadrement, de la vulgarisation, du crédit agricole, du ravitaillement en intrants et de la commercialisation. Si les Burkinabés la pratiquent encore, malgré une rémunération modeste (une tonne de

---

1. Compagnie française pour le développement des textiles.
2. Cf. *Économie agricole dans le monde,* R. Dumont, Dalloz, Paris, 1953, 597 pages.
3. Étant donné ses surfaces de culture réduites : 90 000 hectares en 1977, 70 000 hectares en 1983, contre 2 000 000 hectares en céréales.

coton-graine, est payée en 1984 70 F le kilo, pour cent cinquante jours de travail à l'hectare, triage compris), c'est qu'ils
reçoivent engrais et pesticides à crédit, et qu'ils sont sûrs de
vendre la récolte. Ces deux facilités ne sont nullement garanties
pour les céréales, qui ne reçoivent plus de crédits ; et qui ne se
vendent, bien et partout, que lors des années de disette — il est
vrai que celles-ci se multiplient...

LE TRAVAIL AGRICOLE DES FEMMES : UN APPORT SOUS-ESTIMÉ

Le rôle des paysannes dans les activités de production
agricole a été traditionnellement, et est encore aujourd'hui, très
important. Il y a certes des différences selon les régions (de
forêt ou de savane) et les ethnies (pasteurs ou paysans) ; mais
partout les femmes jouent un grand rôle.

Au Niger, d'après le rapport de synthèse du deuxième
Congrès de l'Association des femmes, tenu à Dosso, en mai
1979, on a relevé, dans la région de Maradi, la production des
champs des femmes[1] ainsi que leur travail dans les champs
collectifs. On est arrivé à la conclusion que « les produits
agricoles sont obtenus pour *au moins 50 % à partir du travail
direct des femmes* ».

Au Mali, Maryse Condé[2] écrit :

« ... "S'il n'y avait pas les femmes, il n'y aurait plus de Mali",
dit-on couramment à Bamako. Agriculture vivrière, fourniture
du lait, élevage de la volaille et des caprins, transformation du
poisson par séchage ou fumage, commerce à petite distance, les
Maliennes assurent ces tâches comme toutes les Africaines,
mais avec une énergie peu commune, comme si elles portaient à
bout de bras une nation défaillante... »

Dans les régions à fort taux d'émigration masculine, comme
dans le plateau Mossi au Burkina-Faso et dans la vallée du
fleuve Sénégal, leur rôle dans les cultures vivrières devient

---

1. Champs que la famille ou le mari offre à la femme lors du mariage, ou
bien que le chef du village prête chaque année aux femmes. Avec l'augmentation de la population et la dégradation des sols, la distribution de ces champs
devient aléatoire et les productions de plus en plus réduites. Sans parler des
nouveaux aménagements qui, quelquefois, les privent complètement de
champs.

2. *Terre des femmes,* la Découverte/Maspero, Paris, 1983, 448 pages.

absolument *vital*. Malgré cela, les conseillers agricoles, les « agents de développement » (en général des hommes) n'ont parlé qu'aux hommes, même si ceux-ci sont devenus minoritaires au village. Combien de travaux de protection et de régénération des sols n'ont pas été faits parce que les paysannes, pressées de toutes parts pour assurer la survie de la famille, dépourvues de moyens financiers et surtout de *conseils techniques*, ont continué tant bien que mal à faire donner à la terre de quoi les nourrir.

Les modernisations ont rarement été à leur profit. Dans les nouveaux aménagements, que ce soit pour l'irrigation (le long des fleuves Sénégal et Niger) ou pour des zones dites de « colonisation » comme dans les vallées des Volta (une opération qui a coûté très cher : 8 à 10 000 dollars par famille — pour des résultats insuffisants), les parcelles sont en général attribuées à l'homme, chef de famille. Privées soudainement de champs personnels, les femmes ont l'impression, avec raison, que leur statut a régressé ; c'est tout un équilibre qui est rompu. Ceci n'est nullement une réclamation « féministe ». Le fait qu'elles aient ou non accès à un lopin *est souvent décisif* quant à la nutrition, la santé et le bien-être de leurs enfants et de la famille. On connaît le rôle économique irremplaçable qu'elles ont à l'intérieur de la cellule familiale. Une étude de Thérèse Keita dans la zone de Namadé[1], au Niger, montre bien tous les problèmes liés à des aménagements faits sans consultations suffisantes auprès des paysanneries en cause, mais surtout sans tenir compte des systèmes de culture, dans lesquels les paysannes avaient un rôle essentiel.

D'autre part, la masse de connaissances que ces femmes ont accumulées est trop souvent méprisée. Dans un pays du Sahel, une biologiste sud-américaine, étudiant les techniques traditionnelles de conservation des récoltes, avait fait une enquête auprès des femmes, qui aurait pu orienter des actions utiles dans les villages. Quand ses directeurs africains en eurent connaissance, elle reçut l'ordre d'arrêter ses recherches et de *brûler* toutes ses fiches. « Vous avez été engagée comme spécialiste, et non comme féministe », lui a-t-on dit. Comme si le savoir paysan, et surtout celui des paysannes, n'avait aucun intérêt. Comme si le fait de reconnaître l'importance du travail

---

1. *Développement de la riziculture (Étude socio-économique de Namadé)*, Étude MDR/FED, Niamey, août 1983.

féminin enlevait toute valeur scientifique à l'enquête, ou qu'elle devenait une action subversive.

Il apparaît donc que la recherche agricole, les services de vulgarisation et les projets de développement doivent tenir le plus grand compte de toutes les activités agricoles des femmes. C'est l'autosuffisance alimentaire et donc *la survie du Sahel* qui est en jeu. Toutefois, un problème fondamental demeure : il y a très peu de femmes africaines formées dans ces domaines. Là encore, il ne s'agit nullement d'une réclamation « féministe » car les paysannes sont beaucoup plus disposées à discuter de leurs activités et difficultés avec des femmes. Elles veulent être sûres de ne pas se faire confisquer des activités qui traditionnellement leur appartenaient et qui, dès qu'il est question de mécanisation ou de commercialisation organisée, sinon de conseils techniques et de crédits, deviennent des activités masculines. Ce fut malheureusement trop souvent le cas dans le passé.

Tous ces problèmes exigent plus de réflexions et d'études et sont liés à d'autres actions tout aussi importantes telles que l'allégement des corvées d'eau et de bois, l'accès des filles à l'éducation, etc., dont nous reparlerons dans la seconde partie de cet ouvrage.

DÉMOGRAPHIE ET DÉGRADATIONS : LES « ALLIÉS » DU DÉSERT

Chacun connaît l'importance capitale de la sécheresse, mais l'homme peut l'aggraver bien plus qu'on ne le pense, en accroissant la désertification qui lui est liée[1]. Un haut fonctionnaire du ministère de la Santé du Niger me disait : « Il suffirait de trois mois de *bonnes* pluies *bien* réparties, pour produire assez de grains pour nourrir trois fois la population actuelle. » Escamotage du problème démographique, réaction typique de ceux qui refusent leurs responsabilités, attitude d'irresponsables, indignes de leurs charges. C'est pour bâtir les maisons,

---

1. Le président Seyni Kountché est parti prier à la Mecque pour la pluie, le jour où l'on signalait l'approche de gros nuages « chargés » vers le sud du pays. Le maréchal Lyautey partait en tournée dans le Sud marocain, quand la météo y annonçait la pluie... Les Marocains disaient alors qu'il portait « des éperons verts », ceux qui font pousser l'herbe.

cuire la nourriture — sinon se chauffer en hiver — que le Sahel déboise. Le service forestier de Tahoua, au Niger, nous dit que l'on coupe *plus de cent arbres* chaque fois qu'on en replante un seul. Avec 3,2 % d'accroissement annuel de population, les 350 millions d'habitants de l'Afrique noire battent les records du monde. La population augmente de 11 millions chaque année ! Or, 70 % de celle-ci vit déjà en dessous du seuil de pauvreté absolue, et *la malnutrition ne cesse de s'aggraver.*

L'Afrique tout entière a vu sa population passer de 219 millions en 1950 à 285 millions en 1960, et 551 millions en 1985. Le rythme d'accroissement annuel est passé de 5 millions au début de cette période à 15 millions aujourd'hui. Le Kenya, avec 3,5 % d'accroissement annuel dénombre 50 % de sa population ayant moins de 15 ans — Nigeria et Zimbabwe en recensent 48 %, Algérie et Ghana 47 %, Tanzanie 46 %, Zaïre 45 %, Éthiopie 43 %... Les projections du service Population des Nations unies prévoient que, de 500 millions en 1980, l'Afrique pourrait tripler en 45 ans, et atteindre 1,5 milliard d'habitants en l'an 2025...

Quant à l'Éthiopie, en 2045, elle devrait compter 231 millions d'habitants, en se multipliant par six. Le Nigeria n'atteindrait, dans ces prévisions le seuil de croissance démographique zéro qu'en l'an 2035, avec 618 millions d'habitants ! Il est bien évident que ces chiffres ne seront jamais atteints car il y aura *augmentation de mortalité — inévitable si on ne sait pas réduire les naissances.* Même si on ne faisait que s'en rapprocher, le *couvert végétatif serait détruit* sur des surfaces énormes, et le potentiel de production agricole, forestier et pastoral *réduit de plus de moitié.*

En 1964, à Dakar, c'est la première fois que je suis réadmis sur le sol africain après *l'Afrique noire est mal partie.* Vingt-cinq journalistes africains demandent à rencontrer l'auteur de ce livre contesté. Après avoir exposé les problèmes qui m'apparaissaient les plus importants et esquissé des éléments de solutions, l'un d'eux me dit : « Professeur, vous nous demandez de réaliser en *une génération* une *révolution agricole* que vous, en Europe, vous avez mis *des siècles* à accomplir. Laissez-nous le temps... »

Ma réponse : « Ce n'est pas moi qui vous accule à aller vite... c'est votre *démographie.* Si vous la ralentissiez, vous auriez plus de temps... »

Ceux qui prétendent encore l'Afrique tropicale dépeuplée,

ou sous-peuplée — et la comparent aux zones climatiques voisines de l'Inde plus peuplée — sous-estiment :

— la fragilité extrême des sols du Sahel et des savanes, vite accentuée par la déforestation et les érosions. Les pluies de 1985 sur des sols déstructurés par la sécheresse, faute d'humus, ont entraîné des milliards de tonnes de sol superficiel, le sol fertile — y compris les semences qui y avaient été placées ;

— les grands obstacles à l'intensification agricole et à la protection du milieu naturel contre dégradations et érosions, que représentent la paupérisation accrue de la paysannerie africaine et l'analphabétisme.

Quant à déplacer massivement ces hommes des savanes en zone forestière, il faudrait pour cela réaliser le rêve de N'Krumah ; « *One Africa, one Nation* », une seule Afrique. Et l'on détruirait ainsi la seule grande forêt du monde (avec l'Amazonie), celle qui risque de persister un peu plus longtemps, et qui, de ce fait, constitue un facteur essentiel de notre survie.

Ces obstacles sont aggravés par les deux sortes de *dominations* : celle du système économique mondial, et celle des privilégiés locaux. Un point absolument essentiel demeure : *l'excès d'hommes* et de *bétail*, et leur trop rapide progression.

CHAPITRE II

COLONISATION OU « INDÉPENDANCE » : LES PAYSANS TOUJOURS DOMINÉS, EXPLOITÉS, MÉPRISÉS NE PEUVENT INVESTIR ET « INTENSIFIER »

UNE SOCIÉTÉ PRÉCOLONIALE FORTEMENT HIÉRARCHISÉE

Nombre d'études nous le confirment, tel le beau livre de Jean Gallais[1], *Hommes du Sahel.* Il nous montre le peuple peul du Macina (delta intérieur du Niger au Mali, en aval de Ségou) divisé en quatre clans, subdivisés en tribus et factions, dans lesquelles on distingue les hommes libres, les Rimbés, et les captifs, les Rimaïbés. Même si l'administration coloniale interdit en 1893 tout asservissement nouveau et fonde les « villages de liberté », la hiérarchie traditionnelle n'a pas fini d'influencer le statut social et économique des descendants des captifs. Le Rimaïbé affranchi n'est guère propriétaire foncier, au moins jusqu'au temps des grands travaux d'irrigation. Le seul paysan que j'ai rencontré sur les rizières de Dagana, vallée du fleuve au Sénégal, en août 1984 et à l'heure la plus chaude de la journée, c'était un métayer. Il versait à son « propriétaire » le tiers de la récolte.

Dans cette vallée, nous dit Abdoulaye Bara Diop[2], « après leur libération, n'ayant pas de terres, les captifs sont souvent restés sur la glèbe de leurs anciens maîtres, comme métayers. Les grandes familles, qui ont joué dans le passé un rôle important, occupent encore sur le plan social une position prépondérante... ». Les sols les plus fertiles sont nettement réservés aux

---

1. Flammarion, Paris, 1984, 289 pages (puis les publications de l'ORSTOM).
2. *Société toucouleur et migration,* Université de Dakar et Institut français d'Afrique noire, 1965.

plus riches. La répartition des droits d'usage de la terre — en principe nationalisée — reste très inégale. L'Afrique tropicale n'a jamais été le domaine d'un paysannat à tendance égalitaire. Cette société a toujours été hiérarchisée et elle le demeure largement.

CHASSE A L'ESCLAVE, PUIS COLONISATION : APPAUVRISSEMENT

C'est le captif, le paysan vaincu par des tribus plus guerrières et mieux organisées, qui a été vendu comme esclave et qui a fait la fortune des Amériques. Les profits de cette traite sanglante ont facilité la révolution industrielle ; et c'est ainsi que les *inégalités* entre ceux qui ont ainsi accédé au « développement » et les autres, les « laissés-pour-compte » d'une économie dominante, n'ont cessé de s'approfondir.

Plus tard, la colonisation a fait supporter aux pays assujettis le poids d'un début d'administration « moderne ». Elle a introduit la monétarisation de l'économie par le biais de l'impôt en argent[1]. Ce qui aggrava l'appauvrissement de la paysannerie, l'empêchant ainsi d'accumuler, donc de moderniser. Toute industrie fut longtemps interdite dans « nos » colonies. Elles étaient un marché réservé pour nos usines, guère compétitives envers l'étranger[2] ; et elles leur fournissaient les matières premières à bon compte. Quand nous combattions le colonialisme et l'économie de traite qui lui était associée, nous espérions que l'indépendance améliorerait le sort des producteurs, des travailleurs, en les libérant de ces formes abusives d'exploitation ; qu'elle permettrait de les mobiliser pour un type de développement qui respecterait l'écosystème, au lieu d'accélérer la désertification et leur propre ruine. Nous devions être très vite déçus.

---

1. Et bientôt la dot elle-même — devenue l'un des principaux échanges de biens — s'est monétarisée.

2. Elles cherchent à garder ces débouchés traditionnels, les seuls où notre balance des paiements reste excédentaire.

J'ai été l'un des premiers à dénoncer cet état de fait[1], ce qui me fut reproché de tous côtés. En 1986, personne ne nie plus cette situation déplorable, même si on ne sait comment en sortir. Ce fut d'abord la balkanisation de l'Afrique ex-française, érigeant en barrières définitives des découpages arbitraires[2] qui méconnaissaient les frontières ethniques ou naturelles. Trop d'États ont été créés, chacun devant supporter des frais généraux d'administration excessifs et une diplomatie trop onéreuse. Ces États, parfois ridiculement petits par la surface ou la population (comme le Togo et le Bénin), ne peuvent, de ce fait, envisager un vrai développement économique, lequel comporte un minimum d'industrialisation. Le système d'éducation, copié sur la France, a créé une élite du savoir, la « caste » bureaucratique, qui a mis (avec notre complicité intéressée) la main sur le pouvoir, et n'a cessé d'en tirer des profits abusifs.

Ces minorités privilégiées urbaines ont gaspillé les aides extérieures, puis elles ont créé des organisations étatiques en amont et en aval de l'agriculture, pour ravitailler les paysans et commercialiser leurs récoltes. Ces bureaucraties se sont avérées inefficaces et exploiteuses. Des échecs retentissants d'étatisation commerciale ont eu lieu en Tanzanie et en Zambie, mais également au Sénégal et au Mali.

MONOPOLES ÉTATIQUES : ONCAD SÉNÉGALAIS ET OPAM MALIEN...

L'ONCAD[3], créé en liaison avec des « coopératives bidons » établies en 1960, reçut le monopole de la commercialisation de l'arachide, et plus tard, celui des autres produits agricoles[4], comme les céréales. Mais il a toujours mis l'arachide en priorité. Il devait assurer aussi le ravitaillement des producteurs

---

1. *L'Afrique noire est mal partie, op. cit.*
2. Reconnues intangibles en 1963 par la charte de l'Organisation de l'unité africaine, l'OUA.
3. Office national de commercialisation de l'arachide.
4. O'Brien et Casswell dans la revue *Politique africaine* n° 14, Karthala, Paris, 1984.

en engrais, semences et matériel agricole. Ces intrants devaient être fournis à crédit. Mais bientôt la masse des impayés, en liaison avec le trop bas prix de l'arachide, mit fin au crédit. Faute de trésorerie, l'ONCAD délivrait des reçus provisoires d'apports d'arachide, qui n'étaient réglés qu'après plusieurs semaines de retard. De 1967 à 1969, quand l'arachide était payée 17 F le kilo, beaucoup de paysans endettés ont cédé ces reçus aux commerçants-usuriers, au taux de 12 F ou même 10 F le kilo. Je concluais alors : « Les usuriers qui ont fait ces avances, lesquelles ne comportaient pas le moindre risque, ont ainsi gagné jusqu'à 70 % en un mois ; ce qui dépasse les taux usuraires les plus élevés, que j'avais relevés en Inde en 1958-1959[1]. »

Michaïloff[2] souligne justement : « Pléthores d'effectifs, budgets pour l'essentiel consommés en salaires et absence corrélative de moyens en matériel, véhicules, carburant, etc. Pénurie de cadres qualifiés, structures de prix imposées, absence de comptabilité, retards de paiements, stagnation de chiffres d'affaires et hausse des frais généraux à la tonne commercialisée... » Il aurait pu aussi parler de la corruption généralisée, des collusions des présidents et peseurs des coopératives avec les agents de l'ONCAD. Cet Office a fait faillite, léguant à l'État sénégalais une énorme dette...

L'OPAM malien[3], quant à lui, a reçu dès sa création en 1965 le monopole de droit du commerce des céréales, sans en avoir les moyens. A la base, étaient des « coopératives » imposées d'en haut par le régime « socialiste » de Modibo Keita, donc bureaucratisées. La campagne d'achat ne pouvait commencer qu'avec l'arrivée concomitante des fonds et des sacs : souvent, les uns arrivaient sans les autres. Chaque village était imposé d'un quota de cession obligatoire, souvent sans rapport avec sa production réelle : les villages surimposés devaient donc, à grands frais, acheter des grains aux villages sous-imposés ; le tout dans le cadre de prix fixés bien trop bas, qui favorisaient le marché clandestin. Manque de véhicules, de locaux de

---

1. *Paysannerie aux abois,* Ceylan, Tunisie, Sénégal, Le Seuil, Paris, 1972, 254 pages.
2. *Les Apprentis sorciers du développement,* Economica ACCT Paris, 1984.
3. Office des productions agricoles du Mali.

stockage, de fonds de roulement, hypertrophie des frais généraux... L'OPAM est un monstre bureaucratique[1].

RUINE DE LA PAYSANNERIE SAHÉLIENNE

Les bureaucrates et leurs associés, dotés des pouvoirs discré-
tionnaires de la puissance publique et du monopole du savoir,
ont aggravé la ruine de la paysannerie, avec moins de scrupules
que les « traitants[2] » d'autrefois. Mais le plus gros facteur
d'exploitation a résidé dans les *prix* d'achat trop bas des
céréales vivrières. Ruineux pour les paysans, ces prix étaient
fixés au profit des minorités urbaines privilégiées.

L'écart de revenus entre les deux grandes villes du Burkina-
Faso, Ouagadougou et Bobo-Dioulasso (pauvres des villes
inclus), et l'ensemble des villages, était estimé autour de 5 à 1
en 1960, mais vingt ans après, autour de 10 à 1. (Le producteur
d'arachide du Sénégal gagnait beaucoup plus, par jour/travail,
en 1913 qu'en 1984). A chacun de mes quinze passages au Sahel
(de 1951 à 1984), je notais que le nombre des voitures et plus
encore des motos, s'accroissait très vite — tout comme celui des
villas résidentielles. Sankara tente de mettre fin à certains de
ces abus.

Dans une ambiance d'économie restée *dépendante*, on a
d'abord pensé production. Si, au départ, les gouvernements
avaient été soucieux de l'intérêt national, il leur aurait fallu
mettre en priorité la protection du patrimoine foncier, la
conservation des sols et des eaux[3]. Pour y parvenir, il aurait
fallu donner aux paysans les moyens de protéger leurs sols, en
pratiquant des *prix* d'achat corrects de leurs denrées, premiers

----

1. La Communauté économique européenne, CEE, a récemment condi-
tionné l'aide de sa stratégie alimentaire à la réforme de l'OPAM et à la
libération du commerce des céréales. Mais, si les commerçants ne sont plus
contrôlés, en s'alliant aux pouvoirs politiques et administratifs, ils peuvent
s'adonner aux pires abus. (Notamment du fait des achats « en vert » des
récoltes.)

2. Commerçants usuriers qui se remboursaient en arachide, à la récolte dont
la commercialisation était appelée « la traite ».

3. Mise au point aux États-Unis dès 1933 et que j'avais pu étudier en Afrique
du Nord en 1938.

41

pas d'une intensification biologique « en comptant d'abord sur leurs propres forces ». Mais encore, ne fallait-il pas les épuiser.

Avec l'indépendance, une *myriade d'experts* — les « fées » des temps modernes — s'est intéressée au sort des jeunes États. Certains ont proposé une série de priorités (aujourd'hui tardivement reconnues comme erronées) en prônant que la productivité du travail augmente bien plus rapidement en industrie qu'en agriculture... Mais ils oublient de rappeler aux Africains que l'intensification agricole avait, en Europe occidentale et en Chine, *précédé, permis et financé* l'industrialisation. D'autres — ou les mêmes — ont montré que si l'Union soviétique avait pu rattraper son retard à marches forcées, c'était par une accumulation primitive basée sur *l'exploitation* forcenée de sa paysannerie. Celle-ci fut si poussée qu'elle a finalement imposé la plus terrible des *répressions.*

Le premier plan indien a donné la priorité à l'industrie : ce qui a conduit ce vaste pays, lors de la sécheresse de 1965, au bord de la famine, que seule l'aide internationale a permis d'éviter. De même, sans cette aide, le Sahel, lors des sécheresses de 1968 et 1973, aurait souffert de famines encore plus effroyables que celles qu'il a déjà subies. Cependant nous allons voir que cette aide enfonce ces pays dans la *dépendance* et réduit leur marge de manœuvre.

AUGMENTER LA PRODUCTION, SANS OUBLIER LA PREMIÈRE RÉVOLUTION AGRICOLE, QUI EXIGE LE RELÈVEMENT DES PRIX

Une autre orientation, que j'ai relevée dans chacun des pays étudiés en 1984, me semble erronée. Quand ils ont compris trop tard[1] l'intérêt des cultures vivrières, base de leur indépendance politique, les services économiques et techniques de ces pays ont mis en œuvre (financés par les aides étrangères) une série de *projets* de productivité : leur but essentiel — but unique pourrait-on dire — étant le relèvement rapide de la production, mais *sans réelle stratégie à long terme.* Culture attelée et engrais chimiques ont donc été propagés un peu partout — toujours

---

1. En 1964, le projet SATEC au Sénégal privilégiait encore l'arachide. En 1986, c'est encore vrai !

sans rapport avec le montant de dépenses engagées — avec des résultats très limités et même parfois nuls.

Le meilleur moyen de concilier production et protection est de s'engager, par étapes successives, vers ce que nous avons appelé, en Europe occidentale, *la première révolution agricole* : celle des cultures fourragères dite, en Angleterre, « du trèfle et du navet ».

Celle-ci permet l'accroissement d'un cheptel animal mieux nourri, donc plus de lait, de viande, d'énergie animale, de fumier et de fertilité. Sur une surface (pourtant moindre) consacrée aux céréales, on récolte plus de grains. Hélas en Afrique tropicale, l'industrie, qui s'installe par le biais d'équipements importés, rencontre une paysannerie déficitaire, appauvrie, et donc sans pouvoir d'achat. D'un côté une spirale ascendante et de l'autre, nécessairement descendante.

Passer à un niveau « supérieur » d'intensité agricole, tout en protégeant les sols ; associer cultures fourragères à culture attelée ; embouche du bétail et vrai fumier (fait à l'ombre et arrosé) ; tout cela exige, de la part des paysans, une masse élevée *d'investissements* humains, mais fort peu de devises.

Ce sont les débuts qui seront les plus durs, en attendant que les effets positifs se fassent sentir ; d'où la nécessité d'un relèvement substantiel *des prix* des produits agricoles. J'ai pour habitude de livrer des opinions plutôt que de donner des conseils, cependant sur ce point essentiel, je n'ai pas hésité à suggérer au Niger de relever à 85 F, le prix d'achat du kilo de mil, qui était alors à 70 F. J'ai proposé le même chiffre pour le paddy au Sénégal, alors que le prix officiel restait à 61 F. Dans les deux cas, les fonctionnaires, nos interlocuteurs, ont vivement réagi.

« Le mil au plus bas prix possible », a dit le directeur de l'élevage au Niger, sans la moindre hésitation. « On ne peut relever le prix du riz », dit-on au secrétariat général du ministère de l'Agriculture à Dakar. A Bobo-Dioulasso, des jeunes techniciens burkinabés qui discutaient devant nous du coût de revient du sorgho, l'ont estimé à environ 140 F le kilo, soit le double du prix officiel. Mais déclarent-ils aussitôt : « Un tel prix est impossible à appliquer ; ce serait la révolte en ville. » C'est clair, pour ces gens des villes, ce sont les paysans qui doivent payer les *frais de la paix sociale en ville*. Tant que cette politique antipaysanne prévaudra, il sera impossible d'intensifier l'agriculture, tout en veillant à la protection du milieu.

Quand, au début de juillet 1981, j'ai remis au président Abdou Diouf le rapport, publié depuis sous le nom de *Défi sénégalais*[1], qui concluait sur la nécessité de changer les relations des revenus entre les villes et les campagnes, celui-ci m'a volontiers donné raison. « Mais, a-t-il ajouté, je n'ai pas derrière moi les forces politiques rurales organisées nécessaires pour faire accepter un tel renversement de tendance. » Le drame est bien là : les paysans ne représentent pas de pouvoir politique réel. Leurs revendications vont pourtant dans le sens de l'intérêt national, mais les privilégiés des villes s'y opposent.

Rouillé d'Orfeuil[2] souligne : « Les responsables politiques ont besoin d'agriculteurs organisés... pour équilibrer la force politique des fonctionnaires et des urbains, et, à terme, réduire l'appareil d'État. »

Arrêter aussi vite que possible la divagation du bétail, en évitant le surnombre ; dresser partout des obstacles physiques contre l'érosion hydraulique et éolienne sont les préalables à une généralisation des cultures fourragères. Ces préalables exigent une paysannerie instruite et organisée. L'alphabétisation fonctionnelle, je le démontrerai, est une nécessité absolue pour lutter contre le désert et contre la pauvreté rurale. Je reviendrai en détail sur ces problèmes, à propos de chacun des pays visités, dans la deuxième partie de cet ouvrage. Auparavant : le rappel des principales erreurs réalisées dans ces pays, depuis 1945. Rappel d'autant plus important que sont encore nombreux ceux qui avaient de puissants intérêts à ce que ces erreurs se répètent, voire se multiplient indéfiniment.

---

1. ENDA Dakar, *op. cit.*
2. *Coopérer autrement, op. cit.*

CHAPITRE III

« MODERNISATION » ET « AIDES » N'ONT GUÈRE CESSÉ D'ÉCHOUER

LES FOLIES DE LA MÉCANISATION AFRICAINE : SMP MAROC, *PEANUT SCHEME* ANGLAIS, CGOT EN CASAMANCE...

En 1946, Jacques Berque[1] et l'agronome Couleau organisent au Maroc, encore sous protectorat français, les SMP (Secteurs de modernisation du paysannat).

Jacques Berque partait d'une idée qu'il semait à tous vents : « La modernisation sera totale ou ne sera pas. » Durant l'été 1947, quand je fus appelé au Maroc, je lui rétorquai qu'un processus de modernisation était évolutif, jamais achevé, et qu'on ne pouvait donc pas le dire « total ». Les tribus marocaines recevaient, pour leurs champs collectifs de céréales, tracteurs et moissonneuses-batteuses, tout comme les colons français. Quand je vis, sur la route de Meknès à El Hadjeb, une centaine de paysans marocains regarder avec un vif étonnement — pour ne pas dire une certaine inquiétude de se voir ainsi dépossédés — la majestueuse moissonneuse-batteuse faire la récolte à leur place, j'hésitai... : moderniser signifiait-il retirer tout travail à ces paysans qui, en 1938, m'avaient réclamé d'abord de l'emploi, sur la falaise voisine d'El Hadjeb ?

Dès 1945, les Anglais avaient lancé dans le sud du Tanganyika (devenu, depuis son indépendance, la Tanzanie) une vaste opération, hautement mécanisée, de culture d'arachide, le *Peanut Scheme*. Cette opération était dirigée par un amiral fort compétent en matière de batailles navales... Une partie du gros

---

1. Que j'admire beaucoup en tant qu'islamisant et militant de la décolonisation.

matériel, héritage de la guerre, venait des plages du Pacifique et avait souffert de la corrosion des embruns salés. Le site avait été choisi parce qu'il était dépeuplé et, de ce fait, ne posait guère de problèmes d'expulsion des autochtones. (Si les paysans ne s'y pressaient point, c'est qu'ils connaissaient mieux que les coloniaux anglais la valeur des sols, les réalités climatiques, etc.) Le climat se révéla plus sec que prévu et les sols, formés d'un mélange de sable et de gravier, devinrent, à la fin des pluies, durs comme du ciment... Cet échec avait coûté plus de 50 millions de livres...

A Paris, en automne 1947, j'étais au Commissariat au Plan (le plan Monnet) dans l'équipe chargée, avec Coquery et Coutin, des problèmes agricoles français. Maurice Guernier (qui était alors à la division France-Outre-mer du plan Monnet) vint un jour m'entretenir d'un vaste projet de culture mécanisée d'arachide. Pour éviter l'écueil de la sécheresse, le projet se situait en Casamance, dans le sud du Sénégal, région généralement arrosée. Il envisageait de m'envoyer étudier au *Peanut Scheme* anglais « leurs problèmes et difficultés ». Je lui exprime mes réticences, rappelant l'expérience marocaine. Pendant quelque quarante-cinq minutes, je bloquai Guernier dans l'escalier le conduisant à la décision, au 18, rue de Martignac. Il finit par passer et obtint les crédits nécessaires (et même surabondants) pour lancer, autour de Séfa, en Casamance centrale, la CGOT, Compagnie générale des oléagineux tropicaux.

Je n'ai été invité à me rendre sur place qu'en été 1951. La direction générale était confiée à un « Sciences-Po », Maurice Guernier, dont l'adjoint Magron était polytechnicien. Sur place, un officier de marine dirigeait les opérations. Les agronomes se situaient donc au quatrième rang, chargés seulement de l'exécution. (En France, la conception reste encore aujourd'hui le domaine réservé des énarques... J'ai enseigné à l'École Nationale d'Administration pendant trois ans, mais, en 1959, mon enseignement a été supprimé.)

De puissants tracteurs à chenilles abattaient la forêt, en tirant par ses extrémités la chaîne d'ancrage du paquebot *Normandie*[1]. Voir s'abattre ces grands arbres ne laissait pas d'impressionner,

---

1. Qu'on était allé chercher à New York !

mais, pour ma part, je ressentais une vive inquiétude quant aux conséquences de ces travaux gigantesques sur l'écosystème.

Contrairement aux prévisions, l'érosion fut très marquée sur les champs qui furent cultivés et cela, malgré leur faible taux d'inclinaison. De surcroît, le climat étant très humide, les mauvaises herbes poussaient plus vite que la modeste arachide. On fit alors venir des sarcleuses de Georgie (USA), où les sols sont cultivés depuis trois siècles. Dans ces défriches récentes parsemées de grosses racines, les fines dents de ces sarcleuses furent vite brisées. J'hésite à énumérer tous les mécomptes d'une telle incurie.

La veille de mon arrivée, le maître à bord avait fait à « ses » agronomes un exposé sur l'arachide, inspiré d'un livre qu'il avait lu la veille. A la même table, je déclarais derechef qu'ayant lu récemment un livre sur la marine de guerre, j'allais pouvoir en entretenir notre auditoire !...

Restent d'impressionnantes « ruines CGOT ». Les tenants de cette motorisation-mécanisation voyaient, dans le tracteur, la base indispensable de la modernisation d'un continent « dépeuplé ».

Tous ces projets ont coûté fort cher, et pas seulement sur le plan financier. Si les forêts n'avaient pas été démolies à grands frais, et le bois brûlé sur place en pure perte, on aurait pu y installer des systèmes de culture capables de maintenir la fertilité. Les cultivateurs de cette région paient encore aujourd'hui les frais de cette dégradation criminelle d'un milieu originellement fertile, et qui aurait pu le rester. La Casamance reste une zone encore un peu arrosée : le grand espoir du Sénégal. A la conférence de Stockholm (ONU, 1972) sur l'environnement, des délégués africains ont justement demandé aux pays ex-coloniaux des indemnités, en réparation des dégâts commis à l'égard de leur environnement.

ENGRAIS ET TRACTEURS SUBVENTIONNÉS, POUR ESSAYER
D'« ESCAMOTER » LA PREMIÈRE RÉVOLUTION AGRICOLE

On essaie depuis plus de trente-cinq ans, de mettre en valeur le delta du fleuve Sénégal. On a donc subventionné tous les facteurs de production importés : tracteurs, engrais chimiques, pesticides... Ces subventions ont freiné ou même pratiquement interdit le plein emploi des ressources locales : les hommes en tout premier lieu, puis les bœufs de trait et les diverses formes de fumures organiques : fumiers, composts ou engrais verts. La moitié de ces subventions accordées à ces facteurs eussent permis d'aborder avec succès la première révolution agricole.

Seules les riches cultures d'exportation de la zone forestière peuvent parfois payer les lourds frais de la motorisation. Cependant l'échec du plan sucrier ivoirien s'explique notamment par le choix de la culture irriguée au nord du pays, alors qu'au centre, plus pluvieux, on aurait pu, avec des frais d'investissement réduits de moitié, faire des plantations en cultures pluviales. Par ailleurs, le gigantisme des usines nécessite des dépenses énormes de transport, et occasionne d'importantes pertes en sucre en cas de retard. Enfin, dans un pays où sévit le chômage et où l'énergie revient cher, on a adopté un programme de récolte mécanique de la canne au lieu de préférer des plantations en paysannat — qui réussissent si bien en Haute-Égypte. En 1973, *Sucre et denrées*, la grande maison de courtage de sucre en France, organise à Paris une réunion mondiale[1] de sept cents courtiers en sucre. Leur but — on l'a compris un peu plus tard — était une vaste campagne d'intoxication de l'opinion mondiale, sur le thème : « Le sucre va manquer, disette mondiale en perspective. » Opération fructueuse pour les marchands de sucreries « clefs en main », (comme Tate and Lyle ou Fives-Lille).

Le cours du marché libre du sucre a fait un bond en avant, jusqu'à 60 cents la livre anglaise en 1973-1974, contre 2 à 4 cents vers 1965-1970. Mais il est depuis retombé entre 3 et 8 cents la livre. Aucune usine ne peut, en 1986, produire du sucre en dessous de 10 cents ; on a dû arrêter une partie des complexes

---

1. J'étais chargé d'y parler canne à sucre ; et Jacques Chirac ouvrait la séance, en tant que ministre de l'Agriculture. Je le salue, en lui signalant que, comme professeur à l'Agro, il était « mon » ministre. « Vous m'en voyez confus », me répondit Chirac — qui avait été mon élève à l'ENA. Chirac confus... voilà qui n'est pas courant. Mais c'était en 1973 !

sucriers ivoiriens et ceux qui restent en activité essuient déjà des pertes insupportables[1].

LES AIDES QUI RENFORCENT LA DÉPENDANCE

L'Américain Wilcock (rencontré à Fada N'Gourma en 1977) s'applique à démontrer, dans sa thèse[2], à quel point les aides « généreusement » accordées aux pays dominés du Sahel, avaient été, en accord avec les bailleurs de fonds et les autorités locales, détournées de leurs fins productives, pour aboutir au renforcement de la société de consommation et encourager le gaspillage en ville.

Dans tout le Sahel, ces aides ont surtout permis d'édifier des bâtiments administratifs et d'y loger nombre de fonctionnaires. L'aide, qui aboutit surtout en ville, y a « élevé » le niveau de vie. A Ouagadougou, le tohu-bohu des motos est devenu incessant. *L'aide a finalement augmenté les besoins d'aide.* Elle assure, désormais, non seulement la quasi-totalité des besoins d'investissement, mais même une partie des budgets de fonctionnement. Le gouvernement mauritanien, incapable d'assurer les dépenses récurrentes qu'exige tout aménagement, demande désormais que « tout projet qui lui est soumis de l'extérieur, assure, en plus de son coût, les dépenses de fonctionnement et d'entretien, pendant les cinq premières années de fonctionnement ».

Les États du Sahel ont donc totalement *perdu leur indépendance, économique et politique.* L'aide a surtout développé le secteur tertiaire, une économie parasitaire dans les villes. On a ainsi réduit ces pays ruraux à une situation d'assistés. Vers 1970, un ami roumain me disait déjà, au retour de cinq années

---

1. En avril 1981, je fus invité à Abidjan pour une réunion des jeunes chambres économiques d'Afrique. Le ministre de l'Agriculture Brakanon, un Agro, un de mes élèves, m'invitait alors à étudier les cultures vivrières — le talon d'Achille de ces pays. Quand il eut lu ce que je disais des sucreries dans *l'Afrique étranglée,* il m'écrivit une lettre embarrassée pour « retarder » cette invitation... Qu'à cela ne tienne, je ne suis en aucune manière responsable des difficultés actuelles de l'économie ivoirienne ! Dans une étude publiée en 1961, je les prévoyais bien plus proches : je me suis trompé !

2. Cf. R. Dumont, *Paysans écrasés, terres massacrées,* R. Laffont, Paris, 1978, 359 pages.

passées au Niger : « Il faut inscrire le Sahel, à titre définitif, à l'assistance publique internationale. »

QUI A RUINÉ L'AFRIQUE ?

Je ne me suis jamais privé de relever les responsabilités des Africains. Mais qui les a engagés et maintenus dans des voies sans issues ? Le *système économique dominant*[1] a imposé ses règles à l'ensemble du monde, et il assure le maintien de la division internationale du travail ; les pays dominés, quant à eux, assurent la fourniture des matières premières, agricoles et minérales, dont les cours sont fermement contrôlés par les « bourses » des pays riches.

Nous voici en pleine *Crise* ; et l'économie des USA, chef de file du système, en arrive à fabriquer une fausse monnaie que le monde entier s'arrache. La mythologie du développement et de la coopération, nous dit Rouillé d'Orfeuil[2], « cherche d'abord à éviter que les perdants ne quittent la partie avant d'avoir donné *leur dernière chemise* et remboursé leurs dettes... La croissance faible, qui n'empêche pas les puissants de continuer à concentrer la richesse, asphyxie les plus faibles... Les pays les moins avancés sont priés de quitter le terrain économique et de regagner un terrain social, celui de la *mendicité* internationale, place bien inconfortable en période de basses eaux car "charité bien ordonnée commence par soi-même" ; et il y a, déjà "au Nord", par les temps qui courent, beaucoup de nécessiteux ».

---

1. Dans *le Piège bancaire*, Flammarion, Paris, 1985, 342 pages, Richard W. Lombardi, vice-président de la First National Bank de Chicago, dénonce les responsabilités de ce système dans l'effondrement du tiers monde, qui risque d'entraîner celui des banques.
2. *Coopérer autrement, op. cit.*

Et le rôle des ONG
(ORGANISATIONS NON GOUVERNEMENTALES) ?

Les ONG sont très diverses de par leurs motivations, leur origine et leur action. Le meilleur et le pire se côtoient. Le pire c'est peut-être cette mission protestante allemande, établie près de Fada N'Gourma, à l'est de Ouagadougou, sur la route qui mène à Niamey au Niger. L'évangélisation des paysans qu'elle soutient semble sa préoccupation essentielle. Disposant d'une connaissance parfaite de la langue gourmantché (celle de l'est du Burkina-Faso), ces missionnaires d'origine allemande ont entrepris, de longue date, la traduction du Nouveau Testament, qu'ils enseignent à leurs catéchistes. Je m'informai alors auprès des responsables des possibilités de traduire en gourmantché les livrets de vulgarisation agricole (jusque-là édités en français par les administrations), ou bien de s'employer à alphabétiser les populations paysannes gourmantché. Le responsable de la mission, un homme un peu sévère, un peu austère, me répondit :

— Vous n'y pensez pas ! Il nous faut tout d'abord achever la traduction en gourmantché de l'Ancien Testament.

J'appris plus tard que les catéchistes devaient passer près de quatre ans à apprendre par cœur les Écritures, à l'issue desquels ils bénéficiaient des crédits nécessaires à leur exploitation agricole.

Ce genre d'ONG ne se rencontre plus guère. De fait, nombreuses sont les ONG, aussi bien françaises qu'africaines, qui s'attachent à repenser continuellement leur action. Ainsi Frères des Hommes (FdH), avec qui je travaille depuis 1972, reconnaît en 1984, que : « Le transfert des ressources pour créer des infrastructures et aider de petits groupes à s'organiser ne peut suffire au développement local, quand une minorité accapare les ressources et la parole. La plupart du temps, l'accroissement de la production se répercute peu sur la majorité ; surtout s'il provient des cultures d'exportation, dont les bénéfices vont être drainés vers des villes démesurées et une fonction publique pléthorique. »

FdH veut aider à « l'extension de l'espace associatif. Il faut que des groupes puissent s'organiser, réfléchir ensemble et se poser en interlocuteurs des pouvoirs économiques[1] ».

---

1. Extrait du livre déjà cité *Coopérer autrement* où, après avoir exposé les conditions du renouveau des ONG, Rouillé d'Orfeuil donne la parole à neuf

Encore faut-il que ces groupes paysans acquièrent une force économique, sous la forme de groupements de villageois ou de producteurs (dénomination désormais préférée à celle de « coopératives », qui évoque trop de souvenirs de corruption et d'inefficience). Encore faut-il aussi que les pouvoirs politiques reconnaissent ces groupements, les aident à se former ou, pour le moins, ne les en empêchent pas.

Avec Rouillé d'Orfeuil, nous nous accordons à penser que les ONG doivent aider :

— « A la définition d'une voie paysanne de restauration et d'intensification de l'exploitation agricole... en favorisant l'émergence d'exploitations paysannes économes, autonomes, viables et vivables.

— A la réhabilitation des savoirs et des pratiques traditionnelles, de façon à restaurer l'*identité* collective paysanne.

— Au renforcement de l'organisation du milieu rural, pour aider la paysannerie à occuper la place qui lui revient dans la société. »

Voici donc tracé le schéma qui me paraît, à ce jour, le plus propice à aider le Sahel et l'Afrique subsaharienne dans son ensemble, à se dégager du désastre dans lequel les a plongés la conjonction de la sécheresse croissante et des multiples dominations internes ou externes. J'ai dit, dans la préface de cet ouvrage, de quelle façon j'avais pu approfondir[1] les problèmes ruraux et généraux du Sahel, depuis le fleuve Sénégal jusqu'au Niger. Et plus particulièrement en Burkina-Faso, qui m'a procuré les meilleures conditions d'enquête. C'est donc par ce pays que je commencerai les études de terrain, qui constituent la seconde partie de cet essai.

---

d'entre elles : Frères des Hommes ; Terre des Hommes ; Centre international de coopération pour le développement international (CICDA) ; Comité catholique contre la faim et pour le développement (CCFD) ; CIMADE (protestant) ; Institut de recherche et d'applications des méthodes de développement (IRAM) ; Comité français contre la faim (CFCF) ; Association française des volontaires du progrès (AFVP) et Maisons familiales rurales ; Agriculteurs français et développement international (AFDI). Il existe bien d'autres ONG actives et intéressantes. Nous regrettons, en particulier, que l'ENDA ne figure pas dans cette liste.

1. Une fois de plus, après des études répétées de 1949, 1950, 1951, 1958-1961, 1964, 1965, 1970, 1979, 1981, 1984, je n'ai guère été écouté, et le fait que mes prévisions aient été souvent réalisées ne peut évidemment me satisfaire ; j'eusse préféré avoir tort que de voir s'amplifier le désastre « reconnu » trop tard.

DEUXIÈME PARTIE

DU NIGER AU SÉNÉGAL,
EN PASSANT PAR UNE
« RÉVOLUTION » :

Dominations urbaines : Dégradation
des paysannats et de l'environnement

*Le paysan est analphabète, donc ignorant et conserva-
teur, sinon même réactionnaire.*

(Opinion courante en milieux africains, même s'ils
« se disent » progressistes.)

CHAPITRE IV

BURKINA-FASO, OU LA HAUTE-VOLTA
« EN RÉVOLUTION »

L'AVANCÉE IRRÉSISTIBLE DU DÉSERT

Le 23 janvier 1984 nous arrivons au Burkina-Faso[1] (le pays des hommes intègres), l'ex-Haute-Volta : pour répondre à l'invitation du chef de l'État, le jeune capitaine Thomas Sankara, président du CNR (Conseil national de la Révolution) qui concentre tous les pouvoirs, et qui, un an plus tôt, alors qu'il était Premier ministre, m'avait demandé, par écrit, une analyse « sans complaisance » de la situation économique du pays.

Remontant au nord par Kaya, Barsologo, Pensa, Dori et Saoga, tout près de Gorom Gorom, en direction du Mali, j'assistai au spectacle terrifiant d'une véritable « marche au sud » de la désertification. La savane m'apparaît beaucoup moins arborée, notamment de karités, qu'en 1973. Les cultures de saison sèche et les reboisements, tous clôturés, sont beaucoup moins nombreux que les emplacements qui y seraient favorables, en raison du coût excessif des clôtures.

Le plateau Mossi est surpeuplé, donc dégradé, du fait de la disparition de la jachère, et avec elle de la matière organique. Le surpâturage donne lieu à des plages de sols nus, compacts, d'où le couvert végétal a disparu ; c'est encore plus grave en remontant vers le nord. Sur les parcelles des sorghos et plus encore des petits mils (au nord), on constate des traces d'érosion hydrique, de ravinement du sol par les courants d'eau.

Avant d'arriver à Pensa, les mils de saison des pluies sont entourés d'une haie morte de fagots d'épineux accumulés. Il a fallu les couper à ras de terre et donc détruire en pure perte des

---

1. Avec Charlotte Paquet.

55

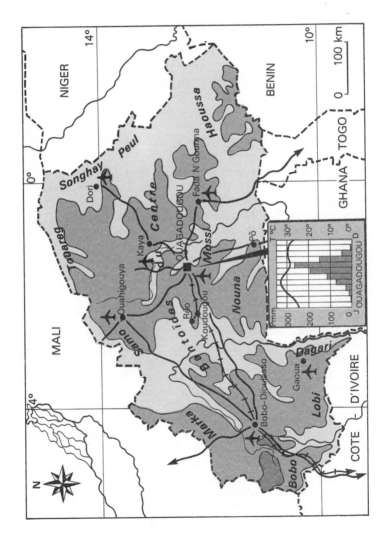

Carte du Burkina-Faso

centaines sinon des milliers d'acacias, qui constituent les derniers avant-postes de la résistance contre le désert.

Aux alentours de Pensa, les acacias épineux et les balanites[1] qui ont pris, avec les euphorbes, la place des karités et des nérés[2], sont très ébranchés, parfois morts. Aux portes de Dori, apparaissent les premières *dunes vives* de sable, mobiles sous le vent, sur lesquelles toute végétation a disparu. En peu de temps, elles ont avancé de 100 km au sud.

Alors que nous sommes en zone pastorale, j'apprends, en mars 1984, que 200 000 bovins sont condamnés à mourir, faute de pâturage !

DIVAGATION DU BÉTAIL ET PROTESTATIONS PAYSANNES

Surpâturage et déboisement ont de très solides racines traditionnelles. La tradition africaine admet que tout ce qui pousse sans travail, les herbes, les arbres, etc., appartient à tous ; et chacun a le droit de les faire pacager ou de les couper à son gré. Tant que ce droit n'est pas exclusivement attribué à des collectivités locales organisées, personne n'est en mesure de protéger le patrimoine foncier.

J'ai rencontré une organisation vraiment responsable et consciente de la gravité de la situation. Autour de Kaya, l'ADRK (Association pour le développement de la région du Kaya) explique avec beaucoup de patience aux paysans les méfaits des déboisements, la valeur de l'arbre. Elle réalise des reboisements, organise le ravitaillement en intrants, le crédit et la commercialisation, que l'on est en train de confier à des animateurs, cadres et comptables burkinabés. L'ADRK prône une bonne alphabétisation fonctionnelle, dont je ne cesserai de rappeler l'absolue nécessité. Elle paie directement les encadreurs, ce qui permet aux paysans de les contrôler. Elle interdit à ses agents le laisser-aller et le mépris que manifestent trop souvent, envers les paysans, leurs collègues bureaucratisés.

L'association Frères des Hommes, qui combat les formes

---

1. Balanites aegyptiaca. Arbre très résistant à la sécheresse, précieuse ressource fourragère des zones les plus arides par ses feuilles et ses fruits.
2. Néré : Parkia biglobosa, un bel arbre dont les gousses donnent une pulpe nutritive.

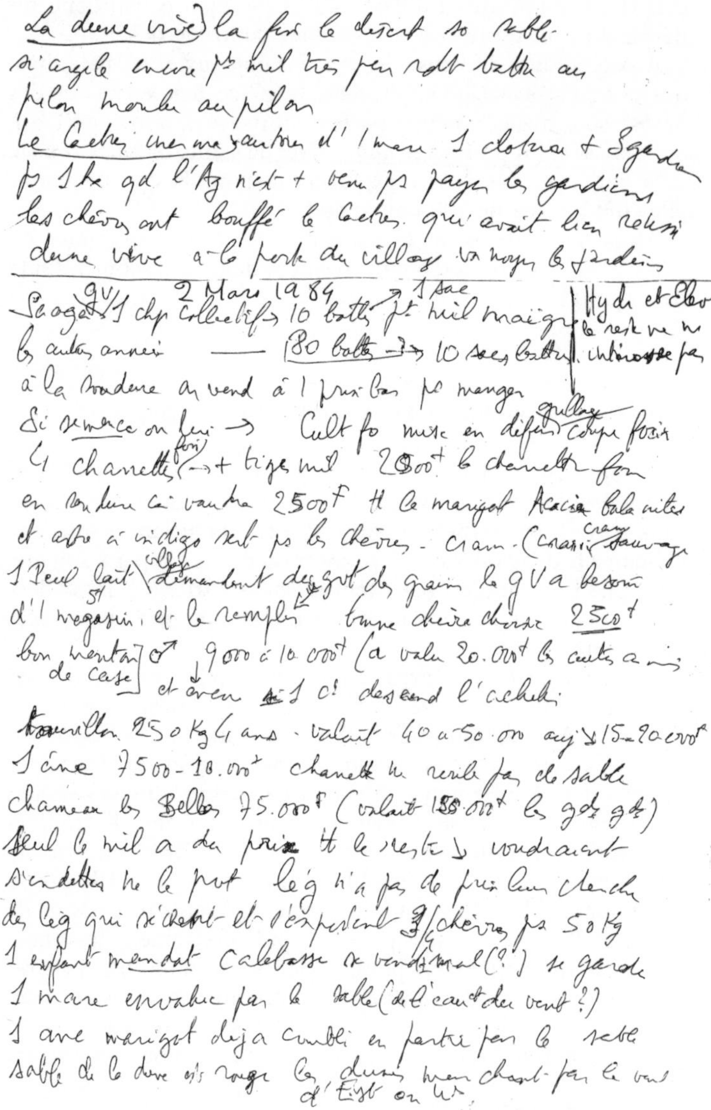

Page extraite du carnet de notes de René Dumont en Burkina-Faso, groupement villageois de Saoga, le 2 mars 1984

nocives d'une aide alimentaire, visant d'abord à écouler les excédents des pays riches, finance l'achat régulier par l'ADRK, de grains venant de régions encore excédentaires de la Volta Noire et des hauts Bassins. Ainsi, les paysans organisés vont acheter à d'autres paysans. Mais combien de temps encore ce « sud » du pays restera-t-il excédentaire ?

L'ADRK m'a fait part d'une revendication des 5 000 paysans qu'elle regroupe. Ils demandent que l'on interdise toute divagation du bétail, responsable de trop de dégâts dans les cultures. J'en ai parlé à l'ORD[1] local qui m'a répondu que cette demande ne lui avait pas été transmise « suivant les règles en vigueur dans l'administration ». Autre reproche, celui du ministre de l'Intérieur me disant que : « Je n'avais pas à transmettre une revendication des paysans au chef de l'État. Dorénavant, ils devront régler leurs affaires eux-mêmes ! »

Comme si ces paysans pouvaient, à eux seuls, sans appui des autorités, imposer aux éleveurs une discipline qui heurte tant de traditions ; on sait qu'une partie de ces troupeaux si peu disciplinés appartient justement à des urbains, fonctionnaires et commerçants, détenteurs du pouvoir !

CHARRUES CONTRE BANQUETTES ANTIÉROSIVES

Comme partout dans le Sahel, les ORD préconisent l'utilisation de la charrue, de la culture attelée. Mais il faudrait des surfaces de cultures importantes, une main-d'œuvre nombreuse, un chef d'exploitation compétent... Par ailleurs la charrue (plus rapide que la houe, que la daba) provoque des coupes d'arbres, des défrichements abusifs et travaille le sol sur une plus grande profondeur que la houe : deux facteurs d'érosion, donc finalement de désertification. Une fois de plus, le souci de la production immédiate a primé sur celui de la protection du patrimoine foncier.

Quant aux banquettes antiérosives, profondes de 30 centimètres et parallèles aux courbes de niveau, disposées tous les 25 à 50 mètres, elles s'avèrent être (avec le reboisement et la lutte

---

1. ORD : Office régional de développement, surbureaucratisé, chargé de la vulgarisation, du crédit et de la fourniture des intrants aux groupements villageois de producteurs agricoles.

contre les feux de brousse) le travail de *protection* le plus important. Au lieu de faire appel aux topographes munis d'équipements coûteux, les paysans analphabètes peuvent, avec un tube de plastique transparent, de l'eau colorée et deux piquets, apprendre très vite à tracer eux-mêmes les courbes de niveau.

Au lieu de cela, après l'indépendance, la CEE a financé sur 100 000 hectares au Yatenga, l'exécution de larges banquettes réalisées à grand renfort de bulldozers, sans avoir prévenu la majorité des paysans. Bien entendu, ceux-ci n'ont pas tardé à démolir ces saignées qui les gênaient et leur semblaient inutiles. Rien de sérieux ne peut être fait tant que les paysans n'auront pas le pouvoir de décider et qu'ils seront cantonnés au rôle d'exécutants « encadrés ».

BANQUE MONDIALE, EXPERTS FAO...

Les ORD sont très pauvres, quand ils ne disposent que des ressources du pays. Les vulgarisateurs n'y sont pas régulièrement payés, ce qui les incite au découragement, sinon aux malversations. Dans d'autres ORD, comme à Diébougou, on découvre, un peu stupéfait, un ensemble de bâtiments et de logements très confortables. On comprend vite qu'il s'agit d'un projet « Banque Mondiale ». D'ailleurs un représentant de la banque me dit sans ambages : « Ici, que le directeur de l'ORD le veuille ou non, c'est moi qui décide ce qu'on va faire cette année » (sous entendu : je paie, donc je commande). Hélas, ces beaux bâtiments exigeront bien des dépenses récurrentes.

En 1981 un rapport de ladite banque fut publié où elle reconnaissait « avoir fait en Afrique beaucoup d'erreurs, mais y avoir beaucoup appris » : le tout aux frais des gouvernements africains et sur le dos des paysans !

En 1984, l'Italie débloque 500 millions de dollars pour « sauver le Sahel ». Fort bien, mais croire qu'une action d'urgence, avec beaucoup d'argent, peut sauver tant de millions d'êtres humains (sauf dans le cas de famine dramatique, en 1984-1985 comme en 1973-1974) est une redoutable erreur.

J'eus l'occasion d'observer l'action de certains experts FAO dans la région de Tenkodogo. Une scène que je ne suis pas près d'oublier : arrivés dans leurs voitures, les six experts sont assis à l'ombre de vieux manguiers ; à côté, une dizaine de fonctionnaires burkinabés. En face, deux cents paysans et paysannes. Salamalecs de présentation interminables. Chaque expert et fonctionnaire burkinabé est applaudi à l'annonce de son nom. Un représentant paysan fait ensuite un long discours dont l'extrême humilité est parfaitement choquante : « Nous sommes comme des aveugles, ne nous abandonnez pas par la suite, nous ne pourrions nous en relever... » Langage qu'ils ont visiblement appris... la mendicité rapporte.

Il s'agissait d'expliquer que ce village avait besoin d'un forage, et que les femmes y réclamaient un moulin à mil. Ces deux demandes étaient connues avant cette réunion, par le biais d'une étude qui avait heureusement été confiée à l'INADES, centre d'études et de formation africain, création des missionnaires, compétent et sérieux. Ces « experts » sont donc restés deux heures sur leur chaise, s'ennuyant ferme, sans dire un mot. Ils continueront cette comédie parfaitement inutile dans les autres « villages-cibles » pendant environ trois semaines... Le but de cette opération était « d'officialiser » ce programme d'aide...

Ce projet a reçu, dans ce pays, 42 millions de dollars, dont 6 millions pour 1984. Les douze experts italiens absorberont plus du tiers de cette dépense, lorsqu'on y inclut les logements confortables qu'ils réclamèrent, avec des groupes électrogènes alimentant des climatiseurs. Si on leur a adjoint des Burkinabés, c'est sur l'insistance des autorités locales.

Cet événement m'a rappelé un fait qui s'est produit au Sénégal en 1964 : la France entrant dans le Marché Commun cessa de protéger les cours de l'arachide qui baissaient de 25 %. La SATEC (Société d'assistance technique et de crédit), société française financée sur fonds publics, proposa au Sénégal d'en augmenter les rendements à l'hectare « de 25 % en trois ans !... c'est facile !... ». Pour réaliser cet objectif, elle dépêcha sur place plusieurs dizaines de jeunes Français, issus d'une formation agricole et ayant suivi un stage intensif de huit jours, sur les thèmes techniques de l'arachide (préparation du sol, traitement des semences, espacements, engrais chimiques). Ils ne parlaient pas le ouoloff, ignoraient tout de la société rurale... Tout pour échouer — ils ont échoué...

Les bailleurs de fonds sont les *décideurs* de projets, les *maîtres du jeu économique*. D'autant que l'administration burkinabé, si secouée par le renvoi de tant de hauts et moyens fonctionnaires, n'est plus en état d'établir un *vrai plan*, représentant la volonté commune des dirigeants, des travailleurs, et surtout des paysans.

Le 15 février 1984, M. Van Hulten, représentant résident du PNUD, rappelait, par lettre au ministre de la Coopération et du Développement, qu'il avait souhaité organiser une réunion où les États et organisations, offrant leur coopération, pourraient prendre des engagements précis et responsables. Mais il insistait sur deux souhaits des donateurs : « que le gouvernement ait une vue cohérente de la situation, et soit décidé à faire de gros efforts pour l'améliorer... » ; et il précisait que, jusqu'ici, « les projets proposés n'avaient encore qu'une valeur ponctuelle et conjoncturelle, dont l'ensemble était loin de la cohérence souhaitable ».

De tels rappels de leurs promesses, qui mettaient face à leurs responsabilités des ministres et des directeurs généraux, ne furent pas appréciés. Peu après notre départ, l'auteur de cette lettre était déclaré persona non grata et invité à quitter le pays dans les vingt-quatre heures. « On » insinuait que ce courageux social-démocrate néerlandais, fort désireux d'aider ce pays, était un dangereux « fasciste ».

GROUPEMENTS VILLAGEOIS : PREMIÈRE ÉTAPE
DE LA « LIBÉRATION PAYSANNE »

Les ORD, émanation du pouvoir central, sont donc chargées d'encadrer les paysans, considérés comme des ignorants, car analphabètes. Pour ma part, j'estime que les jeunes vulgarisateurs ont beaucoup à apprendre des paysans, qui connaissent fort bien les aptitudes des diverses classes de sols. Ce sont des pédologues qui s'ignorent : car la carte pédologique de la zone entourant le projet d'irrigation de Bagré et celle des systèmes de cultures mis au point par les paysans coïncident parfaitement !

Après l'échec des crédits individuels, le Crédit Agricole n'accorde plus de prêts qu'aux adhérents des groupements villageois, initiative des autorités et non des paysans eux-mêmes. Bien des groupements n'ont été créés que pour obtenir de l'argent. D'autres, au contraire, développent des activités qui répondent aux besoins socio-économiques réels des paysans. Ils établissent des banques de céréales, une partie de la récolte stockée étant rétrocédée aux producteurs en période de soudure, afin de réduire les ventes en « vert » de récolte auprès des commerçants-usuriers. Ces derniers prêtent couramment une « tine » (double décalitre enfaîté, environ 17 kilos) de mil en juillet-août, et exigent un remboursement de deux tines après la récolte, en novembre-décembre.

Les plus dynamiques de ces groupements bâtissent des dispensaires, des pharmacies villageoises, des bâtiments pour leurs encadreurs de façon qu'ils habitent au village (mais plusieurs de ces encadreurs persistent à habiter en ville, ce qui réduit leur efficacité). J'ai pu constater qu'en général les groupements émanant des paysans, avec l'aide d'associations comme l'ADRK ou les 6S du Yatenga, étaient beaucoup plus efficaces que ceux qui étaient créés par les services officiels.

Alphabétisation fonctionnelle généralisée : l'école rurale a totalement échoué

A l'indépendance, seulement 5 % des enfants d'âge scolarisable allaient à l'école. Vingt ans plus tard, la moyenne atteint 16 %, mais ce chiffre s'étage de 53 % à Ouagadougou contre 5,6 % dans les zones rurales les plus écartées. Avec deux fois plus de garçons que de filles.

Que deviennent les écoliers recalés à l'entrée en sixième, qui n'ont rien appris d'utile pour améliorer l'activité agricole de leur village ? On leur a (de fait) inculqué un solide mépris du travail de la terre, considéré comme le plus dégradant des travaux manuels : un *travail d'esclave*. La majorité de ces jeunes partent en Côte-d'Ivoire. Pour ceux qui prolongent leurs études, la fonction publique ne les recrute plus guère, faute d'argent.

La réussite des organisations paysannes passe par un minimum d'éducation, par un enseignement vraiment pratique qui puisse être rapidement généralisé : l'alphabétisation fonctionnelle, dirigée vers la compréhension des activités nouvelles, comme les banques de céréales, les marchés autogérés de coton, les moulins à mil, les maraîchages irrigués...

Pour la grande majorité des jeunes paysans (qui n'accéderont pas aux hautes responsabilités de leur pays), l'enseignement devrait leur être prodigué en langues nationales. Dans chacun des pays du Sahel, quatre ou cinq langues nationales sont comprises par plus de 90 % de la population. Beaucoup de jeunes apprennent à les lire et les écrire en quatre séances de douze jours chacune. Du même coup, ils apprennent les quatre opérations, de l'arithmétique, ce qui leur évite de se faire voler au marché. Et les meilleurs de ces alphabétisés peuvent à leur tour devenir alphabétiseurs[1]. Ils seront souvent bénévoles.

Un rapport de la Banque Mondiale (*Investment in human resources,* 1983) dit que le coût élevé de l'éducation classique par rapport au revenu national est le plus grand obstacle à son expansion.

En 1981, le coût d'un écolier du primaire représentait 32 % du revenu national moyen par habitant ; et celui d'un lycéen 220 % dudit revenu. Si ce rapport insiste justement sur la nécessité d'économiser dans le secondaire et le supérieur, il ne dit pas un mot de l'alphabétisation fonctionnelle. Et ceci me rappelle l'attitude d'un représentant de la Banque Mondiale au Chili, en 1960[2], qui m'expliquait que, si l'on s'arrête à l'éducation de base, on fabrique de dangereux révolutionnaires : car seul l'enseignement secondaire fait de bons citoyens !

Lors de mon séjour à Ouagadougou, on m'a demandé d'assister à un séminaire dont le but était d'étudier les possibilités de retour à la terre des diplômés sans travail. On a fabriqué à coût excessif bien trop de lettrés et de juristes, désormais sans emploi et sans utilité pour le pays ; alors qu'on manque d'agronomes de terrains, de praticiens. On envisage d'attribuer à ces diplômés mal aiguillés de gros crédits pour les installer comme agriculteurs. Au même moment, on refuse ces crédits à beaucoup de paysans mieux à même de les utiliser correctement... Pendant ce temps la paysannerie africaine est ruinée et son patrimoine démoli.

---

1. Comparer à l'instituteur dont la formation demande plusieurs années et qui est trop payé par rapport aux revenus paysans.
2. Ils n'en sont heureusement plus à ce niveau en Afrique tropicale !

RÉDUIRE LES IMPORTATIONS, AVANT DE TROP DÉVELOPPER LES EXPORTATIONS PÉRISSABLES

Après le coton, on a incité nombre de paysans voltaïques à cultiver le haricot vert fin, qui se vend bien à Paris pendant l'hiver. Il est commercialisé par une société d'État, l'UVOCAM, qui a été avertie par Air-Afrique dès août 1983 de la diminution du volume disponible de fret pour l'hiver suivant. Des agriculteurs capitalistes ainsi prévenus eussent aussitôt diminué leurs emblavures. La société d'État ayant déjà commandé semences, engrais, pesticides et cartons d'emballages, a jugé qu'il était préférable de ne rien changer aux dispositions en cours. Ça dérangeait moins les plans des bureaucrates, ça leur faisait moins de travail... En février-mars 1984, on a donc vu s'accumuler dans les réfrigérateurs de la capitale des centaines de tonnes de haricots verts[1]. L'UVOCAM n'a prospecté aucun autre marché possible (les Pays-Bas notamment), aucune autre voie aérienne. Un responsable d'ORD ayant dirigé, l'année précédente, une région de culture de haricots verts, me confiait qu'il n'y pouvait retourner : « les paysans me tueraient », car ils n'avaient pu vendre leur récolte.

Un pays aussi enclavé que le Burkina-Faso gagnerait plus à réduire ses importations qu'à développer ses exportations de denrées périssables. Il importe des tonnes de concentré de tomate, qu'on pourrait produire sur place. Le goulet d'étranglement est l'usine de la Savana, près de Bobo-Dioulasso, installée pour fabriquer des concentrés, des confitures et des jus. Elle est quasi en panne depuis plusieurs années. Pourtant, un complément d'équipement et un bon technicien reviendraient moins cher que de ruineuses importations... Mais les commerçants préfèrent ces importations (de même que celles du riz), aux produits locaux, dont la vente leur rapporte beaucoup moins. Comment les paysans locaux pourraient-ils donc défendre leur patrimoine, quand toute l'organisation économique, interne et internationale, continue de les appauvrir, en ruinant en même temps leur pays... ? Quand le FMI conseille la libération des importations, il accentue cette ruine.

---

1. La « radio-six mètres » de Ouagadougou (six mètres, c'est la largeur des rues des quartiers populaires) a même prétendu que les prisonniers avaient protesté : « On n'a quand même pas été condamnés à bouffer des haricots verts ! »

Le protectionnisme serait nécessaire au départ, à condition de le mesurer, pour éviter que les industriels locaux ne s'endorment sur leurs rentes de situation.

Les vulgarisateurs africains appliquent des programmes arrêtés une fois pour toutes, sans tenir compte des circonstances, notamment économiques. Pour les services de l'agriculture, les bas-fonds, en saison sèche, doivent être cultivés en légumes ; pour la consommation interne, on conseille pommes de terre et oignons. Or, les pommes de terre, dont la production (semences, engrais) et la conservation (en réfrigérateur) sont coûteuses, se vendent très cher et n'ont qu'une clientèle limitée. La culture de la patate douce, très supérieure au point de vue nutritif, serait beaucoup mieux adaptée aux besoins. Quant aux oignons, même s'ils sont très prisés, ils pourrissent parfois devant leurs producteurs ruinés. En effet, il suffit que le mil manque dans le Nord, comme en hiver 1983-1984, pour que les pauvres — en grande majorité — cessent d'en acheter pour réserver leurs faibles ressources à l'achat de grains. En année de disette, un minimum de bon sens économique aurait incité à conseiller de produire moins de pommes de terre et d'oignons et plus d'aliments de base : manioc, patates douces, maïs ou même sorgho...

L'ARRIVÉE TUMULTUEUSE DE THOMAS SANKARA

Nous n'allons pas retracer ici en détail l'histoire politique du Burkina-Faso[1]. Au début de l'indépendance, son premier président, Maurice Yaméogo, n'a ni l'honnêteté ni la compétence indispensables pour gérer correctement un pays aussi pauvre. Réélu soi-disant par 99,1 % des voix en octobre 1965, il

---

1. Voir « le Burkina-Faso », *Politique africaine* n° 20, 1985 Karthala, Paris. Pour les événements récents en Burkina-Faso, on peut se reporter au numéro spécial Haute-Volta, été 1984, de Libération — *Afrique* (Cedetim, 14, rue de Nanteuil, Paris) ; puis *Afrique-Asie*, pas toujours très critique des pays « progressistes », et surtout Pascal Labazee, *le Monde diplomatique*, février 1985, « la Voie étroite de la Révolution au Burkina-Faso ».

est renversé par une émeute populaire[1] le 3 janvier 1966, et le pouvoir est remis au chef de l'armée, le général Lamizana. Après de difficiles essais de retour à un gouvernement civil (luttes de groupes claniques plus que d'idéologie), les clans au pouvoir et les administrations s'avèrent aussi inefficients que corrompus. Avec Saye Serbo, l'armée reprend le pouvoir en novembre 1980, certains officiers supérieurs en profitent pour accélérer la ruine du pays. C'est alors que de jeunes officiers, organisés en une aile « progressiste » obligent le chef de l'État — le commandant J.B. Ouédraogo — en novembre 1982, à nommer leur représentant, Thomas Sankara, au poste de Premier ministre. Contrecoup : en mai 1983, Sankara est envoyé en résidence surveillée. Mais son camarade Compaoré étant entré en dissidence avec le bataillon de Po, une action militaire (le 4 août 1983) largement appuyée par le peuple, donne la présidence du Conseil national de la révolution, le CNR, à Thomas Sankara qui, malgré quelques tentatives de putsch (9 août 1983, 20 et 27 mai 1984) continue de l'assurer aujourd'hui (1986).

Dès sa prise de pouvoir, le CNR invite le peuple voltaïque à constituer des « Comités de défense de la révolution (CDR), pour participer à la lutte patriotique du CNR ». Lors de sa première sortie à Dori, en septembre 1983, Sankara s'élève avec force contre : « L'exploitation et la domination des masses populaires burkinabés par une minorité de rapaces... ennemis du peuple, qui circulent en Peugeot 504 et en Mercedes — voitures qu'ils n'ont même pas dédouanées grâce à la complicité de douaniers véreux... Le peuple a faim, et le commerçant pourri stocke les grains pour les revendre très cher... Celui qui a cultivé son mil doit en être le propriétaire et non plus le partager avec un notable, un commerçant ou un fonctionnaire. Quant à l'impérialisme qui, sous toutes ses formes, tente de nous exploiter dans de prétendues *aides* qui ne sont, en réalité, que des moyens d'*aliénation*, nous invitons le peuple à se mobiliser pour le combattre... Et tous ces militaires gras et joufflus qui n'ont réussi que par des combines et des magouilles, ils ne doivent plus voler l'huile, la viande, le sucre de nos soldats... ce n'est pas un crime *d'abattre de tels individus*. »

---

1. Émeute populaire massive, qui brandissait des pancartes intitulées : « Nous les 0,9 %... » ; la preuve du vote truqué était ainsi efficacement donnée par les manifestants.

CONSEIL NATIONAL DE LA RÉVOLUTION

C N R

DISCOURS

D'ORIENTATION POLITIQUE

LA PATRIE — NOUS VAINCRONS
OU LA MORT

PRONONCE LE 2 OCTOBRE 1983

Après les meetings, vient la réflexion politique ; trois années plus tard, la charte du régime reste encore le discours d'orientation politique du 2 octobre 1983 : « L'objectif de la révolution démocratique et populaire consiste à faire assumer le pouvoir par le peuple. Pour être vraiment populaire elle doit procéder à la destruction de la machine d'État néocoloniale, et organiser une nouvelle machine capable de garantir la souveraineté du peuple. » La base en sera les Comités de défense de la révolution, les CDR. « En lieu et place de l'ancienne machine d'État s'édifie une nouvelle machine à même de garantir l'exercice démocratique du pouvoir par le peuple et pour le peuple. Notre révolution anti-impérialiste s'effectue dans le cadre des limites du régime économique et social *bourgeois*... Dans la campagne, épuration de toutes les entraves sociales, économiques et culturelles qui les maintiennent dans un état d'archaïsme... » « Le poids des traditions séculaires de notre société voue la femme au rang de bête de somme. Tous les fléaux de la société néocoloniale, la femme les subit doublement... Révolution et libération des femmes vont de pair... » Ces *accents nouveaux* m'ont incité à accepter l'invitation de Sankara.

Le pouvoir avait été également acquis, le 4 août 1983, grâce à l'aide de la LIPAD prosoviétique, qui poussait à l'abolition de tous les pouvoirs de la chefferie traditionnelle. Mais en mai, puis en août 1984, celle-ci est éliminée, ses ministres renvoyés et une position plus souple adoptée. Depuis sa rupture avec les syndicats, le clan militaire — une partie tout au moins — est très isolé. Il ne s'appuie plus guère que sur les CDR, mais partout où nous sommes passés, les autorités étaient en train de les réorganiser, afin d'éliminer ceux qui y maintenaient des pouvoirs traditionnels (anciens partis politiques, syndicats, chefferies). Ce renversement des alliances en fait un pouvoir fragile. Les fonctionnaires, dont on a diminué les primes, les avantages et finalement les traitements, apportent au travail une ardeur qui, déjà modeste, se réduit. Et c'est alors que, comme le souligne fort bien Pascal Labazee[1], « le régime hérite d'une situation économique catastrophique, dominée et extravertie » sur laquelle s'abat, de surcroît, le fléau de la sécheresse de 1983 et de 1984.

---

1. *Le Monde diplomatique*, février 1985.

Le Capitaine Thomas Sankara

Ouagadougou, le **23 MAI 1984**

Au

Professeur René DUMONT
2, Avenue Prés. Roosevelt

94120 - FONTENAY SOUS BOIS

Monsieur le Professeur,

C'est avec satisfaction que nous accusons réception de votre lettre du 10 Mai 1984 par laquelle vous nous transmettez le rapport résultant de la mission que vous avez effectuée en Haute-Volta.

Tout en vous assurant de la bonne utilisation qui en sera faite, nous vous remercions de la diligence avec laquelle vous et votre collaboratrice Madame PAQUET, vous avez accompli cette mission.

Nous vous prions de croire, Monsieur le Professeur, à nos sentiments distingués. Nous vous sommes surtout reconnaissant de vous être associés aux Voltaïques dans leur lutte contre la misère

RÉP. HAUTE-VOLTA CONSEIL NATIONAL de la RÉVOLUTION
Le Président

Lettre de remerciement du Capitaine Thomas Sankara à René Dumont et Charlotte Paquet en date du 23 mai 1984, pour la mission qu'ils ont effectuée en Haute-Volta

Le surlendemain de notre arrivée (27 janvier 1984), déjeuner sans protocole avec Sankara ; seul son aide de camp est présent[1]. L'accueil est direct : « En vous invitant, je sais que je prends un grand risque, celui de recevoir un coup de poing. Mais la vérité ne va jamais sans douleur, et les coups de poing sont parfois salutaires... La tradition est conservatrice, ce qui ferme au monde rural les portes des techniques bien adaptées. L'agriculture intensive, reliée aux industries alimentaires, devrait devenir le fondement le plus sûr de notre développement... »

Munis d'une lettre d'introduction signée de sa main, nous allons pendant près de deux mois parcourir le pays en profitant de conditions d'études telles que je n'en ai jamais disposé en Afrique francophone[2]. Les ORD organiseront pour nous, dans les villages, des dialogues avec les paysans des groupements villageois. Charlotte Paquet pourra rencontrer, à part, autour du puits ou sous l'arbre à palabres, des groupes de femmes qui ne parlent librement qu'hors la présence des hommes.

En fin de journée, à l'heure où le soleil disparaît, j'étais invité à faire des conférences-débats suivies par tous les cadres et enseignants du lieu, soit quelques centaines d'auditeurs, ne comptant parmi eux que deux ou trois femmes. Chacune de mes conférences, dans huit provinces, débutait par des slogans scandés par un officiel et auxquels la foule répondait :

Le colonialisme : *A bas*	
Le néocolonialisme : *A bas*	le pouce pointé
L'impérialisme : *A bas*	vers le bas
Honneur : *Au peuple*	le pouce
Le pouvoir : *Au peuple*	vers le haut

La patrie ou la mort, nous vaincrons ! (Cri emprunté à Fidel Castro)

---

1. Deux tanks à la porte, des sacs de sable, des mitrailleuses. Chaque responsable porte la Kalachnikov ; en mangeant, Sankara l'accroche derrière lui, puis pose son revolver sur la table : on craint, à chaque instant, un autre « coup ».

2. J'en ai trouvé d'analogues en Tanzanie et Zambie, en 1967 comme en 1979. Cf. l'*Afrique étranglée, op. cit.*

Je pouvais très librement exposer mes points de vue, en partie développés dans les paragraphes qui précèdent. J'insistais sur les contradictions internes. Ainsi, lorsqu'un pays dépend presque exclusivement de l'aide extérieure, condamner l'impérialisme relève de l'utopie verbale. Je parlais beaucoup de la domination des villes sur les campagnes, de l'écart croissant des revenus ; et plus encore de l'avancée du désert, qui ne semble pas les inquiéter. J'ai proposé, sans grand succès, aux fonctionnaires de réclamer (au besoin par la grève) le *droit* de travailler six jours par semaine, au lieu de cinq ! rappelant qu'en Europe, nous n'avions eu la semaine de cinq jours qu'après un haut niveau de développement. Et je terminais souvent en disant : « Après que vous aurez fait tels et tels efforts, alors, mais alors seulement, nous pourrons crier ensemble : "La patrie ou la mort, nous vaincrons." »

LUTTES DE CLANS « EN VILLE » : LES PAYSANS EN SONT ABSENTS

Il ne m'a pas été possible d'étudier, en détail, les différents clans qui ont permis l'accès au pouvoir du CNR. Outre la LIPAD, désormais éliminée, il y a dans ces clans une influence chinoise. Cuba y est aussi présent, ainsi que la Libye, de par ses livraisons d'armement.

Sankara s'est ensuite rapproché de l'Algérie, car on le disait déçu de son voyage à Tripoli, en septembre 1984. Un clan albanais est présent à l'université. L'insigne des CDR (la pioche croisée avec le fusil) est emprunté à l'Albanie, je l'y ai vu.

Lors de ma dernière conférence, placée sous l'égide des CDR, un intervenant clamait que les paysans sont des ignorants, donc des conservateurs et des réactionnaires. Mais il proposait derechef un parti unique pour gérer le pouvoir, un parti qui rassemblerait *tout le peuple.*

— Avec les paysans ? lui ai-je demandé.

— Mais oui.

— Alors votre parti comptera une grande majorité de conservateurs et de réactionnaires[1] !

---

1. Réponse un peu brusque, évidemment. Déformation professionnelle d'un vieux professeur ? Peut-être. Mais surtout exaspération de voir les paysans *méprisés* par des intellectuels urbains, qui se disent révolutionnaires.

Vexé sans doute, mon interlocuteur quitta la salle immédiatement.

Les révolutions africaines sont trop souvent dirigées par des petits groupes d'urbains : fonctionnaires, avocats, enseignants, qui se disent révolutionnaires. Ici c'est l'armée qui tient les fusils et peut donc arbitrer les conflits. La LIPAD renvoyée, c'est ensuite l'union des luttes communistes (ULC) qui s'est autodissoute. Au sein de l'armée, semble dominer le Rassemblement des officiers communistes (le ROC). Aussi le CNR doit-il constituer, avec les CDR un mouvement de masse, pour qu'on ne dise pas le régime simplement issu d'un coup d'État militaire, qu'un contrecoup pourrait renverser ?

Les *vrais prolétaires*, dans ce pays où les campagnes sont toujours dominées par les villes, ce sont les *paysans*. Mais ils restent absents de tous les débats, puisqu'on a pris soin de ne pas leur accorder un minimum d'éducation. Ils sont encore, surtout en pays Mossi de tradition hiérarchique, soumis aux chefs coutumiers, devant lesquels j'ai vu des paysans se prosterner dans la poussière... Or le CNR veut donner le pouvoir rural au CDR, en leur confiant la collecte de l'impôt[1], jusqu'alors exécutée par la chefferie traditionnelle. En fait, dans ce conflit chefferie-CDR, personne ne m'a semblé réellement *défendre les intérêts des paysans*.

Ces CDR, ce nouveau pouvoir, parviennent difficilement à imposer leur représentativité : trop d'arrivistes ont accouru. « Des gens qui viennent de la ville ont accaparé les CDR ruraux, en disant qu'ils étaient mandatés par moi », me dit Sankara. Reçu gentiment par le haut-commissaire à Dédougou, il m'a rapidement quitté, pour se rendre à une réunion destinée à une nouvelle élection des CDR de ce chef-lieu, la première n'ayant pas été reconnue satisfaisante. On me dira à Gaoua beaucoup de mal de ces CDR (qui auraient dévalisé un magasin de vivres destinés aux cantines scolaires), que certains appellent de « jeunes voyous ».

Un groupe de femmes du Yatenga, apprenant que les pouvoirs du chef du village sont transférés aux CDR, disent : « Nos ancêtres ne laisseront pas impuni un tel sacrilège. »

---

1. Rappelons que cet impôt a été aboli, l'été 1984.

Les groupements villageois n'ont guère de pouvoirs en dehors de la gestion du détail du crédit agricole. On pourrait leur reconnaître, à mesure de leur éducation, de l'extension de leur organisation, le droit de représenter, de défendre les intérêts des paysans face au pouvoir politique ; de donner leur avis sur *le prix* des céréales et des autres produits agricoles, jusqu'ici arbitrairement fixé par les autorités urbaines. Le CNR du Burkina-Faso ne pourra vraiment s'affirmer révolutionnaire qu'en *libérant* les paysans des abus de la domination urbaine[1].

LE SOUROU, L'AVENIR DU PAYS ?

Lors de notre troisième rencontre, Sankara me déclara vouloir arracher dès le lendemain, dans la capitale, les panneaux publicitaires (cigarettes, Coca-Cola...) pour les remplacer par un panneau unique : *« Le Sourou, l'avenir du pays »*. Il s'agit d'un projet d'irrigation basé sur un affluent de la Volta Noire, le Sourou, un barrage sur la Volta devant faire refluer les eaux de cette seule rivière permanente du pays sur son affluent. De la vallée du Sourou à celle de la Volta Noire, 24 000 hectares pourraient être irrigués. Il serait possible ainsi de faire deux récoltes de céréales par an, et il y aurait place pour une seconde sucrerie.

Je demande alors à Sankara un délai de vingt-quatre heures pour lui remettre une première note. (J'étais, d'emblée, très réservé sur ce projet.) Il me prie de rencontrer, à propos de cette affaire, son conseiller, l'agronome Wichinsky, qui justement

---

1. A la fin d'une rapide étude dans un village près de Po — haut lieu de la Révolution — le chef m'offre, comme c'est la coutume envers toute autorité de passage, une paire de poulets. Le chef a appris d'expérience qu'un « cadeau » pouvait quelquefois aider le village à obtenir une réponse à leurs revendications... Pour souligner mon désaccord devant cette corruption onéreuse en villages pauvres, je lui réponds vivement : « Tu ne sais donc pas que, depuis la Révolution, c'est défendu de donner des poulets à tous ces fonctionnaires de la ville. A ma prochaine visite, les mangues seront mûres et tu m'en offriras quelques-unes... » Les fonctionnaires africains ne semblèrent pas apprécier mon intervention.

rentre de France. Dès sa descente d'avion, ce dernier me rejoint et m'invite à dîner. Il m'explique qu'il va cultiver un *sorgho sucré*, extraordinaire, capable de donner tout à la fois 6 tonnes par hectare de grains vitreux (donc de haute qualité) ; et, grâce à la distillation des sucres produits par ses tiges, 4 000 litres d'alcool à l'hectare, pour alimenter les motopompes. Le projet exige, en effet, pour être réalisé, un important pompage d'eau, donc beaucoup d'énergie... très coûteuse quand elle est importée.

Je demande alors à Wichinsky où ont eu lieu jusqu'alors les essais de ce sorgho miraculeux ? « Au Texas, me répond-il, il n'a pas encore été introduit ici ! » Or, voici que j'apprends de ceux qui ont essayé de cultiver du sorgho sucré dans le Sourou qu'il est possible de récolter, à l'irrigation, *ou bien* 4 à 5 tonnes par hectare de grains, *ou bien* l'équivalent de 3 000 litres d'alcool à l'hectare. Ils sont formels : jamais les deux ensemble. Cet exemple démontre à quel point des conseillers, intéressés à l'achat d'équipements onéreux, peuvent abuser des chefs d'État. Ils sont, hélas, souvent écoutés parce qu'ils promettent des « miracles » aux responsables politiques.

Pourtant, dans son discours d'orientation du 2 octobre 1983, Sankara déclarait : « Le CNR ne se bercera pas d'illusions en projets gigantissimes, sophistiqués... Au contraire, de nombreuses petites réalisations dans le système agricole permettront de faire de notre territoire un vaste champ, une suite infinie de fermes. » Or, aucun autre projet ne pouvait être plus « gigantissime » en Burkina-Faso, que le Sourou...

LE SOUROU EST REMPLI, MAIS IL NE SERT PAS

Le 3 août 1984, la Séragri de M. Wichinsky avait terminé un canal (700 m de long, 25 m en bas et 35 m en haut de large, 9,50 m de hauteur moyenne), qui dirige sur le Sourou *toutes* les eaux de la Volta Noire, et dont la puissance de débit est de 220 m^3/seconde. Cette Volta est barrée au départ du canal, en amont de son confluent avec le Sourou ; et cet affluent peut redonner de l'eau en aval à la Volta, par le biais d'un barrage muni de quatre vannes, débitant chacune 2,5 m^3/seconde. Le 4 août, anniversaire de la Révolution, Sankara est fier d'annoncer la « victoire du Sourou ». Ce qui donne à M. Wichinsky un

« crédit politique », et lui permet de proposer, outre le sorgho sucré et la distillerie évoqués ci-dessus, un projet de foie gras produit par des oies des Landes[1], dans un pays qui risque fort de manquer de grains pendant de longues décennies...

Voici donc l'eau de la Volta rassemblée dans ce célèbre Sourou, grâce à un canal pour lequel on a dépensé les dernières réserves de trésorerie du pays[2] ; lequel, pour une fois, l'a totalement payé de ses deniers. Mais, comme au Sénégal (le Sourou constitue, à l'échelle du millième, une réplique des aménagements du fleuve Sénégal, où nous verrons cette hérésie se répéter mille fois plus gravement), il ne reste *pas un sou pour établir des aménagements d'irrigation*, seul moyen de valoriser cette eau. L'eau est bloquée, elle s'évapore ; les maraîchers en aval sur la Volta Noire manquent d'eau ; et les limons de la Volta commencent à combler le bassin. On a demandé au FED[3] un crédit pour y aménager 500 hectares à l'irrigation. Inquiet du type de dérivation, réalisé en toute hâte, celui-ci propose, d'ici deux ans, un projet-pilote de 50 hectares. Le beau panneau publicitaire de la place des Nations à Ouagadougou représente un jardin paradisiaque ; il oublie toutes les difficultés du *passage à l'irrigué*. Une faute d'orthographe n'y était pas corrigée en décembre 1984 : *l'indépendandance* ! Et quand on annonce que « le peuple » y a largement contribué, je rappelle que ce sont les bulldozers et autres machines à charger directement la terre de la Séragri qui ont fait le travail. Les CDR ont ramassé les gros moellons qui recouvrent les parois du barrage en terre, que les camions ont transportés à pied d'œuvre. Rien ici qui évoque un travail « à la chinoise ». Il eût été possible de fournir quelques motopompes aux groupes villageois, en les aidant à réaliser, dès avril 1984, quelques aménagements sommaires de petits périmètres en bordure de cette réserve, le long des affluents du Sourou. En mobilisant les paysans (aidés par des ONG, qui leur auraient apporté ces motopompes, et leur en auraient expliqué l'entretien), on aurait pu irriguer, dès le 4 août 1984. On est en train de perdre des années.

---

1. Le projet évoque une « ressemblance entre le climat des Landes et celui du sud-ouest du Burkina » ! Cet homme ne manque décidément pas d'audace. Oser dire cela à un chef d'État, c'est l'insulter.

2. 650 millions de francs CFA ; mais voici que surviennent des rallonges, pour renforcer des travaux nullement garantis.

3. FED : Fonds européen de développement qui gère les crédits d'« aide » au tiers monde de la communauté économique européenne.

Quant au canal creusé dans la terre, ses parois, dont la pente approche les 45 degrés, paraissaient déjà fin 1984 très ravinées, quoique n'ayant subi (hélas !) que de faibles pluies. En été 1985, il a pu recevoir des tornades de 100 millimètres de pluies, qui risquent de l'endommager. Leur bétonnage coûterait plus cher que le canal ; il eût cependant été possible, dès leur creusement et au fur et à mesure de l'avancée des travaux, d'y planter (et arroser, l'eau est là) des boutures de graminées rampantes à fort enracinement et à croissance rapide, qui auraient pu couvrir ces parois en quelques mois, et ainsi les protéger et réduire les dégâts. Pour cela, il faut penser au-delà du bulldozer et du béton.

Je suis donc retourné au Sourou le 5 décembre 1984 : on proposait au Congrès mondial des jeunes agriculteurs, tenu cette semaine-là à Ouagadougou, une visite du « projet Sourou », et le prospectus parlait de coopératives et de fermes d'État — ce qui m'intéressait et m'inquiétait. J'ai été dupé, car nous n'avons rien vu d'autre que l'excavation du canal, que nous fûmes invités à admirer. J'y ai cependant appris du haut-commissaire local que le peuple, c'était « la population, moins les ennemis du peuple ». Parmi ces derniers, les commerçants véreux, les fonctionnaires corrompus sont en bonne place.

La partie folklorique de cette tournée était considérée comme essentielle. Au bourg de Gassam, nous arrivons avec deux heures et demie de retard — temps pendant lequel toute la population, mobilisée sur la place, nous a attendus, debout au soleil. Mais nous l'avons déçue en la quittant presque aussitôt, pour rattraper notre retard ; en la privant ainsi de la fête folklorique qui devait être donnée en notre honneur.

Elle fut donc présentée l'après-midi, aux abords de la préfecture. Pour nous, les invités et les officiels, une estrade était dressée devant laquelle se déroulait le spectacle. Quant au « peuple », on l'a éloigné, en deux longues files, s'étalant entre cent cinquante et trois cents mètres de distance. *Gloire au Sourou, l'avenir du pays !*

Cela dit, la Révolution présente bien des aspects positifs. Elle a su mobiliser les populations pour une vaccination massive, fin 1984. Sankara a bien compris la gravité de la désertification et organise la lutte contre les feux de brousse et la divagation du bétail, puis un reboisement populaire[1] ; chaque famille est invitée à célébrer naissances, baptêmes, mariages et même funérailles par une plantation d'arbres — une centaine par famille. Par contre les efforts demandés pour le chemin de fer Ouagadougou-Tambao risquent de rester improductifs — son minerai de manganèse n'intéresse plus personne, sans doute pour une longue période.

PRIORITÉ AUX PETITS AMÉNAGEMENTS :
DES TERROIRS ORGANISÉS

Depuis que mon camarade Trintignac me l'a montré au Maroc, en février 1938, j'ai vérifié à travers le monde (du Mexique au Sri Lanka, etc.) qu'il y avait partout grand intérêt à accorder la *priorité* aux petits aménagements, à la *petite hydraulique*, qui coûte souvent cinq fois moins cher (et même dix à vingt fois moins cher en devises) que la grande hydraulique, grâce à une proportion très supérieure d'investissements humains. Ces dispositifs sont bien maîtrisés et entretenus par une population qui s'en rend responsable, ayant participé à leur installation. Leur mise en service est immédiate, tandis qu'il faut attendre cinq à vingt ans pour les grands aménagements réalisés grâce à des crédits extérieurs. Pendant ce temps les intérêts courent, et les dégradations de toutes sortes s'accélèrent.

Les groupements villageois peuvent contribuer à des aménagements faits dans leurs villages, dans leurs communautés, profitables directement et immédiatement à ceux qui les réalisent : banquettes antiérosives, brise-vent, reboisements, jardins irrigués en bas-fonds, barrages de gabions dans les oueds, puits, forages, petites retenues d'eau, etc. L'arrêt de la divagation du bétail, obtenu aussi en saison sèche, en constitue le préalable le plus important. L'aide alimentaire gratuite enlève à l'assisté sa dignité et ne se justifie qu'en cas d'extrême urgence. Mieux vaut en réserver la plus grande partie pour nourrir ceux qui réalisent ces travaux, ainsi que leurs familles.

Les meilleurs groupements sont ceux qui sont partis de la

---

1. Problèmes sur lesquels j'avais beaucoup insisté dans mon rapport ; preuve qu'il m'arrive parfois d'être écouté...

base. Dans le Yatenga, des organisations de ce type ont été développées, dont la fédération s'appelle 6S : « Se Servir de la Saison Sèche en Savane et au Sahel ».

Il s'agit, en fait, d'utiliser la main-d'œuvre disponible en morte-saison. C'est le cas au Yatenga, au nord du plateau Mossi. Les jeunes y partent en Côte-d'Ivoire, soit pour une seule saison sèche, soit plus fréquemment pour plusieurs années.

J'ai proposé que chaque *village*[1], une fois ses frontières bien délimitées — on les connaît déjà —, devienne une communauté vivante avec sa *personnalité juridique et son autonomie financière*, qui se verrait alors attribuer, dans le cadre de la propriété nationale du sol, *le droit d'usage permanent de son terroir* ; donc la gestion des terres (privées, si elles sont mises en culture), des pacages, des friches et des boisements plus ou moins dégradés qui persistent. A la tête de chaque village pourrait alors être établi un *pouvoir exécutif*, en charge de cette gestion. Cependant, si les chefs de village ont été contestés, le nouveau pouvoir des Comités de défense de la révolution (CDR) sera-t-il capable de les remplacer ? Il leur faudra *acquérir* la confiance des paysans, qui ne se gagne pas avec quelques meetings dits révolutionnaires. Dans ce pouvoir communal ainsi défini, une place éminente reviendrait aux groupements villageois, première esquisse (partielle) d'une telle communauté.

A l'encontre de ces propositions, en mars 1985, un séminaire national sur la mise en œuvre de la politique agricole nous rappelle qu'ont été décidées la nationalisation des terres et une réforme agraire encore mal précisée. Cette dernière veut « briser les anciens rapports de production de type féodal... être accomplie par les paysans pauvres et moyens... abolir le régime foncier coutumier... amener inexorablement à la grande production agricole. Le groupement villageois révolutionnaire, avec sa structure CDR, pour assurer la prise de conscience politique des membres, *doit* évoluer vers la mise en place de coopératives d'État », etc. Cette orientation reste à mieux définir ; elle paraît se diriger vers une collectivisation agricole qui mènerait inéluctablement, si on la poursuivait (l'exemple du Ghana aurait pu l'apprendre à Sankara) vers la faillite agricole et celle de l'économie générale. Déjà des abus de

---

1. Et non pas des groupes de villages, trop étendus pour être solidaires, comme les communautés rurales du Sénégal.

répartition des terres ont été commis, puisque au séminaire on demande de restituer aux producteurs dépossédés les superficies de terres qu'ils avaient mises en valeur...

SI LA RÉVOLUTION PASSAIT PAR LE PUITS[1] ?

C'est là que, chaque jour, les femmes des villages se rassemblent. Elles sont dix ou vingt, échangent leurs réflexions et surtout peinent ensemble. Chaque fillette, dès son plus jeune âge, apprend que ce sera là son lot quotidien...[2] du moins durant une bonne partie de sa vie.

Ces puits traditionnels, lieu de convivialité et de *véritable solidarité*, constituent en quelque sorte l'*arbre à palabres des femmes*... C'est souvent là qu'elles expriment leurs vraies préoccupations : leur santé, celle de leurs enfants, leurs réactions à un nouveau projet au village, etc. Pourtant, on y rencontre bien peu d'animatrices villageoises (qui se cantonnent trop souvent aux réunions officielles — auxquelles les femmes les plus pauvres n'assistent pas toujours). On y rencontre encore moins de responsables de l'hydraulique qui auraient grand intérêt à demander aux femmes quelle sorte d'aménagements pourrait alléger leurs tâches. Il suffirait quelquefois d'un large portique avec une dizaine de poulies fixées à bonne hauteur...

À cette corvée d'eau s'ajoutent combien d'autres tâches qui réclament autant de temps et d'énergie : coupe et transport du bois, pilage des grains, cuisson de la nourriture, travail aux champs en hivernage ; parfois jardinage en saison sèche sans oublier les activités de petit commerce, le nettoyage de la case, etc.

Tout cela paraît si normal aux habitants du village qu'on n'y prête même plus attention.

Un jeune cadre burkinabé à qui nous faisions remarquer la dureté des travaux des femmes, nous répondit : « J'ai toujours vu ma mère et mes sœurs travailler dur, je ne m'en préoccupe plus. J'en viens à trouver cela normal. »

À Boromo, sur la route menant au marché, des charrettes à ânes conduites par des hommes sont pleines de sacs de grains ; des bicyclettes aux porte-bagages surchargés sont montées par des hommes et des jeunes garçons. Sur la même route, des

---

1. Notes de Charlotte Paquet.
2. Voir Annexe II de Thierry Brun.

dizaines de femmes marchent pieds nus, transportant sur leur tête 20 à 30 kilos de tomates qu'elles vont vendre au marché[1]...

Très tôt on apprend aux petites filles le rôle qui sera le leur.
La circonscription des tâches a déjà commencé

Même les femmes entre elles, pressées qu'elles sont par toutes leurs responsabilités, si habituées à cette âpre vie, en viennent à se dire que c'est là leur destin, une sorte de fatalité, la volonté d'Allah[2]. Seule consolation : avec l'âge, elles trouveront quelque repos. (En Afrique, les femmes plus âgées, dont la période de fécondité est passée — si elles ont pu résister à cette dure vie —, jouissent d'une « relative liberté », et sont souvent exemptées des corvées d'eau, de bois et de pilage que leurs filles, leurs brus ou coépouses plus jeunes assument dorénavant.) « Hélas, me disait une jeune amie burkinabé, c'est au moment où elles ne sont *presque plus des femmes,* mais des êtres épuisés, qu'elles ont droit à un peu de répit. » Perspective bien peu stimulante pour les jeunes filles du village. Combien d'entre elles rêvent d'avoir une vie moins pénible ? Leur seul autre espoir : partir en ville ; mais là, que de désillusions...

Par ailleurs, que pensent les paysannes de toutes les activités (marches de revendications, participation aux corvées de construction d'école, etc.) auxquelles elles sont conviées par les comités villageois ou les CDR ? « Nous voulons bien lever le

---

1. Au retour, elles rapporteront une charge de bois encore plus lourde.
2. On leur affirme quelquefois (pour renforcer leur soumission) que c'est leur mari qui détient pour elles les clés du paradis.

poing dans les démonstrations, mais de retour à la case nous n'avons toujours pas de médicaments pour nos enfants... nos problèmes subsistent... » Dans un village non loin de Dédougou, un groupe de femmes était chargé de puiser et de transporter l'eau du puits (sans poulies) au chantier de travail où des hommes malaxaient la terre pour en faire des adobes (briques crues séchées au soleil) pour construire l'école du village. Chaque fois qu'elles avaient transporté deux seaux au chantier, elles pouvaient en garder un pour les besoins de leurs familles. Magnifique spectacle d'un beau travail collectif ; les rires et les cris d'encouragement fusaient de partout. Mais une fois la corvée terminée, les femmes continuent à puiser et à transporter l'eau de la même façon.

Très peu d'enfants du village iront à l'école ; elle est surtout réservée aux garçons. Les petites filles, elles, apprendront docilement « la geste » de leurs mères... Cette belle réalisation collective d'école de village leur laisse un goût amer, quand elles comprennent que les changements, les innovations, sont rarement à leur profit.

Les paysannes ont l'impression que la révolution, « c'est pour les autres » : les hommes, les femmes de la ville. Elles gardent le sentiment, nous disait une animatrice de Diébougou, « d'être piétinées de la naissance à leur mort ». Comme nous répétions cette phrase dans une conférence-débat donnée au chef-lieu de province[1], un auditeur — un homme, évidemment — s'est soudain dressé : « Nous n'avons pas conscience que nous piétinons les femmes... d'ailleurs, nous pourrions aussi nous demander si elles n'aiment pas être piétinées... »

Ce n'est pas tant le nombre de corvées que les outils et les moyens mis à leur disposition qui font des paysannes de véritables *bêtes de somme*. La tâche quotidienne d'assurer le puisage de l'eau, le ramassage du bois, la préparation du repas est, à elle seule, un travail très épuisant, qu'il serait *facile et peu coûteux* de transformer en une activité supportable, nécessitant beaucoup moins de temps et d'énergie. Pour cela, il faut que les communautés villageoises et les services techniques (hydraulique, équipement) prennent la peine de se pencher sur ce problème de l'allégement des travaux féminins. C'est le préalable indispensable qui permettrait aux paysannes de participer pleinement aux décisions et aux actions de « progrès », de lutter contre la malnutrition et la mortalité infantile ; donc de contribuer à la survie du pays. Si les communautés et les administrations se mettaient à l'écoute des paysannes, ces

---

1. L'animatrice nous avait demandé de la rappeler en son nom...

dernières ne seraient plus considérées comme une *masse*, un *groupe d'êtres inférieurs sans visage, sans âme et sans voix.*

Une des réunions, auxquelles nous avons été convoqués à la capitale, abordait les problèmes généraux de développement rural. Aucune femme n'y était invitée. Comme si les questions « sérieuses », celles du développement, ne se discutaient qu'entre hommes. Aux femmes, on laisse les problèmes dits familiaux et de « bien-être social » (éducation, nutrition et santé des enfants)[1]. Bien qu'ils influent largement l'un sur l'autre, aucun lien n'est établi entre ces deux types de problèmes. Par ailleurs, les femmes, de par leur travail aux champs et leur expérience, auraient leur mot à dire en matière agricole.

A L'AUBE DE 1985, LE YATENGA EST ABANDONNÉ : LE SUD DU BURKINA DEVRAIT ÊTRE MIEUX PROTÉGÉ

La récolte de 1984 a été quasi nulle au nord du Burkina, du Yatenga, au Bam et au Sahel. On ne comptait plus que sur les petits jardins maraîchers, arrosés par des mares, mais celles-ci sont parfois vides dès avant la fin de l'année.

Plus au nord, au Sahel, on trouve des villages où tous les ânes sont morts de faim. Or ces ânes étaient utilisés pour tirer l'eau de boisson et d'abreuvement de puits très profonds.

La migration vers le sud, qui touchait aussi le plateau Mossi, avec quelques milliers de familles par an, y prenait, fin 1984, l'allure d'une *débandade panique*. Quand il n'y a plus rien à manger, des villages entiers, surtout le long de la frontière Yatenga-Mali, partent vers la Volta Noire et les hauts Bassins, greniers du Burkina-Faso. Pour survivre, ces villageois coupent le bois dans toutes les zones proches des routes, où des camions viennent l'acheter ; puis ils réalisent une culture « minière », exploitant comme une mine la fertilité accumulée par des années, ou même des décennies, de jachère forestière.

L'agronome A. Gillain m'a communiqué une étude d'un projet prévoyant une riziculture pluviale, dans la plaine de Niena-Dionkelé, à 110 kilomètres au nord-ouest de Bobo-Dioulasso, en vue d'y installer les autochtones ; mais aussi les *migrants* qui arrivent en masse croissante, depuis dix ou quinze

---

1. Comme s'ils étaient secondaires et ne faisaient nullement partie du développement d'un village.

ans, fuyant les zones en voie de désertification du nord et du centre-nord. Dans certains villages, ces migrants constituent déjà les trois quarts de la population. Aussi, est-il grand temps de contrôler et canaliser cette migration, sous peine de voir *se dégrader totalement*, en peu de temps, *une des rares régions du pays présentant encore un potentiel élevé de production*. Dans les bas-fonds, la monoculture répétée du riz acidifie et dégrade vite des terres très fertiles, qui sont souvent encore laissées en friche.

Le plan proposé par A. Gillain prévoit l'extension des petits jardins autour des cases, traditionnellement fumés par les résidus des villages, et qui pourraient l'être plus encore à l'aide de composts et, plus tard, de fumiers. Les champs plus éloignés alterneraient cultures et jachères, mais l'accroissement prévisible de la population ne permettra pas de maintenir longtemps ces dernières. Aussi faudra-t-il bientôt aller plus vite et plus loin. On a déjà réussi une rotation en zones non irriguées, produisant, protégeant et alternant sorgho, maïs, riz et niébé (un haricot). Avec deux niébés possibles : un pour le grain et un autre « fourrager ».

Gillain défend comme nous une sorte de *réforme foncière* qui serait exécutée par les paysans eux-mêmes, et non par le gouvernement. Le village, qui représente une unité sociologique cohérente, aux limites connues de tous, serait l'unité de planification. On distinguerait les bas-fonds, où un aménagement d'État (bien moins coûteux qu'au Sourou) permettrait une répartition égale des parcelles. En ce qui concerne les champs de plateau, l'attribution resterait traditionnelle, mais leur recensement permettrait de déterminer le nombre de migrants que le village peut accueillir sans dégrader les sols. On verra bientôt que ce nombre est hors de proportion avec celui des familles chassées par la désertification. Les pluies sont revenues en 1985[1], mais ces problèmes demeurent.

---

1. *Cf.* chap. IX, paragraphe 6.

1 % CONTRE 3 % : DÉMOGRAPHIE GALOPANTE, DONC DÉPENDANCE

Un pour cent, c'est (à peu près) le rythme de progrès de la production céréalière voltaïque depuis 1950, époque où la colonie, peu monétarisée, était autosuffisante. La population croissait alors de 2 % l'an (2,2 % en 1975). On parle maintenant de 2,7 % et on pense que l'on atteindra bientôt 3 %, avec une moyenne de 7,5 enfants par femme. Comme dans tout le Sahel, dans la course production-population, c'est cette dernière qui gagne, enfonçant le pays dans une *dépendance accrue.* Les autorités commencent à comprendre la gravité du danger démographique. Mais trop de ruraux en sous-estiment encore les conséquences. Dans un village, lorsque nous avons soulevé ce problème, certains ont dit : « Il n'y a pas à s'inquiéter outre mesure. La Côte-d'Ivoire donne du travail à nos jeunes. » (Trop peu d'entre eux savent avec quelle brutalité le Nigeria a, en 1983, expulsé ses étrangers ; et que la situation économique de la Côte-d'Ivoire s'aggrave.) D'autres ont ajouté : « Nous pourrons toujours compter sur l'aide des pays riches en cas de difficultés. » (Les voici donc conditionnés dans leur situation d'assistés. Ils ignorent la crise dans les pays riches.)

Par ailleurs, certains des cadres qui travaillent en milieu rural n'aident guère les paysans et les paysannes à y réfléchir avec la lucidité qui s'impose. Tout d'abord, ils nient les dangers de l'explosion démographique. Ils continuent à dire que le problème n'est pas là ; qu'il se situe plutôt au niveau d'une augmentation de l'emploi, de la production et du niveau de vie. Ils ne semblent pas comprendre que la démographie galopante est justement l'une des principales entraves à cette augmentation. Enfin, ils invoquent des motifs culturels et traditionnels qu'ils disent *inchangeables* chez les paysans, alors qu'eux-mêmes ne les respectent plus dans leur vie quotidienne.

Cela les dispense également de remettre en cause la condition des femmes. Celles-ci sont les mieux placées pour comprendre les difficultés qui vont résulter, qui découlent déjà d'une population croissant plus vite que les ressources. On sépare souvent deux problèmes, qui sont en réalité étroitement liés : démographie et bien-être des femmes. Ces dernières souhaitent toutes avoir la possibilité d'espacer les naissances mais elles ne disposent d'argument pour le faire que celui de l'amélioration de leur condition, revendication qui est souvent qualifiée d'attitude d'émancipation féminine non acceptable, de non-respect des valeurs traditionnelles ou encore de conflits hommes/femmes qu'il faut régler individuellement. Si on acceptait de discuter ouvertement de la question démographique avec elles, les femmes seraient les premières à en tirer les conséquences. Elles n'attendent souvent que cela. Elles demandent fréquemment aux animatrices féminines (étrangères aussi bien qu'africaines) comment elles s'y prennent pour avoir moins d'enfants, mais elles ajoutent vivement : « Dites-le-moi sans en parler à mon mari. S'il le savait, il me battrait. »

« Au village de Dandé, à 40 kilomètres au nord-est de Bobo-Dioulasso, j'ai pu avoir une longue discussion avec un groupe de vingt-deux femmes[1]. Après avoir parlé de leurs travaux, de leurs projets, je leur ai suggéré que nous fassions ensemble un relevé du nombre d'enfants qu'elles ont eus et de ceux qui ont survécu[2]. Elles en avaient fait naître 198 (plusieurs d'entre elles étaient encore en âge d'en avoir d'autres) et il en restait 100 : 98 étaient morts, la plupart avant l'âge de 6 ans. Leur demandant ce qu'elles pensaient d'une telle situation, elles disent : "On n'y peut rien, c'est Allah qui les envoie et qui les fait mourir." Mais elles ajoutent immédiatement : " Vous ne savez pas ce que c'est que d'avoir un enfant qui est malade... quand on ne sait quoi faire pour le sauver... quand le dispensaire est à dix kilomètres..."

Alors l'animatrice burkinabé de l'ORD qui m'accompagnait (une femme remarquable, qui a travaillé avec ce groupe de femmes, qui cherche désespérément à les aider[3]) me souffle de leur demander quelle serait leur réaction si elles avaient la possibilité de dire à Allah ce qu'elles désirent... Il fallait voir le visage et les yeux de ces femmes à la seule idée qu'elles puissent exprimer leurs désirs. Elles me répondirent : "Si nous étions sûres que tous les enfants que nous mettons au monde vont survivre, nous aimerions connaître des moyens d'en avoir moins. Car il faut les nourrir, les habiller, etc. Le seul moyen que nous avons actuellement est de dire : le dernier ne marche

---

1. Notes de Charlotte Paquet.
2. Avec beaucoup de précautions, car, pour les femmes, c'est un sujet toujours douloureux que de parler de leurs enfants malades ou morts. Nous leur avions laissé le choix de refuser de participer à ce genre d'enquête. Elles ont tout de suite dit oui, et il fallait voir comment chacune tenait à ne pas être oubliée.
3. Elle me disait les difficultés qu'elle avait à faire reconnaître son travail auprès des collègues de l'ORD, et du peu de moyens dont elle dispose pour le faire.

pas." » C'est la phrase que le mari comprend... Tant qu'elles allaitent le dernier-né, elles ne veulent pas être enceintes car leur lait serait moins bon. On les voit donc allaiter et porter sur leur dos des enfants qui ont parfois plus de deux ans.

L'autre moyen, traditionnel, est de retourner dans leur propre famille après la naissance d'un enfant et de ne revenir que lorsque l'enfant est sevré. Mais elles disent : « Nous n'aimons pas beaucoup cette formule ; c'est souvent l'occasion pour le mari de prendre une autre épouse, ça crée alors des problèmes. »

Ces paysannes nous ont aussi demandé pourquoi elles ne recevaient pas d'aide pour leurs enfants, comme les citadines. Elles faisaient allusion aux allocations familiales. Comme on ne peut les généraliser, ces allocations représentent une forme accrue d'inégalités sociales.

Quand les Africains réaliseront, et peut-être trop tard, le danger de l'explosion démographique, iront-ils, comme nous l'avons vu au Bangladesh et en Chine, jusqu'à imposer brutalement aux femmes, et surtout aux paysannes, des méthodes draconiennes de contrôle des naissances ?

Domination et Démographie sont les deux causes essentielles de la *ruine*, de l'appauvrissement, de la dégradation et finalement de la *désertification* et de la famine en Afrique subsaharienne : c'est le leitmotiv de cet essai. On n'allégera la domination *externe* qu'en lui opposant un plan ordonné, et non par des imprécations verbales[1]. On ne réduira les dominations internes qu'en alphabétisant et en laissant paysans et paysannes s'organiser à partir de la base, sans oublier d'améliorer leur condition économique, les « termes de l'échange » intérieurs, les prix de leurs produits.

---

1. Dans *Africa international* de juin 1986, Mriba Magassouba relate une réunion à Ouagadougou où Thomas Sankara aurait déclaré : « les ennemis de la révolution n'ont pas de place au Burkina, ou alors sous terre ». Il y stigmatise les abus des CDR, et souligne « le déclenchement des trois luttes, contre les feux de brousse, la divagation des animaux et la coupe abusive du bois. » Alors notre étude de 1984 n'aura pas été inutile...

CHAPITRE V

LE NIGER A LA RECHERCHE D'UNE SOCIÉTÉ ORIGINALE

LA « SOCIÉTÉ DE DÉVELOPPEMENT » : PEUT-ON L'ATTEINDRE ?

C'est Oumarou Mamane, président du Conseil national du développement (le CND) anciennement Premier ministre, qui m'a reçu au Niger. Depuis le coup d'État militaire (nuit de Pâques du 14 au 15 avril 1974) Seyni Kountché gouverne, à la tête du Conseil militaire suprême, le CMS.

La grande sécheresse qui culminait en 1973 avait ramené, aux abords du fleuve Niger et dans le sud du pays (seules zones cultivées), les cohortes misérables de nomades du nord et de l'est, aux troupeaux décimés. Et le gouvernement corrompu de Diori, dont l'épouse s'enrichissait aux dépens de la misère du peuple, n'avait pas su distribuer les secours, arrivés trop tard du reste, et en quantités insuffisantes...

Kountché n'est donc pas arrivé au pouvoir grâce à une idéologie quelconque, mais à la suite d'une révolte contre cette famine effroyable, fort mal secourue par un régime corrompu. Une de ses premières interventions promet que, tant qu'il gouvernera, « pas un Nigérien ne mourra de faim ». Le 29 octobre 1979 il promulgue un décret créant une Commission nationale de mise en place de la Société de développement, en vue d'« étudier et définir le cadre adéquat d'une politique de développement accéléré cohérent et harmonieux... Par la mise en place d'institutions nouvelles basées sur la *participation effective de toutes les couches sociales* ».

Ouvrant les travaux de cette commission, Kountché déclare : « Nous ne sommes ni autogestionnaires, ni socialistes, ni capitalistes, ni justicialistes. [Nous recherchons] la justice sociale, l'obtention d'un *consensus national* fondé sur les réalités

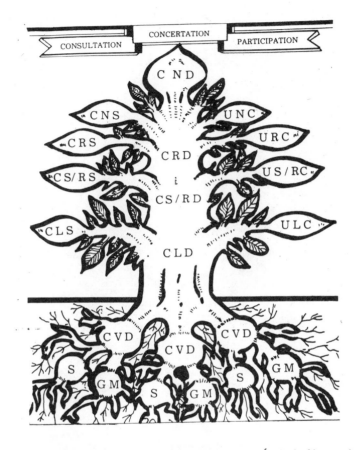

Au Niger, schéma de la société de développement. « École de démocratie participative et responsable, de solidarité, de progrès. »
S. : Samarya (jeunesse). - GM : Groupement mutualiste. - CVD : Comité villageois de développement. - CLD : Conseil local de développement. -CRD : Conseil régional de développement. - CND : Conseil national de développement. - CLS : Comité local de la Samarya. - CS/RS : Comité sous-régional de la Samarya. - CRS : Comité régional de la Samarya. -CNS : Comité national de la Samarya. - ULC : Union locale des coopératives. - US/RC : Union sous-régionale des coopératives. - URC : Union régionale des coopératives. - UNC : Union nationale des coopératives.

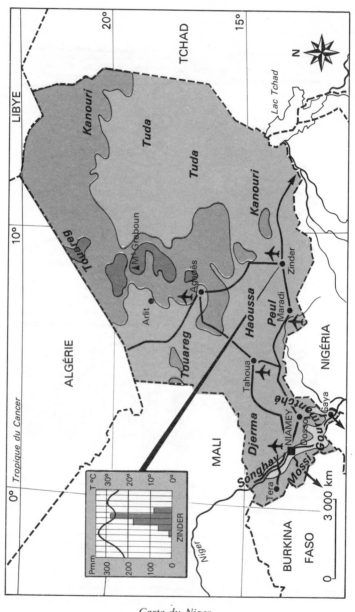

Carte du Niger

et les aspirations de toutes les couches sociales du Niger... par la mise en place des cellules de base dans le cadre du village, du quartier, de la tribu. »

Il s'agit de revitaliser les coopératives souvent défaillantes ; d'animer les Samaryas[1] ; d'édifier, à chaque niveau administratif, la fédération d'organismes partis des cellules de base de chaque village, les CVD, Conseils villageois de développement. Au canton, le conseil local ; à l'arrondissement, le conseil sous-régional ; au département, le conseil régional ; en tête, le CND, le conseil national et son président.

Comme c'est le CND qui est censé donner la parole au pays, certains évoquent une forme *corporative* (sinon fasciste) de représentation nationale ; laquelle ne cesserait d'être contrôlée par le CMS et par son chef, Seyni Kountché. D'autres pensent à un substitut de parti unique qui refuserait le nom de parti, terme qui n'est plus accepté ici. Enfin, les plus mal-pensants voient l'apparition d'une nouvelle bureaucratie qui risque d'être supportée par les forces productives de la nation, essentiellement les paysans, en tout état de cause, une structure originale, mais qui reste à bâtir.

Reçu par le général Seyni Kountché...

Son directeur de cabinet m'a prévenu : « Quelques minutes seulement ; le chef de l'État est pressé. » Mais l'entretien durera une heure. Kountché tient à bien s'expliquer :

> « *Depuis l'indépendance, nous n'avons pas progressé... nous avons même* reculé*, en partie à cause des facilités apportées par* l'aide *extérieure. Notre écosystème s'est dégradé ; au rythme où nous allons, nous détruisons nos ressources naturelles, et il ne nous restera bientôt plus que la* mendicité *vis-à-vis de la Communauté internationale, dont je note le raidis-*

---

1. Groupements de jeunes, traditionnels.

SOCIETE
DE
DÉVELOPPEMENT

Projet de Charte Nationale :

C'est de l'apport fécondant des sensibilités diverses qui habitent notre Peuple que naîtra le Niger de demain.

Projet de charte nationale

sement à notre égard[1]. Aucun pays d'Afrique n'a établi de modèle de développement valable : même la Tanzanie "craque", et Nyerere m'a dit qu'après vingt années, les Tanzaniens n'ont rien compris au socialisme.

---

1. L'ambassadeur d'Allemagne fédérale en Haute-Volta ne cachait pas la lassitude de son pays d'avoir, vingt années durant, donné *tant d'argent, pour si peu de résultats...*

« *La société africaine est freinée par les pesanteurs des religions traditionnelles. Il n'existe pas de modèles de développement "prêts à porter". Nos projets de productivité aboutissent à caser des expatriés*, de soi-disant experts... *Pourrions-nous, par nos recherches, réussir une société de développement, dans un pays où on a tué le sens de l'initiative du peuple, en lui refusant toute voix au chapitre ? Il nous faut évidemment veiller à ce qu'il ne se produise pas un glissement vers la politisation des élus locaux. Et nous devons abandonner la politique de l'autruche, cesser de dire "il ne faut pas que le peuple sache".*

« *En élaborant la charte, nous n'avons pas encore traité des problèmes des femmes, du code de la famille. La démographie augmente en réalité de 3 % par an*[1] *: il faudrait sensibiliser les jeunes femmes, les filles mères qui recourent à l'avortement clandestin, et même à l'infanticide... on trouve des nouveau-nés dans les caniveaux de Niamey ! Pour limiter les naissances, il nous faudrait aussi plus d'infirmières dans les villages, mais dès qu'elles obtiennent leur diplôme, beaucoup d'entre elles, appréciées pour leur instruction, font un beau mariage. Nous devrions instituer un service civique national, un service* rural obligatoire.

« *Sur les 50 États d'Afrique, 24 reçoivent l'aide de la Communauté internationale, et il y en a* moins de dix qui produisent de quoi se nourrir. *De la conférence de Nairobi, en 1977, à celle de Dakar, en 1984, en passant par le CILSS, etc., on a parlé beaucoup de la désertification. La frange sud de notre pays ne pourrait contenir toute notre population si tout le reste venait à se désertifier. La CEE nous dit que le Mali va nous vendre des excédents de grains, mais moi*

---

1. Officiellement 2,7 %.

j'attends[1]. *Nous avons réalisé de grands aménagements hydro-agricoles, le long du Niger et à Birri N'Koni, mais ils nous posent trop de problèmes. Des petits aménagements* maîtrisables *par nos paysans avec un minimum d'apprentissage seraient bien préférables.*

« *La* chefferie *traditionnelle contribue à l'équilibre de l'Afrique profonde, qui reste "féodale" dans ses campagnes. Mes ministres ne sont que de hauts fonctionnaires. Les militaires, en qui j'ai le plus de confiance, je les place à la tête des sept départements ; chaque matin ils me font leur compte rendu par téléphone... On ne bâtit pas une démocratie à l'occidentale avec des femmes qui vont si loin chercher de l'eau, en se demandant ce qu'elles mangeront le lendemain ! Il faudrait que chaque paysan ait un lopin de terre et sache que, s'il ne le cultive pas, on peut le lui reprendre. Cela freinera l'exode rural,* la société de consommation en ville, *sans production correspondante, où chacun ne pense qu'à posséder une vidéocassette ou le dernier gadget... Pendant ce temps, les paysannes, dépourvues de tout, se demandent avec quoi elles vont pouvoir faire le repas de midi !* »

Après avoir entendu Seyni Kountché, je déclarai avec enthousiasme, à la télévision, n'avoir jamais rencontré un chef d'État analysant la situation de son pays avec autant de réalisme, de lucidité et de détermination. Mais, il n'est pas au bout

---

1. Dans une étude faite pour la CEAO, Communauté de six États de l'Afrique de l'Ouest, en somme Sahel plus Côte-d'Ivoire, on « prévoit » que le Mali, la Haute-Volta et le Niger vont devenir exportateurs de grains. En attendant, les voilà tous déficitaires. Encore un refus de reconnaître toutes les difficultés d'une telle évolution : il ne suffit pas de l'annoncer pour la réaliser...

« *Le Sahel est déjà menacé d'une catastrophe comparable.* » *(Page 212.)*
Photo : *Mali, juin 1985.*

2. « Le Mali peut-il arrêter le dés

125.) *Photo : Mali.*

3. *Mali, lac Faguibin, région de Gondam, juin 1983 : « Quand il n'y*

n à manger, des villages entiers partent vers le sud... » (Page 83.)

4. « A cette corvée d'eau s'ajoutent (pour les femmes) combien de t...

clament autant de temps et d'énergie. » (Page 80.) Photo : Sénégal.

5. *Mali, région de Gao, juin 1983. Un camp de réfugiés : « Michel Diabo per*

a continue, au siècle prochain, le Mali sera rayé de la carte. » (Page 127.)

6. « En mars 1984, 200 000 bovins sont condam

urir. » (Page 57.) Photo : Sahel, juin 1973.

7. *Ethiopie, région du Tigré, avril 1985 : « La migration vers le sud y p*

eau Mossi), fin 1984, *l'allure d'une débandade panique.* » (Page 83.)

8. *Mali, le fleuve Niger, juin 1985 : « Pour la première fois depuis qu'*

re le débit, le fleuve Niger a cessé de couler en juin 1985. » (Page 21.)

9. Mali, région de Gourma Rharhous, les rives du fleuve Niger.

de ses problèmes d'autant plus qu'il ne peut guère compter sur sa bureaucratie.

UNE SOCIÉTÉ TROP INÉGALITAIRE : LA VILLE ET LA CAMPAGNE

D'une part, la vie dans les campagnes, où la famine frappe de plus en plus durement ; de l'autre, les beaux quartiers des villes, les allées verdoyantes de Niamey, avec ses villas climatisées, ses voitures, ses télévisions, etc. Flagrante inégalité dont le chef de l'État a pris conscience, ce qui n'est pas toujours le cas de la part de son administration, de son « bras exécutif ». On parle beaucoup d'« assurer sans heurt la reconversion des mentalités ». Mais si les paysans ont bien montré qu'ils peuvent fournir de gros efforts, quand ils y voient leur intérêt, la *forteresse bureaucratique*, elle, paraît fort difficile à « reconvertir ».

En ville, on trouve l'eau à une borne-fontaine proche ou même souvent, au robinet. L'école, le dispensaire ne sont pas loin et édifiés aux frais, ou sur crédits, de la puissance publique. *Au village,* on invite les paysans, qui ont toujours construit eux-mêmes leurs maisons, à bâtir aussi écoles et dispensaires, à creuser leurs puits, alors que le prix des céréales est resté longtemps un des plus bas du monde : dans le Majjia, le mil se vendait 4 F CFA (8 de nos centimes) le kilo à la récolte de 1968 en zones éloignées !

Si la Société de développement veut donner une parcelle de pouvoir réel aux paysans (qui ne disposent, en fait, que de certaines possibilités de résistance passive), elle va se heurter aux intérêts de la *quadruple alliance* exploitant et dominant les ruraux. La *bureaucratie* qui n'a cessé de proliférer depuis l'indépendance — et même depuis 1974 — fait peser un poids de plus en plus lourd sur la paysannerie. *La chefferie traditionnelle* : si je n'ai pas approuvé sa tentative d'élimination trop brutale au Burkina-Faso, la réduction de ses pouvoirs souvent abusifs[1] me paraît cependant nécessaire à la réalisation du consensus social au Niger. *Les trafiquants* : du fait de la proximité du Nigeria, toute une classe de ces trafiquants prospère, de la capitale à Maradi et même Zinder, et s'enrichit

---

1. Un petit journal local, édité à l'usage d'un groupe de villages proches de Tillabéry, est soumis à la censure du chef du village.

sur le dos de la paysannerie. Enfin les *marabouts*[1] qui abusent de leurs prérogatives, et que Seyni Kountché a courageusement fustigés dans un discours public sur les « marabouts crapuleux ».

Ce bel édifice (en projet), la Société de développement, va-t-il permettre aux vrais paysans, ceux qui ont les mains calleuses, de se grouper et de représenter une *force politique autonome*, capable de défendre leurs intérêts propres de travailleurs, de vrais prolétaires, face aux dominants, à cette « quadruple alliance » ? Il me semble qu'en remontant à chaque étage administratif supérieur de cette construction, les revendications paysannes risquent d'être noyées par les représentants des autres groupes, plus savants et plus puissants, qui pourront même y trouver un nouveau moyen de *contrôle*. A quand des organisations, groupements et associations de paysans *autonomes*, rassemblant les ruraux, sous le contrôle des paysans, et fédérés jusqu'au niveau national ?

LES PROJETS DE PRODUCTIVITÉ : LA PAYSANNERIE S'APPAUVRIT

Des projets dits de productivité, financés par l'aide extérieure (documents technocratiques, chiffrés, incompréhensibles pour les paysans) ont pour objectif d'augmenter la production agricole, et mettent surtout l'accent sur les engrais chimiques. Or ceux-ci ne sont utilisés que sur 2 % des labours et coûtent déjà trop cher en subventions. Pourtant, de toute évidence, de tels engrais ne sont pas rentables quand ils sont appliqués sur des sols destructurés par la suppression des jachères, l'absence de fumure organique et les érosions.

Ces projets cherchent aussi à répandre la *culture attelée* (que j'ai longtemps prônée, de préférence au tracteur). Cependant, l'ensemble constitué par l'équipement en matériel et la paire de bœufs dressés n'est rentable que si l'on dispose d'une surface et d'une force de travail assez importantes. Or j'ai noté au Niger une différenciation sociale croissante, à l'intérieur de la paysannerie. La majorité des paysans nigériens ne dispose plus de

---

1. L'Islam n'est pas la seule religion dont on se sert parfois abusivement. Le renouveau islamique s'attaque à une partie des privilèges des marabouts — pas partout cependant.

terres suffisantes pour en vivre. Ils sont salariés temporaires pour le désherbage chez leurs voisins qui, eux, jouissent d'excédents de terres. La culture attelée tend à devenir le monopole de la nouvelle classe dominante. J'ai rencontré beaucoup de paysans possédant plusieurs paires de bœufs pour cultiver 10 à 20 hectares de céréales.

On veut vulgariser ces attelages, en recrutant de jeunes paysans dans les centres de perfectionnement technique ou de promotion rurale (les CPT et les CPR), pour lesquels on a parfois bâti des logements bien trop dispendieux. Les études de l'Institut de recherches en sciences humaines de Niamey concluent que « le CPR, perçu au départ comme centre de rééducation, est devenu un centre de promotion sociale. La situation enviable des personnes issues des premières promotions[1] a conduit à la récupération des bénéfices du système par les notables du village, dans les familles desquels se fait la plus grande partie des recrutements... un système de *clientélisme*, conduisant droit à l'injustice, notion à laquelle les villageois sont très sensibles ». Dans les CPT, on a oublié l'essentiel : les haies vives, les brise-vent, et surtout les banquettes antiérosives ; on a négligé les fourrages et même les fumiers...

La culture attelée, du fait d'un travail plus profond du sol ou de sa réalisation à un moment défavorable de l'année, a accru les risques d'érosion. Bien des exploitations moyennes ont dû l'abandonner, faute de pouvoir rembourser les échéances trop lourdes, dès que la pluie faiblit un peu. La logique paysanne n'est pas celle des experts, car elle est confrontée au problème de *survie*.

Les projets supposent que les paysans auxquels sont proposés les thèmes techniques (labours, engrais, variétés sélectionnées, pesticides...) soient des *cultivateurs à plein temps qui ont assez de terres, de main-d'œuvre et de capital, et qui sont disposés et capables de commercialiser une grande partie de leur production chaque année*. Or une étude socio-économique élémentaire démontre qu'il s'agit en majeure partie, de *paysans pauvres* (et qu'on ne cesse d'appauvrir). Ne condamnons pas la culture attelée, mais n'oublions pas qu'elle représente un investissement important et exige donc *l'arrêt du processus de paupérisation paysanne* ; par conséquent le relèvement du prix des produits agricoles effectivement payés au paysan.

---

1. Car ils ont été dotés, à crédit, de cheptel et de matériel de culture attelée.

On a conseillé des techniques fort discutables, sinon même erronées, comme l'usage du rayonneur pour semer en lignes, ce qui retarde les semis, et par là, risque de compromettre la récolte. On insiste sur les cultures pures, alors que les associations céréales-légumineuses, comme mil-niébé ou mil-arachide, courantes en milieu paysan traditionnel, sont très supérieures.

On assiste à un *appauvrissement constant de la paysannerie,* avec des rendements en recul, des terres dégradées. Le Crédit Agricole, l'Union nationale des coopératives et même finalement les finances publiques, sont en *faillite virtuelle* ; et les aides extérieures les soutiennent à bout de bras.

Le chef de service du « génie rural », inclus dans le projet de Dosso, m'a expliqué : 1. qu'il a consacré les trois premières années du projet (prévu pour cinq ans) « à construire des bâtiments administratifs, des logements de fonctionnaires et à restaurer les anciens » ; 2. qu'il a recensé 3 500 hectares de bas-fonds[1] où de modestes aménagements de puisards, de rigoles d'arrosage et de pistes permettraient d'établir des cultures de saison sèche : légumes, vergers, manioc, céréales... ; 3. qu'il va « peut-être » s'occuper de leur aménagement, dans le peu de temps qui lui reste...

A raison de quatre familles par hectare arrosé en saison sèche, l'aménagement de ces bas-fonds aurait pu améliorer grandement le sort de 14 000 familles paysannes — mais les fonctionnaires doivent d'abord être mieux logés !

DÉGRADATION, DÉMOGRAPHIE, DÉSERTIFICATION :
L'ENGAGEMENT DE MARADI

Le Niger a pris conscience de la gravité de la désertification, ne disposant presque plus de réserves de terres encore fertiles. Du 21 au 28 mai 1984, Seyni Kountché ordonna que se tienne à Maradi « un débat national sur la désertification, afin de proposer à la nation les stratégies les plus efficaces susceptibles d'arrêter l'avancée du désert ». Le rapport de ce débat, publié sous le titre : *l'Engagement de Maradi,* énumère de multiples actions à engager, mais en termes trop vagues.

---

1. Ce sont les cultures de ces bas-fonds qui, fin 1984, sauvèrent les réfugiés chassés du nord du pays par la sécheresse.

Hélas, la question *démographique* a été censurée par certaines « autorités », qui se refusaient encore à regarder en face la plus grave menace sur l'avenir du pays[1]. Une contribution courageuse et précise, celle de Tahoua, l'un des départements les plus menacés, avait pourtant donné le ton. En voici quelques extraits :

« *La pression démographique* sur les meilleures terres (33 % de labours en plus, de 1969 à 1983 ; plus de 26 % de 1971 à 1977) a entraîné la réduction des superficies par exploitant ; les terres disponibles, *surexploitées* (disparition de la jachère) s'appauvrissent ; la culture remonte trop au nord, en zone pastorale ; on cultive en plein plateau latéritique une multitude de petites parcelles avec trop peu de terres pour la culture... Le défrichement fait disparaître le couvert végétal ; le *dessouchage* empêche toute régénération végétale arborée ; le brûlis désorganise la structure des sols, plus exposés à l'érosion ; surtout avec le labour à sec des terres de *sables dunaires*, ainsi exposées aux vents forts qui accélèrent la perte des éléments fertilisants ; le sarclage superficiel ne permet pas l'enfouissement de la matière végétale, élément essentiel de la stabilité des sols — et on brûle, faute de bois, trop de résidus de récolte, qui manqueront aux sols. »

Dans un canton au sud de Zinder, James T. Thomson souligne : « ... Une désertification de l'environnement est indiscutable. On constate un peu partout des étendues de terrain *épuisé*, où rien ne pousse, sauf la mauvaise herbe. Il n'existe pas encore de dunes mouvantes mais, dans les pâturages aussi bien que dans les champs, il y a maints endroits tout à fait dépourvus de couverture végétale et balayés par les vents, où le sable représente une vraie menace... Les arbres sont surexploités... un processus de *désertification* est à craindre partout dans ce canton. » Comme dans la plus grande partie du Niger, pourrait-on ajouter.

Les pluies, rares mais torrentielles, créent vite des ravins d'*érosion*, des koris, qui attaquent latéralement les champs « et on assiste petit à petit à une disparition des terrains de culture ». Dans les vallées limoneuses, où l'épandage naturel des eaux permettait de réaliser de grosses productions de vivres

---

1. Cependant, en novembre 1984 à la FAO, Seyni Kountché classait l'explosion démographique comme le premier facteur déterminant de la *détérioration* accélérée de l'environnement du Sahel.

et de légumes, l'érosion les stérilise en les recouvrant des sables les plus pauvres, les plus stériles, venant de la décomposition des grès ferrugineux ; ce qui rend des terres fertiles impropres à la culture.

Ce rapport de Tahoua ne craint pas de souligner des aspects sociologiques, laissés de côté par le rapport national : « Devant la désertification, les populations développent un esprit de *fatalisme*. La perte de leurs biens provoque une *dépersonnalisation des populations*, avec développement de la mendicité et adoption d'activités considérées comme *indignes du rang social* de ceux qui sont obligés de s'y adonner : *l'éleveur condamné au maraîchage*, l'agriculteur reconverti au portage, et *la femme rurale à la prostitution*... La disparition des ressources fruitières naturelles et de la petite faune accentue le déséquilibre de la ration alimentaire ! »

La fixation des dunes, ou la mise en défens a Yélalagane ?

Près de Bouza, ville si arborée au sud-est de Tahoua, une vallée fertile, bientôt menacée de désertification, est le théâtre d'un travail intéressant. Sur les plateaux qui la bordent, les sables dunaires — dès que la végétation manque — voient leurs éléments fins enlevés par l'érosion éolienne. Ils se transforment en dunes mobiles qui menacent de stériliser la vallée en l'enfouissant sous les sables stériles.

Il s'agit de fixer les dunes. La Samarya creuse des fossés profonds de 50 centimètres, pour y planter des palissades de tiges de mil (les paysans les cèdent au cinquième de leur valeur sur le marché) perpendiculaires aux vents dominants. Elles sont parallèles et espacées de 15 mètres environ selon la pente.

A leur abri, on a planté des lignes d'arbres, mélange d'eucalyptus et d'essences locales, notamment le *gao* (l'acacia albida). Beau travail, certes, mais qui laisse un peu perplexe. CARE international, une ONG qui l'a organisé et financé, souligne qu'il a été dépensé environ un million de F CFA par hectare de dune (au sol pauvre) ainsi fixée.

En s'y prenant plus tôt, avant l'apparition des dunes vives, le travail aurait été infiniment moins onéreux. Ainsi, la majorité des sols dunaires épuisés, mais non encore mis à nu et mobiles, du terroir de Yélalagane, a été, elle, fort économiquement fixée par la *mise en défens* (l'interdiction temporaire des cultures, de la coupe des arbres et du pâturage). Déjà, l'effet en est spectaculaire. Les gao se multiplient par régénération naturelle, le couvert végétal réapparaît et les dépenses de fixation ont été évitées. Je le répéterai inlassablement, il faut prévenir le mal, ne pas attendre que se forment les dunes vives. Cependant l'excès d'hommes et de bétail reste un obstacle majeur en vue de cet objectif.

LES BRISE-VENT DE LA VALLÉE DE LA MAJJIA : SANS GRILLAGE, MAIS AVEC DISCIPLINE DU BÉTAIL

Dans les villages échelonnés le long de cette rivière fort irrégulière, dont les inondations limoneuses sont très appréciées, les *vents de sable* dégradaient les terres, réduisaient les rendements. On a convaincu les paysans d'établir des doubles lignes de brise-vent, tous les 100 mètres. Comme il faut compter 500 plants par kilomètre de brise-vent, les villages mobilisés ont réuni des équipes pouvant regrouper 300 ou 400 jeunes qui, en une journée, ont fait les trous de plantation, le plus gros travail, sur 3 à 5 kilomètres de longueur. On a planté surtout des Neem, originaires de l'Inde, associés aux acacias *(Prosopis, Acacia scorpoïdes* et *Acacia segal).*

A l'abri de ces brise-vent (en double ligne tous les 100 mètres) on a déjà noté des rendements de mil accrus d'environ 20 % et les premiers boisements (réalisés en 1975) sont exploités en 1984. La perte en surface cultivable est donc largement *compensée.* Un problème s'est posé cependant : comment protéger les jeunes arbres contre les assauts du bétail ? 254 kilomètres de brise-vent, ayant déjà été plantés, il aurait fallu plus de 500 kilomètres de grillage pour les protéger. A 2 millions F CFA le kilomètre, cela aurait coûté un milliard. On ne leur a pas conseillé cette solution ! Comme à Yélalagane, à moindres frais, les paysans ont réussi à imposer l'arrêt de la divagation du bétail ; c'est donc un objectif réalisable, quand les paysans en comprennent l'intérêt.

REBOISEMENT, MAIS AUSSI RÉGÉNÉRATION DES FORÊTS NATURELLES DÉGRADÉES : ÉTUDIER ET RESPECTER LA VIE

Si j'ai été sévère pour les projets de productivité de l'USAID[1] (l'aide américaine), j'ai, par contre, fort apprécié leur travail de régénération des forêts dégradées, dans l'essai-pilote de *Guesselbodi*, près de Niamey, sur la route de Dosso, juste après l'aéroport. La forêt naturelle y est encore assez garnie d'arbres, surtout des Combretum[2]. Elle produit environ 5 stères par hectare et par an de bois de chauffe ; sa protection, alliée à la régénération sur les parties trop dégradées et découvertes, coûte cinq à dix fois moins cher que le reboisement voisin en eucalyptus, lequel va peut-être donner 3 stères par hectare par an.

Pour la régénérer, on arrête d'abord l'érosion, par des banquettes à contre-pente : on creuse des tranchées de 25 cm en terre profonde, puis on dispose des menues branches sur les zones de sol nu et compact. Dès que la terre compactée est recouverte de ces branchages, les termites y affluent ; ils creusent des galeries dans le sol ; ce qui permet l'infiltration de l'eau de pluie qui, jusque-là, ruisselait sur le sol compacté. Les termites font ce travail gratuitement et très volontiers ! Alors sur ce sol humidifié, la vie repart, les herbes et les arbustes ressortent de terre, un vrai miracle !... sans « artillerie lourde », sans grosse mécanique ; en observant, en *utilisant les ressources naturelles.*

Guesselbodi commence à renaître : ici, avec une forêt de Combretum, plus loin avec un beau pâturage (qui fut mis en défens). Ici les paysans ont accepté que deux Touaregs[3], montés sur un chameau, parcourent en permanence les 500 hectares en cours de régénération. Les bêtes en pâturage illégal (il y en a

---

1. J'ai donc dit à Jim Loewenthal, (non dogmatique et sympathique responsable de l'USAID Niger ; il a été *Peace Corps*, donc a bien connu les dures réalités « du terrain ») que son organisation méritait l'enfer pour les « projets », et le paradis pour Guesselbodi ; en moyenne, le purgatoire. « Ça va bien, j'y suis déjà depuis 3 ans !... » répondit-il.

2. Qui résistent au passage des *feux de brousse*, autre facteur capital de dégradation des forêts comme de la couverture végétale ; c'est donc un autre *allié de la désertification* qui mérite plus d'études et d'actions, autres que la répression.

3. Donc d'une autre ethnie que les Zermas (dominants dans cette région) ; et une ethnie à tradition guerrière, disciplinée, respectant la hiérarchie. Ceux-ci, en accord avec les paysans, doivent être aussi en accord avec ce que leur ordonne leur propre communauté.

peu) sont mises en fourrière et l'amende versée devra bientôt revenir aux collectivités villageoises. On n'est donc pas désarmés devant l'avance du désert : en s'alliant aux paysans, on peut le stopper[1].

Bois de village, arbres fourragers et fruitiers, dispersés en un paysage « bocager »

On pense maintenant aux bois de village, dont les plants sont produits, soit par des pépinières communales (qui réussissent, si on paie correctement les pépiniéristes), soit par des pépinières privées qui vendent les plants. Outre le bois de feu, le seul jusqu'ici susceptible de retenir les forestiers, il faut désormais donner une priorité aux essences locales. Ce sont celles qui, en effet, intéressent les paysans : karité et néré, arbres fourragers[2] et tant d'autres espèces pouvant produire des feuilles ou des gousses comestibles. Sans oublier les arbres fruitiers et les légumineuses qui, comme le gao, fixent l'azote et reconstituent la fertilité des sols.

Les recherches forestières devraient mettre plus l'accent sur tous les arbres autochtones, en tenant mieux compte de la valeur des productions de cueillette, jusqu'alors considérées comme secondaires. Dans mon schéma, c'est le bois qui pourrait parfois venir au second rang. Ces essences locales, si elles sont dispersées dans les champs, finissent aussi par donner du bois. Si tous les villages et tous les paysans se mettaient à en planter, ces diverses essences pourraient, à la longue, satisfaire toute sorte de besoins, fournir bois de feu et bois d'œuvre, feuilles, fruits, plantes médicinales, tout en protégeant les sols. Dès que l'on dispose de zones un peu humides, ou qu'un léger apport d'eau est possible, comme aux abords des villages et dans les cours d'habitations, la priorité revient aux arbres fruitiers.

En somme, au lieu de confisquer aux paysans des terres à reboiser par l'État, la solution d'avenir paraît résider dans la construction d'un paysage agricole, rappelant les bocages

---

1. S'ils expriment leur point de vue et ont compris l'intérêt de cette action.
2. Les paysans tanzaniens d'une île surpeuplée du lac Victoria utilisent plus de trente espèces d'arbres fourragers, dans un climat plus humide.

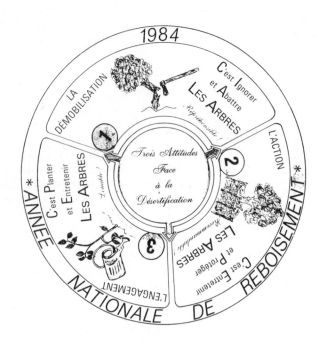

Campagne de sensibilisation au reboisement, au Niger, en 1984.

européens, aux parcelles entourées de haies vives et dont l'équivalent serait les brise-vent arbustifs ; avec aussi des arbres dispersés dans les champs. L'utilisation anarchique du couvert végétal, avec ses abus, reste un obstacle essentiel à cet aménagement foncier.

LA ZONE PASTORALE : « NOUS VOULONS D'ABORD DU MIL »

On a, de longue date, fixé par la loi la limite nord des cultures, au-delà de laquelle celui qui sème n'a aucun droit à réclamer des indemnités en cas de dégâts par les animaux. Il serait bon de réserver ces terres au pâturage et non au *surpâturage*.

Au Niger et au Burkina-Faso, on avait, dès 1983, retrouvé le nombre de bêtes d'avant la grande sécheresse ; mais, en 1984, le couvert végétal, herbacé et arboré, était bien plus dégradé qu'en 1973. A 100 kilomètres au nord de Dakoro, un observateur notait qu'en janvier 1984, début de la saison sèche, la végétation rappelait celle habituellement observée au mois de mai — donc en fin de saison sèche — à l'époque du plus grand déficit. Or les pluies de l'été 1984 ont encore été tragiquement déficientes.

En montant de Tahoua vers le nord, nous arrivons au centre pastoral de Télemsès, qui se veut une structure de participation avec la population pastorale, laquelle était jusque-là « encadrée » par l'administration classique, celle de « la loi et l'ordre ». On voulait, au départ, accroître la production de viande en augmentant le potentiel fourrager, avec des pare-feu pour limiter les feux de brousse ; et améliorer l'approvisionnement en eau, par des forages de puits. On eut alors l'idée de demander aux pasteurs « ce qu'ils désiraient ». « Nous voulons trouver du mil à acheter, même en période de soudure, à un prix accessible. » Au marché de Taza, à la mi-juillet 1984, le bétail se vend déjà 20 à 25 % au-dessous des cours normaux (il continuera de baisser).

Un âne coûte de 4 à 25 000 F. Le prix d'un chameau varie de 40 à 50 000 F. Il faut compter 80 000 F pour un beau méhari. Une petite chèvre vaut 1 500 F. A titre comparatif, il est à noter que le pain de sucre de 2 kilos se vend 850 F et que le petit mil se vend 230 F le kilo, alors que l'OPVN[1] l'a payé 80 F au cours officiel, à la récolte et en zones excédentaires. A la même période, les riches de Niamey trouvaient du mil à 130 F et du riz à 180 F le kilo.

En raison de ces prix, beaucoup de pasteurs sont contraints de « décapitaliser » leurs troupeaux. Le centre pastoral leur cède du grain au prix coûtant : juste la moitié, en juillet 1984, de celui du marché libre. Une fois ce geste fait en faveur des pasteurs, le centre peut alors mieux travailler avec eux, étudier leurs troupeaux, déterminer la charge théorique possible de la zone en bétail, compte tenu du potentiel fourrager et des ressources en eau.

On recense les campements et avec deux ou trois d'entre eux

---

1. Office des produits vivriers du Niger, qui commercialise 15 % de la fraction commercialisée des céréales.

(réunissant en moyenne quinze à vingt familles), on crée un GMP, Groupement mutuel pastoral. Dans une même zone, une quinzaine de GMP forment un GVC, Groupement à vocation coopérative, qui poursuit la gestion des points d'eau, assurée auparavant par les groupements traditionnels.

Quelques crédits, encore trop modestes (2 à 3 000 F), sont alloués à quelques pasteurs pour leur permettre de ne pas brader à vil prix toutes leurs bêtes. Si, globalement, le cheptel est reconstitué à son niveau d'avant 1973, la sécheresse a rendu sa répartition beaucoup plus inégale et bien des familles n'atteignent plus le minimum vital.

Le nombre de ces « nomades », Peuls ou Touaregs, ne cesse d'augmenter dans les villes, surtout à Niamey. On les voit déambulant dans les rues, autour des marchés ou des hôtels d'expatriés, cherchant à vendre leurs derniers trésors, totalement désemparés, ayant perdu leur fierté, *leur dignité*. Il s'agit véritablement d'un *ethnocide*.

LES UNITÉS PASTORALES, RESPONSABLES D'UN TERROIR : ELLES ARRIVERONT TROP TARD

Le projet d'élevage du Centre-Est[1] voudrait parvenir à une meilleure gestion de l'espace pastoral, en attribuant un territoire *déterminé*, à une *unité pastorale* composée d'une série de GMP et appartenant de préférence à une même ethnie. Hélas, les pasteurs, quoique conscients des dangers de l'anarchie actuelle (où personne n'a intérêt à préserver à long terme), ne l'acceptent pas, car les pâturages sont actuellement exploités par une série de groupements appartenant à des ethnies de coutumes et de comportements *très différents*.

Les peuls Bororos sont de grands transhumants, qui traversent les frontières nationales et vont pâturer jusqu'au Tchad, au Cameroun et surtout au Nigeria, plus proche et mieux arrosé que le Niger. A leurs côtés, les Touaregs et les Toubous sont des ethnies de petite transhumance. Et tous considèrent que leurs déplacements traditionnels, qui se recouvrent largement les uns les autres, leur confèrent des *droits acquis*. Outre le mélange des

---

1. Basé à Zinder, l'ancienne capitale du Niger, (abandonnée car on n'y trouve guère d'eau).

ethnies, l'obstacle essentiel reste la sécheresse. Confinés à un terroir limité, les pasteurs craignent de n'y point trouver de quoi nourrir leur cheptel.

Consultant l'agro-pastoraliste Peyre de Fabrègues, celui-ci souligne : « l'inquiétante exploitation des arbres et arbustes : branches sectionnées à l'aisselle pour les mettre à portée du bétail, ébranchage à mort de jeunes pousses, arbres coupés au tronc pour combustible (...) L'utilisation totale de la strate herbacée, malgré son aspect de désertification spectaculaire en fin de saison sèche, n'est pas aussi dangereuse que la destruction abusive des plantes arbustives (...) auxquelles il faut souvent plusieurs dizaines d'années pour atteindre la maturité. A combien d'aléas (feu, broutage, coupe, accident climatique) l'arbre sahélien devra-t-il échapper avant de devenir adulte ? (...) Les ligneux protègent les sols, améliorent la fertilité, luttent contre l'érosion éolienne et le ruissellement dévastateur... ».

La conclusion tombe comme un couperet : « Soumise, pendant une génération encore, à des prélèvements plus importants que son potentiel de régénération, la végétation du Sahel nigérien ne résistera certainement pas *sans se dégrader irrémédiablement.* » Or les conseillers du projet rapporté plus haut demandent plus d'une génération pour arriver à des attributions de pâturage (et de puits) à un groupement unique intéressé à le protéger. D'ici là, le désert aura souvent remplacé une steppe déjà trop dégradée.

Au nouvel an 1950, je me trouvais en mission avec de Carbon Ferrière, qui venait d'être nommé directeur de la Compagnie française pour le développement des textiles (CFDT). Nous avions établi notre campement à 150 kilomètres à l'est de N'Djamena (ex-Fort-Lamy) au Tchad, en rase campagne sous un climat intermédiaire entre celui de Maradi et de Tahoua au Niger. Nous dormions en plein air sur des lits « picots », au-dessus desquels une moustiquaire était tendue. Chacun de nous avait une bouteille d'eau à portée de la main pour se désaltérer au milieu de la nuit et, au besoin (nous avait-on dit), pour nous défendre contre les hyènes... Loin de tout, nous vivions de la chasse. Chaque jour, passait devant les fusils de notre équipe[1] une cinquantaine de gibier : antilopes de toutes sortes, gazelles, autruches, oiseaux, menu gibier, etc.

En 1985, si vous passez, comme les soldats de « Manta » ou

---

1. Je refuse de me servir d'un fusil.

les avions de la mission « Épervier », à l'est de N'Djamena vous verrez un quasi-désert : le couvert végétal a pratiquement disparu, il ne reste que de rares arbustes trop clairsemés, trop ébranchés. Une génération a suffi.

L'ÉLEVAGE DES AGRICULTEURS ET LA PAUPÉRISATION DES PAYSANS

Un bœuf gras qui valait 15 quintaux de mil en 1969 en coûtait 25 en 1976. Dans sa thèse déjà citée, Adamou Idé nous montre que, pour constituer un troupeau, il faut avoir de l'argent et seuls en ont assez ceux qui reviennent des pays côtiers : Ghana autrefois, Côte-d'Ivoire aujourd'hui. Leur richesse fait alors boule de neige : elle leur permet d'acheter à bas prix « en vert », avant la récolte, les grains des *Haraize*, ces « fils de la faim[1] ». Condamnés à survivre, ces derniers travaillent chez un voisin riche et négligent leurs propres terres : c'est le cercle vicieux de la *paupérisation croissante*.

Déjà le troupeau villageois disparaît, car la communauté refuse la garde collective d'un troupeau trop inégalement réparti. Chaque petit éleveur doit donc garder son trop petit cheptel, ce qui lui coûte plus de travail qu'il n'en rapporte. De ce fait, il le laisse divaguer, ou, au mieux, le confie à un berger. Le lait disparaît ainsi des foyers et la consommation de viande, disproportionnée mais bien plus forte en ville, serait tombée, en moyenne nationale, de 22 kilos en 1968 à 16,6 kilos en 1983. Tandis que les urbains accroissent leur épargne en cheptel confié aux Peuls, les troupeaux des petits paysans sont en voie de disparition.

Cette paupérisation paysanne, Emmanuel Grégoire l'a soulignée dans une étude du terroir de Gourgue (20 kilomètres au nord de Tessaoua)[2], qui fait face à un déficit vivrier permanent, lequel oblige à un exode croissant vers le Nigeria. Les cultures, qui couvraient 1 100 hectares, soit 23 % du terroir en 1957, avaient déjà plus que doublé en 1975, avec 2 300 hectares —

---

1. Paysans pauvres obligés d'emprunter, pour la soudure, des grains à un taux usuraire.
2. Situé entre Maradi et Zinder. Cf. *« les Enjeux fonciers en Afrique noire »*, pp. 202-211, ORSTOM-KARTHALA, Paris, 1982.

soit 48 % du terroir — et ce mouvement ne cesse de progresser : il n'y aurait plus que 15 % seulement de terres incultes vers 1990 ; d'où une réduction dramatique des pâturages, des jachères et des rendements. Si la petite couronne, régulièrement fumée qui entoure le village dans un rayon de 100 mètres, produisait encore, en 1978, près de 5 quintaux à l'hectare de grains, les rendements ne cessent de diminuer quand on s'éloigne de cette zone : 2 quintaux à l'hectare pour un champ entre 500 et 1 200 mètres, à *56 kilos à l'hectare* pour un champ au-delà de 1 500 mètres du village. De 0,5 à 2 quintaux à l'hectare, cela ne vaut plus la peine de le cultiver : c'est la misère noire, la *paupérisation et la malnutrition généralisées.*

Les réseaux irrigués de Maradi : on oublie l'énergie animale

Au sud immédiat de la ville de Maradi, M. Kergoat, ingénieur du génie rural, me montre le « beau » réseau d'irrigation qu'il vient de terminer : avec un quadrillage très dense de canaux, drains, routes, motopompes électriques ; défrichement et nivellement du terrain... L'ensemble revient à 5 MF[1] CFA l'hectare. Un investissement excessif pour un piètre résultat.

L'eau étant largement subventionnée, si les paysans en payaient tous les frais (entretien et amortissement compris), l'arrosage d'un hectare de tomates (l'essentiel de la production) reviendrait à 400 000 F CFA, soit 8 000 FF à l'hectare. Pour couvrir ces frais il faudrait vendre la tomate à un prix qui ne permettrait plus de la concentrer. D'ailleurs les commerçants de Niamey (seul gros débouché du pays), tout comme ceux du Burkina-Faso, préfèrent importer le concentré de tomate. La tomate au pompage électrique coûte cher, mais le fait que l'eau soit subventionnée lui permet de concurrencer dangereusement les petits maraîchers traditionnels, ceux qui utilisent pour l'exhaure de l'eau le « chadouf » manuel ou le « dalou », à l'énergie animale.

M. Kergoat a aussi réalisé deux petits périmètres[2] de 6,5 et de 9 hectares, dans lesquels l'eau pompée du puits par un moteur

---

1. Dans la suite du texte, M̄ veut dire million.
2. Voir *Actuel développement*, sept.-déc. 1983.

Diesel est mise en charge dans un bassin circulaire légèrement surélevé. Une série de tuyaux branchés sur des prises permet de conduire cette eau dans des parcelles réparties à l'intérieur d'un cercle de 150 à 180 mètres de rayon, dont le puits occupe le centre. Ces tuyaux à vannettes qui conduisent l'eau sont très onéreux, mais les paysans les manipulent avec grand soin depuis qu'ils savent que chaque tuyau de 6 mètres de long coûte « le prix d'un bœuf ». Avec les tuyaux à vannettes, il suffit d'une motopompe et d'un bassin pour réduire le coût de l'équipement de moitié. Reste le difficile problème de l'entretien du moteur.

L'apport d'eau est plus facile à régler, ce qui élimine le lessivage et le drainage. Chaque paysan peut être taxé suivant la quantité d'eau utilisée, mais cela ne se fait pas dans le grand réseau : on paie un forfait à l'unité de surface, ce qui encourage encore plus le gaspillage de l'eau, celle-ci étant taxée très en dessous de son prix de revient. Ce lessivage va dégrader les sols d'autant plus vite qu'*il n'y a pas de cultures fourragères,* très peu de bétail (hors les attelages de bœufs), donc pas assez de fumier. Le maintien de la fertilité des sols irrigués à si grands frais semble déjà très compromis. A Birri N'Koni, où je m'arrêterai au retour, la brochure remise aux visiteurs indique des rendements « excellents, malgré l'inexpérience des paysans, de 3,5 t/ha de sorgho ». On les a certes récoltés la première année, en 1979 ; mais en 1983, ces rendements étaient déjà tombés à 900 kg/ha, indiquant la rapidité de la dégradation de la fertilité.

Les terres irriguées du projet Maradi sont réparties en lots de 35 ares par actif, soit environ 3 actifs à l'hectare. Si, en principe, ces lots ne sont attribués qu'aux paysans les plus pauvres, ceux-ci n'ont pas toujours assez d'argent pour couvrir les frais de culture de tomate. Dès que celle-ci a été repiquée et bien reprise, des commerçants viennent leur acheter « en vert » la future récolte — en leur versant le tiers ou le quart de ce qu'ils pourraient en espérer. Quant aux cultivateurs qui ont les moyens d'attendre que la tomate vienne à maturité, ils vendent souvent leur récolte mûre sur pied. Certes ils s'épargnent ainsi les frais de la cueillette, du transport et de la vente, mais ils laissent encore le plus clair de leurs bénéfices aux commerçants.

LA VALLÉE DU NIGER : NON AU BARRAGE DE KANDANDJI

Près de l'entrée du fleuve au Niger, en aval d'Ayorou, à Kandandji, il y a place pour un très grand barrage-réservoir que le pays aimerait voir financé. Le projet coûterait *très cher*. Sur les 140 000 hectares que pourrait irriguer le barrage, on en compte 40 000 de cuvettes aux sols valables ; mais 110 000 de terrasses, plus coûteuses en pompage car plus hautes, et généralement peu aptes à l'irrigation, les sols s'y trouvant peu fertiles et trop légers. Le réservoir retiendra tous les limons, qui cesseront de fertiliser. La vallée étant très plate, la perte d'eau par évaporation dépassera les deux mètres par an. Veut-on en faire un nouvel « Assouan » ? Pourtant, ce n'est pas le Nil.

Il m'a été possible de parcourir des réseaux d'irrigation établis surtout entre Niamey et Tillabéry, par l'Office national des aménagements hydro-agricoles (ONAHA). Les coûts à l'hectare sont en hausse trop rapide : les réseaux ayant été finis après les dates prévues, les semis en retard réduisent les récoltes. Les stations de pompage sont trop souvent en panne, l'eau gaspillée lessive les sols, la fertilité est vite compromise, faute de fumier.

Dans une étude du village de Namadé, Thérèse Keita, sociologue nigérienne, souligne l'appauvrissement rapide des sols avec des moyennes de 3 t/ha en 1981-1982, au lieu des 4 à 5 t/ha prévues par l'ONAHA. De tels travaux ont été réalisés, nous dit le Plan, « sans prendre en compte les priorités des communautés villageoises » ; sans leur participation. Thérèse Keita souligne encore que les aménagements ont empêché la population de cultiver le riz traditionnel pendant deux années. Résultat, la plupart des exploitants sont déficitaires : déficits compensés par les revenus de l'exode en pays côtiers et par l'*endettement* !

On a construit, près de Tillabéry, une rizerie (Riz du Niger) que nous avons pu visiter. Prévue pour 10 000 tonnes de paddy[1], elle en a traité à peine 2 000 en 1981 et 3 500 en 1982 et en 1983 ; elle travaille au tiers de sa capacité. Son directeur dit que c'est à cause du paddy trop cher, à 85 F le kilo... mais moi, je dirais plutôt que c'est le riz qui est trop bon marché.

Le Niger ne produit, avec ces énormes dépenses d'aménage-

---

1. Riz brut, tel qu'il sort du battage, enveloppé de glumes, comme le grain d'orge. En enlevant ces glumes, on obtient le riz que vous mangez.

ment, que 47 000 tonnes de paddy, équivalant à 30 000 tonnes de riz ; et il en importe trois fois plus en année normale ; (les riches des villes ne voulant plus guère manger de mil). En aval sur le fleuve, près de Niamey, une petite décortiqueuse, installation artisanale, a coûté environ dix fois moins cher en équipement que cette rizerie, et ne demande que 500 F — à peine un dollar — pour décortiquer un sac de 75 kilos. Comme le paddy a été bouilli, puis séché, la balle est décollée et on obtient un riz entier parfait. Mais cet étuvage préalable[1] du paddy exige beaucoup de combustible.

Sabotage de l'alphabétisation

L'enseignement classique qui, avec 18 % de scolarisés (dont moins de la moitié a terminé le primaire), reçoit ici la très grande majorité des crédits, ne peut, de par sa nature même, aboutir qu'à un échec. A l'école, les débuts de l'enseignement des langues nationales sont très lents. « On constate avec amertume que la carrière d'enseignement attire de moins en moins de Nigériens. »

Le conseil donné à la conférence de Zinder (mars 1982) : « donner la priorité aux branches scientifiques et techniques et réduire le nombre d'étudiants en lettres et droit », je l'avais écrit vingt ans plus tôt, en 1962... *vingt ans perdus...* Le consensus social si recherché n'aime pas les critiques et Zinder conseille de « *dépolitiser* les établissements scolaires » : ce qui retire aux jeunes le droit de discuter de leur avenir. Enfin, on recommande la création d'écoles privées, auxquelles seuls les enfants des riches pourront avoir accès.

Le plus grave me paraît être l'échec de l'alphabétisation pour laquelle on avait prévu 700 M̄ de crédits d'investissements durant la période 1979-1982. Or une centaine de millions ont été dépensés en 1979, autant en 1980 ; puis une vingtaine pendant chacune des deux années suivantes ! On prévoyait 60 000 inscrits en 1983, mais il n'y en a pas eu 20 000. Seuls 8 % d'entre eux ont été réellement alphabétisés et 15 % « semi-alphabétisés » ; soit 8 000 jeunes et adultes « plus ou moins alphabétisés », en quatre ans, dans un pays qui a dépassé les

---

1. Technique répandue en Asie du Sud : *« parboiling rice ».*

6 millions d'habitants en 1983. Ce ne peut être là une base saine pour construire une société de consensus social.

L'enseignement est très mal relié aux activités quotidiennes des élèves. Fort peu de femmes, bien sûr, sont en mesure de prétendre à l'alphabétisation. Il ne pourrait en être question que si leurs tâches matérielles étaient considérablement allégées...

« C'EST LE PUITS QUI NOUS TUE » : PAROLES DE PAYSANNES[1]

Tounga, un gros village à 40 kilomètres à l'est de Dosso, sur la route de Maradi. Accueil officiel par le comité villageois de développement, dont plusieurs femmes font partie. La présidente, la secrétaire du groupe des femmes, la responsable du projet aviculture fermière et quelques villageoises sont présentes. On a préparé des fauteuils pour les dignitaires et les invités étrangers, autour desquels des nattes sont disposées. Nous aurions préféré moins de protocole, mais c'est l'accueil traditionnel des responsables africains. Les femmes sont parées de leurs plus beaux pagnes, aux couleurs éclatantes sous le soleil. Très souvent, dans cette société hiérarchisée, les femmes de statut social élevé (épouses du chef, du commerçant, des El Hadji) ou les femmes plus âgées sont désignées pour parler au nom de leurs compagnes. Mais la société paysanne n'étant pas une société égalitaire, leurs propos ne reflètent pas nécessairement les préoccupations des plus pauvres.

Dans chaque village, je demande à avoir un entretien avec les femmes, hors la présence des hommes ; car, devant eux, elles disent rarement tout ce qu'elles pensent. Je demande donc au chef du village de me retirer avec le groupe de femmes dans une autre cour. D'ailleurs, tout regroupement officiel féminin ne peut se faire sans la permission des hommes. Dans cette autre cour, les femmes sont plus nombreuses à se joindre à nous. Quelques-unes s'arrêtent en revenant du puits ; elles posent par terre le seau qu'elles portent sur la tête (15 litres d'eau), écoutent la conversation qui est déjà engagée et, comme la réunion leur paraît moins officielle, finissent par se joindre au groupe.

---

1. Les trois paragraphes suivants sont des notes de Charlotte Paquet.

La responsable du projet d'aviculture (projet que nous visiterons par la suite) explique l'expérience qu'elle poursuit avec une quinzaine de femmes et qui semble être une réussite. Elles ont pu augmenter leurs revenus et aussi acheter des vêtements pour elles-mêmes et leurs enfants. Voilà quinze femmes qui ont amélioré leur condition, mais qu'en est-il des autres ?

Me tournant du côté d'une dizaine de paysannes assises un peu à l'écart (et visiblement moins bien vêtues que les officielles qui, jusque-là, ont parlé au nom du groupe), je demande combien parmi elles font partie du projet aviculture. Une seule me fait signe qu'elle y adhère... Je leur demande alors : « Que faites-vous, quelles sont vos difficultés, vos espoirs ? »

Un peu mal à l'aise, ces femmes hésitent à répondre. Elles ne se considèrent pas qualifiées pour parler dans un tel groupe. Un moment de silence, très court, mais lourd de signification. Certaines se poussent de l'épaule, d'autres sourient, de ce sourire typique des Africaines qui semble insinuer qu'on devrait les comprendre sans qu'elles en disent trop... Mais finalement l'une d'elles se risque :

— Notre problème, c'est l'eau.

— Vous n'avez pas de puits ?

— Nous avons bien un puits, mais il est si profond... Regarde nos mains !

Voir des dizaines de mains levées, aux paumes rougies et meurtries, pleines de callosités et de gerçures, est un spectacle qu'on ne peut oublier... Allons au puits.

Profond de 35 mètres, il est couronné d'une margelle de 50 centimètres de haut, elle-même recouverte de deux immenses troncs d'arbres, striés d'encoches faites par le frottement des cordes qui glissent contre le bois[1]. Le puisage est si pénible qu'il exige des femmes qu'elles s'entraident. A tour de rôle, l'une tire la corde pendant que l'autre retient le poids de la puisette en caoutchouc pleine à ras bord. Il n'est qu'à observer un moment le mouvement de leurs dos, alternativement vers l'intérieur puis vers l'extérieur du puits, pour saisir la dureté de l'effort fourni par ces femmes. Quelques-unes d'entre elles sont apparemment enceintes. Elles répètent ces gestes épuisants des dizaines (sinon des centaines) de fois par jour. Chaque puisette contient

---

1. Véritable sculpture qui mériterait de figurer dans un musée ethnographique, pour témoigner du courage de ces paysannes.

6 à 8 litres d'eau, qui sont ensuite versés dans un seau de 15 litres, que chacune d'elles transporte sur la tête jusqu'à sa case. Combien de seaux ainsi puisés et transportés sont nécessaires pour satisfaire, durant une année, les besoins en eau de la famille et l'abreuvement des petits ruminants[1] ?

J'allais leur demander si elles connaissent la poulie, si elles y ont pensé, lorsque l'une d'entre elles me dit :

— Notre problème c'est que nous n'avons pas toutes des puisettes et des cordes. Les cordes s'usent vite[2] et coûtent 140 F.

— Combien coûte une puisette ? demandai-je.

— Environ 750 F, mais ça dépend de la grosseur.

Je demande alors si ce manque de puisettes et de cordes concerne seulement un petit nombre de femmes. Elles réfléchissent, chacune fait son compte, et finalement elles répondent : « Celles qui *n'en ont pas* sont les plus nombreuses. »

Ces femmes analphabètes, qu'on dit trop facilement ignorantes, et peu conscientes des problèmes, viennent de me faire réviser soudainement la notion de seuil de pauvreté...

Je demande alors :

— Que font les femmes qui n'ont pas de puisettes ?

— Il faut qu'elles soient *très patientes*. Elles attendent que celles qui en ont une aient fini de puiser, et les leur empruntent.

— Cela doit causer des problèmes quelquefois.

— Oui, il faut aller chercher notre eau plus tard dans la matinée et surtout attendre... *Il faut être très patientes*, répètent-elles avec insistance.

On comprend facilement « *qu'être patientes* » sous-entend docilité, humilité, dépendance... A ce moment de la discussion, il aurait été indécent d'insister pour poursuivre l'enquête...

Le groupe d'hommes qui, pendant ce temps, avait discuté avec René Dumont, passe près du puits pour se rendre aux champs. Ce travail au puits leur paraît une routine qui n'offre aucun intérêt ; inutile de s'arrêter. Cependant, René Dumont lorsqu'il me voit, avec ces femmes, tirer péniblement la corde pour puiser s'approche (au grand étonnement du groupe d'hommes) et essaie de tirer la corde à son tour. Il y parvient à peine... Il demande aux hommes qui l'entourent d'en faire

---

1. Et ce n'est là qu'une de leurs tâches quotidiennes. Comment s'étonner qu'elles demandent à leurs filles de partager ces corvées, les privant ainsi de l'accès à l'école ?

2. Soumises à un tel frottement, comment pourrait-il en être autrement ?

autant. Personne ne bouge... Un Africain peut-il, sans compromettre sa virilité, participer, ne serait-ce qu'un instant, aux tâches si insignifiantes des femmes ? Ces femmes sont extrêmement surprises de voir un homme s'intéresser à leur travail. Un peu embarrassé, un des responsables au niveau de la région explique que les Nigériennes ne puisent pas toutes de la même façon : beaucoup d'entre elles ont à leur disposition des ânes pour tirer la corde. Nous ne demandons qu'à le croire, cependant les femmes qui sont en face de nous n'en ont pas...

Il y a trois catégories de femmes dans les villages : celles qui ont des ânes, celles qui ont des puisettes, et celles qui n'ont ni puisettes ni ânes ! Tout projet de développement qui oublie cette importante réalité socio-économique risque de rencontrer des difficultés...

Cette situation des femmes de Tounga n'est pas unique. De retour à Niamey, je lis un rapport de Thérèse Keita[1], qui, à l'occasion d'une étude sur les moulins à grains, cite la phrase d'une femme du village de Sakekoira : « Ici, c'est le puits qui nous tue !... N'eurent été ces puits, nous serions aussi grandes et belles que le ciel, mais tu nous vois desséchées et voûtées avant l'âge... »

PAYSANNES, DÉBOISEMENT ET DÉSERTIFICATION

Ces paysannes sont plus conscientes de la gravité du problème de désertification que ne le pensent les officiels.

—Croyez-vous que vos enfants auront plus de « chance » que vous ? Est-ce qu'il y aura toujours des arbres, de l'herbe ? Est-ce que la baisse des récoltes, de la fertilité des champs vous préoccupe ? leur ai-je demandé.

— Nos ancêtres nous ont laissé de beaux arbres et des champs pour le mil. Maintenant, il pleut moins, ça devient plus difficile. Il faut bien que nos chèvres mangent... (Celles qui achètent de l'herbe pour nourrir leurs bêtes doivent payer 200 F une charge d'environ douze kilos : elles sont donc très peu à pouvoir en acheter.) On a besoin de bois pour cuire la nourri-

---

1. Thérèse Keita. « Évaluation de l'implantation des moulins à grains dans le département de Niamey. » Étude du projet de productivité Niamey, USAID, mai 1982.

ture. Nous, nous ne prenons que les branches. Les gros arbres, ce n'est pas nous qui les coupons... ! On voudrait bien en laisser à nos enfants et aussi de beaux champs pour le mil. Mais il pleut de moins en moins, voilà le problème...

— Est-ce que vous seriez prêtes à planter des arbres, à les entretenir ?

— Oui, mais c'est difficile... les chèvres... et le bétail... détruisent et mangent tout.

Pour les provoquer, je leur demande :

— Dites donc,... à qui appartiennent les chèvres ?

Elles se regardent... Un sourire malicieux au coin des yeux. Quelques éclats de rire indiquent qu'elles ont parfaitement compris : une bonne partie des troupeaux de chèvres appartient à certaines femmes, c'est le fruit même de leur épargne.

Les femmes ont-elles été associées aux actions de reboisement, aux politiques visant à la discipline du bétail, à la protection du patrimoine foncier, etc. ? Elles pourraient y jouer un grand rôle, mais à trois conditions au moins :

— que ces actions ne les privent pas de leurs sources de revenus. (L'autonomie financière des femmes en Afrique est très importante ; elles y tiennent : c'est leur sécurité en cas de répudiation ou lors de l'arrivée d'une deuxième épouse. N'oublions pas que les femmes sont responsables de l'habillement, des soins et, pour une part, de la nourriture des enfants jusqu'à l'âge de dix ans au moins) ;

— qu'elles aient l'assurance que les reboisements auxquels elles contribueraient leur profiteront ;

— que leurs tâches quotidiennes (quête et transport de l'eau et du bois, affouragement du petit bétail) puissent être allégées. Autour d'Agadès, les animaux tirent l'eau à l'aide d'une corde enroulée sur une poulie.

La santé des femmes au village

Dans plusieurs villages, nous avons abordé avec les paysannes divers problèmes reliés à la famille, à leur rôle de mère. La santé de leurs enfants les préoccupe au plus haut point. Mais lorsqu'on soulève devant plusieurs d'entre elles la question de leur propre santé et, en particulier, les problèmes liés à leurs nombreuses maternités, elles deviennent évasives, hésitantes[1]. Parfois, elles déclarent en riant qu'il faut parler de cela avec les hommes.

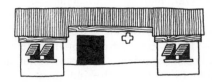

Dessin du livret d'agent de santé communautaire
(Dr Faivre Denis)

Elles semblent n'avoir aucune prise sur cette part de leur vie (mais, en fait, le peuvent-elles ?). On sait l'importance attachée à la maternité en Afrique : une femme n'est vraiment femme qu'après avoir donné naissance à un enfant. Cependant plusieurs d'entre elles, épuisées par trop de maternités, sont malades et se débattent alors dans des difficultés effroyables, en se disant qu'elles n'y peuvent rien, que c'est leur destin...

A une trentaine de kilomètres de Tillabéri, nous nous arrêtons dans un village pour visiter une belle réalisation de presse rurale, poursuivant un programme d'alphabétisation. Aucune rencontre avec des femmes n'était prévue. S'approche alors de

---

1. Nous verrons plus loin, dans un village sur le fleuve Niger, qu'il en va différemment quand on peut parler avec une femme en tête à tête.

notre groupe une jeune femme qui, timidement, vient s'asseoir à mes côtés (je suis la seule femme du groupe). Elle parle français, ce qui peut permettre une communication sans interprète. Nous nous éloignons du groupe ; elle me confie alors qu'elle a été à l'école pendant six ans et qu'elle y a appris le français.

— Le petit journal imprimé en langue locale est très intéressant, dit-elle. Il y a des articles sur les soins à donner aux enfants, sur les maladies courantes et les remèdes appropriés. Plusieurs femmes dans le village sont alphabétisées et le lisent comme moi dès sa parution.

Désirant savoir comment cette expérience a commencé et ce qu'elle en pense, elle me répond :

— Il y a une responsable qui pourrait te raconter ça.

Visiblement elle veut me parler d'autre chose... Elle veut parler d'elle. Après m'avoir montré les varices de ses jambes qui la font tant souffrir, elle me demande si je peux l'aider.

— Par moments, dit-elle, ça me fait tellement mal que je n'arrive plus à marcher.

— Comment fais-tu, alors, pour aller chercher le bois, l'eau, faire les repas ?

— Le bois... mon mari l'achète, ça me soulage beaucoup ; pour l'eau, je vais au fleuve, c'est assez près d'ici (mais quand même à un bon kilomètre...) et mes enfants m'aident quelquefois.

— Es-tu allée au dispensaire du village ?

— Oui, on m'a dit que c'était difficile à guérir, qu'à Tillabéri on pourrait peut-être m'aider. J'attends une occasion d'y aller car c'est un peu loin. Les autres femmes du village m'affirment que les varices ne se guérissent pas... elles trouvent que ma situation est bien mauvaise, que je n'ai pas de chance. Moi, ça me décourage.

— A quel moment tes jambes te font-elles le plus mal ?

— Le soir ; quelquefois je me couche en les levant plus haut que ma tête, ça me soulage un peu.

— Lorsque tu es enceinte, est-ce que c'est pire ?

— Pour mon dernier enfant (une petite fille de deux ans qu'elle porte sur son dos), les dernières semaines avant d'accoucher, je ne pouvais plus marcher du tout : c'est terrible car il faut que je m'occupe aussi des autres enfants et que je fasse les repas. J'ai une parente qui est venue m'aider, mais...

— Combien d'enfants as-tu ? Quel âge ont-ils ?

— J'en ai 5. — Elle énumère leurs dates de naissance ; 1974, 1976, 1978, 1980, 1982.

— Sont-ils en bonne santé ? Certains d'entre eux sont-ils morts ?

— Pour cela je ne me plains pas, ils sont tous vivants. Les deux premiers ont eu de la chance. On *avait du mil* et *j'étais en bonne santé*. Le troisième et le quatrième ont été moins chanceux, ils étaient souvent malades. Maintenant ça va mieux, je crois qu'ils sont sauvés. La dernière (celle qu'elle porte sur le dos) a souvent des problèmes. De plus, à cette période-ci de l'année on ne mange que du riz, c'est moins nourrissant. Quand il y a du mil, on est plus fort[1].

Cette femme vient de tracer un tableau de la détérioration de son état de santé, de celle de ses enfants, et de la situation économique de la famille. Et on dit qu'il faut « transformer les mentalités paysannes, les conscientiser... »

— Est-ce que tu penses avoir d'autres enfants ?

— J'en ai un autre en route... mais, avec mes jambes, ça me tracasse.

— Que dit ton mari de tout cela ?

— Il voudrait bien que je ne sois pas malade... Et les enfants, que veux-tu, c'est Allah qui les donne.

A ce moment de la conversation, sachant le sujet délicat et ne voulant pas être accusée de venir troubler les paysannes qui, selon nombre d'hommes — et même de femmes citadines — ne désirent aucunement avoir moins d'enfants parce qu'elles sont traditionnellement attachées à la famille nombreuse, j'avance prudemment cette idée :

— Si les autorités, les responsables du pays te disaient que, devant les difficultés et les maladies des femmes, Allah a compris qu'elles ne peuvent plus avoir autant d'enfants et qu'il est possible de recourir à des moyens pour espacer les naissances, que dirais-tu ?

Les yeux écarquillés, se penchant vers moi comme pour ne pas être entendue, cette femme me dit tout bas :

---

1. Beaucoup de paysans, habitués aux cultures traditionnelles, ressentent cette consommation de riz comme une baisse de leur alimentation. Si la vente du riz qu'ils cultivent ne leur permet pas d'acheter du mil en quantité suffisante — et c'est souvent le cas — ils consomment ce riz, mais ils ne sont pas convaincus de sa valeur nutritive. Et ils ont raison.

— Je dirais « merci beaucoup », ça nous aiderait.

— Toi, tu dis cela, mais les autres femmes du village ne diraient sûrement pas la même chose ! lui rétorquai-je.

Alors, cette fois, très vivement et d'un ton assuré et ferme, elle me répond :

— Oui... *toutes* les femmes du village diraient la même chose.

*
**

Les solutions à ces problèmes des paysannes du Niger, comme de tout le Sahel, auront une plus grande influence qu'on ne le croit sur la survie de leur pays. Avec Guy Belloncle nous affirmons : « L'avenir de l'Afrique se fera avec les Africaines, ou bien ne se fera pas[1]. »

Revenons aux problèmes politiques de la paysannerie nigérienne.

LES PAYSANS DEVIENDRONT-ILS UNE FORCE POLITIQUE ?

Cette rapide analyse du Niger de 1984 montre une société rurale *en voie de paupérisation,* dans un milieu naturel, lui, *en voie de dégradation,* de *désertification,* de *destruction.*

Quant à la politique alimentaire, elle a conduit à amasser des vivres de réserve en quantité telle qu'il a fallu, au printemps 1984, pour alléger le déficit, en céder une partie aux pays voisins.

J'ai trouvé les paysans pauvres « enfermés » dans une nouvelle structure de commandement, où le chef de canton cherche à garder ses privilèges et considère le chef de village comme son subordonné, lequel adopte la même attitude envers « ses » paysans. Le rapport général de la commission de mise en place de la société de développement (juin 1981) aboutit à une conception aussi bureaucratisée que hiérarchisée : « Les activités de conception, de décision et de gestion... de la vie villageoise, régionale et nationale seront prises par les structures

---

1. *Femmes et Développement en Afrique sahélienne.* NEA, 1980.

121

administratives et de participation (...) les *cadres de commandement* joueront pleinement leur rôle d'impulsion et d'animation (...) la meilleure organisation ne vaut que par les cadres. » On y reconnaît nécessaire « la formation d'un *nouveau type* de citoyen et de cadre[1] » et « la reconversion des mentalités ». Pour ma part, voilà longtemps que j'insiste sur le fait que cette reconversion des bureaucrates semble beaucoup plus urgente — quoique bien plus difficile — que celle des paysans.

La dernière phrase du rapport est très explicite : « Le Conseil national pour la société de développement (doit être) doté d'un *pouvoir réel de contrôle et d'orientation politique* de l'ensemble du système. » Le pouvoir demeure donc au sommet et c'est toujours un militaire qui est chef de l'État. On parle beaucoup de « sensibilisation aux problèmes... de "notre peuple", de *synthèse harmonieuse* de communautés et de civilisations unies par l'histoire ».

Mais, quand on quitte les paysannes de Tounga, épuisées par le puisage, puis les éleveurs qui bradent leur bétail ; que l'on rencontre ensuite les hauts fonctionnaires et les ministres de Niamey, sans même parler des « pieux milliardaires » de Maradi (la frontière du Nigeria est rouverte, les trafics reprennent), on conviendra qu'on puisse se poser quelques questions sur les possibilités *d'harmonie* d'une telle synthèse...

Un véritable constat m'a été présenté par un haut fonctionnaire, qui m'a déclaré (en privé) : « Les structures de la société de développement sont entre les mains des commerçants et des chefs de canton qui forment un groupe de pression terrible (...) Le commerce n'a pas utilisé ses surplus pour investir (...) Les relations féodales recouvrent toute la vie et l'*intolérance islamique tourne à l'obscurantisme* (...) La colonisation islamique est largement aussi pesante que la colonisation française (...) *Les paysans ne deviendront jamais une force politique,* car c'est nous qui les éduquons (...) et il est bon de mépriser le peuple pour pouvoir le diriger. Quand un paysan a faim, a soif, tombe malade, si on lui donne cent francs, *il s'agenouille.* »

---

1. Je ne peux m'empêcher d'évoquer à ce propos la recherche désespérée, par Che Guevara, de *l'homme nouveau*, « el hombre nuevo », qui devait être la base du socialisme cubain.

Quant au degré de liberté qui règne au Niger, j'ai eu tout loisir de le mesurer : j'avais obtenu, non sans peine, le droit de donner une conférence-débat à Niamey. Devant la salle de réunion, quelques personnes attendaient patiemment qu'on ouvrît la porte. On me dit que la clef était égarée, et qu'il valait mieux rentrer à l'hôtel, où l'on m'avertirait lorsqu'elle serait retrouvée.

De retour à l'hôtel Charlotte Paquet eut une excellente idée : attendre devant la porte close de la salle de réunion signifierait plus sûrement ma volonté de participer à la conférence annoncée que de rester passivement à l'hôtel. En nous voyant revenir, le visage de notre guide s'allongea et il laissa éclater son mécontentement :

— Comment, vous n'avez pas attendu qu'on vous appelle ?

Devant la détermination des auditeurs et la nôtre, la clef fut retrouvée et à 22 h 20 — au lieu de 20 h 30 — je commençais à parler.

Mes quatre cents auditeurs purent me poser des questions. Une diffusion télévisée en direct avait été annoncée, pour permettre aux auditeurs de province d'intervenir en direct par téléphone, mais la régie n'était pas prête, j'acceptai donc de donner une autre conférence le lendemain, un dimanche soir. L'enregistrement, diffusé en différé, a pu permettre d'éventuelles coupures. Mais mon principal regret fut d'apprendre de la bouche même de certains jeunes, qu'ils ne s'étaient pas trop avancés parce qu'ils n'étaient pas en direct. En effet, on ne prend ici le risque de poser des questions politiques que lorsqu'elles bénéficient d'une très large diffusion.

La récolte de 1984 a été quasi nulle dans le nord du pays, nulle en bordure des terroirs nomades et fort irrégulière dans le Sud. Le Nord sinistré a vu son bétail périr ou émigrer en masse au sud, où il contribue à dévaster les derniers morceaux de « pâturages » naturels. Les paysans « nordistes » se sont « réfugiés » (on pense aux *flagellados* du sertaõ brésilien) dans le Dallol, les bas-fonds, où ils creusent des puisards pour établir quelques petits lopins de cultures irriguées, en essayant de *survivre*. L'aide est insuffisante et distribuée inégalement. Le pari de Kountché, prenant le pouvoir en 1974, (« pas un Nigérien ne mourra de faim ») semble déjà perdu. Comment parvenir à mobiliser les paysans et à leur faire investir leur travail de morte-saison — jusqu'ici non réalisé — tant dans la production que dans la protection du patrimoine et la lutte contre le désert ? Il nous a été difficile de nous montrer aussi optimistes, quant à l'avenir du Niger, que l'auraient désiré nos guides, que le premier titre de mon rapport « Famine au Niger avant l'an 2000 » avait tant effrayés[1]. La bataille n'est jamais perdue, mais les conditions de la victoire ne me paraissent guère remplies.

---

1. L'agronome nigérien qui nous accompagnait n'avait pas oublié le titre du rapport remis au président Sankara : « La Haute-Volta en voie de destruction ». A la vérité, « Famine au Niger avant l'an 2000 » me semblait déjà une vue trop optimiste. Et de fait, fin 1984, la famine s'est, hélas, abattue sur le Niger...

CHAPITRE VI

LE MALI PEUT-IL ARRÊTER LE DÉSERT ?

UN PAYS « QUI SERA RAYÉ DE LA CARTE[1] »

Entre Bamako et Ségou, la savane qui borde le grand axe routier (en suivant de loin le fleuve Niger) est encore largement arborée. Dans les villages, le nombre de charrues et de charrettes me semble le plus élevé de toute l'Afrique occidentale. Arrivant tout juste du Niger, je me reprends à espérer...

Ici, au projet Mali-Sud, on a développé une zone cotonnière animée par la Compagnie malienne des textiles, la CMDT, issue de l'ancienne CFDT, désormais confiée aux Maliens. Des agronomes plus soucieux qu'ailleurs du sort des paysans ont su associer l'expansion des céréales à celle du coton[2]. Nombre de villages ont pu, jusqu'aux grandes sécheresses, vendre en quantités croissantes du *coton* et même des *grains,* tout en satisfaisant largement leurs besoins alimentaires. Mais nous verrons, hélas, que tout cela est bien fini.

La première plainte entendue concerne la divagation du bétail, laquelle est interdite seulement pour une trop courte période d'hivernage, quand la saison des cultures bat son plein. Comme le Sahel « pastoral », au nord du Mali, n'a plus guère d'herbe, la plupart des bovins de cette région se replient ici, en zone soudanienne. Dans le même temps les cultivateurs du

---

1. En juillet 1984, Abdou Diouf organise une conférence de 22 États africains (sud-Sahara et Maghreb) « pour une politique concertée » de lutte contre la désertification et de protection de la nature. En l'ouvrant, ce président du Sénégal déclare : « Si nous n'agissons pas, dans les vingt prochaines années, le Sénégal sera rayé de la carte. »

2. Il n'y a cependant pas de commune mesure entre la recherche consacrée au coton, si efficace ; et celle affectée aux céréales, très insuffisante...

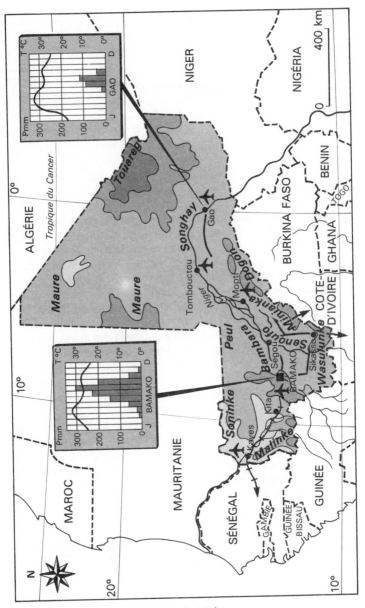

Carte du Mali

village, enrichis par le coton, ont acquis du bétail, dont les appétits ont vite dépassé le volume des ressources fourragères.

Surpâturage, divagation, feux de brousse, sécheresse : ici aussi *le désert avance.* Dans ce hameau, il y a dix ans, on ne se voyait pas à dix mètres, caché dans les grandes herbes ; le couvert végétal est aujourd'hui devenu ras et maigre. Certaines espèces médicinales ont totalement disparu ; les plus grandes graminées (comme *Andropognon Gayanus*) voient leur limite Nord descendre vers le sud.

L'administration cherche bien à imposer des règles ; pour le paysan, elles se soldent d'abord par un impôt. Avec les diverses cotisations ajoutées à l'impôt de capitation[1], il revient, en 1984 à 5 500 FM[2] par contribuable. Plus 300 FM par tête de bétail, dont on calcule le nombre en multipliant par *trois* le chiffre des déclarations officielles des éleveurs : par chance pour eux, la dissimulation est tout à fait sous-estimée.

Devant cette dégradation, qu'ils vivent chaque jour, les villageois sont très inquiets. Un technicien malien, Michel Diabo, pense que « si ça continue, au siècle prochain le Mali sera rayé de la carte... les touristes viendront visiter les ruines de nos villes et de nos villages, comme on va voir aujourd'hui celles des anciennes villes du Sahara ».

L'AGE D'OR EST FINI : DISETTE EN PAYS « RICHE » !

Le bourg de Fana, à mi-chemin de Bamako et de Ségou, est un secteur de l'opération Mali-Sud où, sous l'impulsion de Jacques Moineau et de ses amis maliens (entre autres Michel Diabo qui nous a accompagnés dans cette tournée), on a réussi une expansion du coton combinée à celle des céréales. Au village de Toutanbougou, en 1984, quarante-cinq familles (223 habitants) sont groupées en vingt exploitations agricoles ; dix-neuf d'entre elles possèdent au moins deux charrues. Trois familles seulement n'ont pas de charrue, et cinq exploitations ne possèdent que des bœufs de trait. Elles n'ont pas de bovins

---

1. Supprimé au Niger et en Burkina-Faso, mais maintenu au Mali.
2. FM, le franc malien, encore utilisé par les paysans (comme nous parlons en francs anciens) a été remplacé, en août 1984, par le franc CFA. Deux FM ont été échangés contre un CFA.

d'élevage. Ces « pauvres » démunis d'épargne — de bétail et d'argent — sont à la merci des maladies, des aléas climatiques, etc., qui, en les ruinant définitivement, les chasseraient des villages. A l'autre extrême, deux gros troupeaux : le premier, celui du chef (plus de 200 bovins) et le second (60 bovins). La différenciation sociale est flagrante.

Entre les pauvres et les riches, treize autres exploitations rassemblent l'essentiel de cette paysannerie. Avant la sécheresse, on aurait pu les appeler des *paysans moyens aisés*, en se référant au classement chinois — mais comme à leur tour ils sont en difficulté, il ne reste plus que deux exploitations prospères, dans ce village si durement frappé.

Avec la charrue et la herse, on avait appris aux paysans à bien préparer le « lit de semence », un sol très fin. « Conseillés » plus qu'encadrés par la CMDT, ils étaient arrivés, grâce aux engrais et aux insecticides, à récolter en moyenne 1,5 t/ha de coton-graine (avec des pointes à 3 tonnes !), et à être de surcroît exportateurs de grains. Donc le coton n'avait nullement réduit la production des céréales (la charrue augmentant les surfaces emblavées) ; et les engrais, résiduels de ce qui avait été donné au coton, comme le meilleur travail du sol, avaient élevé les rendements en grains...

Mais cet âge d'or est bien fini : la sécheresse règne aujourd'hui. En 1983 et 1984, le rendement du coton est descendu à 1 t/ha et les villages, devenus largement déficitaires en grains, craignent un déficit général et définitif. En août 1984, ces paysans, quand ils ne parvenaient pas à acheter du mil[1], devaient se rabattre sur le riz, à 375 FM le kilo !

Jusqu'en 1973, on pensait donc le problème vivrier définitivement résolu dans cette région ; et les paysans disaient : « Avec la charrue, le grain ne manquera jamais — donc nous pouvons *aussi* faire du coton. » « Aussi », mais pas à la place du grain, comme on le fit trop souvent avec l'arachide au Sénégal. Les greniers permettaient d'accumuler des réserves, parant à l'irrégularité des climats. Désormais le mil manque et le coton recule ; on le remplace en partie par le maïs, autrefois confiné dans les jardins de case, aujourd'hui répandu en grande culture. Il n'a pas été facile d'obtenir de l'engrais pour ce maïs

---

1. Vendu 250 FM (125 F CFA) le kilo, *quand on en trouvait* ; ou même plus cher encore, au marché noir de la ville.

(« seul le coton peut payer l'engrais », répétait-on[1]). Malgré cela, le grain commence à manquer, alors même que les céréales dominent les cultures de ce village (avec 110 hectares de mil-sorgho et 50 hectares de maïs, pour 223 habitants, contre 40 hectares de coton) ; et il va manquer de plus en plus.

Le bétail trop nombreux a vite *dégradé* les pacages, *par surpâturage.* Cette régression aurait pu être moindre, si les riches du village n'avaient pas abusé en surchargeant les pâturages communs, au détriment des « petits »[2]. En outre, la charrue a incité à couper des arbres, pour allonger les raies de labour ; alors, sur les pentes, l'érosion s'est amplifiée. La CMDT, elle aussi, a mis l'accent sur la production, coton et céréales ; et elle y avait réussi. Mais rien n'a été fait pour arrêter l'érosion, obliger l'eau à s'infiltrer, par des banquettes anti-érosives parallèles aux courbes de niveau[3]. Les paysans de ce village m'ont paru fort intéressés par l'utilisation d'un tel procédé ; peut-être vont-ils l'adopter. Si on avait généralisé ces banquettes avec le programme coton, au moment où il a débuté (il y a quelque trente ans), le niveau de fertilité du Mali — et de l'Afrique tropicale — ne serait pas descendu si bas. Regrets superflus, si on sait tirer la leçon des expériences.

Deux familles de ce village vont jusqu'à vendre leurs charrues (outils de production essentiels), mais pas leurs charrettes. Les greniers se vident...[4] Une charrue qu'on achetait 6 500 FM en 1960 se vend 58 000 FM, en 1984 : c'est la mesure de l'inflation...

---

1. Vrai, mais en raison du sous-paiement des grains.
2. Dont ils se disent volontiers (et un peu vite) *solidaires.*
3. J'avais déjà beaucoup insisté sur la nécessité de ces banquettes dans l'étude *Développement agricole, reconversion de l'économie agricole, Guinée, Côte-d'Ivoire, Mali,* Cahiers tiers monde, IEDES et PUF, Paris, 1961, 212 pages. Mais je m'y montrais trop optimiste sur les *possibilités* de « réaliser » vite les potentialités agricoles du Mali, surtout en régime « socialiste ». Celles-ci étaient bien plus élevées avant les grandes sécheresses, dont j'aurais pu mieux prévoir le retour.
4. Au moins le pense-t-on, car il est à peu près impossible de recenser les greniers et même de s'en approcher : ils ont un caractère « sacré ».

Les « Tons », à l'origine, sont des associations traditionnelles de jeunes, un peu comme les Naams du Yatenga, ou les Samaryas du Niger. Au début, le moniteur (encadreur de la CMDT) était chargé de la distribution des semences, des engrais, des insecticides et même du crédit ; il devait également veiller au respect des techniques améliorées, du calendrier des cultures, etc. Peu à peu les paysans ont compris qu'ils pourraient assumer une partie de cette responsabilité.

Ils prirent l'initiative d'organiser eux-mêmes la collecte du coton-graine, dans un marché autogéré où l'on pesait et réglait sur-le-champ la récolte de chacun. La CMDT leur ayant ristourné les frais de collecte du coton qu'elles n'avaient plus à assurer, les associations ont été en mesure, avec cet argent[1], de gérer le crédit agricole. De toute façon, disent les paysans : « On a plus confiance entre nous, cultivateurs, qu'avec les instruits... Quand une famille ne peut rembourser, on discute et on accorde des délais... Mais on a cessé d'acheter des bœufs à crédit, pour les manger à la fête du village. »

Il devient donc essentiel que chacun puisse être informé des comptes. Au village de Sirakorodié (plus proche de Fana) un cours d'alphabétisation fonctionnelle remporte un vif succès[2]. Avec trois séries « intensives » de quinze jours de cours, chacune séparée par deux fois une semaine de repos, on parvient à alphabétiser correctement les secrétaires et les animateurs d'associations villageoises des localités environnantes. La session de cette année comptait trente-deux élèves : l'année précédente, quarante. Au-delà de ce nombre les résultats s'en ressentent.

Ces Tons, et toutes les associations villageoises, représentent

---

1. Accru des cotisations de chaque famille et des emprunts de la BND (Banque Nationale de Développement). Au Mali, ce crédit n'est plus accordé qu'en zone « CMDT » : car, ailleurs, la proportion d'impayés est excessive.

2. Au Mali, Bernard Dumont avait organisé une alphabétisation efficace, dès 1968. Je l'avais étudiée en 1970. C'est le seul pays où l'on a vu des paysans retirer leurs enfants de l'école classique pour les initier à l'alphabétisation fonctionnelle. Nous avons malheureusement constaté que des piles de journaux, destinés aux post-alphabétisés, étaient bloqués dans les bureaux d'une « bureaucratie » qui *sabote* cette entreprise d'alphabétisation pour pouvoir continuer d'opprimer les paysans.

l'espoir de libération paysanne, seul moyen de sortir de sa condition, pourvu que l'administration ne cherche pas trop — elle le fait déjà — à en prendre le contrôle. On assisterait alors à un échec comparable à celui des coopératives au Sénégal...

UNE POLITIQUE AGRICOLE TOUJOURS ANTIPAYSANNE

Ce Mali a suivi diverses révolutions politiques ; dès ses débuts (après la rupture de la fédération qui l'unissait au Sénégal, lors de l'indépendance, en 1960), il a choisi une « voie socialiste » de développement. Des « groupements ruraux de production » furent rendus obligatoires par le pouvoir ; mais le rendement très inférieur des champs collectifs prouva très vite qu'ils étaient mal acceptés.

Les prix étant très bas et la gestion des sociétés d'État catastrophique, les villages se trouvèrent trop souvent privés de la possibilité de se ravitailler en produits de base. Le métal manqua à ce point en 1968 à Mopti, qu'on put voir des pêcheurs « guetter » des experts en train de manger une boîte de sardines... ce, non pas pour les sardines mais pour la boîte (métallique).

A la fin du régime de Modibo Keita, les paysans en avaient assez et les commerçants étaient gênés dans leurs activités traditionnelles, réduites au marché noir. Les milices populaires créées par Modibo Keita, plein de défiance envers l'armée, se comportaient comme des tyranneaux, sinon des voyous.

C'est l'armée qui s'empare du pouvoir le 19 novembre 1968[1] sans que ni les villages ni les villes ne se soulèvent pour défendre le « socialisme malien ». A ce moment, la junte militaire est trop désunie pour réduire les privilèges de la bureaucratie civile, bien que celle-ci ait alors perdu ses pouvoirs : on a raté une belle occasion !

A partir de 1969 une certaine libéralisation apparaît, qui — parfois aux dépens des consommateurs — va rendre leurs privilèges aux commerçants : privilèges qui vont s'ajouter à ceux de l'armée et à ceux de la bureaucratie civile. Le nouveau

---

1. Et elle n'a pas cessé de le garder depuis, malgré ses divisions internes. A part le Sénégal, nous n'avons vu en 1984 que des régimes militaires, dont les compétences techniques et économiques sont souvent discutables.

pouvoir *ne va pas cesser d'exploiter les paysans*, le monopole des céréales permettant de ravitailler les villes à trop bon compte. Avec le Niger, le Mali a longtemps gardé le triste record *des plus bas prix mondiaux des céréales* : ce qui n'incite évidemment pas le paysan à produire. Dès avant la sécheresse de 1973, le déficit de grains de ce qui fut le grenier de l'Afrique occidentale (française) tendait à devenir permanent.

Les sécheresses ont aggravé la situation ; mais en 1977, on paie encore officiellement le mil-sorgho à 36 FM le kilo, soit 18 F CFA ou 0,36 FF, à peine le tiers du prix mondial. Le coton à 86 F est un peu moins sous-payé. Cependant, une étude sur la stratégie alimentaire nous dit que, de 1974 à 1978, les taxes perçues sur ce coton ont rapporté 46,6 milliards de FM à l'État, lequel n'a reversé aux producteurs (par subventions aux intrants et « opération Mali-Sud ») que 12 milliards. La campagne reste la vache à lait des villes qui, en échange de ses produits agricoles, leur rendent fort peu de biens industriels et de « services », d'une utilité d'ailleurs souvent discutable.

LA « STRATÉGIE ALIMENTAIRE » : NÉCESSAIRE MAIS PAS SUFFISANTE

Le Mali compte, chaque jour davantage, sur l'aide alimentaire. En 1973-1974 elle n'empêcha pas les morts de faim et de malnutrition (que Ph. Decraene[1] estime à 100 000) ; tandis que des membres du comité militaire au pouvoir et certains hauts fonctionnaires détournant les secours s'enrichirent largement.

L'aide trop prolongée a constitué une concurrence déloyale, les paysans ne trouvant plus à écouler leurs grains. Prix dérisoire des grains, piètre gestion du monopole de commercialisation..., autant d'obstacles à tout développement. C'est alors que la CEE, sous l'impulsion d'Edgard Pisani, mit en route la Commission d'élaboration de la stratégie alimentaire : concept

---

1. Qui fut longtemps le spécialiste des affaires africaines au journal *le Monde*.

arrêté au Conseil mondial de l'alimentation[1] qui s'est concrétisé par un contrat passé entre le Mali (et deux autres pays d'Afrique tropicale, Kenya et Rwanda) et la CEE. L'aide alimentaire devait être portée à 250 000 tonnes pendant cinq ans à partir de 1981, mais la sécheresse a contraint la CEE à augmenter le volume de cette aide.

En échange de la garantie d'aide de la CEE, le Mali s'engageait à relever le prix des céréales, porté en 1984 à 64 F pour le mil-sorgho. Chiffre largement insuffisant, mais le très bas niveau des salaires en ville, les traitements des fonctionnaires, qui sont les plus modestes de toute l'Afrique occidentale, sont un frein à la consommation, qu'on ne peut plus guère subventionner, faute d'argent.

Un second engagement consiste à soustraire à l'OPAM, Office des produits agricoles du Mali, le monopole de la commercialisation des grains. Ce qui, certes, me paraît nécessaire, mais comporte aussi le risque que les commerçants organisés ne manipulent à leur profit les cours des céréales, en provoquant à la soudure des raréfactions artificielles, pour élever les prix au détriment des consommateurs, paysans pauvres inclus. Ces derniers se trouvant alors obligés de vendre presque tous leurs grains à la récolte, donc à bas prix, pour régler des dettes pressantes — exactement comme au Bangladesh.

Les sécheresses de 1983-1984 enlèvent *tout espoir* de voir le Mali autosuffisant à l'expiration de son contrat avec la CEE. En août 1984, le gouvernement malien implorait un secours et réclamait 330 000 tonnes d'aide ; beaucoup plus que l'aide quinquennale promise par la CEE.

L'étude de la stratégie alimentaire insiste sur la nécessité d'accroître plus vite la production de riz, en tenant compte du fait que la population urbaine du Mali risque de passer en 10 ans de 1,3 à 2,3 millions d'habitants[2]. Un impératif : ralentir l'exode rural. Cette étude postule que « les cultures pluviales (...) ne pourront jamais fournir assez de riz aux villes ». Aussi

---

1. Créé après la conférence mondiale de l'Alimentation (Rome, novembre 1974) pour essayer d'aider les paysans pauvres, un peu mieux que la FAO, organe des Nations unies trop souvent peu efficace.

2. Sur un total prévu de 8,8 millions de Maliens en 1990. En 1984, les estimations de la population variaient, suivant les sources, de 7,2 à 7,7 millions ; et le taux de sa croissance annuelle, de 2,7 à 3 %. Hypothèses que l'étude considère comme indésirables.

le rapport conseille-t-il au gouvernement de « doubler la production rizicole irriguée en 10 ans : objectif ambitieux mais indispensable pour atteindre l'autosuffisance ». Ayant pu moi-même étudier l'Office du Niger en 1951, 1961 et 1970, je sais que doubler la production rizicole serait une opération trop onéreuse et pratiquement impossible.

La production du paddy, d'après les données officielles, aurait atteint un maximum (entre 220 et 250 000 tonnes en 1974 et 1978) et ensuite diminué de moitié (125 à 130 000 tonnes en 1982 et 1983). La part de l'Office du Niger, quant à elle, *s'effondre* : de 120 000 tonnes en 1977 à 50 000 en 1981. Le climat n'est pas seul responsable.

L'OFFICE DU NIGER : UN DES GRANDS SCANDALES
D'AVANT-GUERRE

En regardant une carte d'état-major, l'ingénieur Bélime montre, vers 1930, qu'en relevant de quelques mètres le niveau du fleuve Niger, en aval de Ségou, il est possible d'irriguer, par simple gravité, un million d'hectares de terres. Ces terres sont jugées un peu vite « très fertiles ». Beaucoup se révéleront peu aptes à l'irrigation.

On se propose donc d'irriguer 1 300 000 hectares, en vue de produire notamment 350 000 tonnes de coton : bien plus que les besoins français ! En 1960, à l'indépendance du Mali, on ne cultive que 5 000 hectares de coton, avec un rendement de 600 kg/ha en coton-graine — dont un tiers en fibre — soit 1 000 tonnes de coton : 0,3 % des prévisions de Bélime ! Déjà les bonnes cultures pluviales — car il pleuvait alors — dépassent ce rendement, avec 800 kg/ha ; et bientôt le coton sera abandonné, surtout parce qu'il est sous-payé pour « l'accumulation primitive ».

Dès 1961, le Mali se propose de faire de cet Office le « *grenier à riz* » de toute l'Afrique occidentale. Dès cette époque je souligne que le degré de mécanisation, accru durant la phase socialiste, est inadapté et augmente le *déficit* — déjà congénital et qui ne cesse de croître — de *l'Office du Niger*[1]. La culture y est assurée par des colons, à l'origine recrutés par le travail

---

1. *Reconversion de l'économie agricole*, Guinée, Côte-d'Ivoire, Mali, *op. cit.*

forcé, en Haute-Volta (les Mossis) et au sud du Mali. Ces paysans, « volontaires désignés d'office », ne connaissaient que les cultures sèches. Les voici engagés d'autorité dans les cultures irriguées : un tout autre monde[1].

Après 1970, le régime militaire réussit un certain redressement. En 1977-1978, le riz dépasse les 2,2 t/ha sur 38 000 hectares ; et le sucre, introduit par les Chinois, atteint 19 000 tonnes ; ce qui représente 20 % en riz et 35 % en sucre des besoins du pays[2]. Depuis, ces deux productions *s'effondrent* : le sucre descend à 12 000 tonnes, la surface en riz recule de 3 000 hectares, le rendement tombe entre 1,6 et 2 t/ha. Les Chinois, sur leur parcelle pilote de riz, repiqué et avec engrais, y dépassaient les 4 t/ha, mais ils sont partis — et bien partis.

Les paysans ne sont pas maîtres chez eux. On leur avait promis par contrat, qu'après dix ans, ils pourraient devenir propriétaires de leur parcelle et de leur maison[3]. Il n'en est plus question, et les colons doivent payer à l'Office 400 kilos en paddy de taxes d'irrigation à l'hectare ; plus 120 kilos pour le battage mécanique, 120 à 160 kilos pour les semences, parfois 100 kilos pour l'entretien des réseaux. Couplé au trop bas prix du paddy officiel, le résultat en est *l'endettement* d'une partie des colons, globalement estimé en 1981 à l'équivalent de 40 000 tonnes de paddy (plus du tiers de la production totale). Pour s'en tirer, les plus endettés doivent (tout comme dans les « riches » villages du Mali-Sud cités ci-dessus) vendre leurs bœufs, leur matériel[4], et même revendre l'engrais. Quel résultat ! On voit très mal comment sortir de ce *cercle vicieux de paupérisation accélérée*, malgré un *très gros effort d'investissement* d'origine étrangère, sans cesse renouvelé.

Depuis 1983, une fois de plus, un plan de « consolidation » est en cours. Une solution pour que l'aide extérieure, plus que jamais indispensable, soit efficace : rendre les paysans tout à la

---

1. Donc militarisés, à l'époque coloniale ; puis « embrigadés » et soumis par le pouvoir au monopole d'État de commercialisation du paddy, qui les exploitait.

2. *Cf.* « L'Office du Niger, les leçons d'un échec » par Ph. Malvé dans *Actuel-développement,* n° de janvier 1983. Reproduit dans *Problèmes économiques* du 3 août 1983, la Documentation française, Paris.

3. On leur donne la maison toute bâtie, alors qu'on pourrait, en payant correctement les produits, leur demander de participer à la construction.

4. On estime que 70 % des charrues et des herses devraient être remplacées, car elles sont trop usées.

fois usufruitiers permanents ou *propriétaires* de leurs parcelles et maisons, ainsi rendues négociables ; et *propriétaires collectifs,* par la fédération des groupements villageois, de leur réseau d'irrigation. Responsabilisés et intéressés à la production, ils pourraient gérer eux-mêmes le crédit agricole, les problèmes relatifs aux machines-outils, une utilisation économe de l'eau, etc.

Le barrage de Sélingué, sur un affluent du Niger, en accroissant la durée de l'irrigation, permet de généraliser les cultures dérobées de saison sèche, comme le niébé, fourrage ou engrais vert. En y ajoutant un peu de pompage d'eau à traction animale en saison sèche, dans une nappe phréatique proche de la surface, on pourrait étendre les cultures *légumières,* ce qui permettrait d'alimenter les marchés locaux, puis des fabrications artisanales de concentré de tomate, et la production d'oignons séchés. Alors seulement, l'endettement pourrait disparaître, et l'Office se rentabiliser.

Incompétence technique, insuffisance bureaucratique, refus de concertation, gestion autoritaire, prix trop bas... Une énumération fastidieuse des raisons de l'échec cuisant[1] de l'Office du Niger.

DÉSERT, DÉPENDANCE, CONFLITS DE CLASSES... NOUS SOMMES DES « MORTS VIVANTS »

Un groupe de jeunes de Limours (France), partis à Nioro au Sahel pour vivre quelques jours avec les paysans et participer symboliquement à une action de reboisement, y ont rencontré, en août 1984, des vieux qui leur ont dit : « Nous sommes des morts vivants. Nous survivons avec des feuilles et des racines bouillies et un peu de sel. Nous n'avons plus aucun espoir. Nous disons aux jeunes : "Partez, partez vite". »

Depuis une douzaine d'années, ce paysage désertique de Nioro est descendu de 150 kilomètres vers le sud. On note des taches de désert aux abords de Bamako, et le couvert végétal est si dégradé qu'une pluie moyenne ne fait plus pousser l'herbe.

Ce pays se désertifie dans tous les domaines, sa culture

---

1. Voir l'excellente étude de Emil Schreyger. *L'Office du Niger au Mali.* Steiner, L'Harmattan, Paris, 1985.

traditionnelle, sa civilisation... En décembre 1982, s'est tenue à Bamako une « conférence des bailleurs de fonds pour le redressement économique et le développement du Mali ». Le compte rendu de cette conférence, rédigé par la CIMADE et la CCFD[1], souligne la *dépendance* totale du pays. Le Mali a présenté à « ses bailleurs de fonds soixante-dix-neuf projets, pour la période 1983-1988, représentant un montant d'investissements de 630 milliards de FM (6,3 milliards de francs français) : soit une somme dépassant le produit intérieur brut du pays, et huit fois la valeur du budget de 1980 ».

Dans cette conférence du type Nations unies, on s'est montré très poli. Personne n'a parlé des rapports de domination Nord-Sud ; ni (souligne le résumé des ONG) « des responsabilités des différentes classes sociales dominantes au Mali ». Ce fut une vision consensuelle de la société nationale et de la communauté internationale. On retrouve ici la conception de la Société de développement du Niger, qui veut méconnaître les conflits de classe. Même si les marxistes en ont abusé, ce n'est pas une raison pour feindre de les ignorer.

ET LA RÉVOLUTION AGRICOLE ?

Le fleuve Niger n'a pas eu de crue pour le riz de submersion du Macina, qui n'a pas donné la moindre récolte en 1984. Si tous les jeunes sont partis, les vieux ne veulent point quitter cette terre qui les a nourris. Tout espoir n'est cependant pas perdu, car le Mali recèle un large Sud arrosé, qui n'existe pas au Niger. Encore faut-il, comme en Burkina-Faso, l'exploiter en le protégeant.

Aux problèmes de déboisement, de surpâturage, de dégradation des sols, s'ajoute celui de l'écart des revenus croissant entre les exploitations agricoles : les « petits » qui pratiquent la culture manuelle ne peuvent plus avoir accès ni au crédit ni à la terre, car les « gros » l'accaparent. Cette marginalisation des petits les conduit à l'exode rural ; ou encore au salariat, avec formation d'une classe de paysans sans terres, dont j'avais noté l'apparition au Niger.

L'avènement du tracteur est en train de rendre cette inégalité

---

1. Deux ONG d'inspiration respectivement protestante et catholique.

irréversible. Au village de Nogolasso, par exemple, sur vingt-deux exploitations, celles qui sont motorisées, au nombre de trois, produisent 130 tonnes de coton (plus de la moitié de la production du village : 226 tonnes). Si sept fermes moyennes parvenaient aussi à acheter un tracteur, on prévoit que les dix exploitations motorisées seraient en mesure de cultiver 90 % des terres disponibles. Mais on sait hélas que la motorisation accentue l'érosion et la dégradation du sol. D'ailleurs, sur ce point la CMDT est fort en retard. Elle débute à peine les premiers essais de travaux antiérosifs.

On est en train de *démolir sûrement* cette région du Mali la plus productive, reconnue jusqu'ici comme le fer de lance du progrès agricole de ce pays. Il est donc grand temps d'introduire des innovations techniques garantissant l'avenir de l'agriculture. Les paysans reconnaissent qu'ils ont besoin, pour fumer leurs champs, d'y parquer leurs bêtes et par conséquent de pouvoir, en toute saison, les abreuver et les nourrir ; donc de cultiver du niébé fourrager, qui succéderait en quatrième culture (rotation de quatre ans) au coton-maïs-sorgho. Ce serait le premier pas vers l'intégration des cultures et de l'élevage.

Un premier pas, qui leur permettrait ensuite d'aller plus loin. Si les bêtes, au lieu d'être parquées derrière un grillage, stabulaient sur les tiges de maïs et de sorgho, il y aurait du vrai fumier. Pour pouvoir l'enfouir convenablement, il faudrait une plus grosse charrue, tirée par deux paires de bœufs. Si le tracteur individuel menace la paix sociale du village, le tracteur coopératif, en CUMA[1], exigerait moins d'investissement et serait alors complémentaire de la culture attelée. Cette première esquisse de révolution agricole, indispensable à la survie de ce pays, doit être menée progressivement, si l'on ne veut pas qu'elle soit définitivement compromise.

La mort du Nord-Sahel (du Tchad au Sénégal, sinon de l'Éthiopie au Soudan et à l'Afrique occidentale) exige impérieusement, et de toute urgence, l'intensification du Sud-Sahel et de la région soudanienne qui la borde. Les paysans ont été trop exploités et mal conseillés. Il est grand temps de les respecter et de les aider à s'instruire, afin qu'ils puissent s'organiser, donc se défendre et protéger leur patrimoine... Patrimoine, qui dans le Sud-Mali, risque bientôt d'être perdu sans retour.

---

1. Coopérative d'utilisation du matériel agricole.

CHAPITRE VII

DAKAR ET LE SÉNÉGAL :
VIVENT-ILS DE LA MENDICITÉ ?

D̲AKAR... UN CANCER AU FLANC D'UN PAYS PAUVRE

Qui passe à Dakar ne peut oublier sa terrible image du *mal-développement*[1] : ses monstrueux embouteillages ; ses gratte-ciel, autour de la place dite de l'Indépendance ; ses villas somptuaires, sur la trop célèbre corniche Ouest, dont les pendants sont les bidonvilles (ou semi-bidonvilles) de la Médina, de Pikine, etc. ; sans oublier Fass-paillotte (à côté de Fass-dur, en matériaux plus solides). Fass-paillotte a brûlé en mars 1984 ; cet événement fut un drame effroyable pour ses habitants qui y perdirent leurs modestes meubles — et quelques billets cachés dans leurs pauvres paillasses. C'est un spectacle à la limite du soutenable (qui laisse indifférents nombre de riches Dakarois), celui d'une population en désarroi, qui s'acharne à sauver ce qui peut l'être encore. Des centaines de personnes assistant impuissantes à la disparition, sous les cendres, de ce qu'elles ont de plus précieux.

Un million et demi d'habitants dans le grand Dakar, pour une population de 6,7 millions de Sénégalais. Les services dominent, une fois de plus ; ils couvrent plus de la moitié du revenu national, contre à peine le quart pour l'industrie — et seulement 15 % pour le secteur manufacturier qui reste la branche la plus dynamique. La misère ne se cache plus. Les mendiants se multiplient. Les femmes dorment dans les rues avec leurs jeunes enfants... Une misère qui rappelle celle de Calcutta. Cependant, malgré un taux élevé du chômage, la

---

1. Mal-développement qui est *totalement* ignoré par J.M. Cour dans son étude « Image à long terme de l'Afrique », *Cf.* Annexe III.

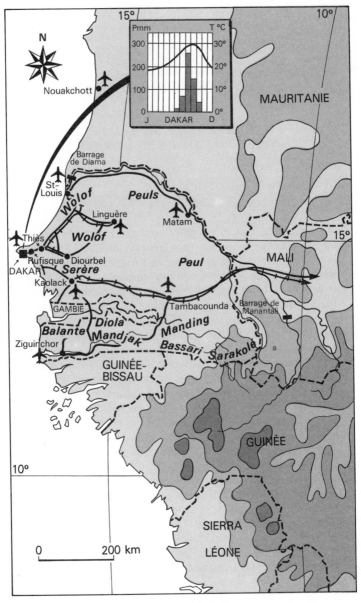

Carte du Sénégal

majorité des « bidonvillois » gagne plus que les paysans pauvres, surtout quand frappe la sécheresse.

« Nuit de rêve » : une ville « non africaine »

Cette misère générale me fit paraître plus révoltant l'article du *Soleil* (journal « officieux » du 29 décembre 1984) qui titrait : « Le fêtard est roi, où aller le 31 décembre ? », et donnait dix-huit adresses de réjouissances, d'un « super-spectacle devant tenir en haleine les invités (...) et réserver une surprise de taille aux fêtards ». Les jours précédents, on avait pu voir affichés des menus de réveillon que j'hésite à reproduire ici : 30 000 F (600 FF par tête). Ces insultes à la misère sont intolérables. Et le 2 janvier, le journal récidivait sous le titre « Une nuit de rêve » : « Tout était de la partie pour conférer à ce début d'année un caractère joyeux. Après minuit, les noctambules, en habits de soirée, se sont engouffrés dans les night-clubs, salons de thé et autres lieux de spectacles pour *communier dans la joie* ! »

Dakar, cette énorme agglomération, est une tête trop grosse pour un pays pauvre, dont la paysannerie est ruinée. L'arachide (même quand sa récolte atteint 700 000 tonnes, en 1984) ne peut plus la faire vivre. Le Sénégal ne produit qu'entre 31 et 45 % de ses besoins en céréales. Dakar, quelle démagogie ! mange du pain blanc ! (diététiquement plus mauvais et plus coûteux en devises que du pain bis) et des brisures de riz importé.

Elle prétend diriger toute la politique du pays[1], mais Dakar n'est plus une *ville africaine* : elle a renié ses origines sénégalaises. Presque personne ne s'inquiète de sa démographie galopante, alliée à un exode rural irrépressible. Encore et toujours

---

1. En avril 1981, le parti socialiste sénégalais se réunit à Kaolack, où je suis invité. On y discute beaucoup de la fonction publique, et il est clair qu'il s'agit là d'un socialisme de bureaucrates, défendant bec et ongles leurs privilèges, clans contre clans. S'ils proposent une caisse nationale de crédit agricole, c'est pour les avantages que la direction en retirera. Trois ans après, les caisses sont vides, et il faut bien démanteler, une à une, ces forteresses bureaucratiques, après qu'elles ont ruiné le pays. *Cf.* « la Démocratie au Sénégal », par D. Gauthiez Rieucau, in *Afrique contemporaine,* janvier-mars 1985, la Documentation française, Paris.

Les Réveillons
au **SAVANA** DAKAR

DINER DE NOEL
LUNDI 24 DECEMBRE

*Les Médaillons de Langouste
au Capitaine fumé*

Le boudin blanc aux mangues

La Dinde rôtie au Gingembre

Le Gratin de pommes douces

*La Fricassée de Pleurottes
en feuilletée*

Le Granite au Malibu

La Bûche traditionnelle

Thé à la Menthe - Café

15.000 CFA par personne

REVEILLON DE L'AN NEUF
LUNDI 31 DECEMBRE 1984

*Le Foie gras de Canard traité par le
Chef à la Gelée de Sauternes*

*La Feuillantine de Pleurottes aux
Quenelles de Gibier*

*Le Damier de Sole et Rouget
aux Filaments de Safran*

Le Granite au Vieux Marc

Le filet de Charolais Grand Veneur

*La Salade d'Endives aux Cerneaux
de Noix*

Le gâteau de l'An neuf aux fruits rouges

Café - Mignardises

30.000 CFA Prix Net
Vins en sus
DANSES - COTILLONS
Soupe à l'oignon pour les couche-tard

UNE AMBIANCE DE FETE
ANIMEE PAR LA GRANDE FORMATION
DE L'ORCHESTRE «LE GINNIC»

Réservation : Hôtel SAVANA - TEL : 22.68.77 - 21.56.36 - 22.60.23

142

parce que les sols sont dégradés et les prix agricoles trop bas. Certains prévoient qu'au taux actuel de sa croissance, 6,5 % par an, le grand Dakar abritera au début du siècle prochain plus de la moitié de la population du Sénégal. Hypothèse terrifiante !

Tout dépend désormais de l'aide extérieure. Sans elle Dakar ne pourrait se nourrir. L'ensemble du pays ne pourrait survivre. La politique du court terme prévaut ; mais qu'arriverait-il si les greniers des pays riches n'étaient plus excédentaires ? L'hypothèse n'est pas absurde... Les sols américains sont déjà en voie de dégradation.

La Casamance était un paradis verdoyant

Il n'aura fallu que deux générations pour faire d'une région naguère florissante, luxuriante, où il faisait bon vivre, l'enfer quotidien d'une population sacrifiée. Un enfer, dont chacun sait qu'il est pavé de bonnes intentions... Résumons les faits : en 1949-1951, les puissants chenillards de la CGOT[1] abattent la forêt, pour permettre le déploiement des tracteurs. Cela se passe autour de Séfa (département de Sédhiou), où l'on peut encore visiter les ruines de cette action criminelle. (J'avais été bien seul à la déconseiller dès 1947 au plan Monnet, avant même d'être allé en Afrique tropicale.) En 1967, on confie la gestion de la région à un autre office, la Sodaïca qui, à côté d'une ferme d'État toujours mécanisée, organise la participation de soixante-dix familles de paysans colons, dotés d'un équipement de culture attelée. Sur dix-neuf villages prévus, deux seulement seront construits, car le déficit, dû bien plus aux charges de personnel qu'aux investissements productifs, est devenu monstrueux[2].

En 1980, on a enfin terminé le barrage anti-sel de Guidel, prévu dans le deuxième plan, dès 1965. Mais l'aménagement de la vallée, qui coûtera au total 1,8 milliard — dont 1,2 en de-

---

1. Compagnie générale des oléagineux tropicaux financée sur fonds publics. *Cf.* chap. III, paragraphe 1.
2. Le déficit de la CGOT avait cependant été bien plus élevé, 1,3 milliard CFA gaspillé entre 1948 et 1960, date à laquelle on reconnut bien tardivement que l'agriculture française avait moins de besoins d'importation, et qu'elle s'était relevée. (Lors de mon passage en 1951, j'avais conseillé la pause, l'arrêt des défrichements, mais bien sûr, toujours en vain.)

vises —, n'est pas encore commencé. Quant au barrage d'Affiniam, près de Bignona, il est financé par des Chinois qui sont arrivés dès 1980 avec plusieurs dizaines de techniciens et un matériel très important (des dizaines de camions). Jusqu'à mi-1984, ce matériel et ces techniciens ne peuvent rien faire, car les fonds de contrepartie sénégalaise, pourtant modestes, ont été, affirme-t-on, détournés vers le fleuve. Entre-temps les Hollandais de l'Illaco défrichent des centaines d'hectares de palétuviers et construisent des polders « comme chez eux », sans étudier d'assez près les techniques locales. Des milliards de CFA dépensés et, nous dit Christian Saglio[1], « pas un grain de riz récolté, sauf par quelques paysans traditionnels ».

Outre ces aménagements spectaculaires, il existe aussi un « vandalisme » endogène. Les Casamançais se plaignent surtout des Wolofs et des Toucouleurs qui, soutenus par l'administration et occupant souvent les hauts postes de la fonction publique, brûlent leurs bois pour y faire pousser l'arachide et s'approprient leurs terres. Les Wolofs, venus du nord, cultivent l'arachide sur les plateaux dont les sols se dégradent...

Pendant ce temps, le chantier de l'Anambé, en Haute-Casamance, se poursuit sur fonds saoudiens. Le barrage prévu à Kayana devait se remplir grâce aux pluies de 1962-1970, désormais historiques. Il était prévu qu'en 1980 ce projet intitulé Sodagri, devait produire 25 000 tonnes de paddy sur 5 000 hectares (5 t/ha). Mais en réalité, il n'en a produit que 2 700, soit 11 % des prévisions. Le rendement, le même qu'avant toute intervention, n'atteint pas la tonne par hectare. En 1981, dans un rapport au président Abdou Diouf, j'ai dénoncé le scandale du bureau d'études responsable de ce projet de la Sodagri, lequel promettait des bénéfices mirifiques : 1,8 milliard par an, de l'an 2000 à 2020... Oser faire cette promesse pour après l'an 2000, c'est insulter les autorités sénégalaises : tous les précédents de ce type ont fait faillite.

Début 1985, je suis de retour à Ziguinchor. Ici une équipe autrichienne de l'ENDA mène une action de « technologie appropriée » en aidant les forgerons à construire des presses pour traiter les fruits de la palmeraie spontanée d'*Elaeis* : ces *palmiers à huile* prospèrent depuis la Casamance, jusqu'au sud de l'Équateur, le long de la côte de l'Ouest africain. La presse augmente de 40 % le rendement de l'huile et les femmes ne se

---

1. Le beau livre, *Casamance*, L'Harmattan, Paris 1984, 70 pages.

144

brûlent plus les mains en pressant une pulpe qu'il fallait chauffer. Mais n'ayant pas la capacité physique d'actionner le levier de la presse, elles sont désormais écartées, au profit des hommes, d'une activité qui leur était exclusivement réservée et dont elles tiraient bénéfice.

LES RIZIÈRES MENACÉES PAR LE SEL

Certains villages disposant de terres sableuses, devraient préférer la culture du maïs, du mil, du sorgho ou du niébé à celle du riz ; mais « manger », en diola, veut dire : « manger du riz ».

Au village de Badiath-grand, à l'ouest de Ziguinchor vers Oussouye, les rizières sont encore cultivées. Les femmes récoltent les épis au couteau et les dépiquent avec leurs pieds, tâche dont les bovins se chargeraient fort bien avec leurs pattes. Dans ces rizières hautes, le repiquage sur billons des variétés traditionnelles tardives ne convient plus. Il faut attendre pour pouvoir repiquer, et les pluies cessent plus tôt qu'autrefois. Aussi, un semis direct de variétés hâtives a-t-il plus de chances de réussir.

En rizières basses le sel menace, or les paysans ont toujours fait des barrages anti-sel avec leur outil, le kayendo, que j'ai retrouvé dans les deux Guinées. C'est de leurs propres mains qu'ils réalisent ces barrages (digues bombées de 30 à 40 cm de hauteur) en rejetant, dans l'intervalle de deux fossés parallèles, espacés de 2 bons mètres et profonds de 30 cm, la terre qu'ils ont extraite du sol. L'eau qui descend des rizières hautes lessive ainsi les rizières basses. Une fois qu'elle a été salée, on évacue cette eau vers la mangrove voisine, bordée d'une autre « digue paysanne anti-sel ». Une journée d'homme permet de réaliser 3 mètres d'un tel ouvrage, large au total de 3,50 m.

Les Mandjakes venus de Guinée, étant payés 1 000 F par jour (1984), un hectare entouré de 450 mètres de digues reviendrait à 150 000 F au lieu de 2 millions (projet Guidel)[1]. Ainsi donc, en choisissant de meilleurs emplacements, les plus argileux, et de nouvelles techniques, la rizière pourrait être maintenue. Son

---

1. En réalité, comme il s'agit là en général d'un investissement humain de morte-saison agricole (saison sèche), exécuté par les paysans eux-mêmes, il serait normal de l'estimer beaucoup moins cher, puisque réalisé en période de sous-emploi.

recul est surtout dû à l'exode rural, lui-même conséquence d'une série de projets inadaptés, de prix agricoles insuffisants, et des déséquilibres accrus entre villes et campagnes. Certes, on s'est efforcé d'aider les paysans, mais une politique de « présents » trop souvent inappropriés représente ici, comme au Bangladesh, une aide contre le développement.

RÉVOLTE EN CASAMANCE

Pendant la Seconde Guerre mondiale, les réquisitions abusives et mal payées exaspèrent des populations fort mal ravitaillées. C'est ainsi qu'une jeune Casamançaise[1], employée de maison à Dakar, « entend des voix qui lui conseillent de rentrer au pays pour dire aux Casamançais de ne plus cultiver l'arachide pour les Blancs, de ne plus payer l'impôt et de refuser de se battre pour la France ». Quand l'autorité coloniale menace de brûler son village de Kabrousse si elle n'est pas dénoncée, elle sort du bois sacré et se livre. Déportée à Tombouctou, on retrouvera sa tombe : « tout autour de ses ossements le sable a blanchi... »

Mais, reprenons Saglio :

« Au nom de la loi, le 6 décembre 1983, les forces de l'ordre commettent l'imprudence de pénétrer dans le bois sacré de Diabir, près de l'aéroport de Ziguinchor, pour disperser une réunion d'hypothétiques "séparatistes". Sacrilège tout aussi grave que de franchir en uniforme le seuil d'une mosquée ou d'une église. La coutume se sent agressée au cœur même de son existence et réagit violemment. Quatre gendarmes sont débités au coupe-coupe. Un massacre quasi rituel qui consterne tout le Sénégal et détonne tragiquement dans ce pays de dialogue et de démocratie. »

« Le 18 décembre, au moment même où se tient à Dakar le IIe Congrès de l'Interafricaine socialiste sur le thème "socia-

---

1. Alinsitowe Diatta, de Kabrousse. Cf. *Politique africaine,* Paris, juin 1985 et *Croissance des jeunes nations,* Paris, février 1984.

lisme, démocratie et développement", la foudre tombe de nouveau sur la Casamance. Les Dakarois, effarés de stupeur, lisent dans *le Soleil* le récit d'une de ces grandes jacqueries spontanées, accès de fièvre dont la Casamance a le secret. Leur quotidien du matin évoquera avec une répulsion fascinée ces "éléments exaltés, voire hystériques, se fiant à la protection occulte des fétiches", qui ont attaqué la Gouvernance de Ziguinchor : — le dimanche à l'aube, une foule de manifestants montent à l'assaut du centre de la ville. "Ils étaient couverts de gris-gris, habillés tout de blanc et armés de coupe-coupe, d'arcs, de flèches empoisonnées et de vieux fusils de chasse..." Autre sujet de stupéfaction terrifiée : en première ligne, de vieilles femmes nues aspergent le sol d'urine en lançant des incantations à la fois pour paralyser de terreur les gendarmes qui leur font face et pour exhorter les combattants.

« De 7 heures du matin à 3 heures de l'après-midi, c'est le carnage. Pressées de toutes parts, les forces de l'ordre tirent dans la foule au fusil mitrailleur. Bilan officiel à ce jour : vingt-neuf morts (dont quatre policiers et sept gendarmes) et quatre-vingts blessés. Mais il semble bien que de nombreux cadavres aient été emportés par les familles ou dissimulés dans les bois sacrés. De bonne source, à Dakar comme à Ziguinchor, on estime les morts à plus de trois cents parmi les manifestants, dont des dizaines de femmes. "A la fin des événements, confia un juge d'instruction, il fallut toute une pièce pour entreposer les gris-gris que portaient les manifestants et qui étaient censés les rendre invulnérables aux balles des gendarmes." »

PRÈS DE LOUGA, DES PAYSANS SANS RÉCOLTE

Après le sud du pays, étudions le Nord plus aride. Louga, récemment promue capitale régionale d'un pays aux sols ruinés, entretient une armée de fonctionnaires pour lesquels fut bâtie une ville neuve : après l'arachide, on « cultive » du fonctionnaire !...
Samba Faye, ingénieur des télécommunications à Louga, me conduit chez ses amis du village N'Diagne, à 34 kilomètres au sud-est de Louga. On y rencontre deux ethnies qui se rattachent à deux civilisations, les Wolofs et les Peuls, deux sectes religieuses, deux « clans » totalement distincts et trop souvent

opposés. N'Diagne est un gros village de 5 000 paysans wolofs, dont l'agriculture était la seule activité. Ils ne récoltent presque rien depuis quatre ans. L'aide alimentaire gratuite arrive, certes, mais elle est loin de suffire. Pour toute l'année 1984, ils ont reçu, par tête d'habitant, environ 20 kilos de sorgho, 5 kilos de riz et 1,2 kilo de poudre de lait. Répartition égalitaire dans une société inégalitaire : si quelques familles possèdent entre 20 et 50 moutons, beaucoup n'en ont que 1, 2 ou 3, sinon pas du tout. Ce village de 5 000 habitants compterait 48 chevaux (eux aussi réservés aux riches), une bonne centaine de chèvres, deux bonnes centaines d'ânes, et plus de 2 000 ovins. On pourrait donc donner plus aux démunis, et moins — ou même rien — aux riches ; mais il est plus simple et plus payant, électorale-ment, dit-on, de déclarer tout le monde *indigent* : mentalité d'*assisté*, qui n'encourage pas les efforts autochtones pour « s'en sortir ».

L'envoi d'argent par tous les jeunes, partis travailler à l'étranger, reste la principale ressource de ce village. Les mandats viennent surtout de France et de Côte-d'Ivoire. Ce jeune, par exemple, qui vient de passer deux ans et demi en Côte-d'Ivoire, déclare que la vie est chère à Abidjan, et qu'il n'a pu rapporter que 500 000 F « seulement ».

GRANDE FAMILLE OU HAREM ?

Le lendemain, nous sommes reçus chez le marabout d'un village voisin. Dans la salle de réception, la seule ouverte aux visiteurs, je découvre à côté d'un frère et d'un fils[1] du marabout Khadria (celui-ci étant absent) cinq jeunes talibés[2] : ceux-ci ont été, comme beaucoup d'autres talibés, confiés au marabout par leurs parents et peuvent rester près de lui entre deux et douze

---

1. Qui ont serré les mains des hommes, et sont passés devant Charlotte Paquet, sans même la voir...
2. Ce sont en quelque sorte des demi-esclaves qui, sur un signe d'un des maîtres, se précipitent pour enlever du bas de mon pantalon quelques graines de cram-cram.
Au village, on trouve une centaine de talibés, mais dix autres villages, avec leurs écoles coraniques, en comptent à peu près autant. Ainsi environ un millier de talibés « relèvent-ils » de ce Khadria, et cinq cents autres, de ses fils et de ses frères.

le 17 Mai 1985 -

Chère amie
Charlotte Paquet -

Je vous écris pour répondre votre lettre du 5 avril 1985 sur laquelle je suis très contente - J'ai reçus les photos. Nous sommes partis à Thiès pour voir ma famille - Je n'ai pas rester longtemps parce que mon mari a refusé il était parti à Dakar à son retour il rentre avec moi hors que je préfère y séjourner pendant deux mois Mon mari ne me laisse jamais voyager à mon aise c'est quelque chose qui me gêne beaucoup. Ma co-épouse et ses enfants vous salus. La photo du groupe j'en veux deux autres - Cette année la vie très dure à cause de la sécheresse les animaux meurent. Il y a aussi des personnes qui abandonnent le village pour aller ailleurs. La situation ne s'est pas amélioreé. Mon mari vous salu c'est lui qui avait reçu la lettre à sa main. Je suis là dans une grande solitude je salue monsieur Dumont ici dans l'ensemble tout va bien mais moi je suis très confuse. La fillette qui m'accompagne dans ma photo vous demande à chaque instant - Je garde pour vous un souvenir interminable - J'attends votre réponse pour pouvoir corespondre avec vous

149

ans ; voire plus, s'ils se marient sur place. Rares sont ceux qui deviendront marabouts ; mais jamais ils ne seront Khadria, car c'est une charge héréditaire, en quelque sorte, un titre de noblesse religieux.

En avril-juin 1984, en fin de saison sèche, si leurs troupeaux qui sont partis à temps vers le sud ont pu être sauvés, les bêtes qu'on a tardé à faire émigrer, trop affaiblies pour faire les 150 kilomètres qui les séparaient du Saloum, sont presque toutes mortes en route : la moitié du troupeau est perdue.

Ces éleveurs, en 1984, sont en situation fort précaire : qui va vendre un mouton au marché voisin tient dans sa main droite la corde qui lie le mouton, et dans sa main gauche un sac *vide*, qu'il espère remplir de grains avec l'argent du mouton. Devant une telle image de disette, le maquignon se sait le plus fort, et en profite.

Ce Khadria reçoit une aide importante de l'État ; cependant dans la disette générale on espérait recevoir beaucoup plus de la Croix-Rouge, aussi a-t-on acheté des cartes d'adhérents ; mais l'aide escomptée n'est pas venue. Charlotte demande à rendre visite aux femmes du Khadria. Un de ses fils la conduit au quartier des femmes. La dernière épouse vient de la région de Thiès, où elle a suivi le premier cycle du secondaire. Elle se montre ravie de parler avec une femme venue du dehors, qui lui apporte une « bouffée » du « grand large ». Elle se dit bien nourrie et bien traitée, mais n'a pu aller qu'une fois en quatre ans voir sa famille. « Nous sommes bien vus du gouvernement, nous recevons du mil, du riz, du sucre, du lait... Quand le choléra a touché le village wolof, on est venu nous vacciner, nous soigner. »

Charlotte la prend en photo avec le fils du marabout, qui l'autorise à sortir jusqu'à la grande porte — faveur exceptionnelle —, pour serrer la main du professeur Dumont.

— Mon mari est allé voir le président, me dit-elle.
— Mon ami le président Abdou Diouf, lui dis-je.
— *Notre ami* le président, rétorque-t-elle vivement.

Cette jolie femme aux yeux pétillants, débordant de vitalité, est une véritable *prisonnière* : « Je souffre de cet isolement », dit-elle en mettant ses mains autour du cou, comme si elle étouffait ! Elle demande à Charlotte de lui écrire, pour garder au moins ce lien concret avec un monde extérieur qui lui est interdit. Cette femme, la seule instruite en français de ce groupe peul, répond au téléphone et peut rédiger le courrier[1]...

AU GANDIOLAIS, LES MARAÎCHERS DU BOUT DU FLEUVE, ET LA PATATE DOUCE « ANTIFAMINE »

Le fleuve Sénégal ne débouche dans la mer qu'à 20 kilomètres au sud-ouest de Saint-Louis, une langue de terre de plus en plus étroite le séparant de l'Océan. Nous sommes dans la vieille ville de Gandiole ; un reste de *wharf* prouve qu'il y avait ici un port, mais cette ancienne capitale locale est devenue un gros centre maraîcher.

Des dunes de sable sont séparées par des cuvettes. La nappe phréatique se tenait, il y a quarante ou cinquante ans, à deux ou trois mètres de la surface. Un simple trou dans le sable aurait permis de l'atteindre. On la trouve seulement maintenant entre cinq et dix mètres, et pour y parvenir, il y faut des puits consolidés de buses en ciment. De plus, aux abords du fleuve, la nappe phréatique est salée à cause de la diminution de son débit et des pluies. Il a donc fallu s'en éloigner, et lutter contre l'ensablement des cuvettes, par la fixation de 500 hectares de dunes.

Ces cuvettes sont fort bien cultivées, soit par leur paysan-propriétaire et sa famille, soit par des métayers, des *surgas* ; tandis que le « propriétaire » fournit la terre, le puits busé (qui coûte 10 000 F à cinq mètres, plus du double à dix mètres) et tout ce qui est nécessaire aux cultures. On nous dit que la récolte brute est divisée en parts égales, mais dans les Niayes de Dakar, c'est la récolte *nette*, frais déduits, qui est ainsi partagée. Dans la cuvette étudiée, on trouve des oignons — deux récoltes d'oignons peuvent se suivre dans un même champ, qui va jusqu'à porter trois récoltes par an. Et surtout des *patates douces* de végétation luxuriante, avec de beaux tubercules à peau rouge et chair jaune, riches en carotène. Sur une planche de 5 mètres carrés, on récolte douze à treize kilos de patates ; soit 25 t/ha, ce qui égale les rendements chinois.

---

1. On ne peut manquer d'évoquer la persistance d'un harem : un quart de siècle après sa déclaration, l'indépendance n'est pas encore une réalité pour toutes les femmes !

Quand un pays est touché par la famine et dispose de cuvettes ou bas-fonds irrigables en saison sèche, *aucune plante ne peut rendre autant*, partout où l'on peut arroser en saison sèche, que cette patate. 25 t/ha, c'est l'équivalent en calories de 6 à 7 tonnes de céréales. La pomme de terre, si coûteuse à produire et à conserver, si inférieure en valeur nutritive, l'a presque chassée de Dakar. Mais pas de Saint-Louis qui, moins pervertie, consent à payer la patate un peu plus cher que la pomme de terre, jusqu'à 250 F le kilo. S'il y a surabondance, le prix peut cependant tomber à 30 F ; mais ce tubercule exige moins d'eau[1] et d'engrais que la pomme de terre, se garde sans réfrigérateur, se renouvelle par boutures prises sur le champ. Les patates sont transportées à Saint-Louis en charrettes à cheval, mais de plus en plus souvent en 404 Peugeot bâchées, au prix de 300 F le quintal ; et cela sur 18 kilomètres. Le camion qui livre les oignons à Dakar fait payer un tarif analogue pour 270 kilomètres (100 F les 30 kilos), mais il peut en transporter 30 tonnes...

Si l'on cultivait les légumes en périmètres irrigués de la vallée du Fleuve (comme au Gandiolais), le Sénégal se suffirait bientôt à lui-même en oignons et pommes de terre encore importés. Les maraîchers pourraient alors disposer de capitaux qui leur permettraient de planter des vergers et d'attendre qu'ils deviennent productifs, comme on l'a fait dans le Vaucluse.

LE TALIBÉ DE VILLE, L'ENFANT MENDIANT !

M. Samba Faye, ingénieur des télécommunications à Louga, me permet de reproduire ici son autobiographie, écrite de sa main et publiée sous sa signature. En me la remettant, il m'a dit : « J'ai lu vos livres sur l'Afrique : vous n'insistez pas assez sur cet aspect de la vie dans notre pays. C'est difficile pour un étranger de percer cette réalité, mélange de religion et d'exploitation. L'ayant vécue moi-même, j'espère vous aider, par ce texte, à pénétrer plus avant à l'intérieur de ce qu'il faut bien

---

1. En Casamance, une patate plantée en août se récolte en janvier sans aucun arrosage, quand les autres légumes en réclament beaucoup. Ici les besoins d'eau de la patate sont trois fois moindres que ceux des légumes.

Louga le 19 Février 1985

La talibé de ville

En 1954 alors agé de six ans, je fréquentais une école coranique située en plein centre de Thiès grande ville de cette grande région que le colonisateur avait baptisé à l'époque Afrique Occidentale Française.

L'enseignement se résumait à 3 ou 4 heures de récitation par jour, il s'agissait d'apprendre par cœur une ou deux phrases écrites en arabe sur une tablette de bois et durant les 3 longues années que j'ai subi cet enseignement, on ne m'a jamais appris à écrire et je n'ai jamais su écrire, je n'ai jamais compris ce que je récitais à longueur de journée, à longueur d'année. Il faut dire que le régime de l'école était l'internat et qu'en dehors des heures de récitation les élèves avaient l'immense tâche de trouver à se nourrir eux-même et surtout de trouver à manger et habiller le maître et ses innombrables épouses.

Alors à 4 ou 5 ans on ne peut venir à bout d'une pareille tâche qu'à force de quémender oui il nous fal- lait quémender matin - midi - soir, aux heures de repas, armés de la gêti en guise de besace, nous sillonnions la ville de part en part, de porte en porte. Il fallait s'arrêter et crier " la talibé quémende", alors on vous appor- tait des restes de ce bon riz au poisson qui était déjà "plat national"

153

appeler un *esclavage persistant.* » Mais laissons la parole à notre ami Samba Faye.

« *En 1954, alors âgé de six ans, je fréquentais une école coranique située en plein centre de Thiès, grande ville de cette grande région que le colonisateur avait baptisée à l'époque "Afrique-Occidentale Française".* »

« *L'enseignement se résumait à trois ou quatre heures de récitation par jour, il s'agissait d'apprendre par cœur une ou deux phrases écrites en arabe sur une tablette de bois et durant les trois longues années au cours desquelles j'ai subi cet enseignement, comme on ne m'a jamais appris à écrire, je n'ai donc jamais été en état de comprendre et de noter ce que je récitais à longueur de journée, à longueur d'année. Il faut dire que le régime de l'école était l'internat et qu'en dehors des heures de récitation, les élèves avaient l'immense tâche de trouver à se nourrir eux-mêmes et surtout de trouver à manger et habiller le maître et ses innombrables épouses.*

« *Alors à quatre ou cinq ans on ne peut venir à bout d'une pareille tâche qu'à force de quémander ; oui, il nous fallait quémander matin, midi, soir ; aux heures des repas, armés de deux pots en guise de besace, nous sillonnions la ville de part en part, de porte en porte ; il fallait s'arrêter et crier "le talibé quémande" ; alors on vous apportait des restes de ce bon riz au poisson qui était déjà le "plat national" dans les villes. Les premiers d'entre nous qui réussissaient à remplir leurs pots venaient déverser le fruit de leur quête dans un grand bol installé chez le marabout. C'est le contenu de ce bol qui sert à nourrir d'abord le maître, ses épouses et ses enfants ; ensuite (et s'il en reste) les braves talibés épuisés par leur interminable randonnée sous ce soleil très peu clément d'Afrique. Ceux qui n'avaient pas réussi à remplir leurs pots de riz étaient bastonnés à mort et assignés à des tâches* bien *pénibles, comme aller ramasser du bois de cuisine en brousse ou faire la vaisselle à la place des méchantes épouses du maître,* aussi grosses qu'inutiles.

« *Vous connaissez maintenant l'emploi du temps du talibé de ville que j'étais, car c'était comme ça tous les jours, sauf le vendredi, ah oui ! ce fameux vendredi saint*[1] *où nos "Toubabs*[2]*", en effet, donnaient beaucoup... ou rien ; c'était une vérité première, dans notre milieu, que les "Toubabs" ne connaissaient pas notre monnaie, car ils en donnaient beaucoup trop, lorsqu'ils avaient choisi de ne pas nous insulter.*

« *J'ai toujours préféré, pour ma part, les autres solutions à l'argent de ces militaires étrangers qui me faisaient peur et que je haïssais au plus profond de moi-même, à cause des sévices subis par mon peuple, et dont les auteurs n'étaient autres que les prédécesseurs de ces mêmes soldats français dans cette fameuse base militaire de Thiès. Malgré les mensonges, la falsification honteuse des historiens coloniaux, l'histoire de mon peuple durant la dernière moitié du siècle passé m'était déjà parvenue grâce au verbe de ma grand-mère N'Diouma, dont la mort à cent seize ans fut la première catastrophe de ma vie :* tant il est vrai qu'en Afrique "un vieillard qui meurt, c'est une bibliothèque qui brûle".

« *Née vers 1860, N'Diouma, ma grand-mère, raconte qu'à l'époque Thiès était constituée de quelques villages wolofs et sérères, lorsque les militaires sont venus s'y installer. Un jour, un indigène aurait pénétré par effraction chez un officier qui l'aurait surpris en train de voler et dont il aurait assassiné l'épouse :* voici l'exposé de police.

« *L'enquête effectuée par les autorités de la base eut tôt fait de conclure que le coupable venait de mon*

---

1. M. Faye appelle ainsi tous les vendredis.
2. On appelle ainsi les "blancs". A l'époque c'était surtout des soldats français.

village. Alors N'Diouma raconte : "un jour, au petit matin, un détachement de militaires français investit le village. Une trentaine de femmes et d'enfants qui s'affairent autour du puits sont encerclés par les soldats qui ne tardent pas à ouvrir le feu sur ordre de leur chef et c'est le massacre. Ceux qui n'ont pas été tués par balles se noient dans le puits où, terrorisés, ils se sont jetés." L'histoire officielle de l'Afrique qu'on nous impose d'apprendre et qui s'emploie à cacher beaucoup d'horreurs de cette sorte, constitue pour cette raison un gigantesque camouflet à notre peuple. Mais heureusement la véritable histoire de la domination coloniale nous est parvenue dans sa totalité, car les vieillards ont parlé ; et nous l'écrirons, pour que nos enfants la connaissent et combattent afin de sortir définitivement de cette nuit où nous sommes nés, où nous tentons de survivre[1] mais où, sans nul doute, notre génération va devoir mourir encore.

« Pour revenir à ma propre enfance, je vous disais donc que le seul vrai enseignement, qu'à l'âge de six ans je devais assimiler à coups de bâton dans mon collège, fut de savoir quémander, d'oser quémander.

« Le soir, tous les soirs, nous, les élèves de ce collège étions livrés à nous-mêmes ; nous formions de petits groupes autour des salles de cinéma ; ceux qui ne réussissaient pas à se faufiler entre les grandes jambes du méchant portier suivaient quand même le film, perchés comme des singes sur les immenses caïlcédras noirs de feuilles. Nous ne rentrions au collège que tard dans la soirée pour dormir à quarante dans notre baraque, enfouis dans le sable chaud infesté de poux, puces et punaises. Ces pauvres petites bestioles, bien que se nourrissant de sang, étaient incapables de capturer une proie ; alors, elles attendaient que le sommeil nous anesthésie pour sucer le

---

1. Ce mot souligne que l'auteur estime que cet « esclavage » n'est pas terminé.

sang de nos corps sous-alimentés : ironie du sort, car le sang des grosses dames du maître, qui ronflaient à quelques mètres de nous, aurait pu nourrir sans dommage toutes ces bestioles affamées. »

LE TALIBÉ DE BROUSSE : UNE FORME D'ESCLAVAGE

« Un soir de 1955, mon père vient me récupérer pour m'emmener au village ; je n'étais pas content d'être arraché de cette ville où j'avais connu l'argent (à force de quémander), cette ville où j'allais au cinéma (grâce aux arbres), cette ville enfin où la lumière brillait toute la nuit dans les larges avenues (alors que la majorité des citadins s'éclairaient à la lampe-tempête) ; ce soir-là je me suis endormi en pleurant, décidé à revenir en ville dès le lendemain.

« Au réveil, je fus ébahi ; j'étais au milieu d'une centaine de talibés de tous âges, rachitiques et sales. Leur vêtement consistait en un morceau de tissu noir de saleté, serré entre leurs fesses tout aussi noires, et retenu par une mince ficelle attachée autour de la hanche. Sur cette ficelle-là pullulaient puces et poux : les boutons et égratignures de leur peau attestant que, toute la nuit, ces malheureux n'avaient pas cessé de se gratter afin de se débarrasser de ces sales bestioles qui profitaient de leur sommeil pour leur sucer leur sang. L'un d'eux m'avait particulièrement frappé : il était grand, fort et semblait être le mieux portant de tous mais je découvris que de grosses chaînes marquaient la peau de ses chevilles de leurs empreintes noires. Depuis quand ce garçon porte-t-il des chaînes ? me demandai-je, et pourquoi enchaîne-t-on des êtres humains ? Qu'est-ce que je suis venu faire ici ? C'est alors qu'un brave gaillard d'une stature plutôt imposante vint soudain m'arracher aux réflexions

157

matinales que mes bouleversantes découvertes m'imposaient.

« Dès que je fus dehors, je me rendis compte que je n'étais ni dans mon village ni dans ma ville, car le paysage qui s'offrait à moi était plus verdoyant ; mais je ne tardais pas à en savoir plus. Le gaillard qui m'avait emmené me déposa devant un homme richement habillé lisant un imposant exemplaire du Coran ; il portait des lunettes de myope... comme il n'en existe plus de nos jours. Serigné Massaer (c'était son nom) leva les yeux sur moi et je sentis son regard dur et froid parcourir tout mon corps ; cela ne dura pas plus de quelques secondes, car il reprit très vite sa lecture silencieuse et dit au bout d'un certain temps, sans nous accorder la moindre importance : "Qui est là ?" et mon brave gaillard de répondre : "c'est le talibé que Serigné Youssoupa t'a envoyé cette nuit" ; mais le bonhomme demeura sans réaction apparente jusqu'à ce qu'il entende cette précision : "ce serait son propre fils". Comme s'il n'attendait que cela, Serigné Massaer ferma promptement son immense livre pour me fixer du regard, avant de m'envoyer rouler au sol d'une gifle magistrale... à crever un tympan tout en vociférant comme une bête sauvage : "Ne me regarde pas comme ça, ton père ne t'a donc rien appris ?"

« En brousse, les cours se déroulaient uniquement la nuit autour d'un grand feu ; très tôt (6 à 7 heures) et tard le soir (20 à 22 heures). Le jour, selon la saison, nous nous occupions de travaux champêtres, ou alors de commerce (commerce de nos produits agricoles et de nos services). En Afrique, et particulièrement au Sénégal, le temps est divisé en deux grandes saisons : la saison des pluies et la saison sèche ; et toute l'activité des ruraux durant l'année est régie par cette donnée.

« Je suis donc arrivé chez Serigné Massaer en décembre 1955 en début de saison sèche, car les récoltes venaient juste d'être terminées. A cette épo-

que, l'activité commerciale se concentrait dans de gros villages où avaient lieu des marchés hebdomadaires attirant la population de 25 à 30 kilomètres à la ronde. Un marché étant prévu dans un village différent chaque jour, la semaine commençait le lundi à Tassette, gros village situé à une trentaine de kilomètres de Thiès et cela de décembre à juin.

« *Je n'oublierai jamais Tassette, car ce fut mon premier marché hebdomadaire. La veille, la fièvre des préparatifs avait gagné tout le Dahra ; des sacs de riz, de mil, d'arachides, des poules, des canards, tout ce que Serigné Massaer produisait étant destiné à être commercialisé, les produits à vendre étaient fin prêts pour Tassette.*

« *Dans un marché hebdomadaire en Afrique, vous trouvez toute sorte de denrées. Denrées agricoles proposées à la vente par les paysans, car au Sénégal, jusqu'à une date récente, le colonisateur puis l'État ne s'intéressaient qu'à l'arachide, qui seul avait un prix officiel. Tous les autres produits se vendaient ou s'achetaient dans un commerce sauvage, où la débrouillardise était de règle. Ensuite apparurent des "Banabana", ces commerçants ambulants qui venaient chercher dans les villes des produits introuvables en brousse, pour les échanger contre des produits de brousse, et les vendre dans les villes où ils étaient eux aussi introuvables.*

« *Un matin, nous partîmes de très bonne heure. Chaque talibé portait environ dix à vingt kilos de marchandises suivant sa corpulence. Serigné Massaer et ses deux adjoints, richement habillés, s'étaient installés chacun sur le dos d'un bourricot bien nourri. Imaginez une quarantaine de jeunes gens portant à eux tous près d'une tonne de marchandises variées, qui avançaient en file indienne derrière trois énormes bourricots ; tel était notre convoi, en route vers le marché de Tassette.*

« *Nous marchâmes ainsi des heures durant, à*

travers pistes et champs, je n'avais jamais autant marché de ma vie, ni jamais vu une nuit aussi noire. Je n'avais jamais autant peiné non plus pour venir au bout d'une lourde charge qui, sous l'effet de la pesanteur, écrasait mon corps tout entier. Je n'avais jamais entendu des plaintes humaines aussi douloureuses que les horribles gémissements des compagnons de misère qui me précédaient, quand il fallut traverser la rivière de Notto.

« Oui, dans ce froid glacial de décembre, nous dûmes traverser une rivière. Les plus petits, comme moi, avaient de l'eau jusqu'au menton ; une eau qui, à 4 heures du matin, ressemblait à de la glace fondue tellement elle était froide. Les premiers qui s'y plongeaient après les ânes pleuraient, criaient, bref, exprimaient sur tous les registres de la voix humaine les souffrances qu'ils ressentaient, tandis que le dernier cavalier, qui fermait la marche du convoi, faisait siffler son fouet pour accélérer notre marche forcée.

« Le bain hebdomadaire de Notto par grand froid était tristement célèbre dans le Dahra, on me l'avait déjà conté, mais je me rends compte aujourd'hui que la souffrance se vit : on ne peut pas la raconter, encore moins la décrire. Le soleil finit par faire son apparition, et sécha nos petits caleçons et nos corps meurtris. En me chauffant le sang, il me donnait les forces nouvelles nécessaires pour continuer à porter mon fardeau qui devenait de plus en plus lourd : nos trois "cavaliers" accélérant le rythme du convoi... »

L'ÉCOLE FRANÇAISE, QUI M'A « LIBÉRÉ »

« En 1958, je rentre à l'école. Et cela absolument par hasard, parce qu'il se trouve que cette année-là justement, on parachute comme instituteur un ancien militaire dans mon village. Il n'a comme diplôme que *le CEPE[1] et un certificat de bonne conduite mais sa tâche est d'implanter une école. Un Libanais lui loue un local abandonné au village, seulement le plus difficile reste à faire : trouver des élèves. Très peu de parents inscrivaient spontanément leurs enfants, il lui faut "racoler", en quelque sorte, les autres. C'est, par exemple, le cas de Jean Faye, un de mes cousins (il s'appelle en vérité Samba), qui un matin est carrément enlevé dans la rue où il déambule, et inscrit de force par le maître. Comme dans la classe, il y a déjà un Samba Faye, le maître lui dit : "Désormais tu t'appelleras Jean Faye, c'est la même chose." Et il envoie les parents du garçon au chef-lieu de canton demander le bulletin de naissance de "Jean Faye, né en 1948", afin que leur fils ait "toutes ses chances" dans la vie. Grâce au maître, l'école compte bientôt une quarantaine d'élèves inscrits comme "Jean Faye" ; nous aurons tous, de ce fait, des actes de naissance dont l'année est choisie par le maître. Mais comme le jour précis de l'année n'est pas inscrit, n'importe lequel peut être celui de mon anniversaire, et n'est-ce pas merveilleux ainsi ?*

« En cette époque la méthode clad n'existait pas, mon maître n'avait pas le baccalauréat, il ne venait pas de l'université. Il n'avait donc pas autant de moyens (40 % du budget national, méthodes audiovi-suelles, puissant syndicat, etc.) que les instituteurs de mon fils en 1980. Et pourtant après trois années d'études, j'en savais plus que lui aujourd'hui. Ce semblant de paradoxe vient du fait que mon maître enseignait avec conviction *; il aimait transmettre le message ; il sentait qu'il était en train de fabriquer des* Sénégalais nouveaux. *Il était ambitieux, car n'est-ce pas ambitieux que de tenter de façonner des êtres humains ? Il n'était pas venu dans mon village gagner quelque argent pour souffler un peu et recom-*

---

1. Certificat d'études primaires élémentaires.

mencer à courir après les diplômes, comme les enseignants de 1980. Mon maître de 1958, c'était mon père, ma mère, mon frère, l'homme qui m'a "fait" ce que je suis, car un enfant c'est un terrain vierge et il n'y pousse que ce qu'on y a semé ; c'est pourquoi le maître doit être le laboureur qui ne sème que de la bonne graine.

« Aujourd'hui la lutte contre la désertification est en vogue ; on organise un tapage monstre autour de ce thème ; les femmes et les politiciens s'en mêlent, les médias d'État aussi, mais le résultat est catastrophique ; le désert avec son cortège de malheurs avance inexorablement. Bien que mon travail n'ait rien à voir avec les arbres, j'en ai fait pousser plus de deux mille pieds en quatre ans. Si seulement un dixième des Sénégalais faisaient comme moi, plus d'un milliard et demi d'arbres auraient surgi de terre et cela aurait permis de recouvrir la moitié du territoire national d'une forêt dense et le désert ne serait plus qu'un affreux souvenir. C'est pourtant grâce à mon maître que j'ai senti la nécessité de planter des arbres, car lui, déjà en 1958, exigeait que chaque élève ait "son" arbre et, comme en orthographe, calcul ou autre, chaque élève avait une note "en arbre", laquelle note reflétait l'entretien, l'arrosage, la feuillaison, la taille de l'arbre. Chaque après-midi, chaque élève s'occupait jalousement de son arbre. J'ai découvert ainsi le plaisir que peut donner un arbre qui grandit et surtout appris que le développement de l'homme dépend de sa capacité à créer, à modifier l'environnement dans lequel il vit.

« Ce n'est que plusieurs années après, lorsque j'ai visité la verte Casamance d'où était originaire mon maître, que j'ai compris l'amour de cet homme pour l'arbre ; car de la région d'où il venait, il avait déjà perçu en 1958 le spectre du désert qui nous menaçait ; il est simplement regrettable que les responsables de ce pays n'aient pas compris l'initiative sublime de ce modeste enseignant. *Le développement du "tiers monde" comme on l'appelle, ne réside pas dans des courants de pensée, dans des slogans creux, dans des idéologies classiques (socialisme, capitalisme) qui sont dépassés (sauf pour une classe d'intellectuels inutiles — et inutilisables — dans le vrai combat pour le développement). Lorsqu'un pays, comme le Sénégal, qui n'a pas la puissance militaire et agro-industrielle des États-Unis d'Amérique, ni l'étendue territoriale et la générosité pluviométrique de l'URSS ou du Canada, veut se développer en 1983, la seule voie possible c'est le développement du* potentiel humain. *Ce facteur est partout le même, car si dans un pays tous les hommes et toutes les femmes arrivent à être des agents de développement, le climat, la richesse minière (et encore moins la hausse du dollar et des produits pétroliers) ne peuvent entraver le bien-être de tous.*

« *J'ai vu en Suisse un vendeur de journaux qui déposait son paquet de journaux le matin, au bord du trottoir et revenait le soir récupérer aussi bien ses recettes que les invendus ; évidemment entre-temps des êtres humains (pas tous à l'abri du besoin) n'avaient eu que Dieu pour les voir payer leur journal. Cette image est de loin la plus significative de toutes celles qui m'ont marqué en Europe. Elle me conforte dans ma conviction profonde que le développement économique d'un pays c'est en fait, la* victoire d'hommes unis et purs sur l'environnement *!* »

Signé : *Samba FAYE*

Cette tranche de vie d'un jeune talibé constitue une critique
aussi juste que sévère des aspects essentiels des sectes musulmanes en Afrique occidentale. Nous abordons sur la pointe des
pieds ces problèmes religieux, sans avoir la prétention de bien
les connaître ; nous y sommes aidés par une belle étude de
Jacqueline Trincaz[1] critiquant le christianisme et l'Islam. « Le
christianisme missionnaire est inséparable du fait colonial,
établissant d'emblée un rapport de *soumission au pouvoir...*
Guerre de conquête où furent massacrées les populations
résistantes, incendiés leurs villages, bafouées leurs valeurs
culturelles pour aboutir à une domination économique du
conquérant et à un système de privilèges alimentant *le racisme
et le mépris* déshumanisant... Le christianisme participe à cette
œuvre de violence et de mort que fut la *"décivilisation".* »
Un de mes amis, qui assistait à la cathédrale de Dakar à la
messe de minuit de Noël 1984, me dit qu'il avait été choqué par
le sermon de l'archevêque africain de cette ville : il ne disait
mot, ni des musulmans qui constituent la grande majorité de la
population du pays, ni des pauvres si nombreux, des bidonvilles aux villages ruinés, ni de leur misère... Les thèmes choisis
m'ont rappelé l'église de mon enfance. "Malheur à toi si tu
n'annonces pas l'Évangile (...) Une communauté manifeste son
élan missionnaire par *l'Évangélisation*" ; le choix de ces thèmes
m'a semblé très significatif : ce prélat noir n'est pas *décolonisé.*
Mais que cela ne nous fasse pas oublier les missionnaires et les
religieuses qui se dévouent pour les démunis. Quelle que soit
leur religion, ne les oublions pas. »
L'Islam, nous dit J. Trincaz, « cherche à s'imposer en
Casamance par la violence physique, mais peut s'implanter
pacifiquement. La suprématie de l'ethnie wolof, qui s'établit
peu à peu au Sénégal, impose, avec sa culture, l'Islam... C'est
une parole de *soumission que véhicule l'Islam...* rapport de
soumission à la puissance des marabouts, très subtilement
dissimulé... La religion islamique incite, en s'étayant sur la peur
viscérale et l'angoisse sociale, à renoncer dans la *résignation,* à
tout désir de promotion sociale et de changement, à se *soumet-*

---

1. *Colonisations et religions en Afrique noire,* l'exemple de Ziguinchor
L'Harmattan, Paris, CNRS, 1981.

tre au nouvel ordre économique... parole qui s'inscrit dans la chair de l'opprimé, comme en pays mandinguisés, l'excision pour les femmes destinées à leur faire accepter leur *asservissement* économique... Ou la *déchéance* physique et mentale de telle victime d'un maraboutage[1] ». Car si Samba Faye s'en est sorti, combien d'autres talibés ne s'en sont jamais relevés. Et le professeur Thomas, préfacier de cette étude, ajoute : « L'Islam et le christianisme, religions d'importation, religions étrangères, furent hautement *déculturantes et oppressives...* »

Samba Faye, de retour de son village nous dit : « n'oublions pas nos religions traditionnelles », que d'aucuns appellent animistes. Et J. Trincaz précise : « Les religions traditionnelles, dans le contexte oppressif de la colonisation et de la déculturation, ont permis de résister à *l'ethnocide*. Ne pouvant perpétuer un système sociopolitique, elles ont revêtu de nouveaux langages de libération et d'affirmation culturelle. »

La voici donc en recul, la religion traditionnelle par rapport aux deux religions conquérantes, inquiète l'agronome-écologiste que je suis[2]. Cette religion subsiste pourtant, de la région d'Oussouye, en Casamance (où elle n'interdit certes pas, la consommation du vin de palme) jusqu'au plateau Mossi, et aux Kirdis du Cameroun souvent cachée sous le vernis des deux religions du Livre. Elle défend la relation de l'homme à ses ancêtres et à ses descendants. Elle pense donc à la survie de l'humanité, et ne considère pas la terre comme une marchandise négociable, dont il est permis d'user et d'abuser. La terre est sacrée, elle est source de vie ; il faut la protéger, la conserver pour la communauté dont elle assure la subsistance.

Ma religion, c'est la défense des *libertés* et des *justices sociales*, entre les nations comme entre les individus. Je lutte avec tous les croyants qui participent aux mêmes combats, et aussi avec les agnostiques et les athées. J'ai eu des amis anarchistes, et n'ai point oublié leur cri : « Ni dieu ni maître ».

---

1. Le mépris total des femmes et l'application si inhumaine de la « charia » n'honorent pas l'Islam : on n'a coupé que les mains des *petits voleurs noirs* en Mauritanie. Pas des grands voleurs, haut fonctionnaires ou ministres Maures ! Vouloir islamiser ainsi le sud du Soudan, animiste et chrétien, l'a incité à la révolte.

2. Un agronome est aussi un écologiste ; ce qui ne veut pas dire approuver sans réserves toutes les thèses de ce mouvement, de ce courant de pensée.

Ces religions, de l'Iran-Irak à l'Irlande, en passant par la Syrie, Israël et le Liban, que de crimes on commet en leur nom ! Quand Jean Paul II rencontre Hassan II, le 19 août 1985, ont-ils parlé de leurs ennemis communs ? de la Théologie de la Libération[1] ?

Restent, pour sauver l'honneur du christianisme, Mgr Tutu en Afrique du Sud, la Pastorale de la terre au Brésil, et tous ceux qui se battent pour les pauvres, leur pain et leur dignité, souvent contre leur autorité de tutelle, le Vatican.

Face à ces préoccupations philosophiques, n'oublions pas, avec J. Trincaz, que « le dernier mythe de la civilisation technocratique est de croire à une société enfin dégagée de son arsenal mythique ». Observons ces « magnifiques » technocrates à l'œuvre dans leurs spécialités : ils sont très fiers d'avoir obtenu de l'aide internationale (mais pas de la Banque Mondiale, pour une fois plus avisée) les fonds permettant de construire deux grands barrages — ces cathédrales des temps nouveaux ; et cela dans une optique « modernisatrice », en vue du « harnachement » — comme disent les Chinois — du fleuve Sénégal. Tandis que je rédige cet essai, ces deux « cathédrales » s'élèvent peu à peu...

---

1. La condamnation de cette « théologie pour les pauvres » (et du *contrôle des naissances*) par un Vatican qui affaiblit ainsi le travail du dernier Concile et de Jean XXIII sera de plus en plus sévèrement jugée, à mesure qu'on en verra les conséquences.

CHAPITRE VIII

SUR LE FLEUVE SÉNÉGAL : DES BARRAGES
SOUS-UTILISÉS ; LA MODERNISATION ÉCHOUE

DES AMÉNAGEMENTS LONGTEMPS HÉSITANTS

Quand, après 1815, on condamne la traite des esclaves vers les Amériques, les autorités coloniales pensent à pratiquer, dans son pays d'origine, certaines cultures d'exportation avec la main-d'œuvre noire.

De Saint-Louis, en remontant ce fleuve qui servait déjà aux transports, un jardinier crée, ce qui est devenu Richard Toll[1], un jardin d'essais de plantes tropicales destinées à l'exportation ; quelques colons européens y cultivent bientôt coton et indigo : leur faillite et celle des petites industries de transformation ne tardent pas. Élever l'eau était coûteux ; et les sols se révélaient moins fertiles que ne l'avaient imaginé ceux qui comparaient déjà la vallée du Sénégal à celle du Gange. En 1950, un autre projet, installé à Richard Toll, prévoit 6 000 hectares de riziculture mécanisée. Les gros labours démolissent le planage qui avait occasionné de si lourdes dépenses. Résultat : diminution de la fertilité et des rendements. La faillite oblige la colonie à reprendre l'affaire. Au moment de l'indépendance, on y installe à grands frais une « agro-business » — la Compagnie sucrière sénégalaise (CSS) — qui ne s'en tire qu'en vendant le sucre très cher...

Ainsi, les aménagements du fleuve débutent par une erreur dont on n'a pas fini de subir les conséquences. On commence par les vastes plaines du delta. Pour de nombreuses raisons, et d'abord que celles-ci semblent mieux convenir au tracteur ;

---

1. Toll signifie jardin. Richard Toll, c'est le jardin de Richard.

elles sont ensuite plus proches de la partie urbanisée et développée du pays et du chemin de fer qui mène à Dakar.

Comme on l'avait fait dans le delta intérieur du Niger, de Ségou à Mopti, on pratique tout d'abord une submersion contrôlée, un endiguement ou aménagement primaire ; devant l'insuffisance des rendements, on intensifie par étapes et on finit par aboutir à une maîtrise totale de l'eau (irrigation et drainage, avec pompage mécanique). Il s'agit d'un équipement très coûteux, quant à son aménagement (plus de 3 millions par hectare) et son fonctionnement, qu'un tel milieu naturel et humain ne justifie pas : terres trop argileuses et salées, ne disposant pas d'un paysannat autochtone. Mais les technocrates ont choisi. Quand, en 1965, on crée la SAED[1], on lui fixe pour objectif l'aménagement pour 1975 de 30 000 hectares de rizières dans le delta. On envisage l'installation en « colonat » (à l'instar de l'Office du Niger) de 9 000 familles, soit 40 000 « colons » qui seraient recrutés plus en amont, dans cette moyenne vallée tellement surpeuplée qu'on n'y peut survivre qu'avec l'argent renvoyé au pays par les émigrés.

A l'expiration du délai, en 1975, il n'y a que 8 000 hectares exploités en rizières, la production ne dépassant guère 11 000 tonnes de riz par an[2]. Ce résultat a été obtenu au prix de très lourdes subventions ; mais celles-ci n'ont pas empêché les colons de s'endetter largement. Il est vrai qu'ils ne sont nullement maîtres des terres qui leur ont été attribuées à titre précaire.

En 1980, j'écris[3] : « ... paysannat totalement encadré, dirigé, sans aucune initiative... Encadreurs de compétence et de motivations douteuses, recevant des primes à la surface cultivée, mais pas à la qualité du travail... Les paysans disent : "On nous envoie des encadreurs qui prennent de grands airs, mènent la bonne vie à nos frais... on est de plus en plus endettés, au fin fond de l'océan, sans espoir d'en sortir." »

---

1. Société d'aménagement et d'exploitation des terres du delta, installée à Saint-Louis.
2. Cf. *le Monde diplomatique*, mars 1983, l'article de Aboubacar Moussalem et « le récit de kassmer » d'Adrian Adams, dont nous reparlerons.
3. *L'Afrique étranglée, op. cit.*

La décision « technocratique » de bâtir deux énormes barrages

Les rendements restaient insuffisants et, dans le delta, la double culture par an n'était guère possible. A cause du trop faible débit du fleuve et de sa pente réduite, la « langue d'eau salée » remontait le fleuve en saison sèche sur au moins 200 kilomètres, d'autant plus loin que le débit diminuait.

On a créé, en 1975, pour l'aménagement intégral de la vallée, un comité inter-États, l'OMVS (Organisation de mise en valeur du fleuve Sénégal) qui regroupe le Sénégal, la Mauritanie et le Mali. Cet OMVS a été la proie de bureaux d'études qui ont incité les gouvernements à se tourner vers la solution d'agencement la plus coûteuse, celle qui débute par les deux grands barrages. Celui de *Diama* pourra certes arrêter la remontée de la langue salée ; mais, en retenant une masse d'eau douce qui va peser sur la nappe phréatique souvent salée du sous-sol, ne va-t-on pas voir remonter le sel ?

Dans *le Défi sénégalais*[1], rapport remis au président sénégalais Abdou Diouf, en 1981, je soulignais que les études de l'OMVS ne proposaient que *la* solution immédiate des grands barrages, sans autre alternative. Alors qu'ils auraient gagné à être retardés. En attendant, une série de petits barrages de reprises, échelonnés le long du fleuve, auraient pourtant permis une répartition par étapes ; alors la mise en valeur par l'irrigation aurait pu suivre au même rythme que les aménagements, ce qui s'avère rigoureusement impossible avec les « grands » barrages.

Ici, la décision a été prise au niveau des bureaux d'études, aux échelons technocratiques et administratifs, par des bureaucrates peu soucieux de l'intérêt général. Or, les bureaux d'études auraient dû, préalablement à toute décision, et par courtoisie envers les dirigeants politiques des trois pays, à qui la décision aurait dû revenir, présenter *différentes alternatives*, en résumant les avantages et les inconvénients de chacune d'elles.

La décision adoptée (et désormais en cours de réalisation), bénéficie d'abord aux grandes entreprises de travaux publics. J'en ai donc déduit, dès 1981, que « les barrages terminés, on laissera, bien évidemment, les paysans et les États intéressés, essayer d'en tirer le meilleur parti... mais les technocrates

---

1. *Op. cit.*

refusent de s'inquiéter des échecs et des difficultés qui ne manqueront pas de survenir ».

Quand, en 1981, on me parlait de rapports évoquant les « taux de rentabilité » des futurs barrages (certains les évaluent à 8 % l'an, d'autres à 11 %), je sursautai : « Jamais de tels travaux ne se sont avérés rentables et tout spécialement ici, au Sénégal. Si on parvient seulement à gérer les futurs réseaux d'irrigation sans trop de déficits, c'est tout ce que l'on peut espérer. » Il semble bien que les bailleurs de fonds aiment voir justifier les dons et crédits qu'ils accordent par de beaux mensonges. S'ils croyaient réellement aux promesses de rentabilité, ils feraient preuve d'une ignorance inconcevable. En réalité, le Sénégal jouit d'une *position stratégique* d'une valeur incomparable, qui incite à le combler de dons : assistance excessive, qui freine ses possibilités de développement autocentré.

LA SEULE VOIE POUR L'AUTOSUFFISANCE ALIMENTAIRE ? DES DIRIGEANTS « AUX ABOIS »

Léopold Sédar Senghor, le grand poète de la négritude, a laissé, après sa présidence, un *Sénégal* en bien piètre situation : l'excès d'arachide et de céréales a entraîné, de par l'explosion démographique, la réduction, sinon la disparition de la jachère. La majorité du Cayor[1] de Louga n'est même plus cultivée ; les dunes vives apparaissent. La paysannerie a été plus exploitée, ruinée, endettée par l'ONCAD et les autres offices d'État que par les commerçants de l'époque coloniale. Le déficit alimentaire n'a cessé de croître ; et l'arachide, à qui on a toujours accordé la priorité, n'a pu sauver le pays.

Avec l'objectif désormais affiché de l'autosuffisance alimentaire, on aurait pu compter *sur la réserve de terres neuves en cultures pluviales,* celles de la Casamance et du Sénégal oriental. Mais la mise en valeur par la « société des terres neuves » en avait déjà profondément dégradé une partie, et cette dégradation a semblé difficile à contrer. On a donc, hélas, reporté tous les espoirs sur un nouveau miracle : le développement des *cultures irriguées,* surtout dans la vallée du Fleuve.

---

1. Nom d'un ancien royaume situé autour de Louga.

Quant aux ressources autres qu'agricoles, les phosphates exportés à l'état brut, la vente en a été médiocre. Le combinat industriel qui les transforme en engrais (édifié en collaboration avec l'Inde), s'est heurté à la concurrence des industries chimiques des pays développés, déjà suréquipés. Il y a bien les minerais de fer de la Falémé, mais la mise en valeur des énormes gisements de Carajas, au Brésil, en a déjà détourné d'éventuels investisseurs.

Quand la situation agricole et économique du Sénégal se révèle si difficile, celle de la *Mauritanie*, elle, est désastreuse.

Dans l'esprit des responsables de ces deux pays — car le Mali avait d'autres ressources —, l'irrigation massive de la vallée du Fleuve devait donc représenter, en 1975, la principale planche de salut, « dernier espoir et suprême pensée ! ». Sur le Haut Fleuve, la justification donnée pour le barrage de Manantali était triple :

1. La production d'*électricité* pourrait être si élevée qu'elle dépasserait tous les besoins prévus de la Haute Vallée, y compris ceux de Bamako et de tout le Mali central (déjà largement satisfait par les deux turbines — le projet en comptait quatre — du barrage de Sélingué, installé sur un affluent du Niger).

2. Le Sénégal deviendrait *navigable* jusqu'à Kayes, avec un débit minimum de 300 m^3/seconde en moyenne (celui de la Seine à Paris).

Mais les bailleurs de fonds ne se trouvaient nullement disposés (dès 1984) à financer ni l'électricité ni l'aménagement des ports qui s'élèvent à 330 millions de dollars. En vérité, la navigation[1] comme l'électricité ne se justifieraient que si l'on mettait en valeur, en amont de ce barrage, d'importants gisements de bauxite — base de l'alumine et de l'aluminium — très gourmands, on le sait, en électricité ; et aussi du minerai de fer. Seulement, voilà... l'avenir a été joué aux dés... Comme pour la Falémé, l'exploitation de tels gisements ne sera pas rentable avant bien longtemps.

3. Reste alors *l'irrigation* : le barrage de Manantali est prévu pour contenir 11 milliards de mètres cubes d'eau dans son réservoir. Le fleuve a atteint « à la belle époque » un débit

---

1. Le barrage de Diama comporte une écluse accessible à des chalands de 3 000 tonnes de charge. On prévoit que, pendant de longues années, elle ne servira guère qu'à des barges de 200 tonnes...

annuel oscillant autour de 24 milliards de mètres cubes. Cependant son débit est tombé, en 1983, et 1984, à 8 et à 7 milliards de mètres cubes.

J'ai personnellement participé à la critique de ces funestes projets de barrages, en liaison avec l'Union générale des travailleurs sénégalais en France[1], Sally N'Dongo, Claude Reboul, Claude Meillassoux, etc. Mais les marchands de béton, et les intérêts tant matériels que *stratégiques* des bailleurs de fonds, les ont incités à convaincre les responsables politiques d'accepter ces projets de barrages : action d'autant plus facile que les responsables se trouvaient — et se trouvent encore — *aux abois*, et que de tels travaux leur procurent un peu d'argent frais... un ballon d'oxygène — mais ils compromettent l'avenir de ces pays.

L'APRÈS-BARRAGE : DEUX SIÈCLES ET DEMI POUR FINIR LES AMÉNAGEMENTS ?

En été 1984, ayant contacté le haut-commissaire de l'OMVS, M. Hould Haïba, nous avons convenu : 1. qu'il était inutile de continuer à critiquer ces cathédrales de béton, puisqu'elles étaient en cours de construction, 2. qu'il s'agissait maintenant, de chercher à les utiliser au mieux. J'eus la possibilité de les étudier sur le terrain en août 1984 et de remettre un rapport à l'OMVS[2].

En 1981, on disait à l'OMVS que, pour « rentabiliser » ces barrages par l'agriculture[3], dont le coût atteindra plus de 800 millions de dollars (on risque même, avec l'inflation, d'approcher le milliard), il faudrait équiper, pour l'irrigation, *8 500 hectares par an.* A ce rythme, pour parvenir à aménager les 350 000 hectares que l'on dit irrigables, il faudrait quarante et un ans, ce qui paraît satisfaisant. Mais qu'en est-il réelle-

---

1. Voir notamment deux brochures éditées par cette UGTSF éditées à Paris en 1981 : *Fleuve Sénégal, une culture va disparaître.* Et *Notre fleuve.*

2. En 1981, les bureaux de l'OMVS me considéraient comme un dangereux « détracteur » de leurs projets — ce qui risquait, pensaient certains, de menacer leurs privilèges. Quant à l'intérêt général, et plus encore aux intérêts des paysanneries, certains d'entre eux souriaient quand on les évoquait devant eux.

3. Qui reste désormais l'élément essentiel de justification, en liaison avec l'objectif d'autosuffisance alimentaire.

ment ? De 1975 à 1981, la SAED sénégalaise, qui a pris en charge la plus grande partie du projet, a annoncé l'équipement de 2 000 hectares par an. Et cependant, durant cette période, la surface cultivée n'avait pas sensiblement augmenté, car le recul des cultures, dû à la dégradation des réseaux, compensait à peu près, en surface, les nouveaux aménagements ! De 1982 à 1983, on estime que les 2 000 hectares nouveaux par an ont permis un gain net de 1 000 hectares par an. Côté mauritanien, gain de 500 hectares (on prévoyait d'atteindre 3 000 hectares !), perte estimée à un minimum de 100 hectares : gain net, 400 hectares. Au Mali, on n'a pas commencé les travaux, qui ne sont prévus que pour 10 000 hectares en tout.

Voici donc un gain actuel de *1 400 hectares par an.* Ce qui exigerait, compte tenu du total irrigable de 350 000 hectares, *deux siècles et demi* pour achever l'aménagement ! Encore n'a-t-on aucune garantie de maintenir ce rythme de 1 400 hectares par an, devant la diminution constante des promesses de crédits.

Ni les bailleurs de fonds, qui estiment avoir fait de gros efforts pour les barrages, ni les banques (les bureaux d'études et les constructeurs, une fois satisfaits) ne semblent vraiment concernés par la finition de cet énorme équipement : la poursuite de sa mise en valeur ne semble plus aussi « intéressante », politiquement.

En voyant les ouvriers sénégalais du chantier de Diama, je pensais à ces paysans, recrutés pour le chantier du barrage (bien plus modeste) de Sélingué au Mali. Comme ils ont brusquement reçu des salaires mensuels de 50 à 100 000 F, sans rapport avec leurs revenus antérieurs de paysans, ils les ont gaspillés et ont « acheté » des femmes. Quand ils ont été licenciés, nombre d'entre eux n'ont plus voulu reprendre leur houe et ont été brutalement plongés dans la misère, avec leur famille accrue...

Voici donc une « destructuration » des sociétés rurales. Est-ce là un progrès ?

Si on avait consulté les organisations paysannes, si on les avait associées à la fourniture de main-d'œuvre, non qualifiée d'abord, on aurait pu envisager que des paysans, recrutés pour trois ou quatre ans, acceptent (en attendant de disposer de parcelles irriguées de surface suffisante pour leur existence) *d'épargner* une part de ce salaire inhabituel. En fin de contrat, ils auraient pu alors s'équiper pour leurs cultures. Ce qui exigeait qu'on s'adresse aux paysans, qu'on les informe, qu'on leur permette un accès à l'alphabétisation. Les ONG auraient pu y apporter tout leur appui.

LES DUNES EN MARCHE : LA VALLÉE ENSABLÉE ?

On note l'apparition de dunes vives mobiles sous le vent, à quelque 20 ou 30 kilomètres du fleuve, côté mauritanien. D'autres dunes surplombent la « route de l'unité » qui part à l'est de Nouakchott vers le Mali : pour la protéger, on a fixé certaines d'entre elles avec des branchages obtenus en coupant tous les arbustes subsistant aux environs ; un tel procédé ne peut que favoriser la « dunification » ultérieure. Côté Sénégal, s'instaure un mécanisme analogue. Il n'est qu'à voir, près de Louga, les terres sableuses, très pauvres en argile, dites sables « dior », commencer à couler sur le bord de la route.

Si on avait quelque peu réfléchi aux problèmes d'environnement, on aurait financé la protection de la vallée *avant même* la construction des barrages. Des deux côtés, mais prioritairement sur la rive mauritanienne, la plus menacée, il faut arrêter le déboisement des quelques arbres dispersés qui subsistent sur le *diéri*, ces petites collines dunaires et sableuses surplombant la vallée. Comme leur couvert est beaucoup trop clairsemé, il faudrait, de toute urgence, que la culture y soit interdite et qu'un reboisement soit entrepris avec les espèces les plus résistantes à la sécheresse, comme les balanites ou les acacias épineux. Modérément exploitées, celles-ci représentent une intéressante combinaison de protection et de production de fourrage aérien (le plus sûr, sous un tel climat).

Quand j'ai parcouru les quelques périmètres irrigués de cette rive droite, près de Rosso et surtout en aval de Boghé, les paysans n'arrivaient pas, sur leurs trop petites parcelles, à produire seulement de quoi nourrir leur famille. Pour le commerce frontalier de contrebande, le fleuve se franchit aisément. La seconde ressource est (et reste) la production de charbon de bois pour Nouakchott. Il y a bien des arbres morts, mais ils sont trop durs à couper. Le déboisement s'accélère, et constitue la plus grave menace, à long terme, pour l'avenir des irrigations. Mais, bien rares sont ceux qui s'en inquiètent, et ceux-là semblent impuissants à l'arrêter...

Dans la zone du réservoir, qui sera noyée par le barrage de Manantali — soit environ 10 000 hectares — l'exploitation des arbres existants ne présente que des avantages. Elle a déjà pris un gros retard, pour de multiples raisons, souvent bureaucratiques : on « espère » seulement parvenir à couper 4 000 hectares, avant que l'eau ne noie le tout. Les arbres laissés sur pied constitueront une gêne, notamment pour les filets des pêcheurs. En même temps, on continue de déboiser, pour les besoins locaux, le bassin versant en amont du barrage, ce qui accélère l'érosion : le réservoir sera, de ce fait, plus vite comblé de limons ; donc mis plus tôt hors d'usage...

PRIORITÉ AUX GRANDS PÉRIMÈTRES : « DÉSÉCONOMIES » D'ÉCHELLE !

Deux types de périmètres, respectivement classés « petits » et « grands », sont en compétition pour la mise en valeur de la moyenne vallée. Les retards prévisibles dans l'aménagement résultent, en grande partie, de la préférence encore accordée aux grands périmètres, parce qu'ils se prêteront à la culture mécanisée, préférée des agro-business, candidats à la mise en valeur. Et cela, même s'ils se révèlent bien plus coûteux par hectare aménagé que les petits périmètres basés sur une motopompe au bord du fleuve, qui permet d'arroser 15 à 30 hectares chacun.

De Rosso à Boghé et Kaédi, côté mauritanien, on réalise ces grands périmètres, tandis qu'on les envisage à Dagana, Nianga et Matam, côté sénégalais. On commence par un endiguement, qui protège des inondations, de surfaces beaucoup plus grandes que celles qu'on pourra cultiver. A M'Pourié près de Rosso, sur la route de Saint-Louis à Nouakchott, après avoir endigué 4 000 hectares, on s'est aperçu un peu tard que plus de la moitié de ces terres étaient trop salées pour être cultivées : on en a donc aménagé seulement 1 400 hectares.

Quant au périmètre protégé par la digue de Boghé, qui couvre aussi 4 000 hectares, on se proposait d'y aménager 950 hectares de rizières pour 1984. En été 1984, alors que 380 hectares seulement étaient équipés, une partie importante du gros matériel se trouvait déjà hors d'usage. Deux raisons à cela : les conditions d'achat qui n'avaient pas été régulières et le manque d'entretien.

Après la digue, il faut construire un réseau d'irrigation et de drainage, puis la station de pompage dans le fleuve. Ensuite viennent les travaux de nivellement, aussi coûteux que dégradants de la fertilité. Ils découvrent, sur une partie des terres, le sous-sol moins fertile... A mesure que la superficie équipée s'accroît, le coût par unité de surface augmente, plus que proportionnellement : il existe donc une très importante « déséconomie d'échelle ». Mais ce gigantisme accroît les profits des entreprises de travaux publics... sans parler des occasions multipliées de détournement de fonds.

En 1984, il faut compter au moins 3 millions par hectare ainsi aménagé au Sénégal ; et 5 millions en Mauritanie, où l'on note une moindre concurrence entre les entreprises de travaux publics. Si tout devait être ainsi équipé (300 000 hectares) au prix moyen de 4 millions (ou, au cours de 1984, 8 000 $) l'hectare, on dépenserait, pour la seule irrigation (on renonce à l'électricité et à la navigation) 1 200 milliards de CFA (ou 2,4 milliards de dollars), près de trois fois le coût des barrages. Où les trouver ? Personne ne les propose. L'accroissement des populations du Sénégal et de la Mauritanie (8 millions d'habitants) est d'environ 3 %/an, soit 240 000 personnes de plus chaque année. A raison de 200 kilos de céréales par tête[1] (estimation officielle du Sénégal), cela représente aujourd'hui un supplément annuel (qui ne cessera lui-même de s'élever) de 48 000 tonnes de céréales. Même si les 1 400 hectares nets aménagés donnaient chacun 8 tonnes de paddy, donc à peine 6 tonnes de riz (ce qu'ils sont très loin de produire actuellement), on parviendrait seulement à 8 400 tonnes : le sixième des besoins estimés.

Ayant rencontré, à la SAED de Saint-Louis, des techniciens sénégalais encore partisans des fermes d'État, j'ai décidé d'aller voir de plus près la seule installation de ce type dans la vallée, côté Mauritanie, là où la route Dakar-Nouakchott conduit au bac traversant le fleuve : la ferme d'État de M'Pourié. J'ai ensuite conseillé à ces techniciens d'en faire autant.

---

1. Y compris les pertes, les semences et autres usages...

Après que les 1 400 hectares de ce projet eurent été aménagés pour l'irrigation, ils furent confiés à la mission chinoise. Elle préféra judicieusement ne cultiver en régie d'État que 600 hectares. En 1969, est donc arrivé de Chine tout un matériel agricole, camions et tracteurs, et dix moissonneuses-batteuses (cinq fonctionnent plus ou moins bien et les cinq autres sont hors service).

Alors que toute la Chine repique des plants de riz cultivés en pépinière, on a peut-être craint que ce dur travail ne rebute les Africains, et on a donc choisi le *semis direct*, au lieu du repiquage. Le résultat a été une telle invasion des riz rouges, riz sauvages et autres mauvaises herbes, qu'il a fallu laisser une partie des terres en jachère. Le résultat global en est une baisse des rendements, tombés de 3,5 ou 4 t/ha vers 1970 à 2,3 t/ha en 1983 ; ce qui provoque un lourd déficit financier.

Les 800 hectares restants ont, en principe, été confiés aux paysans. En utilisant des prête-noms, les commerçants de Rosso se sont fait attribuer des lots, qu'ils cultivent en métayage ou en salariat. La ferme d'État leur fournit à crédit l'eau, les engrais et les pesticides. N'ayant pas été remboursée pendant trois campagnes consécutives (1980-1982), la ferme a cessé de faire crédit en 1983 et plus personne n'a cultivé. En 1984, les autorités régionales sont intervenues, quelques remboursements ont été effectués et de nouveaux crédits ont permis de remettre en culture 320 hectares, sur les 800 attribués.

Des paysans ainsi « encadrés » et finalement « assistés » par une ferme d'État ne sont pas maîtres chez eux puisqu'ils ne sont pas libres de cultiver ce qu'ils désirent. S'ils cherchent à ne pas rembourser ce qu'ils doivent, c'est que les lots attribués restent trop petits pour permettre leur plein emploi et un revenu correct — d'autant que les prix officiels du paddy ne permettent pas la rentabilité des cultures.

Le tracteur subventionné interdit l'énergie animale

Depuis 1975, la SAED (Société d'aménagement et d'exploitation), est en charge, non plus du seul delta, mais de toute la partie sénégalaise de la vallée. Son état-major reste à Saint-

Louis, à l'estuaire du fleuve, à une extrémité de son activité, qui s'étend sur 800 kilomètres ; cette excentricité est aggravée par une centralisation excessive. Les technocrates de cette société prétendent que, sur les petits périmètres paysans, on ne peut produire plus que l'autoconsommation en riz ; or, les familles doivent acheter mil, poisson et lait. De plus il faut compter les autres dépenses ainsi que l'entretien de leur réseau. Ceci résulte de l'insuffisance des parcelles attribuées aux familles dans ces périmètres. Insuffisance qui provient du rythme bien trop lent de ces petits aménagements, et qui est la conséquence de la priorité accordée aux grands périmètres : ces derniers ont reçu les 9/10ᵉ des crédits. On attribue donc 25 à 35 ares à une famille moyenne de dix personnes, dont quatre actifs, ce qui est bien trop peu. Pour qu'une telle famille puisse seulement survivre, 50 ares en riz d'hivernage seraient nécessaires ; avec un minimum de 20 ares en double culture de saison sèche, maïs ou tomate, pour vente en frais ou en conserve. Pour payer aussi l'entretien et l'amortissement du réseau, il faudrait cultiver deux à trois fois plus... ce qui exigerait alors une contribution de l'énergie animale. (Or, celle-ci a toujours été éliminée, par dogmatisme technocratique.)

Les grands périmètres, cultivés avec tracteurs et batteuses, sont, de ce fait, en déficit permanent : par suite du coût excessif de la mécanisation en pays sous-développés, associé au trop bas prix payé pour le riz local. Plutôt que de relever le prix — ce que réclament les bailleurs de fonds — on a préféré subventionner tous les intrants. Ainsi l'irrigation, qui revient à 80 000 F l'hectare est comptée aux colons à 25 000 F. Le labour au tracteur, qui coûte 22 000 F[1], est tarifé à 8 000 F. A cause de leurs mauvaises gestions, du planage insuffisant, de l'arrivée souvent tardive de l'eau et des intrants, les rendements moyens sont trop bas, avec des variations de 1 à 4 t/ha. Alors ces paysans « subventionnés » (on pourrait dire assistés) sont quand même le plus souvent *endettés*. Mais on leur demande peu d'efforts : semis, un peu de désherbage et de récolte. Ce sont des quasi-chômeurs, avec une seule campagne de culture par an.

Le labour mécanique étant concédé au tiers de son prix, les paysans n'ont plus aucun intérêt à se servir de l'énergie ani-

---

1. Sans compter les frais généraux de gestion de ce parc mécanique, souvent excessifs.

male, des bœufs de trait. On dit les terres trop lourdes, trop dures pour les bêtes ; mais ce n'est plus vrai si on a pu les mouiller au préalable. Au Nord-Vietnam, de 1929 à 1932, j'ai travaillé avec des paysans qui labouraient avec des buffles — bêtes de somme que l'on pourrait d'ailleurs introduire ici — et même avec des petits bœufs, dans des rizières tout aussi argileuses.

L'ENGRAIS SUBVENTIONNÉ REPOUSSE LES FUMURES ORGANIQUES

Les projets des technocrates s'inspirent d'une agriculture « moderne » ; la grande majorité des études ne considère les petits périmètres et la « voie paysanne » de mise en valeur que comme une phase transitoire. Selon eux, elle devrait vite céder la place au complexe tracteur-engrais. Mais le tracteur ne consomme pas de fourrage, ne produit pas de fumier. Les rendements diminuent d'autant plus vite que l'irrigation n'est pas contrôlée, que les usagers sont même incités à gaspiller l'eau, puisqu'ils la paient *à la surface*, et non, comme je le conseille partout, à la *quantité d'eau* utilisée. Alors on recourt à *l'engrais chimique* (autre ressource largement importée, qui demande des devises), surtout l'azote, l'engrais le plus coûteux. On subventionne encore ces engrais, même si cette subvention vient d'être réduite, sur les injonctions de la Banque Mondiale, qui n'a guère insisté sur la contrepartie nécessaire de cette baisse : le relèvement du prix du paddy.

Une évolution rationnelle utiliserait d'abord les « forces productives cachées », les *ressources locales* : le travail des hommes et du cheptel, et toutes les fumures paysannes. En prolongeant les techniques « modernes », on accélère aussi l'exode rural, l'émigration, la bidonvillisation, la dépendance et la ruine de ces pays. Mais hélas, ce processus est déjà en marche et risque fort de s'accélérer.

On pourrait, on devrait, affecter ces subventions (jusqu'ici réservées à la « motorisation-chimisation[1] extravertie ») à l'utilisation généralisée des *ressources locales*. On pourrait alors les justifier, aux yeux des banquiers internationaux sourcilleux, en

---

1. Comme on dit en URSS, où cet ensemble constitue le *dogme officiel*.

leur démontrant qu'elles réduiraient toutes les dépenses d'importation en matériel, carburants et lubrifiants, pièces détachées ; puis finalement en engrais et même en pesticides (à condition que la recherche produise des variétés plus résistantes aux maladies et aux variations d'alimentation en eau). Il s'agit en somme, de méthodes plus « paysannes ».

ÉCHEC ÉCONOMIQUE DE LA MOTORISATION AUTOGÉRÉE

La « *nouvelle politique agricole* » — étude officielle du Sénégal de 1984 — prévoit : « la réduction de l'effectif des sociétés d'encadrement et un allégement de leurs charges... une politique de désengagement progressif au profit des paysans... de réduction de ses coûts d'intervention et d'investissement ». Ce qui risque, même si ce n'est pas dit, de mettre une partie des frais actuels à la charge des paysans.

Dans un tel cadre, à N'Dombo-Thiago, derrière les champs de canne de la CSS, à Richard Toll, la CEE a essayé de confier aux organisations paysannes de ce village la gestion de la motorisation. Cinq quartiers de N'Dombo exploitent chacun une cinquantaine d'hectares de culture irriguée. On a d'abord cherché à pratiquer la double culture ; ainsi, dans le quartier D, on faisait du riz deux fois par an sur la moitié des terres, tandis que le reste n'était cultivé, en tomate et maïs, qu'une fois l'an en saison sèche. Avec la diminution des possibilités d'irrigation et les attaques des oiseaux dits mange-mil (*queleaquelea*), on a renoncé au riz de saison sèche : c'est pourtant celui qui peut donner les plus hauts rendements.

Ce groupement a reçu en cadeau un important matériel de culture mécanique, qui valait (lors de l'attribution en 1981) plus de 16 millions. Il n'était pas prévu de le rembourser, mais les groupements s'étaient engagés à créer une caisse d'amortissement, qui devait leur permettre de remplacer ce matériel à mesure qu'il serait usagé. Pour cela, les tarifs des travaux auraient dû être plus élevés qu'à la SAED, mais ce ne fut guère le cas.

Cependant, pour retarder l'échéance (redoutée) de ce remplacement, ces paysans recourent encore largement aux tracteurs (à trop bon compte) de la SAED. Après la campagne de 1983, ils n'avaient pu mettre dans leur caisse que 1,1 million en trois campagnes ! Ils restent donc absolument incapables d'amortir un tel matériel. Demander une charge d'amortissement assez élevée pour pouvoir le renouveler, obligerait[1] chaque famille à cultiver entre 1 et 1,5 hectare, et à pratiquer largement la double culture. Ces deux conditions ne sont pas remplies, puisqu'ils sont 73 familles pour 50 hectares.

Un essai de motorisation plus modeste, dirigé par les Italiens, est en cours en Mauritanie, au village de Diaru Reo, en aval de Boghé. Après la classique motopompe, celle qui équipe tous les petits périmètres (mais chez eux l'équipement s'arrête là), on leur a donné un motoculteur, une décortiqueuse à moteur et une moissonneuse-lieuse : en tout environ 1 M d'oughya, ou UM, la monnaie mauritanienne (7 CFA = 1 UM). En quatre ans, ils n'ont pu mettre de côté pour l'amortissement, que 120 000 UM, même pas de quoi amortir le seul GMP (groupe motopompe), d'une valeur de 440 000 UM. En juin 1984, au moment où le riz à l'épiaison a ses plus grands besoins en eau, où l'arrêt de l'irrigation réduit le plus la récolte, le GMP est tombé en panne. Il existe bien un GMP de secours à l'atelier de Boghé, mais il a fallu quinze jours pour le remettre en marche.

Outre l'impossibilité d'amortir, dans les conditions présentes d'exploitation (50 cultivateurs pour 20 hectares, dans ce village), les difficultés d'entretien et de réparation d'un matériel trop sophistiqué pour les paysans actuels constituent un obstacle trop difficile à surmonter. Ajoutons-y, dans ce cas particulier, le grand retard de la *commercialisation* officielle. Le paddy reste ici en stock, où il est attaqué par les rats, les termites, les insectes... Les paysans vont donc le vendre au détail, certes plus cher ; mais cela prendra du temps. Ils doivent, avec cet argent, rembourser la SONADER qui leur a avancé les intrants, surtout le gasoil et les engrais. Comme ils les paieront en retard, ils recevront trop tard les intrants de la campagne suivante ; un cercle vicieux dont on ne sort pas...

_____

1. Outre le relèvement du prix du paddy...

Sans un changement radical de la politique agricole, avec relèvement des crédits à l'aménagement et des prix, et sans préférence (temporaire) aux petits périmètres, on se dirige vers l'impasse. *L'autosuffisance alimentaire s'éloigne*, à chaque campagne. Dès lors, on voit se dessiner l'intérêt de certains bailleurs de fonds pour une autre forme de mise en valeur de la vallée. On devine leur raisonnement : pourquoi ne pas confier cet aménagement à des sociétés capitalistes, certes mieux organisées que les sociétés d'État, pour mettre en valeur cette belle vallée ? Elles pourraient rentabiliser les équipements, par le biais d'une main-d'œuvre très bon marché et en donnant la priorité aux cultures industrielles, peut-être le coton et l'arachide. L'Icrisat[1] a sélectionné des arachides adaptées à la culture irriguée, capables de donner 6 t/ha en quatre mois de culture, donc potentiellement rentables. Cependant elles menacent de *ruiner les paysans du bassin arachidier* ! Si on ajoutait toute la gamme des primeurs d'hiver, on pourrait satisfaire — près du port et de l'aéroport de Dakar, plus proche de l'Europe que les autres pays tropicaux d'Afrique — une part notable d'une demande européenne en pleine expansion. Dans cette hypothèse, les paysans pourraient être *dépossédés* de leurs terres, et *prolétarisés*. La mécanisation, comme au Brésil, réduirait rapidement les possibilités d'emploi, ce qui accroîtrait le chômage rural et l'émigration-bidonvillisation.

On comptait, au Sénégal (à la fin de 1984), 820 titulaires de maîtrise, baptisés *maîtrisards*, sans emploi : leur éducation a coûté cher, alors que le pays n'en a pas besoin, puisqu'il n'a plus d'argent pour recruter. On s'en inquiète fort, car la misère pourrait en faire des révoltés — des révoltés « instruits » — capables d'organiser la révolte des analphabètes.

On leur cherche donc des emplois, et certains envisagent d'en faire des agriculteurs d'un niveau « européen », en leur attribuant 20 à 30 hectares irrigués ainsi que de gros crédits. Comme si une maîtrise en droit (sinon en lettres) pouvait préparer à un tel métier ! Comme la solution « koulak-maîtrisards » et multinationales paraît inacceptable, c'est la *voie paysanne*, qui a déjà

---

1. Centre de recherche agronomique international sur les cultures arides. Siège central à Hyderabad, en Inde.

démarré sur les petits périmètres, qui me semble devoir s'imposer, sinon en exclusivité, du moins en priorité.

Une dernière observation : le 5 janvier 1985, je suis dans le delta du Sénégal, périmètre de Lampsar, le plus proche de Saint-Louis. Un groupe de cinq ouvriers est en train de battre, à même la rizière, à grands coups de bâton (le fléau de nos ancêtres conviendrait mieux) le paddy qu'ils viennent de couper à la faucille. On n'y voit aucun paysan. Ces ouvriers travaillent pour le compte d'un marabout qui s'est fait attribuer ces parcelles. La trésorerie de ce marabout est désespérément vide, aussi se contente-t-il de les nourrir ; il ne leur paiera un très modeste salaire qu'après avoir lui-même reçu le prix du paddy vendu à la SAED. Ils devront donc attendre de longs mois. Non payés, ces prolétaires ne peuvent se procurer des cigarettes, et nous en demandèrent. Nous leur avons acheté une bague, pour leur permettre de continuer à fumer. Ils viennent de la région de Louga (où il y a eu plusieurs années pratiquement sans récolte), leur famille est restée là-bas ; et ils s'inquiètent fort de savoir si l'argent qu'ils rapporteront sera suffisant.

CHAPITRE IX

PETITS PÉRIMÈTRES ET « VOIE PAYSANNE » : LES BARRAGES N'ARRÊTENT PAS LE DÉSERT

Ils présentent beaucoup d'avantages

Ces petits périmètres ont d'abord été installés en collaboration avec des ONG le long de la moyenne et de la haute vallée du Sénégal. Ils sont fort économiques, car ils se limitent à un groupe motopompe, avec moteur Diesel, souvent un Lister, actionnant une pompe qui puise l'eau du fleuve. Ce groupe est installé sur une barge flottante, qui suit facilement les grandes variations de niveau du fleuve, côté Sénégal. En Mauritanie, on se contente de le caler sur les berges, ce qui donne plus de travail.

A partir de son arrivée d'eau, un petit canal conduit l'eau sur un petit périmètre, d'environ 20 hectares, généralement situé juste en arrière du bourrelet de berge, sur les terres de « fondé », très sableuses. Comme elles rendaient fort peu en cultures pluviales, ces terres sont peu appréciées, peu recherchées, donc peu contestées. Aussi leur redistribution après aménagement en parcelles égales (du moins en principe), ne heurte pas les grandes familles, possédants traditionnels. Et les descendants d'esclaves qui, jusqu'alors, n'avaient guère le droit de posséder de terres en sont enfin quelque peu dotés : on réalise ainsi, dans une mesure très limitée, leur « seconde libération ».

Deuxième avantage : l'ordre de grandeur du coût d'équipement par hectare varie souvent entre 300 et 400 000 F/ha, soit autour *du dixième* de celui des grands périmètres. Une rigole en ciment au départ, puis en terre, le dessert sans grands frais puisqu'il est en grande partie réalisé par les paysans : ce qui leur donnera le droit à l'attribution des parcelles. Cependant, si les inondations menacent, il faut une digue de protection, laquelle peut exiger l'emploi de bulldozer.

Troisième trait positif, sans doute le plus important : les réseaux ayant été établis grâce au travail des paysans, sur des parcelles choisies par eux, ils considèrent que celles-ci, tout comme les réseaux, leur appartiennent ; et comprennent qu'ils ont intérêt à les entretenir. On aboutit ici à une installation réalisée à l'échelle d'un village, d'un hameau, avec quelques dizaines de familles, à l'intérieur d'une communauté paysanne existante, avec sa hiérarchie traditionnelle. Le rôle de la société d'encadrement y est réduit à celui de la fourniture d'intrants, carburants et engrais et à quelques conseils techniques. *Les paysans restent maîtres chez eux.*

MAIS ILS RENCONTRENT TROP DE DIFFICULTÉS : AUTOUR DE BOGHÉ EN MAURITANIE

Le casier pilote de Boghé, un grand périmètre, réunit un parc de matériel impressionnant de par son volume — rappelant celui d'un sovkhoze soviétique —, en particulier par la proportion du matériel en panne, après un travail pourtant bien modeste, pour un tel parc. Voici 12 camions (dont 6 en panne), 5 camions citernes, 11 grader de divers types, 1 grue Poclain, 3 gros scraper, 6 gros et 5 petits tracteurs, 4 malaxeurs de ciment automoteurs, 2 pelles mécaniques, des rouleaux, des remorques, etc., le tout ayant aménagé, en 1984, 380 hectares cultivés. Alors que le service des petits périmètres (qui couvre 24 villages cultivant 575 hectares) ne dispose d'à peu près rien : à peine deux motopompes de rechange, et pas de moyens de transport suffisants pour permettre des tournées assez fréquentes des techniciens et des mécaniciens.

De village en village, dans ces petits périmètres, les mêmes difficultés se répètent, dont la plus importante est la *trop petite surface cultivée par famille.* Si nous descendons dans la vallée vers l'aval de Boghé, à N'Goral-Guidal, il y a d'abord une pompe solaire qui n'a jamais servi (c'est au moins la dixième que je rencontre dans ce cas depuis 1981, autour du fleuve Sénégal).

A Olo-Ologo, le pompiste, après avoir mis son moteur en marche, est parti couper du bois pour faire du charbon de bois ;

mais, à son retour, le moteur « est brûlé », faute d'huile, sans doute. La motopompe de secours est bien arrivée ; mais toute nue, sans crépine ni tuyaux de pompage, sans chariot... « il a fallu la bricoler ».

Au village voisin de Beilan, on vient juste[1] de payer les redevances, avec deux mois de retard. Rien n'est semé à la mi-août. On ne va donc pouvoir faire que du maïs et du sorgho : il est trop tard pour le riz, qui craint les froids de novembre. Dans ce village, on rencontre, à côté des Toucouleurs autochtones, des Maures et des Haratines, qui cultivaient autrefois, grâce aux pluies, *les diéri*, collines bordant la vallée. Comme les pluies sont désormais trop réduites, ces Maures et ces Haratines se sont repliés sur la vallée.

Mais c'est au village d'Ando que j'ai été témoin d'un véritable drame, celui de la destruction des derniers arbres, pour la production de charbon de bois. Il le fallait bien pour payer ces redevances. La récolte, sur 18 hectares pour 115 adhérents, ne permet même pas de nourrir la population du village ; il n'est donc pas possible d'en vendre une partie pour payer ces redevances. Et pourtant il le faut, sous peine de ne plus pouvoir cultiver par la suite. Alors on fait du charbon de bois, pour pouvoir les acquitter.

Au village de Sarah-Souké, cette fois à 25 kilomètres en amont de Boghé, en remontant le fleuve, c'est toujours la redevance qui compromet l'avenir de la riziculture, devenue pourtant le dernier espoir du pays. On a normalement récolté le paddy en octobre-novembre 1983 et le groupement a bien mis de côté, dans un grenier de pierre au centre du village, les 5 tonnes correspondant à la redevance. Mais, quand se déroule — en décembre-janvier — la campagne d'achat officielle, le président de la coopérative est en voyage... avec la clef du grenier (qu'il ne pouvait soi-disant laisser au vice-président, car il en est seul responsable[2]...)

En août 1984, le président est de retour, mais le paddy est toujours là : donc on n'a pu semer de riz pour la campagne de 1984 ! Autre écueil : le village est bâti sur le bourrelet de berge. Les rizières sont envahies de la plus mauvaise herbe qui soit, le cyperus, de la famille des carex, qu'on aurait dû enlever dès le

---

1. Lors de mon passage, mi-août 1984.
2. Explication qui me laisse hésitant : l'intérêt du président coïncide-t-il avec celui de la majorité du village ? Y a-t-il des « luttes » de clans... ?

début, avant qu'il ne prolifère. Le canal d'irrigation, placé trop près de la berge, a été démoli par le fleuve ; il faut le refaire. Pour moi, ce sont là des incidents ; mais n'oublions pas que ces paysans sont *à la limite de la survie* : on n'ose plus parler de seuils de pauvreté.

ACCROÎTRE LES SURFACES, D'ABORD, UN PEU PLUS LOIN DU FLEUVE

Le plus simple équipement, tel qu'un groupe motopompe, ne parvient pas à être amorti. Pourquoi ? parce que les crédits trop faibles n'ont pas permis d'aménager des surfaces suffisantes. Sur ces périmètres, *l'extension des surfaces irriguées* s'impose donc en premier lieu, si l'on veut parvenir au plein emploi des bras disponibles, et à satisfaire les bouches à nourrir, dont le nombre ne cesse d'augmenter.

Jusqu'alors, pour réduire les dépenses — souci inexistant sur les grands périmètres — on a seulement aménagé les terres *fondé,* trop sableuses pour le riz, mais toutes proches du fleuve. Plus loin on trouve des terres plus argileuses, appelées *faux hollaldès* ou les *hollaldés,* encore plus argileuses, qui conviendraient mieux au riz, avec leurs sols plus limoneux. Si l'on répartissait logiquement les crédits d'aménagement, on rechercherait tous ces *hollaldés* proches du fleuve, non loin des périmètres existants.

L'idéal, dans la mesure des possibilités locales, serait de doter chaque communauté de deux périmètres irrigués : le nouveau, plus argileux et à dominante de rizières — sans oublier les 5 % de fourrages qui permettraient d'y maintenir la fertilité ; ainsi les anciens, les périmètres actuels, pourraient recevoir aussi maïs et sorgho, avec arachides irriguées à haut rendement, niébés et légumes, etc. Avec une part importante réservée aux cultures pratiquées par *les femmes.*

Ce schéma n'est bien entendu qu'une base d'études, qu'il faudrait adapter aux multiples situations concrètes. Mais sa première exigence est un supplément de crédits d'aménagement pour les périmètres *paysans,* qui constituent le plus sûr moyen de valoriser les barrages. Ainsi chaque famille paysanne serait en mesure de produire sa nourriture, tout en dégageant enfin un *surplus* notable.

L'autre problème crucial, qui reste à résoudre d'urgence, est celui des redevances des crédits d'intrants, si mal recouvrés. Ce problème nous renvoie à un autre, capital pour l'avenir des irrigations, celui d'un *prix correct*[1] des grains et d'abord du *paddy*.

LA FÉDÉRATION DES PAYSANS SONINKÉS DE BAKEL : ILS VEULENT LEUR INDÉPENDANCE

Dans *le long Voyage des gens du Fleuve*[2], Adrian Adams, une ethnologue anglaise qui a épousé la cause de ces paysans, nous raconte la longue histoire de l'émigration soninké en France. Elle n'hésite pas à comparer les rapports « France-région de Bakel » à une situation d'apartheid (Bakel constituant pour la France une « réserve » de main-d'œuvre, d'ailleurs bien moins recherchée en 1985). Certes l'émigration a apporté quelque argent aux villages, mais rien à l'agriculture. Cependant le 5 août 1975, les paysans de quinze villages de la région de Bakel s'organisent en fédération. Depuis dix ans cette fédération des paysans soninkés demande à être officiellement agréée par les pouvoirs nationaux. Trois dossiers ont été successivement déposés, sans résultats, jusque fin 1984. Sans cette reconnaissance officielle, ce beau travail *d'organisation paysanne vraiment partie de la base* est à la merci des responsables régionaux qui peuvent, à tout moment, remettre en cause et même briser la solidarité de ces quinze villages. A la SAED de Bakel, on affirmait « qu'on ne pouvait reconnaître une organisation qui s'intitule "Soninké", car l'unité nationale ne peut admettre qu'il existe encore des divisions à caractère ethnique. Elles doivent disparaître ». Le lendemain, à l'aube (à la maison de passage où nous avions été invités à loger) celui qui tenait ce beau discours, un Toucouleur, apporte un café à un collègue en visite à Bakel, un Dioula, en lui disant (certes par taquinerie) : « Toi, Dioula, tu ne vas pas dire que les Toucouleurs t'ont mal accueilli... »

---

1. J'ai proposé de passer, en 1985 au Sénégal, à 85 F le kilo de paddy, au lieu des 66 F (61 en 1894) que projetaient alors les autorités. Et ce ne serait là qu'un début.

2. Maspero, Paris, 1977.

Preuve que la notion d'ethnie reste omniprésente, dans la vie de tous les jours.

En réalité, les autorités redoutent la puissance de cette organisation, qui regroupe onze coopératives comme celle de Kounghany, car les paysans ainsi regroupés, soutenus financièrement par les nombreux émigrés et certaines ONG, n'acceptent plus les diktats des autorités.

A Kounghany, à 15 kilomètres en amont de Bakel, avait été établi, en 1984, un groupement de 40 hectares, répartis entre 140 attributaires. Les parcelles unitaires couvrent 3 ares et chaque homme reçoit huit parcelles, soit 24 ares. (Un peu plus s'il est possible.) Dans cette région qui était alors plus arrosée (avec 700 mm de pluies), les femmes se chargeaient des cultures pluviales traditionnelles : arachide, riz, même indigo. Les pluies ayant diminué de moitié, ces cultures ont été abandonnées. Aussi a-t-on attribué aux femmes qui le demandaient trois parcelles de 3 ares, soit 9 ares irrigués. Sur les 40 hectares, 16 sont répartis en champs collectifs, que les adhérents cultivent trois jours par semaine et dont le produit sert à payer la redevance. On a donné à ce groupement deux tracteurs, qui font des travaux à façon. (Coût pour le labour : 30 000 F/ha.)

Kounghany, plus aidé que d'autres groupements, tire son épingle du jeu. Il décortique son paddy au village, ce qui lui permet de vendre son excédent de riz à 140 F le kilo en gros et 175 F au détail. Le paddy est ainsi valorisé à 85 F le kilo. Il faudrait que les charges n'excèdent pas le tiers de la recette brute pour que les paysans « s'y retrouvent » ; mais cela ne permettrait pas encore l'amortissement des deux groupes motopompes et des deux tracteurs. Pour que les émigrés refoulés de France s'intéressent à l'agriculture, il faudrait qu'elle soit vite rentable. Or voici des périmètres enherbés, abandonnés autour de Bakel, car les paysans, qui ont beaucoup investi, sont endettés. L'argent des émigrés permet surtout de payer les dettes, d'acheter les tôles pour couvrir les maisons, de construire une poste, etc. Il n'est jamais investi dans l'agriculture.

Adrian Adams publie à L'Harmattan (1985) *la Terre et les gens du Fleuve*, dont nous extrayons un passage du récit de Diabé Sow, le responsable de la fédération :

« En tant que paysan, en tant que Sénégalais, je veux que le Sénégal se développe d'une façon qui fait vivre le Sénégal lui-même ; que les paysans restent travailler au pays même.

Mais ça ne sera pas avec le développement de maintenant. Le développement de maintenant, ça n'avance rien du tout. Pas besoin d'être instruit pour connaître ça. Il n'y a aucune collaboration entre les paysans, les techniciens, l'aide. On nous a dit au début : "Les paysans n'ont pas mérité le dialogue." Et maintenant encore nous luttons pour notre droit, pour être reconnus.

« Si le Sénégal veut se développer, il n'a qu'à donner le travail aux paysans mêmes. Le gouvernement doit respecter les paysans et les aider selon leurs besoins ; pas dans le portefeuille, dans la terre. Si on travaillait comme ça, dans cinq ans, notre région serait développée. On n'a pas besoin de millions de milliards. Tous les millions de milliards là, ils ne rentrent pas dans la terre. Où ça va — on ne sait pas. A quoi ça sert ? A rien.

« Si on aide les paysans, une fois qu'ils ont de quoi se nourrir, ils vendront le reste. Avec tout ce qu'on paie, hivernage et contre-saison, il y a déjà l'intérêt du gouvernement dedans. Mais un développement où il n'y a rien pour les paysans, tout pour l'administration seulement — ah ! ce développement-là, ça sera très négatif. Quand on s'est organisé, au début, des gens m'ont dit : "So, si on rentre dans ce travail-là, l'administration va venir nous emmerder." J'ai dit : "Non, quand un pays se développe, le gouvernement est content ; on n'a qu'à faire notre travail". J'ai lutté, lutté, jusqu'à ce qu'on s'organise pour le travail. Ils sont venus, ils ont gâté le travail. »

Si l'on n'avait pas tant subventionné le couple tracteur-engrais on aurait pu — on pourrait encore, mais il ne faut pas tarder — subventionner à moindres frais le seul système de production garant de la fertilité de la vallée : culture attelée, cultures fourragères (5 à 10 % des terres en fourrage rendu progressivement obligatoire), élevage intensif ; chèvres et vaches laitières en stabulation avec fumier. Ce qui comporte aussi la réduction — et un jour la suppression — des importations de poudre de lait. Cesser de prôner l'achat de tracteurs et d'accepter les cadeaux de lait en poudre ne plaira pas aux bailleurs de fonds, pas plus qu'aux privilégiés urbains qui détiennent le pouvoir.

On peut aussi développer en saison sèche le *blé irrigué* qui demande trois à quatre fois moins d'eau que le riz, et qui de ce fait ne cesse de gagner, au Pakistan comme en Inde et même au

. « *L'aide a, surtout, développé le secteur tertiaire, une économie parasitaire dans les villes.* » *(Page 49.) Photo : Niger, Agadès, 1973.*

11. « Cinq ouvriers en train de battre à grands coups de bâton. I

…s ancêtres conviendrait mieux. » (Page 183.) Photo : Niger.

12. *Il y a trois catégories de femmes (pour porter l'eau), celles qui ont des ânes, celles qui ont des puisettes, celles qui n'ont rien. » (Page 116.) Photo : Burkina Faso, vallée de Kou, 1970.*

3. « C'est le puits qui nous tue... » Le bois d'un puits, strié d'encoches par le frottement des cordes. (Page 113.) Photo : Niger.

14. Sahel, juillet 1978 : « Le Sénégal perdrait, a.

15. Sénégal, région de Dakar : ravitaillement en bois de chauffage.

hectares de forêt par an. » (Page 29.)

16. *Sénégal, région de Dakar : transport du charbon de bois.*

17. *Sénégal, l'immense barrage de Diama :* « *Les bureaux d'études auraient dû, par courtoisie envers les dirigeants politiques, présenter différentes alternatives.* » *(Page 169.)*

18. « *Il y a, partout, grand intérêt à accorder la priorité à la petite hydraulique. (Page 78.) Photo : Burkina Faso, vallée de Kou, 1970.*

9. *Niger, région de Niamey : « De tels travaux ont été réalisés sans prendre en compte la priorité des communautés villageoises. » (Page 111.)*

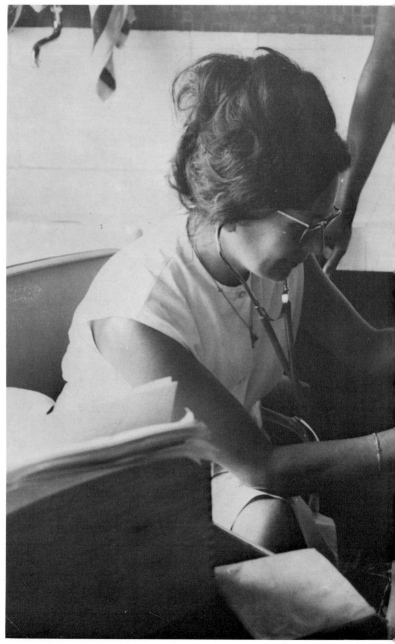

20. Dis,

21. *René Dumont, au cours a*
au sud de Ouagadougou. (

dans les villages du Burkina-Faso,
78.)

22. « Je n'ai donc jamais été en état de comprendre ce que je récitais à longueur de journée, à longueur d'année. » (Page 154.) Photo : Sénégal.

23. L'eau de pluie peut être recueillie des toits et conservée dans de simples jarres comme celle-ci, qui est construite en coulant du ciment sur un moule fait d'un sac de toile rembourré et ce, pour un dixième du coût des réservoirs traditionnels.

24. *Foyer en terre locale qui donne encore 40 % du combustible.*

5. Des pompes peu onéreuses, telles que ce bélier hydraulique, pouvant être construites à peu de frais avec des canalisations ordinaires, permettent d'amener l'eau à proximité des abitations, ce qui allège la corvée d'eau, l'une des tâches les plus pénibles et les plus longues ue doit accomplir la femme africaine des zones rurales.

26. *Ces pompes mues par une bicyclette permettent à peu de frais de fournir une éner*
accrue, que ce soit pour l'irrigation ou pour la mouture des céréales.

27. *Une éolienne est une autre solution. Grâce à elle, le vent peut être maîtrisé p*
l'irrigation, comme avec cette éolienne crétoise à voilure de toile...

Bangladesh. Nous sommes, en France, surproducteurs de blé, et de ce fait peu enclins à soutenir le développement d'une telle culture.

La monoculture rizicole obligatoire, accouplée au trop bas prix du paddy a déjà ruiné les paysanneries de la vallée, et freine de ce fait l'intégration de l'agriculture et de l'élevage, tellement plus facile à réaliser avec l'irrigation. Les paysanneries sont ruinées, et, déjà, les sols se dégradent. J'ai vu par avion ces centaines de milliers d'hectares de sols *usar*, de sols perdus de la vallée du Gange, en Inde. On y devine l'avenir du Sénégal, pour le début du siècle prochain... A moins que l'avancée des dunes n'ait auparavant tout recouvert de sable stérile... Quel gâchis !

SANS PÉRIMÈTRES PAYSANS, PAS D'AUTOSUFFISANCE ALIMENTAIRE

Les grands barrages sont là — ils « doivent » être achevés en 1986 (Diama) et en 1988 (Manantali) ; mais les crédits d'aménagement, eux, sont absents. L'autosuffisance alimentaire des trois pays, objectif officiel des dirigeants politiques comme des bailleurs de fonds, s'est *éloignée* à chacune de mes visites, échelonnées de 1961 à 1984.

Si les politiques n'ont pas le courage de relever le prix du paddy et de favoriser les petits périmètres, ils deviennent coresponsables d'un échec qui risque de tourner vite *au drame*, qui ne se limite pas aux trois États concernés. Tout le Sahel est touché, puisque presque rien n'est fait pour arrêter la désertification, qui menace même d'engloutir cette vallée. Les barrages et le béton, de l'Office du Niger au Sourou du Burkina-Faso et au fleuve Sénégal, ne remplacent pas la *libération* (économique, sociale et culturelle) des *paysans* qui seraient enfin libres de s'organiser ; ce qu'on leur refuse partout, et pas seulement à Bakel.

Il va nous falloir mieux *alerter l'opinion publique occidentale*. Si les affamés ont besoin de manger, l'avenir de l'Afrique et du « tiers monde » ne sera pas assuré si l'on se limite à des actions caritatives surtout quand elles prennent un caractère plus spectaculaire, plus show-business, qu'efficace. Avec la télévision, l'opinion occidentale ne peut plus justifier sa carence en prétendant qu'elle n'est pas au courant. *Elle sait. Et savoir oblige.*

Certes il a plu, et parfois de façon torrentielle, comme à Bobo-Dioulasso où il est tombé, en juin 1985, 220 mm de pluie en 24 heures : plus en une journée qu'en un an dans le nord du Sahel, en 1983 et 1984. En l'absence très générale de dispositifs antiérosifs — et il faudrait qu'ils soient parfaitement réalisés, pour résister à ces tornades —, la moindre pente occasionne d'importantes érosions. Des sols superficiels ainsi entraînés avaient été ensemencés, provoquant d'importantes pertes de semis ; de plus, les semences ont souvent fait défaut. On a fréquemment ressemé sur des sols décapés, dont les meilleurs éléments étaient partis...

Cependant, dans l'ensemble, les cultures ont reverdi, même assez loin au nord, ce qu'on n'avait pas vu depuis longtemps, puisque ces pluies ont mis fin — très provisoirement — à une quinzaine d'années de sécheresse. Mais le Sahel, même ainsi arrosé, *n'est plus celui de 1969.* Les adultes mâles, jeunes ou d'âge moyen, partent en proportion croissante. De sorte qu'il ne reste guère au village, pour cultiver, que les femmes et les vieux. Ils ne pourraient survivre sans l'argent que leur envoient les migrants. Il s'y ajoute une modeste aide alimentaire, souvent mal répartie.

La politique agricole « adaptée » que tente le Sénégal, avec l'abandon de tout soutien à l'arachide, devrait être repensée, pour tenir compte des situations nouvelles. Le climat est devenu plus aride ; aussi se baser sur les pluies désormais « historiques », celles de 1900 à 1968, serait une lourde erreur : mieux vaut prendre comme référence celles des vingt dernières années : 1966-1985. Dans le Sud-Mali, les nérés et les karités sont morts à Koutiala, où on notait 900 mm de pluies historiques. On ne peut donc en replanter qu'à Sikasso, avec 1 200 mm « historiques ». Il faudrait surtout généraliser les dispositifs antiérosifs, comme les brise-vent et les diguettes parallèles aux courbes de niveau...

Autre facteur à ne pas négliger, la féminisation et le vieillissement de la population rurale. On ne peut donc lui demander le si nécessaire surcroît d'investissement humain qu'avec l'apport d'aliments en échange de travail, en période de soudure surtout ; et que si l'énergie animale et ses outils (charrettes, mais aussi araires et pelles à cheval, etc.) sont largement diffusés.

En matière d'élevage, un climat plus aride conseille le recul et parfois même l'abandon des bovins, et quand on voit le zébu descendre au sud, là où sévit la mouche tsé-tsé, on sait qu'il ne résistera pas, comme le taurin, au trypanosome. On préférera donc l'élevage ovin et même la chèvre (type Maradi) pour la viande et le lait : à condition d'avoir un gardiennage effectif et un supplément protéinique : que peut fournir, outre les résidus des cultures, *l'Acacia Albida.*

Si on prolongeait les tendances actuelles, nous disent les services du Plan du Burkina-Faso en mars 1985, il y aurait réduction de 5 % l'an du PNB total, donc de plus de 7 % l'an du PNB par tête, lequel pourrait alors diminuer de moitié en sept années. On peut raisonnablement espérer démentir ce chiffre ; mais éviter tout recul, toute régression me paraît extrêmement difficile. Après *L'Afrique noire est mal partie* et *L'Afrique étranglée,* que dire en 1986, sinon que *L'Afrique se meurt*[1] ? Ce sera vrai si, nous tous, Africains et non-Africains, ne reconnaissons pas vite les responsabilités et des dirigeants africains et du système économique dominant ; celui de nos privilèges abusifs, qui tuent nos forêts et perfectionnent nos armes nucléaires...

Dernière heure : La récolte de 1985 atteindrait, en millions de tonnes : 1,8 au Niger, 1,3 au Sénégal et au Burkina-Faso. Elle suffit donc largement, mais Dakar veut du riz et du pain, et le Sénégal est excédentaire en mil, qu'il pourrait céder à la Mauritanie et celle-ci, certes, ne le refuserait pas. Poursuivre la même politique d'aide alimentaire au Niger et au Burkina-Faso, telle qu'elle a été pratiquée depuis 1973, aboutit déjà à gêner l'écoulement des céréales locales...

---

1. Titre que j'avais proposé pour cet essai.

TROISIÈME PARTIE

LE TIERS MONDE EN SURSIS : LIBÉRER SES PAYSANS, REBÂTIR SES ÉCONOMIES

> « *Notre grand ami René Dumont nous a dit que L'Afrique noire est mal partie.* Il pourra bientôt dire : *"L'Afrique repart[1]".* »
> (Thomas Sankara, au Congrès mondial des Jeunes agriculteurs,
> Ouagadougou, 6 décembre 1984)

> « *Elle est peut-être mal partie, mais elle est partie... elle avance !* »
> (Mamadou Dia, en novembre 1962, Premier ministre de Senghor, qui le mettra en prison quelques jours plus tard.)

---

1. J'ai bien du mal à le croire, donc à le dire... Les conditions d'un vrai *redépart* ne sont pas réunies, et nous allons en voir les difficultés.

CHAPITRE X

LOMÉ III, BANQUE MONDIALE, CORRUPTION, ÉCOLE, BÉTON ET CHARITÉ N'ARRÊTENT PAS LE DÉSERT, QUE FAVORISE LA DÉMOGRAPHIE GALOPANTE

EFFONDREMENT DE L'ÉCONOMIE AFRICAINE « EN VOIE DE DESTRUCTION »

Le Sahel n'est pas seul en danger. La menace du désert ne cesse de se préciser et de s'aggraver, et elle est reconnue trop tard. Les chefs d'État africains s'inquiètent *enfin*, et il y a bien longtemps que nous sommes nombreux à les avoir avertis ! Abdou Diouf a organisé à Dakar, du 18 au 24 juillet 1984, une conférence réunissant les pays du Maghreb et ceux du CILSS « pour une prise de conscience plus forte, un engagement politique plus ferme dans la lutte contre la désertification ».

On y dira que le désert recouvre désormais les trois quarts du sol nigérien, d'où les gommiers disparaissent ; que le Sénégal perd 75 000 hectares de forêt par an, pour le bois de chauffe et le charbon de bois ; que le fleuve Sénégal n'a atteint, en 1983 et 1984, que le tiers de son débit moyen, etc.

Tous les rapports concernant l'Afrique admettent enfin la gravité de la situation. La Banque Mondiale reconnaît qu'au début de 1983, 60 % des Africains se situent au-dessous du seuil de pauvreté. Après deux ans de mauvaises récoltes, ce chiffre augmente, et on évoque la possibilité effroyable[1] qu'en 1995, 80 % d'Africains ne disposeront plus du minimum vital. Dès 1980, la FAO soulignait que la production alimentaire par Africain était inférieure de 10 % à celle de 1970. En 1984, on

---

1. Un peu trop tranquillement, en oubliant qu'il s'agit d'êtres humains ; femmes et enfants étant les plus menacés.

estime que « 6 Sénégalais sur 10 ne mangent pas à leur faim » ; « 80 % de la population de la Mauritanie est classée indigente. » Ce pays vient de perdre, en 1984, plus du tiers de son cheptel ; tandis que la majorité du bétail ayant survécu s'est réfugiée au Sénégal[1].

La production alimentaire de l'ensemble de l'Afrique tombera en fin de siècle, en dessous de 100 kilos par tête, alors que le « besoin individuel ne peut descendre en dessous de 145 kilos ». La population du continent africain, estimée à 250 millions vers 1955, aurait atteint 470 millions en 1980 ; et elle risque d'approcher (si le taux d'augmentation de 3 % l'an se maintient) les 900 millions à la fin du siècle ! Pour les sept pays du CILSS — de la Mauritanie et de la Sénégambie au Tchad — on estime que l'on est passé de 19 millions en 1960 à 31 millions en 1980... et que l'on pourrait dépasser les 54 millions en l'an 2000 !

Même si l'aide alimentaire et les importations commerciales ne cessent de s'élever, augmentant du même coup la *dépendance* économique de ces pays, *la malnutrition continue, et continuera, elle aussi à croître*[2].

L'ÉGYPTE : DE LA DÉPENDANCE A LA MENDICITÉ

On a beaucoup reproché au président Sadate son geste courageux (il l'a payé de sa vie) de se rendre en Israël (pays qui n'a pas su lui répondre). On oublie souvent que l'Égypte ne dépassait pas 7,5 millions d'habitants en 1882, et que, 103 ans plus tard, elle atteint les 47 millions.

Dans cette malheureuse Égypte, le taux de suffisance alimentaire ne cesse de décroître, malgré une culture irriguée intensive — sur seulement 2,5 millions d'hectares (que les villes rognent et que le barrage d'Assouan prive de limons). En 1984, le débit du Nil baisse dangereusement, et ce pays se voit réduit à une dépendance qui tourne à la *mendicité*. Il lui faut tenir le plus grand compte des opinions de ceux qui décident de l'aide

---

1. Dévastant les pâturages de ce pays.
2. Comme nous le rappelle avec insistance Claire Brisset, *la Santé dans le tiers monde*, la Découverte/le Monde, Paris, 1984, 256 pages.

alimentaire... Et d'abord du plus grand pourvoyeur de céréales du monde, « le grand Satan » : les États-Unis d'Amérique.

Or, l'Égypte a toujours eu, durant cette période, un taux d'accroissement de sa population inférieur à celui du Sahel d'aujourd'hui ; 3 % l'an de croissance démographique (qui se calcule comme des prêts « à intérêt composé ») multiplie une population par 20 en un siècle et par 20 millions en six siècles ! Dès 1964 au Vietnam, puis en 1966 dans un de mes livres[1], il m'était facile de souligner que le taux d'accroissement de la production alimentaire — que certains (qui se disaient optimistes) prévoyaient *toujours* élevé — ne pourrait *jamais, à long terme, se maintenir à 3 % l'an.* Une population croissant aussi rapidement constituait donc la plus grave des menaces, que seuls des irresponsables pouvaient sous-estimer. Mais les démographes français s'inquiètent plus du vieillissement de la population française que des dangers de cette « implosion démographique ».

Dire encore, en 1986, que l'Afrique *est sous-peuplée,* c'est faire preuve d'ignorance. C'est confondre le potentiel *théorique* de production[2], dans une situation « parfaite », avec *les possibilités pratiques de réalisation* dans les conditions politiques, économiques et sociales du *Sahel au sud du Sahara,* en 1986. C'est oublier la domination économique et politique des pays riches sur les pays pauvres, celle des villes sur les campagnes, la balkanisation de l'Afrique, ses guerres intestines, ses réfugiés, etc. La *fragilité extrême des sols* ; et même du *climat, qui semble se dégrader.* Certes, j'ai déjà esquissé les possibilités d'une « révolution agricole », du type « fourrages-fumier » et précisé que c'était là un préalable (qui aurait dû passer avant le couple tracteur-engrais, lequel a été introduit en premier). On a mis ainsi — c'est bien le cas de le dire — « la charrue avant les bœufs ».

Cette révolution agricole s'est réalisée en Europe occidentale, dans une situation totalement différente de celle que présente le Sahel de 1986. Nos vieux pays utilisaient les chariots, la culture attelée et le fumier de ferme depuis bien plus d'un millénaire. L'artisanat y était largement développé, qui

---

1. *Nous allons à la famine,* avec B. Rosier, le Seuil, Paris, 1966, 280 pages.
2. Accessible si les politiques agricoles et économiques de l'Afrique se rapprochaient de celles de Taiwan, que j'étudie dans un livre que je prépare.

avait progressé au Moyen Age. L'instruction était généralisée dans les campagnes danoises, bien avant Napoléon...

Si l'explosion démographique se poursuivait au Sahel, alors « l'Éthiopie » ne serait qu'un prélude à *la plus grande famine de l'histoire de l'humanité*[1]. Elle pourrait atteindre une intensité telle que tous les moyens de transport terrestre de vivres risqueraient d'être débordés[2], à moins qu'on ne continue à utiliser les avions militaires, enfin rendus à une utilisation pacifique : mais à quel prix ? Les armées ne les laisseraient pas aisément, et pendant longtemps, disponibles pour des usages civils et civilisés !

LOMÉ III[3] ET L'AIDE FRANÇAISE N'ONT PAS ARRÊTÉ LA DÉTÉRIORATION DE LA SITUATION

J'ai dit pourquoi j'avais, en 1961, démissionné du comité directeur du FAC ; et comment, dès 1962, j'avais dénoncé la gravité de la situation ; et le fait que notre « soutien » comportait trop d'aspects négatifs. D'abord l'aide militaire, qui avait pour but de maintenir en activité notre industrie d'armement, puisque nous ne savons pas réduire autrement notre chômage. Puis l'aide culturelle (pour essayer d'arrêter le recul du français sur la scène internationale) — laquelle a freiné l'enseignement des langues nationales, seuls véhicules efficaces, dans l'immédiat, des connaissances indispensables au départ du développement rural.

Nous avons ensuite installé par la force au Cameroun, maintenu par les armes au Gabon, au Zaïre, au Tchad, etc., des régimes pour le moins discutables ; et même conforté sur son trône un « empereur » ! Je n'ai pas vu Yamoussoukro, en Côte-d'Ivoire, mais la description que m'en font ceux qui reviennent de là-bas laisse rêveur. La France n'ayant que des ressources limitées, nous avons invité le Fonds européen de développement (FED), par les accords de Yaoundé et

---

1. La FAO souligne ce danger en août 1985.
2. C'est fait en 1985, d'Éthiopie au Soudan.
3. Les trois conférences entre la Communauté européenne et les États associés ACP (Afrique, Caraïbes, Pacifique) ont élaboré, à Lomé, les accords d'aide et de coopération.

d'Arusha, à se joindre à nous. Ce qui a abouti aux trois accords de Lomé, et Lomé III a été signé, à Lomé, le 9 décembre 1984.

Reprenons une des critiques de Lomé[1]. De 1975 à 1983, le revenu moyen par tête des pays aidés par Lomé, les ACP[2], a *diminué* de 0,4 % ; et leur dette extérieure s'est élevée de 11 à 50 milliards de dollars. La part des exportations industrielles dans leurs ventes en Europe a diminué de 6,7 à 5,5 %, quand le nombre d'ACP est passé de 46 à 61 ; et leur production industrielle a baissé. Lorsque nous leur achetons un Écu de produits manufacturés, précise Edgard Pisani, nous leur en vendons dix ; en terme d'emploi, nous sommes les bénéficiaires. Les importations de la CEE en provenance des ACP ont reculé de 8 % en 1974 à 5,5 % en 1981. Leurs exportations agricoles n'ont représenté que 7 % des exportations mondiales, tandis que l'on se proposait de les porter à 25 % en l'an 2000. L'aide alimentaire a créé de nouvelles habitudes alimentaires — le pain généralisé, les tomates en conserve, etc. La Commission européenne reconnaît les dangers d'une « aide à l'exportation tous azimuts ». Quant au volume d'aide financière accordé à cet ensemble de pays, âprement discuté — car il commandait la signature de Lomé III — il se monte à 4 dollars par habitant européen et par an. Ce n'est pas ce montant qui nous ruine, mais bien notre incapacité à nous dégager, d'abord de l'inflation, et désormais du chômage.

Anne Blanchard[3], dans le bulletin Ascofam[4] de décembre 1984, confirme que « le service des dettes consécutif aux emprunts coûte autant aux pays ACP que les versements du FED. Une augmentation de 1 % des taux d'intérêts coûte à ces pays autant que ces versements. Cette sujétion condamne la population rurale à l'extermination... L'aide alimentaire génératrice de toute une série de trafics et de spéculations... ne parvient qu'en dernier lieu — ou pas du tout — à ceux qui en ont réellement besoin. Elle organise un artisanat malsain et démoralisant... un outrage à la dignité humaine. L'Europe contrôle les politiques intérieures (des ACP) au nom d'une compétence sur laquelle l'actualité jette de cruelles lueurs

---

1. *Croissance des jeunes nations*, Paris, janvier 1985.
2. *Afrique, Caraïbes, Pacifique (l'Afrique domine)*.
3. Responsable du bulletin de l'Ascofam.
4. Association française de lutte contre la faim, 127 rue Marcadet, Paris 8ᵉ.

(chômage, récession, injustice sociale et inégalités grandissantes dans les pays industrialisés) ».

Si l'on critique une éventuelle ingérence en faveur des plus pauvres — comme je l'ai rappelé pour l'aide des Pays-Bas au Bangladesh — A. Blanchard répond : « Dans les pays en développement, des pressions politiques extrêmement fortes s'exercent pour qu'une part substantielle de ressources bénéficie à l'élite ; quant aux pays riches, des pressions non moins fortes sont exercées pour que les aides financières soient allouées de manière à servir les intérêts commerciaux et politiques des donateurs. »

Mais voyons ce qu'en dit la Banque Mondiale.

UN « DÉSASTRE », OU LES MENSONGES PAR OMISSION DE LA BANQUE MONDIALE

J'avais mis en cause *certains* aspects de son intervention dans l'étude précédente[1] consacrée au Bangladesh. En août 1984, ladite Banque publie un *programme d'action concertée pour le développement stable de l'Afrique au sud du Sahara.* C'est la suite du rapport Berg (1981) qui voulait « le développement *accéléré* » de la même Afrique, et que j'avais critiqué à Washington en mars 1982[2]. Dans le rapport 1984, on reconnaît enfin, que si l'on n'agit pas énergiquement, « le développement de l'Afrique sera bloqué et, vers la fin du siècle, le continent connaîtra ce que la Commission économique pour l'Afrique appelle un "*désastre politique, économique et social*" ». (Je l'avais prévu dès 1962 et n'ai pas été écouté.)

Ce programme a raison de souligner que le taux de croissance démographique présente un danger, que le revenu africain par tête de 1983 est inférieur de 4 % à celui de 1970[3] ; que le cinquième des céréales consommées vient de l'étranger... que dans 24 pays (Sahel inclus) la production céréalière par tête

---

1. *Bangladesh-Népal*, « l'aide » contre le développement, *op. cit.*, le Seuil, Paris, 1985.

2. Voir l'Annexe XI.

3. Décalage bien plus grand au Sahel, qui en 1985 note 22 % de moins qu'en 1970, d'après le nouveau rapport de la Banque (1986) : l'Ajustement financier allié à la croissance en Afrique au sud du Sahara.

diminue d'environ 2 % l'an depuis 1970. Mais, quand elle dit que
« dans les premières années de l'indépendance, ces pays
avaient obtenu des résultats remarquables sur le plan... de
l'enseignement et des services de santé », nous faisons des
réserves sur la *qualité* de ces services, surtout au Sahel.

Certes, la Banque a raison de conseiller la révision des
stratégies, mais dans ce domaine elle s'arrête vite aux programmes de réforme économique, à la révision des prix agricoles et à la privatisation — cette dernière n'est pas une panacée.
Quand elle dit que l'enseignement « souffre de la pénurie de
livres et de matériel pédagogique », elle ne réalise pas la
nécessité d'une *remise en cause totale* du modèle d'enseignement. Elle refuse surtout de mettre en question le *modèle de
développement* qu'elle a conseillé pour l'Afrique, qui est copié
sur le nôtre, et qui est la grande cause de cet échec. On s'élève
avec raison contre les Ujamas et la « Villagisation » en Tanzanie, mais pas assez contre le modèle mimétique de son développement industriel, qui est au moins aussi responsable de son
échec. En novembre 1960, la Banque Mondiale y critiquait une
approche par « la voie paysanne, les conseils techniques et les
intrants », et conseillait des villages totalement « modernisés »
(les *settlements schemes*) qui ont coûté très cher et ont totalement échoué, comme j'ai pu le constater en 1967[1].

L'industrialisation calquée sur la nôtre, le refus de technologies appropriées, la mise en tutelle économique et sociale, par
les villes, de leurs paysanneries : tout ceci y est absent, ou très
insuffisamment souligné. Pas un mot des gaspillages et des
somptuosités des villes délirantes, des gratte-ciel portant leur
ombre sur les bidonvilles. Ni de la corruption généralisée :
quand Houphouët-Boigny[2] renvoie un ministre pour corruption, on le retrouve parfois à la Banque Mondiale. Mohamed
Diawara était le trop célèbre président du Club de Dakar, qui
le tolérait encore, même quand on sut qu'il avait volé 6,4 milliards à une banque inter-États de l'Afrique de l'Ouest. Il a fallu
Thomas Sankara pour le faire arrêter à Bamako et condamner
à Ouagadougou.

La corruption, obstacle essentiel au développement n'est, il est
vrai, pas plus dénoncée par la France (surtout depuis le départ
de J.P. Cot) que par la CEE, malgré Edgard Pisani, qui l'avait

---

1. *Développement et socialismes*, avec M. Mazoyer, le Seuil, Paris, 1969.
2. Qui a reconnu, à la télévision d'Abidjan, « avoir des milliards en Suisse ».

relevée. Quand la Banque indique que les flux nets de capitaux vers cette Afrique tomberaient d'environ 11 milliards de dollars par an en 1980-1982 à 5 milliards en 1985-1987, de tels chiffres risquent fort de se révéler trop « optimistes ». D'autant plus que, dit justement la Banque : « Les bailleurs de fonds ont rarement réussi à bien coordonner leurs programmes et à ajuster leur assistance aux besoins spécifiques des pays africains. » Il ne suffit pas de dire : « il s'agit là de *chiffres très inquiétants* » et « il faut que cette Afrique évite le *désastre prévisible à la fin de ce siècle* ». Pour l'éviter, il faudrait libérer la paysannerie africaine de son asservissement *éducatif, économique et politique*.

L'ÉCOLE « FABRIQUE » D'ABORD UNE BUREAUCRATIE PARASITAIRE

Il me faut y revenir, frapper sans cesse sur le même clou, car c'est là une donnée première du *drame africain*. L'école coloniale formait surtout des cadres subalternes, des interprètes et des employés, etc. L'école postcoloniale en découle mais va beaucoup plus loin, jusqu'à l'Université et aux bourses à l'étranger. Ses diplômés ont vite conquis tous les postes politiques et administratifs. La balkanisation, surtout marquée en Afrique francophone, a multiplié les ministères (22 au Sénégal) et leurs cabinets, les administrations et les douanes, les armées, les drapeaux, les ambassades et consulats... Elle a donc accru le nombre des privilégiés, titulaires de ces postes ; tout en créant des États bien trop petits pour pouvoir y établir des économies viables, avec de tels « frais généraux ».

Où se retrouvent donc tous ces scolarisés, qui sont surtout les « héritiers », les fils des privilégiés, dans des économies aussi exsangues ? On en décèle quelque peu dans le commerce ; très peu dans les industries, rarement efficaces ; quelques-uns dans les sociétés nationales, les « parastatals » des Anglais, si on a eu l'imprudence de nationaliser les entreprises, ce qui les a fortement affaiblies. Où diable donc vont tous ces certifiés du primaire, ces brevetés, bacheliers et licenciés, « maîtrisards » et docteurs, du 3e cycle ou de l'État ? Chacun obtient l'emploi auquel le niveau de son diplôme lui permet d'accéder, progressant de par son ancienneté et ses relations et non son efficience ni sa productivité. En parallèle se développent le tribalisme, le népotisme ; et finalement la corruption[1].

Ce système scolaire a fait faillite, car il n'a nullement « produit » la masse indispensable de techniciens de tout ordre, y compris les « sous-officiers de l'armée de la production », agricole et industrielle : techniciens en agriculture-élevage, mécaniciens, artisans du fer et du bois, spécialistes du bâtiment et des travaux publics, comptables, contremaîtres d'usine, arpenteurs et topographes, etc., tout le tissu de base du futur développement industriel, qui commence par celui de l'agriculture. Voici que fleurit au Sénégal le drame des *maîtrisards-chômeurs*, dont j'avais annoncé la venue — et les dangers — il y a plus de vingt ans...

SES MESSAGES CULTURELLEMENT ALIÉNANTS

Dans une autre publication de l'ENDA[2], Pierre Jacolin, prêtre à Thiès au Sénégal, nous montre que le système scolaire n'est pas *neutre* par rapport à l'environnement socio-économique des enfants : à cause du modèle socioculturel qu'il véhicule, notamment dans les manuels scolaires pour l'étude du français utilisés au Sénégal. Citons quelques extraits, parmi ceux qui ont été repérés par Jacolin :

« D'abord, quand il s'agit de voyager, on évoque aussi bien le *car que la voiture, le train, le bateau ou l'avion.* Cependant, on ne parle jamais de transports en charrette ou à pied : "Ainsi va le progrès pour le bien-être de l'humanité."

« De plus, on suggère entre ces moyens de transport une évolution quasi automatique, et une hiérarchisation s'établit

---

1. D'après *le Soleil* de Dakar, 20 déc. 1984, le chef de l'État de Guinée, Lansana Conté, a déclaré : « Il faut laisser aux hommes le temps de s'améliorer, mais les mauvaises habitudes se perdent plus difficilement qu'elles ne s'attrapent. Il y a même quelques nouveaux responsables qui se sont laissé contaminer. Je dois me montrer compréhensif, mais je n'ai pas le droit d'être faible.

« Lorsque la corruption et l'incompétence sont notoires, lorsque aucun signe de bonne volonté ne se manifeste, c'est que la branche est pourrie, alors il faut la couper. Je dois aujourd'hui assainir l'arbre, en commençant par les branches les plus hautes, car au-delà d'un certain niveau de responsabilité, faire passer son intérêt personnel avant celui du pays est impardonnable. »

2. *Enfance-jeunesse dans les environnements soudano-sahéliens,* ENDA, Dakar, 1980.

entre le *car*, par exemple, jugé "trop lent" et le train plus confortable : "il paraît qu'il y a un wagon-restaurant ; il y a même des wagons-couchettes. Mais rien ne vaut "la grosse voiture blanche", surprise faite par les parents aux enfants"...

« La campagne est évoquée avec *nostalgie, condescendance ou commisération*. Par opposition, la ville apparaît comme l'instance dernière de la modernité, l'aboutissement quasi obligé de tout déplacement, *le lieu privilégié* de la beauté, du luxe et de l'abondance. Mais voyons plutôt...

« C'est en ville que se trouvent les cinémas, le cirque, les belles maisons, les grands magasins, les chantiers gigantesques, bref, tout ce qui est moderne : "Tu sais, à Dakar, les gens ne marchent *pas pieds nus comme toi*". »

La campagne ne se présente pas sous des aspects aussi avenants : inondations, tornades, vents, sécheresse, travail harassant, pénurie d'aliments et de remèdes, n'incitent guère à y rester. « Nos pauvres villageois », lit-on, au détour d'une phrase. Une fois en ville, le village natal devient un lieu dont on rêve, ou dont on garde la nostalgie, « l'air pur... le doux parfum des plantes » ; mais il appartient déjà au passé ; *l'avenir n'est pas là*.

En ville, les « grands magasins ont remplacé les petites boutiques. On ne sait plus où regarder ; c'est une suite ininterrompue d'articles ». Catherine est « sous le charme, émerveillée comme au milieu d'un trésor. Elle vit dans un rêve... au royaume merveilleux des fées ». Les adjectifs qu'il faudra utiliser dans ces exercices complètent ce tableau idyllique : « immense — nombreux — aimable — souriant — attirant — nécessaire — magnifique — merveilleux — abondant... » Le vocabulaire de la ville n'est plus celui de la brousse. Implicitement, il sert à introduire une hiérarchisation dans les réalités sociales et une distanciation dans les temps : les quelques fausses notes de la vie urbaine sont *assourdies par les avantages qu'on y trouve et l'admiration qu'elle suscite*. Le monde rural, lui, commence à s'estomper dans les brumes d'un passé révolu ; on l'évoque avec *compassion* ou *nostalgie*. Il est déjà de l'ordre du souvenir.

Le développement, conçu comme la mise en valeur de ressources par une population qui arrive à en mieux maîtriser les éléments, *n'est guère mentionné*. En revanche, on insiste sur la technique « moderne ». Et le progrès arrive, essentiellement par la technique européenne ou américaine et notamment par la *machine importée* pour le travail de la terre : par exemple, le *tracteur* apparaît embelli, personnifié, terrifiant : « Il pénétrait dans le champ comme un reptile... Il faisait un bruit de tonnerre... Le conducteur n'avait pas l'air d'un homme. »

« La technique, comme la ville, arrive comme un phénomène irréversible ; elle s'inscrit dans un processus évolutif, sans à-coups. Le progrès est quasi automatique. Nulle part il est dit où s'achètent ces machines et *à qui elles profitent, les dépendances et les servitudes* qu'elles engendrent, les ruptures qu'elles provoquent. Et surtout, cette image du progrès est monolithique : c'est la seule qui soit évoquée. Aucun correctif, aucune autre image du développement ne vient nuancer ce progrès présenté comme *inéluctable* et profitant également à tous. Rien ou très peu de chose — et pourtant l'Afrique ne manque pas d'exemples qui évoqueraient les groupes de travail, les solidarités de coopérateurs, la mise en œuvre de techniques traditionnelles améliorées : l'utilisation de *matériaux locaux*, les aménagements à partir de l'environnement et des ressources humaines, les *innovations* suscitées par les innombrables savoir-faire et la créativité des artisans et des petits producteurs, les réalisations collectives ou les changements opérés par les paysanneries africaines... »

« Parmi les institutions qui assurent le développement et provoquent le progrès, il en est une privilégiée et que ces manuels évoquent à plusieurs reprises : l'institution scolaire. D'abord l'école est pour tous : "dans toutes les rues des villes, sur tous les chemins, ou les pistes de la forêt ou de la savane, les enfants d'Afrique, qu'ils soient grands ou petits, garçons et filles, se dirigent vers leur école". » L'école elle-même se présente sous l'aspect le plus resplendissant : « toits neufs », « murs nouvellement blanchis, brillants comme du linge propre ».

« Certes, l'image qu'on en donne est caricaturale : scolarisation généralisée, conditions de travail, réussite, sanctions, loisirs... Nous sommes loin de la réalité. Dans leur ensemble, ces instruments qu'on vient d'analyser reflètent assez fidèlement une vision de l'ordre social, une conception de la réussite et du progrès, l'adhésion à un ensemble de valeurs qui appartiennent en propre à un groupe spécifié de la population : celui qui, par ses études, son acculturation, ses relations, *son pouvoir*, se situe dans un autre contexte et pousse ailleurs ses racines. »

Tout cela dépasse l'entendement et les préoccupations réelles des paysans dont les connaissances se voient ainsi dévalorisées. Lorsqu'on leur conseille de se grouper en coopératives, c'est pour mieux les exploiter. On réhabilite alors, avec l'entreprise privée, l'ensemble du système économique dominant, certes plus efficient, mais surtout plus prompt à tirer son épingle du jeu.

En janvier 1950, dans les monts Kirdis du Nord-Cameroun, je demande au premier grand chef de terre que je rencontre au sud du Sahara : « A qui appartient la terre ? » Il me dit : « A nos ancêtres, que nous respectons... A tous ceux de notre communauté, qui vivent de notre terre — de notre terre sacrée... A tous nos descendants, dans la nuit des temps, à qui nous devons la laisser en état de produire. »

Le mois suivant, en Brie avec mes élèves de l'Agro, un agriculteur nous dit : « Ma terre, ici, ça vaut tant de francs l'hectare... » Et le propriétaire, en droit romain persistant, peut en user et en abuser *(jus utendi et abutendi)*. Nos religions du Livre ne *respectent* pas la terre sacrée.

Le moment est donc venu de respecter la paysanne et le paysan, leur savoir, leurs valeurs, leurs traditions. La caisse d'épargne n'est guère connue, mais les tontines mutuelles d'épargne se développent largement dans le monde africain. Respecter le paysan, c'est lui donner les moyens d'accéder au savoir, c'est-à-dire l'alphabétiser. Auparavant, la famine ne cesse de gagner, en 1985.

L'AIDE ALIMENTAIRE EN ÉTHIOPIE, AU SOUDAN
ET EN MOZAMBIQUE : TROP TARDIVE ET INSUFFISANTE

En 1973, l'empereur Hailé Sélassié, ayant tenté en vain d'occulter une famine déjà effroyable (on l'avait « estimée » à 200 000 morts), perdit son trône. A l'heure où j'écris ces lignes, en 1986, le régime totalitaire de Mengistu ne paraît pas menacé, même si l'on prévoyait déjà, à cette époque, de dépasser le million de morts. D'abord libérée par la Révolution d'une rente foncière féodale abusive[1], la paysannerie éthiopienne s'était organisée elle-même, avec l'aide d'étudiants progressistes envoyés à la campagne, ce qui eut pour effet un accroissement sensible de la production alimentaire entre 1975 et 1977...

25 000 organisations paysannes, regroupant 7 millions de familles, coordonnaient production et commercialisation, et rendaient même la justice. Elles entrèrent bientôt en conflit, d'abord avec l'administration héritée de l'ancien régime, puis avec l'organisme étatique de commercialisation, qui fixe trop bas les prix payés aux paysans, mais très haut ceux des produits qu'on leur vend[2]. Ce régime, devenu dictatorial, devait lancer une vaste opération de répression et de « reprise en main » de sa population. Les étudiants étaient fusillés par milliers et les paysans maintenus dans les rets d'une bureaucratisation qui s'inscrivait dans un programme de collectivisation. Résultat : une baisse sensible de la production, et cela avant même que les effets néfastes de la sécheresse ne se fassent ressentir. En 1985, on nous dit qu'ils renoncent à collectiviser les paysans envoyés au sud : c'est à voir.

Des mouvements de guérilla s'étendent : en Érythrée, depuis vingt ans, et désormais dans tout le nord du pays, surtout au Tigré. La mobilisation bilatérale prive le pays de ses forces vives, lequel voit ses champs, ses villages, ses équipements, dévastés. L'expulsion des propriétaires et surtout un doublement de sa population en vingt ans (un taux d'accroissement plus rapide qu'au Sahel) ont accéléré la dégradation des forêts ; celles-ci sont en voie de disparition : elles représentaient 40 % du territoire national en 1900, elles sont passées à 18 % en 1960 et à 4 % en 1984. Ce drame écologique ne vient donc pas des cultures d'exportation, ici limitées au café, mais de la population. Il s'y ajoute la dégradation des pâturages, par excès de bétail ; et toutes les érosions : *tableau qui préfigure ce qu'est en train de devenir le Sahel.*

Quand la sécheresse s'aggrave, les routes sont souvent coupées ; en septembre 1984, la « Révolution » célèbre à grands frais son dixième anniversaire, monopolisant les transports au

---

1. D'après Xavier Doussou, bulletin trimestriel, automne 1985 de « Frères des Hommes ».
2. Le propriétaire prélevait jusqu'aux deux tiers de la récolte, mais avait un certain rôle organisationnel (semences, crédit, commercialisation) que la Révolution n'a su remplacer.

port d'Assab : les camions sont chargés de whisky[1] (on a parlé de 500 000 bouteilles), de Mercedes, et autres somptuosités « pour la Révolution »... alors les grains peuvent attendre ! Le gouvernement ne désire guère que les rebelles soient vraiment secourus : s'ils meurent, autant d'ennemis en moins.

De même sur le plan international : Charles Elliot, qui a dirigé Christian Aid, organisme d'aide charitable, lance une terrible accusation : « Depuis deux ans[2], depuis que la disette menaçait de se transformer en famine, Washington et Londres savaient ce qui allait se passer. Rien n'a été fait, parce qu'on espérait dans les deux capitales que le cataclysme allait balayer le marxiste Mengistu, comme il avait renversé le roi des rois. » Cela n'atténue pas la responsabilité de Mengistu, mais on ne peut dire qu'il est seul responsable du désastre. *Jeune Afrique* souligne aussi « les responsabilités de la tentaculaire bureau-cratie onusienne, empêtrée dans ses querelles d'agences et ses rivalités de clans... L'Afrique "riche", pour qui le mot de solidarité n'est qu'un slogan pour les tribunes inutiles de l'OUA, et dont la bourgeoisie tapageuse dépense des fortunes en une nuit de ripailles ; dont les chefs collectionnent les palais au prix de centaines de milliers de tonnes de maïs ». Quant à l'URSS, elle a attendu l'automne 1984 pour livrer des tonnages importants de grains : elle aussi préfère vendre des armes ; cependant elle a fourni des avions de transport.

Nous avons pu voir à la télévision, en janvier 1985, les paysans du Ouollo se « réfugier » dans les camps où arrivent les secours, comme celui de Korem, où travaillent avec grand courage vingt « médecins sans frontières » français. Les vivres et les médicaments parviennent, mais trop tard, et en quantités insuffisantes : aussi doit-on laisser mourir les grabataires les plus atteints.

L'Éthiopie aurait eu besoin de 1,5 million de tonnes de grains en 1985, mais on n'a pu disposer de toutes ces ressources sur place, surtout faute de transport. Mal entretenues, les voies ferrées s'effondrent. Gouvernement et guérillas refusent la trêve que cette dramatique situation exige. On est en train de transplanter vers le sud et l'ouest du pays, plus arrosés, une partie de ces « flagellados » africains : du reste peu enthousias-

---

1. Hailé Sélassié préférait le champagne.
2. *The Observer*, Londres, 28 octobre 1984, cité par *Jeune Afrique*, Paris, 14 nov. 1984.

tes, en tant que chrétiens, d'aller vivre chez des musulmans qui, sans doute, le leur rendent bien[1]. Les nouveaux venus ont tout vendu pour survivre, leurs bêtes de trait, puis leurs moutons et leurs chèvres et enfin leurs outils de travail. Ils n'ont plus de semences ; les terres sont terriblement dégradées, décapées et durcies par la combinaison érosion-sécheresse... Ils ont besoin d'ânes et de bœufs, de petits ruminants, de semences, de matériel courant, d'aide pour les fourrages, de crédits pour vivre jusqu'à la prochaine récolte... Tout cela coûtera bien plus cher que l'apport de vivres. Par cette transplantation, le gouvernement vise sans doute plus à dépeupler les zones rebelles qu'à venir en aide aux affamés. Depuis fin 1984, les réfugiés éthiopiens affluent dans le sud du Soudan, où l'on n'a pas toujours les moyens de les secourir[2].

Touché lui aussi par la sécheresse, le Soudan, qu'on espérait voir devenir le grenier des pays arabes, est frappé par une famine autrement grave. Khartoum veut d'abord islamiser le Sud, animiste et chrétien, même après avoir renversé le dictateur Nemeiry.

Bien d'autres pays d'Afrique sont atteints, et parmi eux, le Mozambique, dont la gravité de la situation — presque aussi préoccupante que celle de l'Éthiopie — est fort peu soulignée par nos médias. Trois facteurs se conjuguent : la sécheresse, certes, mais aussi les guérillas du MNR, longtemps soutenues par l'Afrique du Sud (dont la responsabilité est lourdement engagée, malgré une trêve conçue avec Maputo, qui n'est pas respectée par le MNR). Enfin, la *politique agricole du Frelimo*, largement fautive. Le quatrième Congrès de ce parti, réuni en avril 1983 à Maputo, reconnaît : « un progrès agricole trop faible (2 % l'an) en 1977-1981, et un recul en 1982 » — qui s'aggravera en 1983-1985. Si les cultures d'exportation (thé, coton, agrumes) ont progressé, « les carences les plus graves sont celles des *céréales*, des légumes et des oléagineux ».

---

1. *Cf.* Croissance des jeunes nations, Paris, janvier 1985, *Éthiopie, une terre assassinée.*

2. Dans *le Nouvel Observateur* du 20 juillet 1985, René Backman souligne la déficience des secours, accentuée en zone de guérilla ; le rôle désastreux du Parti, de ses cadres, formés en URSS ; les détournements d'aliments pour les milices, l'armée et même l'URSS. Mais il conclut : « La dernière des choses à faire serait cependant de tirer prétexte de ces bavures pour limiter ou interrompre notre aide. Les premières victimes n'en seraient pas les bureaucrates ou les cadres locaux du Parti, mais les fantômes harassés de Korem et de Mekhele. »

« Le secteur d'État, dit ce rapport, n'a pas atteint le niveau d'organisation souhaité et les indices de production et de productivité ne sont pas satisfaisants. » « Utilisation déficiente des équipements, surdimensionnement des entreprises, non-respect de la discipline technologique, bas niveau de qualification de la force de travail... » Ces lignes évoquent, hélas, une redoutable pagaille. Le ministre responsable a été révoqué, mais la situation n'en paraît guère améliorée. Quand Sankara encense Nkrumah pour ses appels à l'unité : « *One Africa, one Nation* », il oublie l'échec des fermes d'État du Ghana ; et le voici qui esquisse, lui aussi, une certaine collectivisation, que nous ne lui avions certes pas conseillée.

Résumons-nous : l'aide alimentaire, dont nous avons souligné les perversions, continue certes à s'imposer en cas de famines aiguës : comme, en 1985-1986 en Éthiopie, au Soudan, au nord du Sahel, et en Mozambique. En deux semaines au Québec, décembre 1984, les « spectacles » de famine ont permis de collecter 300 000 dollars, souvent venus de petites gens. Saluons le geste ; mais soulignons qu'ici encore, comme au Sahel en 1973 ou au Bangladesh en 1974, l'aide a été bien trop tardive, et qu'elle est restée fort insuffisante. Au Népal, on avait dû, du fait de son retard, la véhiculer par avion. Sur le millier de tonnes venues de France, il a fallu en vendre 900 pour payer le transport par hélicoptères des 100 tonnes restantes qui, seules, ont pu atteindre les villages touchés. Ce phénomène se répète en Éthiopie et au Soudan, alors qu'un minimum de prévoyance aurait pu permettre de reconstruire les chemins de fer — à demi délabrés — et d'accumuler sur place à l'avance, donc transporter à peu de frais, des stocks de sécurité ; mais ceux-ci exigent la paix civile, un pouvoir généralement accepté... et soucieux, en priorité, des plus démunis.

« SAHEL 84 », OU LA CHARITÉ MAL ORDONNÉE

Le Sahel est déjà menacé d'une catastrophe comparable ; il serait plus économique de l'éviter que d'avoir à la réparer ; sans parler des morts de faim, des souffrances intolérables, que nous n'arrivons même plus à bien réaliser. Or, plusieurs pays d'Afrique sahélienne ont bénéficié, depuis 1973[1], d'une aide alimentaire (surtout des céréales : blé ou riz) dont le volume est sensiblement égal à celui octroyé pendant la grande famine. Alors, cette aide nourrit les capitales, incite souvent à la corruption et fait toujours une concurrence déloyale aux productions paysannes. Si l'aide est vendue, les fonds de contrepartie permettent de renflouer les offices nationaux de commercialisation ; et les budgets nationaux, en déficit permanent ; alors qu'ils devaient être réservés au développement rural. Les villes étant ainsi ravitaillées, les offices ne se sentent plus obligés de collecter la production locale de grains dans les zones éloignées, comme on le fait pour le coton. On a pu maintenir très bas les prix payés aux paysans, qui ne sont ainsi nullement encouragés à produire...

Mgr Lustiger a, en mars 1984, justement protesté contre le scandale de la course Paris-Dakar : gaspillage éhonté, révoltant quand on sait qu'il traverse des pays aussi frappés par la misère. Il a parlé de la possibilité d'envoyer une cohorte de camions, apportant aux pays proches d'un désert qui avance le nécessaire pour lutter contre la malnutrition. D'où l'idée de tablettes surprotéinées, coûtant 0,85 FF pièce. Trente tablettes — une par jour pendant un mois — « sauveraient un enfant », à condition toutefois — on a oublié de le dire — de les accompagner d'un minimum de céréales, sans lequel elles se révéleraient dangereuses. C'est une idée analogue que développe Marco Panella, député radical à Rome : « tant de milliards de dollars d'aide peuvent sauver tant de millions de personnes » — un peu comme s'il s'agissait de rachat d'esclaves. Suite à la suggestion du cardinal Lustiger reprise par RTL et FR3, un appel de fonds, fin septembre 1984, permet (en une soirée de « show-biz ») de recueillir 50 millions de francs français ; soit plus que tous les fonds collectés en une année par les ONG de France... (ce qui donne à réfléchir).

Voici donc, fin octobre 1984, 23 « camions de l'espoir » et autant de véhicules tout terrain débarquant au port de Nouadhibou ; pour gagner, à travers la Mauritanie et le nord du Mali, Tombouctou et Gao, Agadès au Niger, en longeant la bordure du Sahel. Malgré les patronages UNICEF, Croix-Rouge, Croissant Rouge et SOS Sahel (en plus de FR3 et RTL, qui avaient diffusé l'appel de fonds), ce fut plus un exploit sportif,

---

1. Et avant la sécheresse de 1983-1984.

une course de camions, Berliet contre Renault, qu'une opération humanitaire : « les villages traversés à vitesse éclair, la rencontre avec les habitants réduite à quelques appels de phares et aux coups de klaxon pour disperser les enfants et le bétail, les déchargements effectués de nuit dans des campements où seuls les officiels ont accès, les caisses de plaquettes protéinées et de médicaments livrées défoncées[1]... »

Le film de FR3 retraçant l'expédition comporte heureusement un minimum d'autocritique : par exemple, les caisses déchargées et abandonnées la nuit en plein désert, quand leurs destinataires se trouvaient à quelques kilomètres plus loin. (*Le Canard enchaîné* du 12 décembre 1984 déclare que sans doute 20 à 30 % des denrées seulement ont pu atteindre ceux qui en avaient besoin, le reste ayant été accaparé « par des notables et des marabouts »...)

L'hôpital de Nouadhibou n'a pas reçu ce qui lui était le plus nécessaire ; ni le curé de Ségou, qui, en août 1984, nous réclamait, en toute priorité, du matériel de forage. Il faut désormais analyser partout ce qui fait *le plus défaut*. L'aide alimentaire, une fois la famine passée, sera encore utile, en particulier là où persiste la disette, là où on a récolté une partie seulement de ce qui est indispensable à la nourriture de la région considérée. Aujourd'hui, cette aide ne devrait plus être distribuée gratuitement — ce qui lui donne un caractère de mendicité — et enlève toute dignité à qui la reçoit[2]. La meilleure aide devrait être donnée à ceux qui s'aident eux-mêmes, « qui comptent sur leurs propres forces ».

Tout ceci dit, cette aide permet au moins de ne pas oublier l'Afrique et ses drames. Et le pire, c'est de la traverser comme le *Paris-Dakar* : nous y reviendrons.

---

1. Delphine Pinel, *le Monde*, 11 et 12 décembre 1984.
2. Le 13 juillet 1985, 50 stars du rock ont été « mobilisées » à Wembley (Londres) et à Philadelphie, pour le plus grand show du siècle, un milliard de téléspectateurs... 50 millions de dollars ont été ainsi collectés pour l'Afrique affamée. Mais les auditeurs n'ont nullement été invités à *renoncer à leurs privilèges, qui confortent cette famine...*

LES MICROPROJETS, PAR ET POUR LES PAYSANS, AVANT LE BÉTON MASSIF

Tant de travaux utiles à exécuter partout n'attendent que des bras *bien nourris* pour les réaliser : en particulier les travaux antiérosifs, ceux concernant les cultures de saison sèche, et le reboisement. Plus généralement tous les travaux que nous avons définis comme susceptibles de protéger le patrimoine foncier, et de porter un coup d'arrêt décisif à la désertification. Faudrait-il encore pour cela que l'aide facilitant leur réalisation, dans le cadre des « aliments pour le travail », ne transite plus par les fonctionnaires, notables et autres soi-disant marabouts ; mais qu'elle soit livrée directement aux communautés de base, aux associations villageoises : actuellement, cet objectif pourrait aisément être atteint par l'intermédiaire des ONG, surtout les « locales ». A moins que les CDR du Burkina-Faso ne soient vraiment dignes de leur nouveau nom, « le pays des hommes intègres »...

Avec les deux grands barrages de Diama et de Manantali[1], voici 800 millions de dollars de travaux, qui profitent largement aux entreprises et aux services des pays développés. Avec environ 20 000 dollars on réalise aisément, dans un village moyen du Sahel, une retenue d'eau ou un forage, des reboisements et toute une série de diguettes antiérosives, etc. Avec 800 millions de dollars, on aurait donc pu doter d'un tel ensemble 40 000 villages, soit la totalité des villages du Sahel : Sénégal, Gambie, Mauritanie, Mali, Burkina-Faso, Niger et Tchad. Ils auraient eu ainsi les moyens de s'alimenter en eau, de protéger leurs sols et leur environnement, d'accroître leur production vivrière.

Aux fonds venus de l'extérieur aurait pu s'ajouter une masse énorme d'investissements humains. A l'aide en aliments et en matériaux, se joindrait donc *la valeur ajoutée du travail paysan* : ce qui aurait permis à l'aide ainsi distribuée d'avoir *un effet multiplicateur*. En permettant de ralentir l'exode rural, cette aide aurait eu une action sociale, susceptible de rendre aux jeunes la possibilité de « vivre au pays » ainsi que le demandent nos Occitans. Certes, cela serait plus difficile à réaliser qu'à concevoir ; et exigerait notamment les préalables déjà indiqués

---

1. Cf. *Jeune Afrique* — économie, Paris, 11 avril 1985.

ci-dessus : alphabétisation, libération et organisation des paysans et des paysannes, volonté politique de les aider.

Une « libération » de cette envergure impliquerait un accroissement du *poids politique* des paysans, que désirent plus ou moins explicitement les meilleurs chefs d'État[1]. Il serait trop pessimiste de penser que les administrations dans leur ensemble refuseraient délibérément une politique enfin orientée dans l'intérêt général du pays ; et seule capable de bloquer réellement et la famine montante et le désert envahissant. Qui, d'ailleurs, s'opposerait à cette « révolution tranquille » pourrait être dénoncé aux yeux de tous : opinion publique nationale et internationale — le « *droit de manger* » étant le plus impérieux des droits de l'homme et de la femme, *celui qui conditionne tous les autres,* qu'il n'est point question de mépriser.

MOBILISATION PAYSANNE : DES COMMUNAUTÉS DE BASE A LA RECHERCHE DE POUVOIRS

L'Afrique repart, nous dit Thomas Sankara, chef d'État qui gagne la confiance des jeunes Africains. Je préfère écrire *l'Afrique pourrait repartir...* à condition de redonner espoir et confiance *aux jeunes.* Cela pourrait s'inscrire dans le cadre des divers groupements et associations villageoises, Tons et Samaryas, etc. Il faudrait que ces groupements soient aidés, en aliments-travail, et en matériaux divers (fil de fer à gabions, fer et ciment, sacs plastique pour les plants de pépinières, etc.), pour pouvoir réaliser tous les *microprojets* qui s'imposent et qui auraient dû avoir la priorité sur les grands et même les moyens barrages : du fleuve Sénégal au Sourou et au Gulbi Maradi du Niger. Pour que l'Afrique reparte, il faudrait créer, avec les certifiés du primaire, une nouvelle classe de techniciens — agronomes et artisans, de formation *pratique,* comme le groupement des artisans ruraux du Yatenga, cités en exemple dans le plus remarquable des livres de vulgarisation parus en

---

1. Tels Sankara ou Seyni Kountché... sinon Abdou Diouf, auquel certains Sénégalais reprochent de ne plus lutter autant contre l'enrichissement illicite.

Afrique[1]. La multiplication des communautés dynamiques, parties de la base, émanation des groupements traditionnels, me paraît l'étape essentielle de ce *redépart* de l'Afrique. Sans cette base de mobilisation paysanne, le drame que vit le nord du Sahel risquerait de tourner rapidement à une catastrophe « à l'éthiopienne ». Ayant déjà démoli tout le nord du Sahel — du Nord-Sénégal au nord du Tchad — les actions de vulgarisation inconsidérées, et la mise à l'écart des paysans continuent à dégrader, à « sahéliser » la frange plus arrosée qui sépare la zone « sahélienne » de la zone « soudanienne » : donc « dernier espoir et suprême pensée » des Sahéliens.

Ces communautés de base, il faudrait au plus vite élargir leur autonomie, et leur concéder des *pouvoirs économiques*. Et finalement les reconnaître comme la meilleure expression d'un *pouvoir politique paysan*, contrepoids aux abus des privilégiés urbains ; sur lequel pourraient s'appuyer des pouvoirs politiques enfin plus soucieux de l'intérêt national, du devenir de l'Afrique.

1. *Eau et terres en fuite au Sahel*, J.L. Schleq et H. Dupriez, Terres et Vie, ENDA, L'Harmattan, Paris, 1984.

CHAPITRE XI

« L'AFRIQUE REPART » ? AVEC DES PAYSANS INSTRUITS ET PROSPÈRES, UNE « AIDE » REPENSÉE...

LES PAYSANS MAÎTRISAIENT L'AGRICULTURE TRADITIONNELLE : LA DÉMOGRAPHIE NE LE LEUR PERMET PLUS

Halte aux échecs ! Chacun reconnaît désormais que l'installation d'usines importées du dehors « clefs en main », dans des économies africaines encore agricoles et déjà ruinées, fut un échec. L'agriculture mérite ici *la priorité absolue*, nous n'avons cessé de le répéter depuis des décennies, et nous commençons (hélas bien tard) à être entendus... ce qui a rendu le « développement » extrêmement difficile. Jusqu'ici on a surtout « *développé le sous-développement* ». L'autosuffisance alimentaire, la production de surplus à investir : matières premières pour les industries (alimentaires, textiles, cuirs, etc.), et aliments pour les travailleurs non agricoles sont des préalables impératifs à tout développement industriel notable.

Alors, mais alors seulement, des villages prospères constitueront, pour les jeunes industries, un marché intérieur appréciable, doté d'un réel pouvoir d'achat. Et ces pays ne se ruineront plus pour acheter toutes les productions qu'ils peuvent réaliser eux-mêmes : le coton africain sera en mesure d'habiller tous les Africains ; les mélanges mil-soja remplaceront (comme déjà à Fada N'Gourma) les tablettes « surprotéinées » ; la matière première des jus et confitures, en particulier ananas (le fruit le moins cher du monde), remplacera les boissons carbonatées et autres « colas », souvent nuisibles à la santé. Mais, ne rêvons pas !

L'agriculture traditionnelle a cependant, des siècles durant, maîtrisé des techniques culturales bien adaptées aux conditions de sols et de climats. *Chacun connaissait ses terres*, savait quoi y semer, comment « les prendre ». Des cultures nouvelles ont

218

été introduites avec succès chez les paysans, comme le riz asiatique ; puis le maïs, le manioc, le haricot, la tomate, l'arachide et le coton, importés d'Amérique. Avec la colonisation, sont arrivés le café, le cacao, la banane, l'ananas, la canne à sucre, l'hévéa, etc., que savent cultiver aussi les paysans. Cependant la roue, la charrette et la charrue leur ont trop longtemps manqué ; et ce retard de l'énergie animale se paie aujourd'hui bien cher. Cette paysannerie prévoyait les sécheresses ; elle savait remplir des greniers et y préserver les grains des insectes et parasites. Elle a accumulé un « capital » important de connaissances que les colonisateurs (et même parmi eux, certains agronomes) ont eu grand tort de mépriser.

Mais voilà que l'explosion démographique, celle des hommes et du bétail, *a commencé à démolir la base de ces systèmes culturaux*, endommagé et parfois même blessé à mort le patrimoine foncier — ce que j'ai tenté de montrer ci-dessus. La jachère a disparu sans que d'autres sources d'humus puissent jouer son rôle. Si les pasteurs ont su longtemps observer un équilibre entre le nombre et la diversité de leur cheptel, d'une part, et les ressources fourragères de l'autre, cet équilibre se trouve aujourd'hui complètement rompu, partout.

Les cultures ont mordu sur les meilleurs pâturages, les pasteurs, plus nombreux, ont voulu, pour survivre (et pas seulement par prestige), plus d'animaux... juste au moment où la sécheresse réduisait la productivité des fourrages naturels. Alors a commencé le cycle infernal du surpâturage.

Avec le déboisement, les *feux de brousse* dégradent et finissent par tuer les espèces herbacées et arbustives les plus productives, les plus précieuses. Alors les argiles compactes s'opposent à l'infiltration des eaux, les sables sont mouvants sous l'action des vents... et voici qu'apparaît, partout, le sol dénudé, sensible à toutes les formes d'érosion par les eaux et par les vents.

Des paysanneries ruinées, trahies, désarticulées ne peuvent investir

Avec le Sahel, c'est *l'ensemble de l'Afrique*[1], et finalement la majorité du *tiers monde* qui *s'effondre*. Dans cette débâcle, la paysannerie est touchée la première : ayant généralement, depuis longtemps déjà, renoncé à ravitailler les villes, elle ne peut même plus assurer sa propre autosuffisance alimentaire. Si, parmi les choses que nous avons apportées aux paysans, il y en a d'utiles — comme le vélo ou le transistor — combien aussi de gadgets inutiles et combien, surtout, d'habitudes alimentaires aussi onéreuses que discutables...

A la dégradation du milieu, à la baisse des rendements, s'est ajouté le *pillage des paysans* par les privilégiés urbains, le poids trop lourd d'une administration — qui *se sert, mais ne sert pas*. Le commerçant, comme en Asie, achète bon marché et revend cher au paysan sa propre récolte, car sa trésorerie épuisée l'a empêché de constituer des réserves. *Endetté*, avec des greniers déjà vides au moment où les mauvaises herbes, qui envahissent les futures moissons et risquent de les compromettre, exigent des efforts accrus, ce paysan pauvre, auquel se pose le problème de plus en plus angoissant de la *soudure*, ne peut plus échapper aux griffes des *usuriers* : une « tine » de grains prêtée en été doit être remboursée par 2 ou 3 tines à l'automne, après la récolte.

Au Sénégal de la « belle époque » (1960-1970), les pauvres allaient acheter à crédits engrais et matériel, qu'ils revendaient souvent au comptant, à leurs voisins plus fortunés, pour la moitié de leur prix[2]. Pris dans ce cercle infernal de l'endettement et de la paupérisation croissante, jamais les pauvres n'arrivent à s'en sortir ; ils ne peuvent donc penser à investir. Quant aux riches, ils s'enrichissent plus facilement par l'exploitation de leurs pauvres voisins que par des investissements productifs. On en voit qui accumulent dans leur cour du matériel de culture attelée qui leur a été remis en gage de prêts usuraires — outillage qui reste inutilisé pendant de longues

---

1. Cf. *l'Afrique en crise*, la banqueroute de l'environnement par Lloyd Timberlake, L'Harmattan/Easthscan, 1985.

2. Ce qui leur permettait souvent de payer la main-d'œuvre saisonnière venue de Guinée-Bissau et de Gambie. (Auparavant, ces navétanes venaient du Mali.)

années... En ville, celui qui veut faire un beau cadeau de Noël à sa belle, un peu trop volage, peut faire le 23 décembre un chèque de 100 000 F à « son » Libanais, qui lui donnera en échange, 80 000 F comptant[1].

L'économie de marché, qui domine l'ensemble du système depuis quelques années, se montre bien incapable de sortir les paysanneries sahéliennes d'une paupérisation croissante. L'agriculture des pays développés est largement protégée : on ne voit pas comment des paysanneries aussi peu productives, aussi mal équipées, en un milieu qui ne cesse de se dégrader, pourront s'en tirer *sans protection* : donc sans rémunération correcte de leur travail, tant pour les cultures d'exportation que pour les cultures vivrières. Pour obtenir que les céréales locales soient convenablement payées, il leur faudrait exercer une forte *pression* sur les pouvoirs politiques. Or pour cela, les déclarations enflammées ne peuvent suffire ; il est indispensable qu'étape après étape, et quelles que soient les difficultés, ils construisent un *réel pouvoir politique paysan.* Un tel pouvoir ne peut naître sans un minimum d'instruction des masses paysannes... ce qui nous ramène, une fois de plus, aux deux mêmes priorités : de meilleurs prix et une alphabétisation fonctionnelle en langues nationales généralisée.

L'IMPASSE DE LA MISÈRE — ET LES « ENCADREURS » ?

On se heurte à des problèmes finalement *politiques.* Les différences villes-campagnes, ou plutôt riches des villes contre paysans en voie de paupérisation, vont-elles aboutir à une situation explosive ?

Quand on passe des beaux quartiers de Dakar aux villages « en voie de perdition » comme ceux de la région de Louga, au nord du Sénégal, on note des inégalités sociales si marquées qu'elles nous rappellent les tableaux de misère ouvrière ou paysanne du début du XIXe siècle, prolongée en Roumanie et en Hongrie jusqu'à l'aube du XXe siècle. Comme nous l'avons si souvent noté, dans les plus misérables des bidonvilles, celui (ou plus souvent encore celle) qui ne sait pas comment il lui sera

---

1. Soit 25 % d'intérêt entre le 23 et le 26 décembre... Histoire véridique, Dakar, (Noël 1984).

possible de manger le lendemain, ne peut guère *militer* pour un avenir qui lui semble tellement précaire, voire inconcevable. Pour militer, il faut avoir conscience d'un bien commun, qui surpasse les structures de familles, de clans, de clientèles, d'ethnies[1].

Au village, des encadreurs dirigés de la capitale ne réussiront jamais ces évolutions aussi délicates qu'indispensables. Les meilleurs vulgarisateurs, comme ceux du Sud-Mali, n'ont pas reçu de formation suffisante en ce qui concerne la protection du patrimoine, les luttes antiérosives et surtout les cultures fourragères. Un minimum de *« bon sens » économique* — pour ne pas faire courir trop de *risques* aux paysans qu'ils conseillent — leur serait évidemment indispensable. Mais, comme aux professeurs d'agriculture du début du siècle en France[2] ou aux *« County agents »* des États-Unis, il leur faudrait surtout, outre un minimum de techniques bien adaptées, *dévouement et conviction.* Qu'ils respectent les paysans et cherchent à devenir leurs *amis,* donc qu'ils descendent du piédestal en haut duquel beaucoup croient que leurs diplômes les ont hissés. Tout cela a pris du temps en Europe et en Amérique du Nord, mais ce temps, nous l'avions... *nos pays n'étaient menacés, ni par le désert, ni par la démographie !* Celle-ci d'autant plus redoutable en Afrique qu'elle n'y est pas encore vraiment « reconnue ». N'est-ce pas, pourtant, cette démographie galopante qui est *la pire ennemie du relèvement africain* ?

LE PLEIN EMPLOI POURRAIT SATISFAIRE LES BESOINS DE BASE DE TOUS

Me voici donc très inquiet sur la *possibilité* d'une phase décisive de progrès agricole, qui serait capable *de produire pour aujourd'hui et de protéger pour demain.* Or, ce développement agricole ne se réalisera pas sans l'appui des autres activités économiques, rurales et urbaines. Toutes ces activités devraient l'aider, le favoriser, mais elles peuvent aussi le gêner ou même le freiner... ce qui a été le cas depuis l'indépendance. En théorie,

---

1. « Si l'on trouve cinq justes à Sodome, cette ville ne sera pas brûlée... » On ne les a pas trouvés.
2. Mon père, à Cambrai, et ses collègues.

il est facile de tracer l'esquisse d'un progrès général de l'économie sahélienne, et d'en souligner les obstacles éventuels.

Des cultures pluviales améliorées et des cultures irriguées mieux organisées ont grand besoin d'un *artisanat* plus développé et mieux équipé. Celui-ci fabriquerait sur place les outils à main, qui seraient bientôt améliorés. Puis, le matériel à traction animale ; et d'abord la charrette absolument prioritaire. Ensuite, les outils de travail du sol et de récolte — de la faux à la faucheuse tirée par les bœufs. On pourrait aussi généraliser, comme en Chine, la batteuse japonaise mue au pied ; puis passer, avec le manège, à l'énergie animale, actionnant le moulin (comme dans le sud du Burkina-Faso) ; ou contribuant à l'exhaure de l'eau (c'est déjà le cas dans la frange nord du Sahel, surtout pastorale).

Toute cette *technologie appropriée* libérerait pour un temps des contraintes du moteur et *allégerait la peine* des hommes et *des femmes.* L'eau serait alors puisée et transportée par les ânes, que les services de l'élevage cesseraient enfin de mépriser... ou encore par les bœufs. Des maçons, des entrepreneurs de travaux, ayant reçu un minimum de formation technique, aideraient à édifier barrages et retenues d'eau, à barrer les koris ou ravins d'érosion, les oueds temporaires. Tout cela serait plus aisé avec les schémas du beau livre de Dupriez-Chlech, déjà cité. Tout est désormais bien connu, il reste seulement... à le réaliser.

Une organisation politique accordant « *du pouvoir au peuple* » (et pas seulement en paroles), orienterait la production en vue de satisfaire en toute priorité la grande majorité des *besoins de base de la population entière* par la production locale[1]. Un minimum de protection — n'en déplaise au FMI, qui veille d'abord aux intérêts des pays riches, — permettrait alors l'évolution d'un artisanat développé vers une industrie intensive, aussi soucieuse de l'emploi que de la production, donc capable de donner beaucoup de travail.

En principe, le fait paraît simple : l'économie occidentale *plonge la majorité du tiers monde dans une effroyable catastrophe, dans une impasse totale.* Il faut donc, dans chaque région, que des populations libérées puissent être appelées à définir leurs besoins et aussi les moyens les plus appropriés pour les

---

1. Ce qui est réalisé à Taiwan, d'où je reviens, et qui fera l'objet d'une étude ultérieure ; avec des réserves sur le plan politique.

satisfaire. Tout ce qui fait défaut à ces populations démunies, des villages ruinés aux bidonvilles, c'est tout *ce qu'elles pourraient produire*, si le système économique dominant ne les condamnait pas au chômage, mais leur permettait de *se mettre au travail* ; et les aidait à se procurer des moyens de production ; et d'abord *la terre* (partout où commence à apparaître un paysannat sans terre).

MAIS LE PROBLÈME EST AUSSI CULTUREL ET POLITIQUE

Une telle esquisse paraît totalement *utopique* dans le contexte politique, économique et social de l'Afrique de 1986. Car elle suppose que soit réalisé dans les faits — et non plus seulement exprimé en paroles ou en cris — ce qu'on invoque au Burkina-Faso depuis le 4 août 1983 : « *le pouvoir au peuple* ». Certes, Sankara a éliminé des fonctionnaires corrompus, mais hélas, on en a renvoyé d'autres qui ne l'étaient pas. Les paysans restent soumis à la domination urbaine, les commerçants font toujours de beaux profits, et les fonctionnaires savent parfaitement modérer leurs efforts... dès qu'on réduit leurs indemnités.

Enfin dégagées de tutelles administratives contraignantes, les communautés de base pourraient organiser et protéger les *terroirs*, et défendre les *paysans*. Ces communautés regrouperaient bientôt l'ensemble des paysans et des paysannes libérés des *abus* de la hiérarchie féodale. Il faudrait toutefois y admettre les anciens et leur sagesse ; et permettre enfin aux *femmes* et aux *jeunes* de n'être plus des « *sans voix* ». Bref, des communautés « démocratiques à l'africaine », qui viseraient le consensus plus que la concurrence et la division. Au Burkina-Faso, les CdR, les Comités de défense de la Révolution, ne sont-ils pas en train d'établir une nouvelle domination ?

Le pouvoir au peuple, c'est *chaque village devenu une petite république*[1], où tout le monde serait *respecté* — mais ne pourrait plus « abuser ».

A ce jour, *le pouvoir reste aux villes* : elles accaparent la

---

1. Dans l'empire d'Annam, qui précédait la colonisation française, on répétait : « la loi du roi ne prévaut pas sur la coutume de la commune » : libre chez elle, dans les domaines économique, foncier et même judiciaire, une fois qu'elle avait payé le tribut, l'impôt à l'État.

majorité des aides extérieures, qui seraient indispensables à la réalisation effective de la Révolution agricole. Quand on évoque tout ce qu'on a gaspillé, de Yamoussoukro en Côte-d'Ivoire[1] à la « nouvelle capitale » du Nigeria, de la corniche ouest de Dakar aux barrages finalement somptuaires du fleuve Sénégal et à l'Office du Niger, etc. ; et tout ce qu'on continue à gaspiller, toutes les formes de tractations et de corruption, ces fortunes indécentes, improductives ; alors, on peut penser, paraphrasant La Fontaine, que « ce sont les fonds qui manquent le moins »... mais ils sont bien mal utilisés.

La rénovation, la modernisation, donc la libération des villages ne peut être réalisée ni même envisagée sur la base d'*inégalités villes-campagnes* aussi flagrantes ; s'ajoutant à celles plus scandaleuses encore *entre les nations.* Notre *société de consommation « occidentale » a perverti les villes* de ce qu'on appelle encore le « tiers monde ». Elle y a développé des *privilèges* difficiles à extirper. Mais il ne nous est pas permis, à nous étrangers, d'évoquer ce que pourrait être « une véritable révolution ». Car celle-ci risquerait vite, comme hélas, on l'a déjà vu, de dévier vers une société totalitaire, plus ou moins inspirée des modèles soviétiques ou chinois, sinon cubains. Ces derniers se révèlent, en effet, fort peu efficients en économie et développent une nouvelle classe dominante, appuyée sur l'armée et la police, qui finit vite, comme déjà en Éthiopie, par faire regretter l'ancienne.

Quand nos jeunes militants européens disaient à Dom Helder Camara, le patriarche de Récife, qu'il devrait appeler « à la révolution », le vieux sage leur répondait : « Cette révolution s'impose, bien sûr, mais elle ne peut se réaliser efficacement que dans les pays développés : *à vous de commencer.* » Il est bien vrai, hélas, que l'économie dominante continue à régner *urbi et orbi* dans le monde — et donc au Sahel. Et que nous en sommes responsables. Certes, nous protestons contre la « Corniche ouest » de Dakar... contre Cocody à Abidjan... contre Diawara et ses trop nombreux collègues en corruption... Mais cela suffit-il ?

---

1. Houphouët-Boigny invitait les représentants de la Communauté libanaise d'Abidjan : « Mes chers amis, vous savez l'amitié que je vous porte : j'ai décidé de vous faire un cadeau. Voici le plan de Yamoussoukro, je vous donne tous les terrains bordant cette rue, gratuitement. Évidemment, je compte bien que d'ici un an, chacun de vous y aura bâti une belle boutique, avec un beau logement... »

Nous avons vu cette « stratégie » intervenir au Mali qui certes, représente un certain progrès sur les formes néo-coloniales des premières phases de l'indépendance. Je revois encore certains Français de la SATEC traiter en « subordonnés » leurs adjoints africains de la vulgarisation agricole[1]. Cette stratégie est bien sûr négociée entre la « Communauté économique européenne » et les États africains. En obligeant à mieux payer les céréales aux paysans et à privatiser le commerce des grains, elle a *obligé* à réaliser un certain progrès. Toute négociation fait jouer un rapport de forces, mais entre Bamako, Kigali et Bruxelles, il n'est pas possible de parler d'égal à égal ; et la mendicité succède à la dépendance.

Nous avons mieux senti cet écart quand, à l'ouverture du Congrès mondial des jeunes agriculteurs, qui se tenait à Ouagadougou au début de décembre 1984, les organisateurs venus de Bruxelles ont projeté un film réalisé par la CEE, intitulé : *Que périssent les paysans.* Certes, ce film défend les *paysans* maliens contre l'administration, bureaucratique et corrompue, contre les commerçants et en général contre les « villes africaines ». En cela il n'a pas tort, mais il ment par omission : la responsabilité du système économique dominant, du monde développé[2], qui est maître au Sahel, n'y apparaît jamais. Aussi, ai-je protesté devant ce congrès contre cet « oubli ».

Le Sahel, renaissance ou catastrophe, nous dit Jacques Giri dans son livre (ouvrage intéressant, car écrit par quelqu'un qui connaît bien le Sahel). Mais le Sahel ne pourra réaliser cette indispensable « renaissance » de son économie tant qu'il sera asservi par notre système économique ; lequel se caractérise d'abord, on l'oublie trop souvent, par des *inégalités sans cesse croissantes.* Je n'ai cessé de mettre en cause la large responsabilité des dominations internes de l'Afrique, mais nous n'avons pas le droit d'oublier que celles-ci se rattachent aux dominations externes, et que les profiteurs des premières sont les

---

1. *Le Métier de vulgarisateur.* Alfred Y. Sawadogo, ENDA, Dakar, 1983. La SATEC (Société d'assistance technique et de crédit), société française fonctionnant sur crédits publics, a finalement fait faillite.
2. Dans les quinze dernières années, le poids moyen des Européens aurait augmenté de 6 kilos, dit le Dr. Kouchner (Médecins du Monde).

complices des secondes. A Dakar, pendant que j'écris ces lignes, les Français et les Libanais se pressent pour la grande bouffe et les cadeaux extravagants des fêtes de Noël et de fin d'année. Ils n'ont pas écouté le disque des punks de Londres : *Do they know it is Christmas ?*[1] — évoquant les camps de réfugiés d'Éthiopie.

Une fois de plus, il nous faut souligner avec Edgar Morin[2] que : « agonisent les espoirs messianiques investis sur le parti du prolétariat, mais agonise aussi le prudhommesque espoir techno-économique de voir *la société industrielle résoudre les problèmes vitaux de l'humanité* ». Nous aussi, nous *échouons*. Dans ce livre qui démolit, comme il convient, l'État totalitaire, Morin, à mon avis, ne souligne pas assez le combat prioritaire qui me paraît s'imposer à ce jour, en présence de ce double échec, de l'Est comme de l'Ouest. Il montre fort bien la nécessité d'une « révolution » et les difficultés qui lui sont inhérentes. Mais une action « *progressiste* » reste possible, que j'appellerais volontiers une révolution *réformiste et démocratique*. Elle rencontre un terrain de premier exercice, un champ d'action et de bataille tout trouvé, *le combat pour le tiers monde* : Edgar Morin pourrait s'y battre aussi, tout en critiquant nos stratégies, critique dont nous avons le plus grand besoin.

Il ne s'agit plus, nous dit Gérard Chaliand, d'espérer trouver dans le tiers monde les bases d'un *messianisme révolutionnaire*. Mais il reste possible de rechercher, dans la sueur et les larmes, les bases d'une économie enfin *humaine*, et par conséquent fort imparfaite.. mais qui saurait le reconnaître. Cette recherche continuerait une « aide », devenue plus intelligente, donc élaborée avec la base. Elle chercherait à réduire par la même occasion la domination ; il ne faudrait alors plus répéter comme aux États-Unis et chez nous, que *l'aide rapporte*.

Cette aide viserait sa disparition, comme le dit Sankara. Encore faudrait-il que les Africains puissent rapidement s'en passer. Et toutes les analyses de mon essai montrent qu'une certaine présence de militants dévoués, d'ONG conscientes de leurs responsabilités, même si elle est de moins en moins bien ressentie, reste à peu près indispensable : tant qu'il manquera chez nos amis Africains la somme de compétence technique et scientifique, concrète et appliquée. Et surtout, tant qu'il man-

---

1. Savent-ils que c'est Noël ?
2. *Pour sortir du XXᵉ siècle*, le Seuil, Paris, 1984.

quera, chez beaucoup d'entre eux, ce sens des responsabilités, d'activisme, de dévouement, de *motivation* indispensable pour appuyer dans ses efforts une paysannerie qui aurait alors confiance dans ses « élites ».

Trop de corruption, trop de collusions entre certains dirigeants locaux et les intérêts étrangers bloquent les « progrès ». Trop d'habitudes sont prises, dont on ne se départit pas aisément. Les bailleurs de fonds envoient aussi des contrôleurs de fonds. Il n'est que trop aisé d'en comprendre la raison. Quand s'installe un expert, on lui adjoint un homologue qui fait désormais partie du décor, comme le mange-mil. On fait plus confiance à l'expatrié qui vole moins. Peut-être en a-t-il moins besoin. On pourrait dire que son salaire abusif est une forme de *vol légal.* Mais toute cette « aide » a un effet pervers : elle évite les faillites, elle empêche de comprendre toute la gravité de la situation, comme la nécessité absolue d'une politique plus axée sur le travail de tous, la rigueur pour tous — et non pas seulement pour les petits. La « *colonisation nationale* » (comme certains appellent la situation actuelle), qui a suivi l'indépendance nominale, s'avère finalement plus oppressive pour les démunis que la colonisation étrangère, que nous avons combattue... avec plus d'espoirs au cœur !...

J'ai hésité, avant de me lancer une fois de plus dans cette analyse si difficile des problèmes du Sahel, en sachant à l'avance que j'y serais, une fois de plus, *insuffisant.* Mais ce n'est pas une raison pour me dérober. Je tente ici un autre « essai », esquissé dans un mélange de réalisme et d'utopie. Celle-ci reste indispensable, puisque les réalistes, les satisfaits, ceux de la « loi du marché », ont conduit le tiers monde dans des faillites alliées à de sanglantes impasses, celles des *génocides* des Indiens d'Amérique centrale et de l'Amazonie, ou celles des peuples affamés d'Éthiopie et du Soudan aujourd'hui — sinon du Sahel demain ?

Une fois de plus, j'aurai *essayé* de donner l'alerte...

CHAPITRE XII

CASSANDRE : UN RÔLE INGRAT

EN 1953, IL Y A UN TIERS DE SIÈCLE, J'ALERTAIS DÉJÀ...

Je rouvre un de mes livres que j'avais un peu oublié, paru à la fin de 1953, *Économie agricole dans le monde*[1], regroupant des notes recueillies de l'Afrique noire au Maghreb et au Tonkin, et surtout en Europe, démocraties populaires naissantes incluses. Le chapitre final est titré : « Le malthusianisme économique est responsable de la "faim du monde". » Car il limitait le développement de la production à la satisfaction des besoins *solvables*, que j'opposais « aux besoins *réels* de l'ensemble de la population, y compris les enfants de chômeurs ». J'y rappelais que déjà, d'après la FAO, « plus des deux tiers des hommes ne mangent pas à leur faim ». J'y réclamais donc « la première priorité aux investissements agricoles au sens large du terme... englobant la préservation et l'amélioration du patrimoine foncier, la lutte contre les érosions... ».

Un autre paragraphe titrait (déjà !) : « L'accroissement de production alimentaire ne suit plus celui de la population. » Et j'y opposais le coût modique de la lutte antipaludique (un demi-dollar par tête, Ceylan, 1950) au coût cinq cents fois plus élevé[2] des investissements agricoles estimés nécessaires par la FAO pour « une amélioration *modeste* des conditions culturales en Inde ». Et je signalais la gravité de *l'explosion démographique*, « dépassant 1 % d'accroissement global, fait sans précédent dans l'histoire du globe ». Ce chiffre était déjà fort dépassé, et les estimations citées beaucoup trop optimistes.

---

1. Dalloz, Paris, 1954 (date indiquée pour retarder son vieillissement) livre épuisé, 597 pages.
2. 250 dollars par travailleur agricole, soit peut-être 500 dollars par habitant.

229

Avec Cépède et Lengellée[1], nous indiquions la possibilité, pour l'Égypte, d'atteindre 38,5 millions d'habitants en l'an 2000, alors qu'elle dépasse déjà 50 millions en 1986 ! Et nous parlions, avec les démographes de l'époque, de près de quatre milliards d'habitants sur la planète en l'an 2000... alors que nous serons sûrement plus de 6 milliards.

J'ajoutais : « Aucun précédent ne nous permet de promettre, dans la structure actuelle de l'économie, un accroissement annuel[2] de plus de 3 % de la production agricole. » Je citais donc Cépède et Lengellée, qui nous rappelaient : « Le problème de l'alimentation de l'humanité est soluble par une révolution technique, mais pour une telle transformation, il faut une révolution économique et par conséquent, sociale et *politique* »... Et voici que la *Révolution verte* du blé, du riz et du maïs, qui *n'a pas éliminé la faim*, nous donne hélas raison. Je citais aussi Alfred Sauvy[3], qui nous avertissait plus gravement : « L'insuffisance des investissements dans les pays sous-développés risque de tourner à la *catastrophe*, si la guerre froide se prolonge. » Un tiers de siècle après, on ne peut entrevoir la fin de cette « guerre ». Il incitait à « transférer d'énormes sommes du secteur militaire au secteur créateur... pour ne pas se trouver un jour devant *une marée asiatique difficile à contenir* (...) Si l'on ne s'unit que contre un tiers, l'union (de l'Est et de l'Ouest) ne peut se faire que contre l'ennemi monstrueux *de la misère montante* ».

Protestant déjà contre notre « bouffe » occidentale, je précisais que : « chaque calorie animale d'un Nord-Américain prive de huit calories végétales le minimum vital d'un Mexicain ou d'un Brésilien du sertão... Or, une coopérative laitière placée aux portes de Dieppe trouve un intérêt économique à envoyer à la mer ses excédents printaniers de lait écrémé, aliment protecteur essentiel de la santé ». On peut, certes, me reprocher une attitude *moraliste* quand j'écris : « L'essentiel de l'histoire de l'humanité réside dans le plus noble des combats, le seul noble, la lutte contre la famine. » Et que je termine ce livre par : « L'économie de profit, étayée sur les armements, qui en arrive à redouter la paix, *devra* céder la place à l'économie de *lutte contre la faim*. » Même si l'on peut critiquer cette attitude, je

---

1. *Économie alimentaire du globe*, M.-Th. Génin, Paris, 1953.
2. J'aurais dû préciser accroissement *prolongé*.
3. *L'Observateur*, 6 novembre 1952.

n'arrive pas à la regretter. La seule erreur de cette étude est un excès d'optimisme : je n'ai pas été — l'avenir nous l'a montré — suffisamment « catastrophiste ».

Chargé de préparer des esquisses de plans de développement rural pour les jeunes États africains accédant à l'indépendance, de 1958 à 1961, j'ai déjà expliqué pourquoi je m'étais senti obligé d'avertir, cette fois plus solennellement et sans précaution de langage, que : *L'Afrique noire est mal partie.* Affirmation claire, sans équivoque. Après des éclats de colère, le livre se répand — pour devenir finalement un classique des écoles africaines. Et, de 1979 à 1985, on n'en revient pas de voir son auteur parcourir à nouveau tant de petites villes et de villages africains[1]...

En 1965, une vraie famine touche le continent indien, d'où la disette n'a jamais disparu. On reconnaît mieux, un peu partout, le drame de la malnutrition : du Mexique à la Patagonie — surtout dans les Andes et le sertão brésilien ; dans toute l'Afrique tropicale (cela bien avant 1973), dans le Maghreb et le Machrek, etc. Le taux de mortalité diminue très vite et l'explosion démographique justifie pleinement son nom. Une fois de plus, il nous faut, avec Bernard Rosier, avertir sans ambiguïté, *affirmer* de nouveau : *Nous allons à la famine*[2].

En 1985, vingt ans après, nous pensions qu'il serait difficile de nous reprocher cet avertissement, à un moment où les

---

1. L'instituteur, l'infirmier, le fonctionnaire attendent des heures durant, en plein soleil, — car on leur a annoncé son passage — pour serrer la main de celui que certains m'ont fait le grand honneur d'appeler « l'homme de vérité ». Appellation que je récuse aussitôt car, en 1986, je reconnais bien des insuffisances à *L'Afrique noire est mal partie* : en histoire africaine et en sociologie rurale, notamment. Mais tout compte fait, je ne regrette point de l'avoir écrit. Hélas, aujourd'hui, l'Afrique est de plus en plus *affamée et désertifiée.*
2. *Op. cit.*, le Seuil, Paris, 1966.

disettes graves ne sont pas éliminées, ni du continent indien[1], ni des bidonvilles et des villages ruinés d'Amérique dite latine... et quand les famines les plus graves éclatent en Éthiopie, en Mozambique, au Soudan et en Somalie — et qu'elles atteignent ou menacent tout le nord du Sahel.

Que disions-nous alors ? Bernard Rosier parle de « ... situation absolument insoutenable, une situation alimentaire catastrophique... ». Cette fois, il relève une expansion démographique supérieure à 2 % dans la grande majorité du tiers monde, et qui dépasse même 3,5 % au Nord-Vietnam, aux Philippines et au Mexique. « La famine frappe massivement[2] les nations pauvres (...) interdit aux hommes qu'elle atteint de parvenir à un plein épanouissement de leurs possibilités physiques et mentales ; elle les voue à une vieillesse précoce et à une mort précoce. »

Le prolongement des tendances actuelles : famines dramatiques à l'horizon : « Si rien n'est fait d'important pour enrayer ce fléau, et si les tendances se prolongent, alors la famine qui, durant l'année 1966, s'est implantée solidement en Inde, risque de s'étendre progressivement à une large partie du tiers monde. » Pour ma part, je répétais (ce que je disais *dès 1930* en Indochine) : « Endiguer *l'explosion démographique*, tâche la plus urgente, la plus difficile... prolongée, elle serait capable de submerger, de balayer tous les autres efforts : en dépassant, comme elle le fait déjà dans la majorité du tiers monde, l'avance économique. »

Dans la seconde édition (1974), je rappelle que : « dans la prolongation des tendances actuelles, le monde serait menacé d'une *catastrophe sans précédent* dans l'Histoire. Le plus étonnant, quand on écrira son histoire, sera le petit nombre de ceux qui l'auront prévue, alors que sa probabilité était si éclatante. Dans la mesure où elles sont mieux connues, la faim, la misère et l'ignorance de la moitié de l'humanité deviennent de plus en plus inacceptables. Car, nous avons, tous réunis, les moyens

---

1. En 1983, on estimait, au Tata Institute of Social Science de Bombay, que la production alimentaire *par tête* de ce pays, qui avait parfois régressé, en était finalement *tout juste* revenue au niveau prévalant avant l'Indépendance. Contrairement à certaines affirmations, la disette et la malnutrition frappent encore, à des degrés divers, *la majorité* de la paysannerie indienne — Pendjab excepté.

2. Au lieu de *Nous allons à la famine*, nous aurions donc pu titrer « *Nous sommes* en pleine famine ».

d'en venir à bout ». Tout cela reste vrai, les moyens sont là... mais la faim, la misère et l'ignorance persistent — et parfois s'aggravent.

Je ne puis rappeler tous les autres avertissements, mais en 1973, je publiais *l'Utopie ou la mort,* suite aux travaux du Club de Rome, de Barbara Ward et René Dubos, de Barry Commoner, etc. J'y dénonçais la gravité des menaces conjuguées des pollutions croissantes, de l'épuisement des réserves non renouvelables (combustibles, minerais,...) et de la démographie galopante. Tous ces écrits ont été (et doivent encore être) *critiqués* ; je ne les regrette pas. Cependant, en janvier 1985, je suis, de par ces écrits, mis au banc des accusés — mais j'ai pu répondre rudement à un bien curieux tribunal[1].

L'ÉCHEC « GLOBAL » DES PAYS « QUI SE DISENT SOCIALISTES »

Résultats « globalement positifs », nous dit Marchais, qui n'a pas condamné l'expédition « coloniale » de l'URSS en Afghanistan. En politique, l'absence de toutes les libertés nous interdit — à nous jauressiens — de qualifier l'URSS de « socialiste ». En économie, la paysannerie soviétique, de la Russie à l'Ukraine et aux « colonies » asiatiques musulmanes, a été collectivisée de force, dans le sang, les chantiers (arctiques de la mort) et les goulags. Ce qui a permis de la pressurer, de l'exploiter, pour bâtir l'empire industriel[2]. L'URSS n'a pas fini de payer la bureaucratisation répressive de son agriculture, qui a plus profité à ses apparatchiks, sa Nomenklatura, et à ses industries d'armement qu'au bien-être de ses peuples.

Après 1945, elle a étendu les « bénéfices » de son système en Europe orientale. Il a fallu la forte efficience technico-économique des Allemands de l'Est pour en réduire les dégâts. En Hongrie, Kadar, après les sanglantes répressions de 1956, a compris qu'il fallait laisser un minimum de libertés économiques à ses paysans. Seule l'Albanie a des résultats dans

---

1. *Cf.* Annexe IV.
2. A l'opposé, Taiwan a certes « accumulé » sur le dos des paysans, mais très modestement, et en débutant par la production des biens de consommation (bien moins exigeants « d'accumulation primitive ») et la satisfaction généralisée des besoins de base de toute la population.

l'autoritarisme — surtout par son refus total de l'automobile privée, leçon que le « tiers monde » n'a pas voulu entendre.

La Chine nous a plus longuement retenus, de 1929 et de 1955 jusqu'en 1982. En 1955, la réforme agraire avait aboli l'usure et la rente foncière abusive, et on commençait à libérer les femmes : la reconstruction a donc été rondement menée. C'est le 31 juillet de cette même année que Mao ordonne l'accélération de la collectivisation, contre le gré de la majorité rurale. Ce qui culminera avec les millions de morts du Grand Bond en avant (1959-1961) et avec la répression inouïe de la Révolution culturelle (1966-1970). Tandis que le refus, la même année 1955, de prendre en compte le problème démographique, aboutira à dépasser le milliard de Chinois dès 1982, avec toutes ses conséquences — aussi dures qu'obligées — infanticide des filles, enfant unique choyé, etc.

C'est en 1978 que Hua Guofeng doit laisser tous les pouvoirs à Deng Xiaoping ; lequel mène, étape par étape, une très brillante *décollectivisation* des rudes paysans chinois. La production augmente très rapidement, la libéralisation du commerce permet de la mieux répartir ; mais les inégalités sociales augmentent, au profit des plus habiles. Le slogan officiel « Enrichissez-vous » nous rappelle Guizot en 1840, et paraît peu cohérent avec le maintien de la répression politique (que seul pouvait « justifier » (?) l'objectif officiel de justice sociale). C'est Taiwan qui a réalisé (dans le cadre d'une dictature politique) cet objectif de croissance forte alliée à la réduction des inégalités, ainsi « dérobé » aux « socialistes ». Seul le souci du maintien au pouvoir des dirigeants chinois actuels explique, sans le justifier, le maintien de la répression.

Comme en Chine en 1955, j'accours à Cuba, en 1960, voir si l'on pouvait aider cette jeune révolution à ne pas basculer dans le camp soviétique. Les Yankees ont été les plus forts — mais non les plus habiles — car ils y ont réussi. La collectivisation en fermes d'État géantes, sans consultation, ni des paysans ni des travailleurs des haciendas, a largement échoué — le boycott et les menaces des États-Unis y ont *aussi* contribué. Ignacio Ramonet[1] assure : « L'échec du plan 1984 met en relief les carences graves de l'économie du pays et confirme que, malgré l'importance des investissements industriels depuis 1959, Cuba reste dépendant d'un seul produit, le sucre. » Après l'échec des

---

1. *Le Monde diplomatique*, septembre 1985.

« 10 millions de tonnes de sucre » en 1970, Cuba se rallie plus étroitement au camp soviétique, qui lui surpaie le sucre à 36,4 cents la livre, le prix mondial oscillant entre 3 et 8 cents. Sans toutes les formes d'aide soviétique, que l'on estime autour de 3 milliards de dollars par an, on aurait faim à Cuba ; mais ce pays paie son pain par la perte de son indépendance[1].

Avec la famine, d'Éthiopie en Mozambique, comme la malnutrition rurale omniprésente au Congo et au Bénin, dans aucun pays d'Afrique le ralliement à ce socialisme n'a permis une réussite économique. Certes l'Afrique du Sud domine l'Angola et le Mozambique, mais le dogmatisme à la soviétique et les guerres intestines les étouffent tout comme l'Éthiopie, plus encore que la sécheresse...

LES DIFFICULTÉS CROISSANTES DES ÉCONOMIES DÉVELOPPÉES

Par ailleurs, les pays dits « développés », que certains appellent « *le monde libre* », paraissent de plus en plus inaptes à maîtriser leurs économies. Si les États-Unis ont voté pour *Reagan*, c'est parfaitement compréhensible : ils sont au cœur du système économique dominant, au centre de la toile d'araignée, gaspillant toutes les ressources non renouvelables de la planète, en profitant de la *loi du marché*, que l'on réserve aux productions des pauvres : c'est la loi du pot de fer, du pillage du tiers monde, de la dégradation des termes de l'échange, des inégalités qui n'ont cessé de croître depuis au moins deux siècles et demi : depuis le début du « développement » — qui est aussi celui des *inégalités croissantes*.

Cette prospérité des riches a — au moins — deux « revers de la médaille », que nous venons d'examiner : la misère croissante des villages ruinés et des bidonvilles, qui culmine dans les « génocides de la faim » ; et la destruction du patrimoine naturel de l'humanité : désertification, dégradation des terres arables (« comme aux États-Unis », nous rappelle Lester Brown). Ajoutons-y la disparition rapide des forêts tropicales, l'épuisement des ressources rares de la planète (pétrole en moins d'un siècle, charbon, uranium et minerais), et des pollutions généralisées de l'air et des eaux. Cette « prospérité »

---

1. Fidel Castro ne m'a pas pardonné mon livre *Cuba est-il socialiste ?*, 1970.

serait plus justement appelée *gaspillage* ; et elle va laisser aux générations suivantes un monde *invivable*. L'Unicef nous dit qu'il y aurait peut-être par mois un million[1] de morts d'enfants « évitables » par les vaccinations, la consommation d'eau potable, une meilleure hygiène et nutrition, etc. Notre « prospérité » est donc construite sur *de monstrueuses pyramides de cadavres d'enfants*, rappelant les illustrations de nos livres d'histoire élémentaire : le passage des Huns, des Mongols et autres « barbares »... (de très modestes barbares, en vérité, auprès de nous).

Nous ne savons plus maîtriser le chômage, ni répartir équitablement, sur toute la surface de la planète, le *droit au travail*, au travail encore socialement nécessaire. Ce qui prive tous les jeunes (ceux de la Lorraine et de la Mayenne, et plus encore ceux des bidonvilles et des villages ruinés des pays démunis) de leur *dignité*. En pays pauvre, c'est plus grave, car on ne leur laisse parfois que la délinquance pour *survivre* — et on comprend qu'ils y tiennent.

Par ailleurs, nous ne pouvons guère maîtriser l'inflation qu'en accroissant ce chômage. Nous nous plaignons bien fort que notre *niveau de gaspillage*, abusivement appelé *niveau de vie*, cesse d'augmenter. Les chantres des « trente années glorieuses » commencent — difficilement — à comprendre que cette « gloire » nous mène aux catastrophes ; et que désormais, celles-ci ne sont plus réservées aux autres, aux seuls miséreux.

On n'a su sortir réellement de la « Grande Crise » qui avait débuté en 1929 que par la Seconde Guerre mondiale. Mais l'apocalypse nucléaire nous interdit d'essayer à nouveau une telle issue.

Notre société de consommation représente un tel gaspillage qu'elle n'est absolument pas *généralisable*. De ce seul fait, elle est *moralement inacceptable*. Et l'économie sait désormais qu'elle n'a plus le droit de rejeter ce facteur moral, qui défend tout à la fois et les plus démunis et les générations futures. Sans ces gaspillages (autos, armements, publicités, etc.) et en répartissant *entre tous* le travail encore socialement utile, nous protégerions la nature et travaillerions moins longtemps, tout

---

1. Dupaquier, de l'INED, Institut national d'études démographiques, les estime entre 8 et 10 millions par an. Certains donnent des chiffres excessifs : la vérité suffit, elle est déjà effroyable.

en assurant aux populations du monde entier leurs besoins de base et leur dignité.

LES POLLUTIONS ATMOSPHÉRIQUES TUENT NOS FORÊTS

Dans *State of the World* 1985[1], Sandra Pastel nous rappelle que la décomposition des débris vivants, surtout végétaux et micro-organismes, n'a cessé d'acidifier les sols de nos forêts, quand le calcaire manquait pour les neutraliser.

Quand on coupe à blanc pour le papier les forêts du Québec et de Nouvelle-Angleterre, et que la forêt repousse, l'acidification s'accélère. Les activités industrielles d'Europe et d'Amérique du Nord déversent *trente fois plus* d'acidité sur nos forêts que dans les périodes agro-artisanales précédentes. Le dioxyde de soufre (SO_2), les oxydes d'azote sont rejetés par les centrales électriques brûlant des combustibles solides, charbon et mazout. Il s'y ajoute les hauts fourneaux des métaux non ferreux, et tous les moteurs à explosion, des camions aux voitures, spécialement responsables des oxydes d'azote. Avec eux se forme l'*ozone*, le plus redoutable.

Notre civilisation épuise les ressources rares non renouvelables de la planète, et en prive tout à la fois les pays démunis et les générations futures. Elle détruit les forêts par surexploitation, et déjà le Québec coupe 31 millions de m^3 de bois de résineux par an, alors que ses forêts n'en produiraient que 18 millions.

Quand, en 1973-1974, je dénonçais le danger que représente pour nos forêts la pollution atmosphérique, on me riait au nez... Personne n'ose plus le faire en 1986 ! Les forêts d'Europe centrale sont les plus menacées, de la Pologne à l'Allemagne, en passant par la Bohême. Dans ce pays, on tente d'interdire aux journalistes et aux photographes l'accès des forêts des Sudètes, mortes sur pied. Mais j'ai pu en voir des photos terrifiantes : un demi-million d'hectares touchés en 1983. Selon les prévisions, ce chiffre sera bientôt atteint en Pologne. On pense qu'en 1990,

---

1. Worldwatch Institute, Washington. Voir aussi le volume 1986, soulignant que la course aux armements USA-URSS conduit à la domination économique du monde par le Japon.

si les plans d'industrialisation se réalisent, trois millions d'hectares seront atteints.

En Allemagne, les trois quarts des « beaux sapins » de la Forêt Noire étaient attaqués dès 1983 ; contre 60 % en 1982, et depuis, cette dégradation n'a cessé d'augmenter. En juillet 1985, dans les Green Mountains du Vermont, j'ai vu les épicéas de plus en plus endommagés, à mesure qu'on s'élevait en altitude ; *et presque tous morts*, vers 1 200 mètres : *on sait* que les conifères captent l'humidité des nuages, qui sont plus pollués en altitude. Dans un *Journal of forestry* de 1983, le président de l'Association forestière allemande ne craint pas d'écrire : « Seuls peu de gens pensent à un trop possible scénario : *l'Europe centrale sans forêts.* »

Notre pays est menacé. Les études de l'inventaire forestier national suisse et du service phytosanitaire Sanasilv nous apprennent à en mesurer la gravité. Du printemps à l'automne 1983, la proportion d'arbres maladifs, dans leurs observations, passe de 3 à 14 %, celle des arbres malades de 1,4 à 2,8 %. En 1985, on parle de 36 %. Dans les Vosges, en 1984, on estimait que 10 % de la forêt était malade. A Aubure, dans le Haut-Rhin, on organise des circuits « pour voir mourir la forêt »...

Les forestiers CFDT de Franche-Comté ont publié, en décembre 1984, un dossier intitulé « La mort lente des forêts ». Et le Comité franc-comtois de l'Association pour la prévention de la pollution atmosphérique en publie un autre sur « Dépérissement des forêts et pollution atmosphérique ». J'étais avec eux, le 14 septembre 1985, à Besançon, pour contribuer à alerter l'opinion publique[1]. Mais l'Élysée a retardé l'alerte jusqu'en février 1986, pour la situer à un moment politique qu'elle juge plus favorable.

---

1. Sur le dépérissement de nos forêts, la Direction générale des Forêts parle « des outrances de certains Verts » et minimise les dégâts. Ce sont les forestiers de *terrain* (qu'on appelle cadres subalternes) qui m'en ont montré, en forêts de Besançon, la gravité ; ils la vivent tous les jours mieux qu'en rue de Varenne. Le ministère de l'Intérieur suisse, au contraire, avertit *dramatiquement* toute la population de la Confédération.

LA DETTE FINIT PAR ÉTRANGLER « LA CROISSANCE PAR L'ENDETTEMENT »

On nous a chanté les triomphes des « nouveaux pays industriels », catégorie qui mêlait l'Amérique du Sud aux cités-États de Singapour et Hongkong, avec Taiwan et la Corée du Sud. Désormais, on doit les séparer, car si l'Extrême-Asie poursuit sa marche triomphale, le « miracle » brésilien est bien mort, et cela depuis 1973. Les militaires ont dû y abandonner le pouvoir, tout comme en Argentine et en Uruguay ; et l'économie chilienne ne peut plus être proposée comme un modèle de réussite par les Chicago boys.

Dans *la Dette du tiers monde*[1], Pascal Arnaud nous relate l'histoire de cet endettement. Jusqu'en 1978 persistait l'euphorie, et la Banque Mondiale précisait encore, en 1981, que le taux de croissance annuel du tiers monde, 4,8 % de 1973 à 1980, dépassait largement les 2,5 % des pays industriels, plus ébranlés par les chocs pétroliers. Arnaud souligne la corrélation entre *croissance et endettement*, car si, durant cette même période, l'Amérique latine, déjà lourdement endettée, maintint une croissance de 5,4 %[2], les pays *africains non pétroliers*, nous l'avons vu, s'enlisaient déjà avec 1,3 %, en face d'une population qui peut dépasser les 3 % (3,7 % au Kenya !). Cette « croissance »[3] était liée à la stagnation ou même au recul de l'agriculture — 1,4 % de moins par tête en Afrique dans la même période —, à une surconcentration urbaine et à une effroyable *bidonvillisation*[4].

Jusqu'en 1978, les banques nord-américaines ont gagné beaucoup d'argent en recyclant dans le tiers monde, et même dans l'est de l'Europe, une masse énorme de pétrodollars. Une progression constante de l'activité économique était escomptée et l'on refusait d'envisager les possibilités d'une crise. L'inquiétude vraie débute seulement en 1979, quand la Pologne, un an avant l'émergence du syndicat *Solidarité*, commence à se révéler insolvable. Aussitôt après, on s'inquiète du Brésil et de la Corée du Sud. En 1980, Delfim Neto, l'homme du miracle

---

1. La Découverte, Paris, 1984.
2. Contre 5,9 % de 1960 à 1973.
3. Si l'on peut s'exprimer ainsi, au Sahel.
4. ... que j'ai pu voir de trop près, de Mexico à Bogota, Rio et Recife, et de Bombay à Calcutta et Dhaka.

brésilien, accumule promesses sur promesses, mensonges sur mensonges[1].

En septembre 1980, j'essaie d'expliquer aux amis mexicains que leur « système alimentaire » est en train d'échouer ; et qu'un déficit agricole croissant menace leur avenir économique[2]. Ils me rétorquent qu'on offre de leur prêter plus d'argent qu'ils n'en demandent — et c'était vrai. Mais voici que le 12 août 1982, ils veulent se déclarer insolvables, que les banques mondiales tremblent ; et que, dans toute l'Amérique latine, se produit un véritable *effondrement économique*. L'agriculture de subsistance ne reçoit aucun crédit, on soutient seulement les cultures d'exportation, car le besoin de devises devient crucial dans *des économies que leur dette étrangle*. Autre solution : remplacer le pétrole par l'alcool tiré de la canne à sucre, le tout aux dépens des cultures vivrières.

Les emprunts bancaires, à taux d'intérêt de plus en plus élevés, se multiplient ; le déficit commercial s'aggrave, tout comme celui du budget. Alors le taux d'inflation atteint de tels sommets que, fin 1983, un journal argentin, évoquant le deutsche mark allemand de 1923, titre : « Le papier-monnaie est mort en Argentine[3] ! » Finalement — quand on ne peut plus faire appel aux crédits bancaires — c'est le *deus ex machina* du vieil ordre économique international[4], le *Fonds monétaire international*, « coordinateur du refinancement des débiteurs en difficulté qui intervient, avec un refinancement indispensable pour ne pas ruiner d'un coup *ces pays*, et *donc les banques* qui leur ont beaucoup prêté », nous dit Arnaud. Mais, répond Larosière, le patron de ce FMI : « Les capitaux doivent se diriger vers les pays dont les *politiques* donnent une assurance raisonnable de voir les ressources en question renforcer la base productive et, partant, la capacité d'assurer *le service de la dette*[5]. »

Pour cela, on comprime les importations, alors que le développement par l'endettement a créé un appareil industriel

---

1. A Brasilia, en août 1980, il m'avait donné rendez-vous... et puis il s'est « dérobé ».
2. *Cf.* Revue *Proceso*, 23 septembre 1980, Mexico.
3. En Bolivie, on importe des billets de banque d'Europe, les imprimeries locales ne suivant pas le rythme de l'inflation.
4. Puisque le « nouvel ordre » est resté « sur le papier ».
5. Quant à la survie des pauvres privés de travail, elle passe après... La dette avant la survie, Shylock n'est pas mort...

travaillant surtout pour les riches (qui exportent leurs capitaux), et fortement importateur[1]. Quand les devises, qui auparavant payaient les achats, doivent d'abord rembourser les dettes, beaucoup d'usines ferment, faute de matières premières et de pièces de rechange : la production industrielle d'Argentine et du Brésil, sinon du Mexique, a baissé ces dernières années *en valeur absolue*, et beaucoup plus en production par tête. Le Brésil de 1983 n'a guère importé que pétrole et produits alimentaires, dans un pays qui pourrait produire beaucoup plus que ses « besoins essentiels », si les latifundiaires ne stérilisaient, sous la forme de friches et de pacages trop médiocres, des dizaines de millions d'hectares aptes aux cultures vivrières. On critique les réformes agraires qui se sont heurtées — au Mexique, au Chili — à bien des difficultés. On oublie de critiquer les résultats des *non-réformes agraires*, dans le reste de l'Amérique latine, et de rappeler le profit qu'ont tiré de ces réformes le Japon, la Corée du Sud et Taiwan[2].

En octobre 1985, le Brésil, dit le président Sarney, « ne paiera jamais la dette avec un sacrifice prolongé pour notre peuple »[3]. Le produit national brut par tête est tombé de 2 000 à 1 700 dollars, entre 1979 et 1984, et la crise a encore renforcé les inégalités : moins du quart de la population assure 90 % de la consommation des ménages ; aussi le ministre des Finances, qui soutenait le FMI, a-t-il été renvoyé le 26 août 1985, et la réforme agraire va peut-être être entamée — vingt et un ans après la tentative de réforme de 1964, qui « provoqua » le coup d'État militaire.

Au Pérou, le nouveau président Alan Garcia a décidé de ne consacrer au paiement de la dette que 10 % du montant des exportations. « Je n'ai pas été élu par des fonctionnaires du FMI, mais par 20 millions de Péruviens », a-t-il dit. En Argentine, payer la dette suscite de plus en plus de mécontentement, quand on compte officiellement (plus dans la réalité) 6,2 % de

---

1. De sorte que ces crédits ont maintenu les débouchés des pays « développés ».

2. A comparer avec l'échec global et nié à tort du sous-continent indien, encore plus marqué au Bangladesh.

3. Dans *le Monde* du 18 avril 1986, Ch. Vanhecke nous cite un rapport du sociologue Jaquaribe : « 1 % des Brésiliens disposent d'autant de revenus que les 50 % les plus pauvres. » Même avec 6 % de croissance jusqu'à l'an 2000, si l'on ne change pas les structures sociales « il y subsistera le même taux de chômage qu'aujourd'hui, avec 20 % de chômeurs ».

sans-emploi, plus 6,5 % de sous-employés, plus 10 % d'activités non productives : vente ambulante, semi-mendicité[1]. Si tous les pays d'Amérique latine imitaient le Pérou, les banques reculeraient. D'autre part, si, comme on le leur demande, tous les pays inscrits au FMI — leur nombre augmente — diminuent leurs importations et accroissent leurs exportations, pour se procurer les devises nécessaires au paiement des intérêts, nul n'est besoin d'être un économiste chevronné pour voir à quelle impasse on aboutirait.

Par ailleurs, une part notable de ces crédits a été aussitôt exportée des pays qui les ont reçus, au profit des riches : 23 milliards de dollars entre 1979 et 1983, pour le seul Mexique. Une autre partie a été consacrée à l'achat d'armes, pour la répression interne tout autant que pour les Malouines[2]. Quant aux crédits à l'exportation, « généreusement » accordés par les pays développés, ils ont abouti à y reculer l'échéance du chômage, mais les équipements vendus furent si mal adaptés que beaucoup ne servent pas.

Dans le plus remarquable des livres parus sur ces problèmes, *le Piège bancaire*[3], Richard W. Lombardi (qui est vice-président de la First National Bank of Chicago) nous rappelle que « nous vivons sous la menace d'une double apocalypse, le danger nucléaire et la famine [qui correspond à] un Hiroshima tous les cinq jours... Sur le produit national mondial : 6 000 milliards de dollars, 1 000 milliards vont au tiers monde, *OPEP inclus*. Sur ces 1 000 milliards, plus de 70 % reviennent à moins de 8 % de la population : cet écart n'est pas le fruit du hasard. (Durant le "miracle" brésilien) 90 % des nouvelles richesses créées ont profité aux 10 % les plus riches ».

Toute notre économie se base sur la loi de l'avantage comparatif, qui nous indique comment tirer le meilleur parti du complexe terre-travail-capital. En 1945, dit Lombardi, « la plupart de ces soi-disant "avantages" se trouvent au nord et y

---

1. *Le Monde*, 13 et 14 octobre 1985 et *le Monde diplomatique*, octobre 1985.

2. *Cf.* Willy Brandt, World Armament and World Hunger, Gollanez, Londres, 1986. Brandt dénonce le scandale des dépenses d'armement : « Une demi-journée de dépenses d'armement permettrait de financer l'éradication de la malaria » ; mais l'*Economist* de Londres pense que rapprocher ces deux dépenses équivaut à dire que les cochons pourraient voler. Mais il faut le rappeler.

3. Flammarion, Paris, 1985. Le titre anglais *Debt Trap (le Piège de la dette)* était meilleur.

demeurent ». « Cette théorie nous vient de la vision du monde du XVIIIe siècle qui pose le conflit, à l'exclusion de la coopération, la concurrence plutôt que la raison comme la principale source de motivation... le point de départ du développement économique. » D'après Adam Smith « la quête du plaisir et la fuite des peines sont la source ultime de la valeur, tant économique que morale ». C'est ce que continue à prôner la loi du marché. (Résultat) : « Déséquilibre entre le Nord et ses agents mimétiques du Sud, d'une part, et l'immense majorité des pauvres des villes et des campagnes, d'autre part. »

Dès la première décennie du développement, avec le modèle industriel prioritaire, l'évolution des termes de l'échange intérieur se fit aux dépens de la population rurale médiocrement organisée qui assurait la production vivrière — qui, par tête d'habitant du tiers monde commence à reculer. « L'essor du PNB monétarisé s'est accompagné d'une progression de la faim... la misère généralisée des pauvres sans terre. »

Ce processus « s'appuie sur un simulacre de libre échange, qui joue entre les puissants et les déshérités... La famine gagne du terrain et les banques[1] ne sont plus capables d'assurer un minimum de crédits internationaux ». Une crise infiniment plus lourde que celle de 1929 se profile à l'horizon.

LA RECONSTRUCTION PAR L'ÉCONOMIE DE SURVIE

N'insistons pas sur cet aspect monétaire, qui nous est peu familier. Arnaud parle de « convertir la dette à taux variable (élevé) en dette à long terme dont le coût ne subirait plus les errements des taux d'intérêt. Une agence publique, financée par les pays industriels, reprendrait à son compte les créances douteuses des banques, échangées contre des bons à long terme et faible rendement ».

Soulignons le caractère *immoral* des dettes du tiers monde. De plus en plus endettés, privés de leur « droit au travail », les paysans et les bidonvillois sont de plus en plus mal nourris, mal soignés, mal logés, mal instruits. Va-t-on continuer à les obliger à produire d'abord pour l'exportation, avant de songer à les

---

1. C'est un banquier qui parle. Voir aussi *le Monde* du 15 avril 1985, « l'endettement du tiers monde ».

nourrir correctement ? Faut-il leur demander plus de cultures d'exportation, quitte à venir tous les dix ans nourrir les survivants dans les camps de la misère, *les Goulags de la Faim*, ce qui accentuerait encore les inégalités à l'échelle mondiale[1] ?

En pays développés, le rôle de ceux qui *refusent* des inégalités aussi monstrueuses que les misères et les famines — que nous avons *désormais* (ce n'était pas vrai il y a deux siècles) les moyens d'éviter —, c'est de lutter pour un système économique moins aberrant et moins injuste. Or cela *est possible*. Il nous faut aussi tenir compte des échecs des « soi-disant socialismes ». Mais il existe d'autres alternatives. Nous n'en sommes plus au règne de l'étalon or, base de l'économie de marché. Et cette dernière est, elle-même, remise en question. Comment en serait-il autrement quand on prête aux pays les plus endettés de quoi rembourser, non pas seulement le capital, mais aussi les intérêts — dont les taux sont exorbitants[2].

Nos économistes les plus distingués sont « en recherche ». Éliminons d'emblée ceux qui se rangent du côté des privilégiés du gaspillage, et ne sont pas capables de comprendre qu'ils mènent le monde à la ruine. Le seul espoir de survie de l'humanité est que les décideurs, économiques et politiques, comprennent la nécessité pour la survie :

— de ménager nos ressources en air et eaux, sols et forêts, minerais et combustibles... ;

— de réduire, de ce fait, les taux de pollution, en diminuant les fabrications somptuaires (puissantes automobiles individuelles) ; et en tendant à supprimer les fabrications nuisibles (armements) ;

— de réduire les inégalités, tant entre les nations qu'entre les individus (ceci n'impliquant nullement les solutions totalitaires, ni « autoritaires » du monde « libre ») ;

— de donner la priorité à la satisfaction des besoins essentiels

---

1. Celles-ci n'ont guère débuté qu'avec notre « développement ».

2. Le rapport annuel 1985 de la Banque des règlements internationaux, publié par cette BRI à Bâle, le 10 juin 1985, indique que ces taux excessifs résultent d'abord du déficit budgétaire des États-Unis et conclut : « L'adoption de mesures propres à réduire ce déficit demeure un objectif *prioritaire* pour l'économie mondiale. » En somme c'est le monde capitaliste tout entier — et par l'échange inégal, le tiers monde — qui finance le surarmement des États-Unis, lequel menace la paix mondiale. Quant à la situation économique du tiers monde, elle ne figure pas dans ce rapport. Pour ces riches, les *trop pauvres n'ont guère d'intérêt.*

de tous, ce qui assurerait le plein emploi et garantirait à chacun *le droit au travail*.

Avant tout : droit au travail, droit aux besoins de base *pour tous* — ce qui ne me conduit nullement à mépriser les droits politiques[1], puisque je ne cesserai jamais de défendre *la démocratie*, je l'affirme en postface.

Le « Reaganisme » intégral et l'empire du dollar[2] : une autre « antidémocratie »

Le totalitarisme, voilà l'ennemi, c'est vrai... mais à condition d'attaquer *tous* les totalitarismes. Les militaires d'Argentine, du Brésil et d'Uruguay hier, ceux du Chili, du Paraguay, d'Amérique centrale aujourd'hui, se disent les défenseurs de « l'Occident chrétien ». Pour gagner leur combat, ils n'hésitent pas à faire assassiner Mgr Romero en pleine messe à San Salvador ; le père Neto qui assistait, à Recife, Dom Helder Camara ; le père Jary, à Santiago du Chili, le Père Favelli aux Philippines... Dans tous ces pays, les défenseurs des pauvres sont jetés en prison. D'où la nécessité de combattre sur les deux fronts — non pas à gauche et à droite, mais contre cet *ennemi à deux visages qu'est le totalitarisme*. Totalitarisme des régimes communistes, totalitarisme des régimes responsables des massacres d'Indiens, de démocrates, de progressistes et des partisans des libertés et des droits de l'homme.

Moscou et Washington menacent, *autant l'un que l'autre*, notre survie, par leur effroyable course aux armements[3]. Celle-ci est devenue indispensable à notre économie, basée sur le profit sans limite. Si Khrouchtchev se plaignait des exigences de ses « mangeurs d'acier », Eisenhower était bien placé pour nous mettre en garde contre « le complexe militaro-industriel ». Reagan lui redonne un second souffle et ce sont, finale-

---

1. Certains, qui se disent défenseurs des droits de l'homme, relèguent ces *basic needs* loin derrière les droits politiques. Mais comment assurer ces derniers à celui qui meurt de faim ?
2. *Cf.* sous ce titre l'article de Claude Julien, *le Monde diplomatique* de février 1985.
3. Contre laquelle lutte *Greenpeace*, mouvement auquel la stupidité de nos militaires — et de nos militaristes — a fait, en coulant leur bateau à Auckland, la meilleure publicité : 400 000 adhérents nouveaux, et je me range à ses côtés.

ment, les épargnes du monde entier (attirées par une spéculation sur le dollar, qui rapporte gros) qui le financent.

Nous volons tous au secours de *l'Empire du dollar*, oubliant que *l'american way of life*, s'il se généralisait, ne pourrait guère nourrir plus d'un milliard[1] de personnes sur cette terre — et nous approchons des cinq milliards... Si l'on étendait à toute la planète la civilisation nord-américaine de l'automobile individuelle, les autoroutes, parkings et garages du modèle californien recouvriraient plus de la moitié des terres labourées de la Chine et de l'Inde. Une civilisation qui n'est pas *généralisable* accorde des privilèges *inacceptables* à la minorité riche. Car elle refuse aux autres les droits élémentaires fondamentaux *au travail et à l'emploi* ; donc *à la dignité* et *à la nourriture* ; donc *à la vie.* Quand nous roulons en voiture pour nos loisirs, alors que nous aurions pu prendre le train, l'essence gaspillée (l'essence qui, une fois brûlée, tue nos forêts), nous n'avons pu nous la procurer que parce que la France a exporté, en 1984, pour 50 milliards de francs d'armements, contre 29 milliards à l'agro-alimentaire (le fameux « pétrole vert ») et 27 milliards au tourisme[2]. Pour pétarader et tuer à volonté (12 000 morts, 300 000 blessés par an, pour les accidents de la route), il nous faut donc — dans l'indifférence — pousser à l'extension et à la prolongation des 130 guerres dites « locales ». On ne peut appeler ainsi celle qui se déroule depuis tant d'années entre l'Irak et l'Iran et pour laquelle nous avons pris position en faveur de notre « meilleur client » — sans être sûrs qu'il puisse nous rembourser !

ET MAINTENANT, « QUE FAIRE » ?

Nos ONG ne sont certes pas parfaites ; dans leur publicité, il peut y avoir des exagérations... ce n'est point une raison pour les discréditer en bloc. Les microprojets ne résoudront pas tous les problèmes, mais ils sont essentiels pour aider *les paysans.* Les aider à se libérer, à s'organiser, à s'éduquer, à se défendre. Elles constitueraient ainsi des forces politiques *rurales,* sur

---

1. On y gaspille, pour l'alimentation du bétail, une tonne de céréales par habitant et par an.
2. *Le Canard enchaîné,* 20 février 1985.

lesquelles des pouvoirs *honnêtes* pourraient s'appuyer pour mieux défendre l'intérêt national — donc *aussi* celui des démunis.

A l'échelle mondiale, il serait possible, sinon nécessaire, de concevoir et de réaliser, par étapes, des systèmes économiques affranchis des deux idéologies qui nous gouvernent ; et qui sont, l'une comme l'autre, au bord de la faillite. S'il est (enfin) aisé aujourd'hui de démontrer les difficultés et les échecs des « soi-disant socialismes », il est plus difficile de persuader les privilégiés occidentaux que nous sommes responsables de l'échec fondamental de l'ensemble des pays démunis, qui se rattachent au vieil ordre économique, celui de notre « monde libre ». L'esquisse semi-utopique que j'ai faite dans un livre[1] fut une tâche relativement facile. Il serait plus difficile, je le sais, de tracer, avec précision, les voies et les moyens qui permettraient à notre économie d'évoluer vers un ordre mondial *plus rationnel.* En 1981, nos socialistes français ont échoué dans une tentative de « rupture avec le capitalisme[2] ». Quant aux tentatives du « Nouvel ordre économique international », elles se sont *enlisées* dans les bureaucraties des Nations unies. Mais, cela n'est pas une raison pour abandonner d'autres recherches, pour renoncer à d'autres tentatives.

Toute une série de *mesures réformistes,* plus démocratiques dans l'ordre économique et donc respectant mieux les libertés fondamentales *(droits à la vie et droit au travail inclus)* restent possibles. Ainsi, pour combattre les excès de l'automobile qui *tue* l'environnement européen, il faut absolument une essence plus chère, des taxes relevées selon la puissance des voitures, l'essence sans plomb, des filtres antipollution, des subventions à tous les modes de transport en commun. La sauvegarde de nos forêts, si gravement menacées, exige que toutes ces mesures soient prises et qu'elles le soient de *toute urgence.* Car bientôt, très bientôt, il sera trop tard : nous sommes en guerre pour la survie et non pas seulement en guerre économique.

D'autres mesures antipollutions, plus rigoureuses, seraient également indispensables le plus rapidement possible, pour combattre les pollutions des cheminées d'usines, les rejets de produits chimiques toxiques, les abus des engrais qui polluent

---

1. *L'Utopie ou la mort...*
2. Bonne explication dans *The Economist* de Londres, 23 août 1985 : « Hawke (Australia) 2, Mitterrand 0 ».

les nappes phréatiques, etc. Mais, dans le système économique actuel, on dit — sans le prouver — que de telles mesures menaceraient le taux de croissance, sinon le degré d'emploi. Aussi faut-il, une bonne fois pour toutes, se convaincre que notre système économique n'est pas *de droit divin*. Rien ne doit empêcher que nous puissions nous acheminer un jour, après mûres discussions et réflexions bien sûr, vers une économie qui ne serait plus basée uniquement sur la recherche du profit et l'accumulation du capital. Une économie qui ne serait plus néfaste au milieu naturel et n'approfondirait pas forcément les inégalités sociales, mais viserait le plein emploi et les besoins de *base pour tous*. Ce qui réduirait ces inégalités entre nations, si profondes et si vite croissantes qu'elles n'autorisent pas Reagan à se prétendre « démocrate »[1].

LES « CRIMINELS » DES GÉNOCIDES DE LA FAIM

La série télévisée *Dallas* nous montre les gaspillages effrénés du Texas ; quelques minutes plus tard, les camps de l'Éthiopie se dessinent sur l'écran. Ces décalages effroyables ne cessent de croître et ne cesseront de le faire si nous ne combattons pas les *criminels qui gouvernent nos politiques et nos économies.*

L'Occident aime dénoncer — avec quelque raison — les criminels de la répression à Moscou, sinon à Pékin. Mais les nôtres, ceux qui règnent à Washington, et protègent des régimes autrement répressifs ? Ceux qui règnent dans la même capitale, au FMI et à la Banque Mondiale, ont dirigé ce qu'ils appellent encore le développement, mais qui est d'abord, pour les pauvres, celui des inégalités et de la croissance de la malnutrition et de la famine. Il faudra bien leur retirer le droit qu'ils se sont arrogé de *condamner à mort*[2] une part de la population des pays pauvres, part qui risque de croître : celle de l'Éthiopie aujourd'hui, du Sahel demain, de l'Inde et des Andes après-demain.

---

1. Cf. *la Démocratie contrariée*, G.A. Astre et P. Lépinasse, La Découverte, Paris, 1985.
2. On pourra envisager de nouveaux tribunaux de Nuremberg.

Et nous avons vu la nécessité de remettre en cause *toute la politique « d'aide » de notre pays*[1]...

PARIS-DAKAR : L'AUTOMOBILE RUINE L'AFRIQUE

Pendant que l'Afrique se meurt, la 8e course Paris-Dakar s'est déroulée à travers le continent africain, et son animateur, le malheureux Thierry Sabine, a salué son prologue à Cergy-Pontoise, le 29 décembre 1985, au cri de *A nous l'Afrique*. Ce rallye est une indécente exhibition de l'aspect le plus discutable de notre civilisation de gaspillage, celle de l'automobile particulière, au sein d'un continent où les besoins de base sont loin d'être satisfaits, et au milieu de ceux qui ne pourront jamais jouir de ces monstrueux gadgets. Depuis l'indépendance, les « élites » au pouvoir dans ces pays ont voulu vivre « notre » civilisation de l'automobile, de préférence sous sa forme somptuaire, entraînant le gaspillage d'une large part de l'aide extérieure, utilisée à l'aménagement de réseaux routiers, et poussant au développement des cultures d'exportation, pour se procurer les devises nécessaires à l'acquisition de ces « jouets » ; souvent jusqu'à compromettre les cultures vivrières. Si le rallye a obtenu (à quel prix ?) l'autorisation des pouvoirs locaux, a-t-on demandé celle des nomades et des paysans ? Pourtant le passage incessant des voitures, des camions et des motocyclettes détruit les steppes au couvert végétal si fragile. Il détériore les ponts (on n'a toujours pas réparé celui de Bandiagara, démoli l'an passé). Il dégrade les pistes, et les transports de grains d'une région à l'autre, que favorisent les ONG réunies pour l'action « Afrique Verte », deviennent plus difficiles et plus coûteux. Sur pistes démolies, la tonne-kilométrique se paie beaucoup plus cher. Quand la course descend jusqu'à Labé en Guinée, si elle sort des pistes, comme nous le disent les organisateurs, alors elle traverse des champs et des jachères : il faudra en mesurer de près les dégâts. Ces pilotes automobiles me font penser à d'insouciants et joyeux noceurs qui organisant un banquet, frappent à la maison

---

1. Les paragraphes suivants ont été rédigés après la remise initiale du manuscrit, pour tenir compte des événements et des publications parues par la suite.

d'un pauvre et ripaillent chez lui, à son nez et à sa barbe, sans partager le festin.

Un tel spectacle nous déshonore. Aussi, les grandes organisations tiers-mondistes de France (Cimade, Frères des Hommes, Terre des Hommes, Comité catholique contre la faim, etc.) alliées à des ONG africaines, ont organisé le collectif PA'DAK[1] (pas d'accord avec Paris-Dakar), rapidement approuvé par de nombreuses personnalités : l'abbé Pierre, Simone de Beauvoir, Haroun Tazieff, Philippe Noiret, etc. J'ai eu l'occasion d'en parler à France-Inter et dans les journaux[2]. Le 1er janvier, jour du départ, nous étions présents à Versailles. Allongés sur la piste, nous fûmes très rapidement mis en demeure de laisser le libre passage aux concurrents.

Antenne 2 s'est vu retirer l'autorisation de reproduire les photographies et slogans vantant les mérites de produits tels que le tabac (y compris les cigarettes Rothmans dont beaucoup ignorent qu'elles sont fabriquées en Afrique du Sud) et l'alcool, qui assurent le financement de ce que l'on ose appeler une aventure, mais qui est d'abord une entreprise publicitaire au bénéfice des autos qui tuent nos forêts, et des drogues légales, qui dégradent notre santé. Il y a déjà un mort parmi les participants, mais quand il s'agit d'un gosse africain écrasé au passage, on ne donne pas son nom dans la presse ; ce n'est qu'un Africain...

Les bénéfices de la société Thierry Sabine Organisation ne sont pas connus. Aux 13,6 millions versés par les participants (380 voitures, 150 motos et 70 camions dont le droit d'inscription pour chacun des conducteurs s'élève respectivement à 20 000 F, 17 000 F et 50 000 F) s'ajoute l'effort financier que constituent le sponsoring et les contrats avec la Télévision... Sabine avait promis aux Africains, les années précédentes, d'entretenir des équipes de football à Bamako, d'assurer la promotion des disciplines sportives au Sénégal, de créer près de Dakar un circuit pour compétition de voitures tout terrain ; mais, nous dit *le Canard enchaîné* (8/1/86), il n'en a rien fait. En 1986, il promettait 10 grosses pompes et 50 petites, en ajoutant : ainsi « les villages d'Afrique n'auront plus faim ». Il ignorait donc que le Sahel compte 40 000 villages, et que l'on fabrique des pompes en Afrique.

---

1. 12, avenue Sœur Rosalie, Paris 13e.
2. *Le Matin de Paris*, 10 janvier 1986.

Thierry Sabine est mort, victime de son imprudence, et nous le regrettons. Ce ne fut pas le seul mort de cette trop redoutable épreuve. Je déplore qu'il ait dit : « ... René Dumont en est resté à la lecture de *Tintin au Congo* ». Le professeur Frédéric Guirma, un Voltaïque, nous disait à Taipei : « Ce rallye insulte les morts de l'Afrique, en écrasant sans respect la poudre blanche des os de nos lointains ancêtres. Le génie tutélaire de l'Afrique s'est vengé. »

GUERRES SAHÉLIENNES, BANQUEROUTE DE L'ENVIRONNEMENT

Les 10 et 11 décembre 1985, tandis que débutait à Paris le sommet franco-africain, le président Sankara, qui ne s'y était point rendu, recevait à Ouagadougou, le colonel Kadhafi, qui venait de visiter le Sénégal, le Mali et le Ghana. Les gardes du corps de Kadhafi s'y conduisaient en pays conquis, et lui-même invitait les Burkinabés à réaliser un « État des masses » analogue à celui de la Libye. Il y a revendiqué, pour ses forces armées au Tchad, « le même rôle que celui des forces armées syriennes au Liban »...

Le 25 décembre, on a « fêté Noël » sur la frontière du Mali et du nord du Burkina-Faso par un conflit armé dont on ne sait encore qui en est le plus responsable. Conflit renouvelant ceux de 1974 et 1976, pour une bande de territoire de 160 kilomètres de long sur une dizaine de large, dont les médias ont d'abord dit qu'elle recélait de grandes richesses minières, ce qui est totalement faux. Il me paraît y avoir plus qu'une coïncidence entre cette visite et ce conflit, où la Libye[1] a immédiatement proposé ses bons offices, et même ses soldats, pour participer à une « force de paix » entre les deux pays ; ce qui inquiète beaucoup les autres États africains, qui ont proposé leurs propres services. Avec la montée de certaines formes d'inté-grisme musulman, il y a là deux actions qui risquent de se renforcer, mais pas toujours pour le bien de l'Afrique. En attendant, de tels conflits diminuent encore les chances du Sahel d'arriver un jour « à s'en sortir » — et à ralentir l'avancée du désert.

---

1. Bombarder la Libye (15 avril 1986) ne nous paraît pas le meilleur moyen de ramener Kadhafi à la raison.

Pendant ce temps, *l'Afrique se meurt*, et l'UNICEF publie en fin d'année 1985, un rapport intitulé « A portée de main, un avenir pour les enfants d'Afrique », qui souligne « les échecs des politiques de développement des gouvernements nationaux et des organisations d'assistance étrangères... ils ont pu rarement profiter à l'Africain moyen. Ils n'ont pas su établir le contact humain, qui est la seule garantie de succès ». Les mesures d'ajustement économique (qu'exige le FMI) étranglent les secteurs d'éducation et de santé « et affecteront gravement les plus pauvres et surtout les enfants, l'avenir du continent ». Par ailleurs on a totalement négligé le rôle des femmes dans l'agriculture, les hommes ayant accaparé les meilleures terres pour les cultures de rapport...

Dans ce livre, je n'ai étudié que le Sahel « en voie de destruction ». C'est hélas, aussi vrai, à l'échelle du Continent, et Lloyd Timberlake apporte des confirmations aussi dramatiques dans *l'Afrique en crise, la banqueroute de l'environnement*[1]. Banqueroute aussi marquée en Afrique orientale, mais plus accentuée dans les bantoustans d'Afrique du Sud, artificiellement surpeuplés par l'Apartheid. Situation aggravée par les guerres, plus souvent « civiles » mais non moins meurtrières, du Biafra au Nigeria, au Tchad, de l'Érythrée au nord de l'Éthiopie, etc., on n'en voit pas la fin. L'Éthiopie affamée consacre à l'achat d'armes un montant comparable à celui de ses exportations. Les dictatures se succèdent, tout aussi abominables. De fait, on passe en Ouganda de Idi Amin Dada à Milton Obote, remis au pouvoir par l'armée tanzanienne. En Angola, les conflits ne s'arrêtent pas et le pouvoir de Luanda, sans cesse attaqué par l'Afrique du Sud, ne se maintient qu'avec l'aide cubaine. Les paysans de Mozambique, harcelés par la guérilla, se réfugient en Afrique du Sud — qui devient pour eux un havre de repos !

Guerres plus démolition du milieu naturel, due d'abord à l'explosion démographique ; et l'Égyptien Buthros Gahli écrit : « Sans imagination politique, l'Égypte deviendra un nouveau Bangladesh, désolé par la sécheresse et la famine — mais un Bangladesh au bord de la Méditerranée. » Voici donc, conclut Timberlake : « Un continent entier au bord de l'effondrement ; c'est le plus grand désastre frappant la planète depuis la

---

1. L'Harmattan, Paris, 1985 ; voir aussi *l'Afrique en panne* de Jacques Giri, Karthala, Paris, 1986.

dévastation de l'Europe par la Seconde Guerre mondiale »...
« On estime que cinq millions d'enfants de moins de cinq ans
sont morts en Afrique en 1984, un chiffre qui équivaut à
50 désastres aériens par jour. Qu'est-ce qui tue ces enfants ? »

LA DETTE ET LE « MODÈLE OCCIDENTAL » VONT-ILS TUER LE
SAHEL ?

En comparaison des 107 milliards de dollars de dettes du
Brésil, des 99 milliards du Mexique et 51 milliards de l'Argentine (en fin 1985), les dettes du Sahel tournent autour du
milliard de dollars pour le Mali et la Mauritanie, 800 millions
pour le Niger, 400 millions pour le Burkina-Faso ; et jusqu'à un
milliard et demi pour le Sénégal, favorisé par sa position
stratégique. Ces chiffres semblent bien modestes, mais représentent cependant de 85 à 180 % de leur produit annuel brut ;
et de 250 à plus de 500 % (ce dernier chiffre pour le Mali) de
la valeur de leurs exportations annuelles : tous ces rapports
sont bien plus élevés que pour l'Amérique latine, car le produit
brut dépasse le double de la dette au Brésil et au Mexique[1].
Les pays du Sahel sont totalement incapables d'équilibrer
leurs budgets, leurs balances des comptes. Ils ne survivent que
grâce à l'aide internationale ; et l'on ne peut plus parler que de
survie pour ces paysans, nomades et bidonvillois ruinés. Malgré
un volume d'aide important, ces pays ne sont plus capables
d'entretenir routes et voies ferrées, bâtiments publics, etc. Ils ne
peuvent plus acheter assez de pétrole (même aux prix réduits)
pour permettre à leurs personnels de santé ou d'agriculture de
se déplacer. Les salaires trop élevés de fonctionnaires absorbent 80 % des budgets, et il ne reste presque rien pour le
minimum de matériel qui leur permettrait de travailler. Faute
de devises, ils ne peuvent même plus acheter les pièces de
rechange qui remettraient en route leurs usines, leurs camions,
leurs tracteurs : *la disette y tourne à la ruine.* « C'est la première

1. Voir « Le fardeau de la dette africaine », *le Monde diplomatique*, avril
1986. Et la revue *le courrier*, *« Afrique - Caraïbes - Pacifique - Communauté
Européenne »* de mai-juin 1986 sur *Dettes et Développement* souligne notamment l'insuffisance du plan Baker (Séoul, 1985) pour desserrer l'étranglement
de l'Afrique par la dette.

fois depuis la Seconde Guerre mondiale qu'une région entière souffre d'un recul pendant une génération, conclut le rapport spécial sur l'Afrique (avril 1986) de la Banque Mondiale[1].

On en a parlé beaucoup à la session spéciale sur l'Afrique en mai 1986 des Nations unies. On n'ose pas y reconnaître que le Sahel ne pourra *jamais rembourser ses dettes* ; et qu'il ne pourra simplement survivre qu'avec une « aide » fortement accrue, donnée à fonds perdus. A ce moment-là, la communauté internationale, acculée à l'aider, se trouve en droit de lui demander de mieux gérer son économie ; et même de commencer à réagir contre l'explosion démographique qui ruine l'Afrique, l'affame et compromet tout espoir d'autosuffisance.

Un problème fondamental subsiste : cette meilleure gestion doit-elle suivre les lignes que lui trace la Banque Mondiale, axées sur la privatisation de l'économie et la loi du marché, base du pillage du tiers monde ? Doit-elle, sur les conseils de la Banque, suivre notre « modèle » de développement qui l'a conduite, à la ruine ? Ne lui faut-il pas chercher à bâtir *une économie de besoins*, axée sur le plein emploi, la satisfaction prioritaire des besoins de base de l'ensemble de la population ? Recherche difficile, qui exige au préalable la reconnaissance de l'échec de « notre » modèle de développement, dans la ligne qu'esquisse largement Richard Lombardi[2].

Edgard Pisani, qui préside le Comité préparatoire de cette session spéciale des Nations unies pour l'Afrique, nous exposait aux Futuribles[3], le 8 avril 1986, ses réflexions de départ, que je résume ici. « Même si on annule les dettes de l'Afrique, et si on accroît les flux financiers dirigés vers ce Continent, *ses problèmes ne seront nullement résolus.* Il faudrait un contrat politique d'engagements réciproques entre l'Afrique et le monde qui ait une telle force que tous, nous ayons envie de le respecter. Le cycle climatique de la sécheresse, aggravé par les

---

1. Qui a reconnu bien trop tard le problème essentiel de l'écart villes-campagnes, des privilégiés urbains au pouvoir...

2. *Le Piège bancaire, op. cit.*

3. Centre de recherches sur la prospective, 55 rue de Varenne, Paris. Voir aussi *le Monde,* 28 mai 1986 , *un contrat politique,* Edgard Pisani.

actions de l'homme, va nous ramener des situations dramatiques ; et si on ne fait *que* les secourir (*cf.* Bob Delgof et ses concerts, École-action, etc.) dans dix ans, la situation sera *bien plus grave.* L'explosion démographique va s'amplifier, et l'on prévoit dans les 25 ans à venir une urbanisation augmentée de 350 à 400 millions en Afrique ; phénomène d'une ampleur que le monde n'a jamais connue et que l'on ne sait comment aborder. D'autant plus que les systèmes d'enseignement et de recherche ne sont nullement maîtrisés.

Un vrai développement sera impossible tant que les paysans ne seront pas sortis de l'économie de subsistance, qu'on pourrait appeler une pré-économie. Mais faut-il en sortir par l'*économie de profit*, le modèle euro-américain qui bâtit des cathédrales dans le désert ? Ou par une économie de besoins, à inventer ? Les États, avec leurs frontières artificielles, héritées de la colonisation, peuvent-ils rétablir un dialogue avec leur société civile, grâce auquel l'effort demandé aux Africaines prendrait un sens ? Les femmes fournissent 70 % de la force de travail africaine, autre problème grave. Si les soins de santé sont insuffisants, les améliorer, ne l'oublions pas, aggraverait la situation démographique.

Dans la discussion qui suivit, Stéphane Hessel a rappelé que les mêmes problèmes avaient été évoqués à la Conférence des PMA (pays les moins avancés) de septembre 1981 à Paris ; et que celle-ci n'avait été suivie d'aucun résultat fondamental. J'ai rappelé de mon côté la conférence de Nairobi sur la désertification en 1977, et Paul Marc-Henry a confirmé qu'aucun pays « développé » n'avait voulu s'y engager financièrement. Risquant une fois de plus d'être traité de catastrophiste, je ne vois pas, en 1986, si la démographie n'est pas vite dominée (à la chinoise ?) comment ce Continent (et le monde) vont pouvoir éviter d'effroyables convulsions. Dès 1973, dans *l'Utopie et la mort*, j'annonçais que l'écart sans cesse croissant des pays nantis et des pays ruinés contribuerait à exacerber le terrorisme... Nous y voilà.

Pour l'Afrique, j'accuse. Comment rester serein face à la perspective d'une catastrophe sans précédent dans l'histoire de l'humanité, une catastrophe qui menace un continent entier ? Je l'avais assez largement prévue dès 1962, en publiant *L'Afrique noire est mal partie.* Que dire, en 1986 ?

J'accuse les gouvernements français qui se sont succédé depuis 1960 de s'être surtout souciés d'y maintenir leur influence : *Politique* d'abord, en confortant au pouvoir ceux qui restaient dans notre allégeance, au besoin par interventions militaires : du Cameroun dès 1959 au Tchad en 1984, en passant par le Gabon, la Mauritanie, les Comores, le Zaïre, etc. *Économique* ensuite, avec le maintien dans ces pays d'une économie *dominée*, apte à nous ravitailler en francs, nous assurant des débouchés privilégiés...

J'accuse la majorité des dirigeants africains d'avoir d'abord profité des privilèges du pouvoir, en vivant largement au-dessus des ressources du pays : la ville de Yamoussoukro, le « Versailles ivoirien »[1], a contribué à l'endettement de ce pays, dont on a trop longtemps vanté la réussite économique : on parlait du « miracle ivoirien ». Puis d'avoir exporté une partie des capitaux reçus au titre de l'aide, d'avoir abusé de la corruption. Mais n'oublions pas d'accuser les corrupteurs, qui sont parmi nous...

J'accuse largement la Coopération française d'avoir accepté de financer des projets somptuaires et d'avoir favorisé ces métropoles aux quartiers extravagants (qui avoisinent « les bidonvilles du désespoir ») comme Cocody à Abidjan ou la Corniche ouest de Dakar. D'avoir financé des projets aberrants, comme les deux grands barrages du fleuve Sénégal en 1986. Je l'accuse d'avoir accentué les inégalités du savoir en finançant le seul enseignement du français, aux dépens des langues nationales africaines.

J'accuse la Banque Mondiale d'avoir, jusqu'au rapport Berg de 1981, préféré les cultures d'exportation, « les seules qui permettent de rembourser les emprunts », aux dépens des

---

1. C'est là que Chirac, en avril 1986, a repris contact avec l'Afrique... Voir aussi dans *l'Événement du jeudi* du 17 avril 1986 « *le Nœud de vipères du Gabon* », de Patrick Percy.

cultures vivrières. Ayant largement financé les oléagineux, le thé et le tabac, les prix mondiaux de ces produits ont chuté, et nous en profitons, nous les pays riches. Et tous ces organismes, le GATT inclus, n'ont rien fait contre la dégradation des termes de l'échange, qu'ils se contentent (tardivement) de déplorer ; et qui ruine l'Afrique.

J'accuse le Fonds monétaire international d'acculer ces pays à une austérité payée par les plus pauvres ; et de refuser tout protectionnisme, pourtant indispensable au départ du « développement ». Et de compromettre l'avenir des enfants d'Afrique, en obligeant à réduire les dépenses d'éducation et de santé. Sur ce point, j'ai l'appui de l'UNICEF, dans son dernier rapport sur l'Afrique.

J'accuse la grande majorité des bureaux d'études[1] et des experts internationaux de toucher des honoraires et des salaires extravagants, qui ponctionnent une large part des crédits « d'aide » en Afrique. Timberlake cite des salaires allant jusqu'à 180 000 dollars US par an. *J'accuse* certains des experts comme Jean-Marie Cour, auteur d'un rapport pour la CEE « Image à long terme de l'Afrique », de n'avoir *absolument rien* compris aux différences entre « notre » développement et celui des Africains ; tout comme W.W. Rostow en 1960 — mais ce dernier était alors plus excusable.

J'accuse tous ces projets industriels dont beaucoup ont rapidement fait faillite, et dont les autres ont ruiné les artisanats autochtones, sans être capables de fournir et les besoins de base et le niveau d'emploi dont ces pays et ces populations ont besoin.

J'accuse enfin, et sur ce point l'agronome est plus catégorique, tous ceux, Européens et Africains, qui ont promu et favorisé des projets de développement rural totalement inadaptés. Certains ont ruiné les écologies, comme l'arachide mécanisée, du Tanganyika à la Casamance. Les autres ont totalement négligé la protection de l'environnement et ainsi largement favorisé les érosions par l'eau et le vent, la dégradation des sols, donc finalement l'avancée du désert. Et, plus grave encore, ont ruiné l'ensemble des paysanneries africaines.

---

1. J'ai dénoncé à Dakar, « Electro-Watt, ingénieur conseil, Zurich-Dakar ».

J'accuse enfin tous ces responsables, dirigeants, experts[1], etc., d'avoir, si souvent, par leurs politiques, *ignoré, ruiné* et *méprisé* les paysans et les paysannes de ces pays d'Afrique. Et ceux qui ont contribué à destructurer ces sociétés traditionnelles, qui avaient su gérer leurs terroirs...

Arrêtons-nous là, mais cette liste n'est pas « exhaustive ».

*
**

Dans ce livre, j'ai détaillé ces accusations en montrant bien qu'il restait *un espoir pour l'Afrique*. J'ai donc essayé de répondre au « Que faire » que requiert une accusation aussi grave, aussi solennelle. Pour y répondre, je ne suis plus aussi seul qu'en 1962. Nous menons le combat, nous les « tiers-mondistes et fiers de l'être » comme dit J.P. Cot[2]. Nous les ONG, les organisations non gouvernementales d'aide au tiers monde ; nous les promoteurs d'« Afrique Verte », qui aidons au transfert de céréales locales d'une région excédentaire vers les zones déficitaires, pour aider l'Afrique à se nourrir elle-même, en comptant sur ses propres forces, et non plus sur la mendicité internationale...

Alphabétisation fonctionnelle de tous les ruraux, meilleurs prix agricoles, aide aux organisations paysannes nées de la base, etc. Dépêchez-vous de comprendre l'extrême urgence de ces actions, non plus de sauvetage mais de « développement », au vrai sens du terme. Et cela non pas seulement pour l'Afrique, *mais pour l'avenir de nos pays et de nos enfants, qui ne resteraient pas impunément trop longtemps privilégiés.* C'est toute la planète qui est menacée, nous a dit le Club de Rome, dont nous oublions trop vite le message, qui dans l'ensemble, après quelques rectifications mineures concernant certains chiffres, reste valide.

Notre « petite planète » n'est pas capable de supporter longtemps les conséquences d'une surpopulation délirante et de l'activité industrielle incontrôlée de notre société de consommation, qui épuise les ressources rares non renouvela-

---

1. Parmi tous ces responsables africains et européens, dirigeants et experts, etc., il y a des hommes (et des femmes) de bonne foi, certains de mes élèves et de mes amis. Mais c'est le *système* auquel ils appartiennent qui est condamnable. J'ai vu trop de coopérants vivant comme les « coloniaux » d'autrefois...

2. *A l'épreuve du pouvoir*, le Seuil, Paris, 1984.

bles de cette terre, et qui pollue, défigure et finalement détruit une large part d'un écosystème — dont nous faisons partie.

Des voix s'élèvent avec nous, encore trop peu nombreuses[1], pour dénoncer notre civilisation militaro-productiviste, qui risque d'annihiler toute possibilité de *survie prolongée de l'humanité.* Citons seulement l'ENDA de Dakar et son animateur Jacques Bugnicourt ; le Worldwatch Institute de Washington, dirigé par Lester Brown ; et même le programme des Nations unies pour l'environnement de Nairobi, et sa revue *Mazingira.* Celle-ci dénonce[2] le lien entre « la croissance démographique et la crise de la désertification ».

Ce qui me conduit à lancer un dernier avertissement : *J'accuse* tous les responsables, africains ou non, qui disent l'*Afrique sous-peuplée,* de commettre une erreur tragique, qui risque d'être payée trop cher : avec les structures socio-économiques actuelles, une paysannerie ruinée et maintenue dans l'analphabétisme, *l'explosion démographique est la première alliée du désert et de la Faim.*

POST SCRIPTUM DU 2 JUIN 1986

On a écrit volontiers que les pluies sont revenues en 1985, qu'il ne faut pas trop s'inquiéter. Je partage l'avis de Charles Weiss qui, dans la revue de la FAO, Cérès, *(janvier-février 1986) conclut :*
"Il n'est pas certain que la pluie doive revenir bientôt. Il serait prudent de s'attendre à voir ce que nous constatons depuis dix ans (une forte baisse des pluies) se prolonger pendant, encore, dix années, sinon plus."

Le 1ᵉʳ juin 1986, l'assemblée générale des Nations Unies a adopté, en session spéciale, "un programme prioritaire de redressement économique pour l'Afrique". Les Africains ont promis des

---

1. Aux élections législatives du 16 mars 1986, j'ai recueilli, avec les Verts, 1,43 % des suffrages parisiens, après une bataille axée sur le tiers monde, l'environnement et la menace de l'arme atomique. Cf. *les Raisons de la colère,* Éditions Entente, Paris, 1986.
2. N° de mai-juin 1985.

réformes économiques majeures, avec — enfin ! — une réelle
priorité à l'agriculture. Ils demandaient — j'allais dire en échange
— un allègement très marqué de leur dette extérieure : 175 mil-
liards de dollars. Celui-ci leur a été refusé à l'instigation des
"durs", États-Unis en tête, puis Japon et Grande-Bretagne,
Allemagne Fédérale et Belgique. A l'opposé, ont défendu les
Africains les Pays-Bas et les Scandinaves (tiers mondistes tradi-
tionnels) auxquels s'est joint le Canada du conservateur Mulro-
ney. La France ne s'est pas clairement située. Les "durs" ont dit
qu'une annulation des dettes mettrait en péril le système bancaire
mondial...

EN GUISE DE CONCLUSION

MA VIE ET MES COMBATS

A LA RECHERCHE D'UNE « DÉMOCRATIE » HUMANISTE

« Depuis combien de temps êtes-vous un jeune homme en colère, me demande Bernard Pivot ce 1ᵉʳ juillet 1983 ?

« Depuis toujours et voici pourquoi : je suis issu d'une famille d'enseignants (ma mère) et de professeur d'agriculture (mon père), lui-même issu d'une famille de cultivateurs ardennais, de ceux qu'on appellera plus tard "koulaks". Me voici à dix ans, en août 1914, au collège de jeunes filles d'Arras, dont ma mère est directrice. Ayant vu passer l'armée française en déroute, puis l'armée allemande en si bon ordre, fin août, nous fûmes très surpris de revoir les Français "remonter vers la mer" le 1ᵉʳ octobre. Ils avaient froid dans leur tenue d'été, et les trois professeurs et les trois pionnes du collège tricotaient des chandails. Nous les gosses, nous allions les porter jusque dans les tranchées. Et quand les mitrailleuses allemandes tiraient, nous savions nous allonger vite à plat ventre dans les boyaux pleins de boue. Mais quand on a entendu les soldats de vingt ans hurler toute la nuit leur agonie, on peut en garder une haine de la guerre : "Guerre à la guerre" restera toujours une base essentielle (parfois discutable) de mon action politique. »

La famille ardennaise a fui l'invasion, les meubles sur les chariots à quatre roues (utilisés pour le foin et les gerbes) tirés par les juments que suivent leurs poulains, sur les bas-côtés des routes. Les vaches hollandaises ne peuvent suivre, on les vend à l'armée française en retraite, qui les mangera. En fin septembre 1914, voici tout le village de Rubécourt débouchant, par la route de Clamecy, à Flez-Cuzy, à mi-chemin de Corbigny. Adolphe Gauthier, maire du village, avait été député socialiste de l'arrondissement, de 1910 à 1914. Le voici qui arrête le convoi de réfugiés. Bien des maisons qui avaient logé des petits paysans et des ouvriers agricoles sont déjà abandonnées, et peuvent héberger toutes ces familles.

En juillet 1915, pendant les vacances scolaires, je pars rejoindre mes oncles et tantes dans ce village. J'avais pour tout pécule, cousues dans le dos de ma chemise, les économies (onze billets de 1 000 francs) que mon père prêtait à ses frères qui étaient commerçants en bétail et porcs, pour survivre pendant la guerre.

Adolphe Gauthier me prend vite en main, et trace avec une badine un schéma de partage des terres cultivées entre les familles issues d'une communauté primitive. Bientôt les plus puissants dépossèdent les autres, les mettant à leur service, et l'inégalité commence — qui conduira au capitalisme. Commerçant en bois, il achète au prix fort les troncs de noyer et les expédie en Suisse — pays frontalier de l'Allemagne, où ils serviront à fabriquer des crosses de fusil : la guerre rapporte !

Plus tard, il m'instruit des conférences de Zimmerwald et de Kienthal qui réunissaient, des deux côtés du front, des socialistes « de gauche » opposés à la guerre. Ils tentaient de mettre fin à cette boucherie, aussi horrible qu'inutile : elle esquissait déjà le déclin de l'Europe, qui ne pourra plus jamais prétendre à dominer le monde — peine bien méritée, au vu de ses exploits coloniaux, de son incapacité à faire la paix...

Gauthier me faisait lire Jean Jaurès : « Le capitalisme porte en lui la guerre, comme la nuée l'orage. » Et me voici rêvant à l'âge d'or que devait nous apporter le socialisme, réconciliant les hommes et les nations, une fois Satan (le profit) éliminé... Je venais de faire ma première communion, mais les curés nous poussaient à la guerre, et j'étais déjà rationaliste. En juin 1919, je suis élève au collège de Montargis, où nous ne sommes que trois dans la classe de Math-Élem. : seuls les fils de bourgeois y avaient accès. L'inspecteur d'académie, venu d'Orléans, inspectait notre cours de philo, où l'on parlait de la responsabilité. Le voici discourant des responsabilités de la guerre de 1914-1918, qu'il situait toutes du côté allemand. Je le reprends vivement, connaissant le dossier des responsabilités franco-russes, de Poincaré, du tsar, et de l'ambassadeur Isvolsky qui achetait les journalistes de Paris pour qu'ils « nous » incitent à souscrire aux emprunts russes... Le lendemain, notre professeur de philo, un vieux sage, concluait : « Dumont et l'inspecteur, vous avez été aussi mauvais l'un que l'autre » ; et j'étais heureux de voir son beau sourire.

1917-1918, la révolution d'Octobre nous ouvrait la perspective du socialisme « réalisé », donc d'un monde moins injuste — et, pour moi, surtout, d'un monde sans guerre. Début 1919, j'arrivai donc au collège arborant, sur le revers du veston, l'insigne « faucille et marteau », que m'ordonna d'enlever mon professeur d'allemand. Mais je décidais bientôt de ne plus jamais le remettre, avant même la révolte de Cronstadt, dès les premiers échos de la répression des Ukrainiens de Makhno, dont me firent part les amis anarchistes, comme Georges Baudenon, le sabotier du Gâtinais marié à une institutrice : j'ai fait mon « retour de l'URSS », bien avant André Gide.

1921-1922, au lycée Henri-IV (H4, disions-nous) en classe de préparation à l'Agro (Institut national agronomique de Paris, aujourd'hui de Paris-Grignon), j'en réussis le concours d'entrée : et me voici admis rue Claude-Bernard, où l'on nous fera absorber un savoir encyclopédique, apprendre par cœur des notions en pleine évolution. On y faisait plus appel à la mémoire qu'à l'intelligence, tout en oubliant des sciences fondamentales nouvelles, que cette vieille maison négligeait, comme la pédologie et la génétique : retards dont j'aurai à souffrir. Entre les deux années d'Agro, nous devions faire une étude de fermes, un stage. Or le Protectorat du Maroc, ébauchant une politique d'ouverture de ses frontières aux jeunes des grandes écoles, nous voici dix Agros embarquant à Bordeaux, pour gagner en trois jours Casablanca, avec une escale à Lisbonne. On espérait attirer des colons — deux d'entre nous s'établiront dans le Gharb — et des recrues pour les Services agricoles.

J'étais parti pour *voir, connaître* et *comprendre* le monde. Enfant, je partais à pied, puis à vélo, voir les environs, l'œil aux aguets ; il s'agissait cette fois d'en avoir une vision plus large que celle de l'Hexagone. Aussi rencontrai-je de jeunes Marocains, et d'abord Omar Ben Abd el Jalil, dont je suivrais plus tard l'action indépendantiste, aux côtés d'Allal el Fassi. Aux abords de la mosquée Karaouine, un jeune théologien musulman nous expliquait que le crime le plus impardonnable était le prêt à usure : mais j'ai vu nombre de mollahs, au Bangladesh, hébergés par l'usurier... Dans le Sud marocain semi-aride, les réserves engrangées lors des très belles récoltes — une sur cinq — permettaient de survivre ; jusqu'au jour où la route, construite en 1923, permit au commerce d'acheter ces excédents : « l'intégration dans l'économie mondiale » (terminologie en usage à la Banque Mondiale depuis 1950) avait abouti à la famine.

La préparation militaire supérieure nous était imposée ; comme la promotion suivante la récusait, je lui ai prêté main-forte en lançant trois bombes à eau sur le parterre de l'amphi où officiait le commandant. On ne m'avait pas vu, mais mes camarades « patriotes » voulaient me dénoncer : pour leur éviter de se « déshonorer », je les devançai ; neuf d'entre eux avaient pris ma défense, soit un dixième de la promotion. Un éclat qui me conduisit dans un régiment disciplinaire, le 28e dragons à Metz, où l'on me conseilla d'aller « sabrer[1] » le servant de la mitrailleuse allemande. Dix-huit mois de lutte quotidienne contre l'institution militaire m'avaient brisé, physiquement et mentalement. Du Val-de-Grâce à Charenton, puis à la ferme ardennaise — bonne leçon de pratique — je remontai peu à peu la pente, ce qui me permit d'entrer à l'Institut d'agronomie coloniale de

---

1. L'hypothèse du lieutenant de Luppel situait cette mitrailleuse 200 mètres plus haut, sur une forte pente.

Nogent-sur-Marne. J'allais voir le monde, et peut-être offrir mes connaissances agronomiques aux ruraux les plus démunis.

Le 19 janvier 1929, le bateau des chargeurs réunis partait de Marseille pour gagner Haiphong, via Port-Saïd, Suez, Djibouti, Colombo, Penang, Singapour, Saigon et Tourane. Quarante jours entre ciel et mer, ponctués par des escales qui nous emmenaient de découverte en découverte. Je me souviens de deux missionnaires qui nous accompagnaient et regagnaient le Tonkin, et à qui j'avais dit, au retour d'une sortie à Kandy, Peradenya, à l'escale de Colombo : « On ne nous a rien appris sur ces religions asiatiques, bouddhisme ou brahmanisme ! » Réponse : « Aucune importance : tous des païens ! » Affecté aux Services agricoles du Tonkin à Hanoi, et chargé du riz, mon patron Bremer me dit : « Comme on n'a presque rien fait pour le riz, le mieux est de continuer : venez au bureau, lisez le journal, promenez-vous. » Six semaines après, l'inspecteur général Yves Henry étant revenu de congé, je vins lui présenter ma démission : « Je ne suis pas venu ici pour ne rien faire. » Dès le lendemain, un service spécial riz était créé, indépendant de Bremer, et j'étais chef de service : seul agronome européen, avec dix-huit techniciens « annamites », pour un million de familles de « nhaqués », cultivateurs, petits paysans ou ouvriers sans terre, cultivant, dans ce delta du fleuve Rouge, un bon million d'hectares de rizières à une, deux ou trois récoltes par an. Le prédécesseur (français), qui me passa les stations d'essais de riz, avait une cravache, pour en frapper, dans les villages surpeuplés, les « indigènes » qui ne se rangeaient pas assez vite sur son passage. Plus tard, en longeant un étang, j'y lançai la cravache assez loin : histoire sans paroles qui le laissa coi.

Deux petites enseignes en zinc bleu-blanc-rouge se dressaient dans chaque village, portant deux lettres noires : RA (Régie de l'Alcool) et RO (Régie de l'Opium) : sources du budget colonial, qui nous assurait des traitements quadruples de ceux en usage en France métropolitaine. Il est vrai que beaucoup d'entre nous mouraient jeunes, comme mon ami Terraillon, après dix-huit mois passés à Saigon. J'étais donc un agronome

« colonial » ; comme on se proposait de faire la synthèse de l'azote à base de l'électricité hydraulique, je réalisais des essais d'engrais en rizière chez Vu Van An, un riche commerçant, gros propriétaire. Au printemps 1930, en pleine disette, il ne donnait pour tout salaire à ses ouvriers que trois bols de riz par jour de travail. Plus grave, il prétendait leur interdire de s'en priver au profit de leur famille affamée.

L'alcool de régie était produit par un fructueux monopole, la Société française des alcools, monopole qui se terminait en 1931, mais était renouvelable. En octobre 1930, cette société, pour montrer qu'elle se souciait de la riziculture, du nhaqué, mit à ma disposition un agronome autrichien, Thieben, et une auto Talbot. Au bout de six mois le monopole des alcools étant renouvelé, la Société n'avait plus de raisons de se montrer soucieuse de l'intérêt général : *le jour même*, mon collègue Thieben était remercié, sans indemnités...

Invité à écrire dans le Bulletin économique de l'Indochine, je m'y inquiétais — seul à Hanoi, et bien seul dans le monde — des problèmes de population : celle-ci croissait déjà d'un peu plus de 1 % par an, tandis que la récolte de paddy, de riz brut ne variait guère : les ressources diminuaient donc par habitant. Quand je le précisai dans mon premier livre sur « la culture du riz au Tonkin », Georges Wéry, le présentant à l'Académie d'agriculture, en fit l'éloge, ajoutant : « En tant que catholique, je ne puis approuver la perspective, évoquée par Dumont, du contrôle des naissances. » Dans ce livre j'insistais sur les conditions économiques et sociales — l'exploitation des paysans pauvres et des sans-terre, tant par le système colonial, les impôts et les monopoles de commerce, que par les privilégiés locaux : propriétaires prélevant en métayage la moitié de la récolte, usuriers dont les taux variaient, suivant la garantie donnée, de 60 % l'an à 5 % — par jour ! Voici dégagées deux autres bases de mon « projet politique ». La plus grave menace pour l'avenir de l'humanité reste l'explosion démographique, la prolifération du plus redoutable prédateur, l'homme, sur une « petite planète » dont l'agronome commençait à reconnaître les limites : surtout dans un pays déjà surpeuplé : on a faim en 1986 au Vietnam. En

1930-1935, j'étais bien seul à le proclamer, avec éclat, à un moment où l'on disait que Marx aurait réfuté Malthus, une fois pour toutes, et qu'on ne pouvait reprendre cette thèse. Cette alliance de Marx et du Vatican me laissait déjà rêveur. Les démographes français, eux, demandaient de subventionner la natalité, en prévision de la « prochaine guerre ».

Les communistes étaient à peu près seuls à lutter contre *l'exploitation coloniale*, mais j'en savais assez sur l'URSS, depuis la collectivisation sanglante de 1929-1933, pour me limiter à des alliances tactiques et provisoires avec eux. En septembre 1931, à Vinh au Nord-Annam, j'étais censé collaborer au progrès de l'agriculture — avec des moyens dérisoires. Les paysans touchés par la sécheresse manifestaient vers le chef-lieu, réclamant une réduction d'impôts : *(c'était aussi le début de la lutte contre le colonialisme français)* réduction que l'empire d'Annam accordait, en une telle circonstance. Un adjudant de la Coloniale, mon voisin d'hôtel, me disait s'être *déshonoré* en tirant sur ordre à la mitrailleuse, de son avion, sur des paysans désarmés. C'en était trop pour moi, et en janvier 1932 je quittais Hanoi, non sans être retourné une troisième fois dans la grande Chine, berceau d'une riziculture irriguée, dont j'avais su apprécier toute la valeur, en réaction contre mes prédécesseurs qui la méprisaient. Après deux séjours (1929 et 1930) à Kunming, capitale du Yunnan, nous séjournâmes à Canton, au nouvel an de 1932 ; le vieux paysan chinois concluait : « Il n'y a plus d'espoir dans le métier de paysan » ; on voyait s'esquisser une autre révolte que je suivrais ensuite avec grand intérêt, ayant pu déceler les tares de la Chine prérévolutionnaire. Ce qui m'incitera peut-être à une indulgence prolongée envers la Révolution chinoise...

Je n'hésitai donc pas à démissionner de la « séduisante » carrière coloniale, si bien payée. Mais quoi faire ? Passer ma vie dans les Services agricoles, comme mon père ? on n'y est pas son maître. Aussi me présentai-je en 1933 à un concours de chef de travaux à l'Agro, où j'allais faire carrière. Les premiers temps ma sensibilité de gauche m'isolait, dans une maison conservatrice ; et mon directeur répétait à qui voulait l'entendre : « Tant

267

que je serai là, ni Dumont ni Cépède ne seront professeurs. » Il réussira à beaucoup retarder mes avance-
ments (sans parler des décorations rituelles !). Mais il ne
pourra finalement résister à la masse de livres que, dès
1945, et à raison de presque un volume par année, je lui
adresserai en manière de défi. « Vous n'êtes encore que
maître de conférences, mais vous parlez déjà comme si
vous étiez professeur », me disait un des rares professeurs qui me soutenaient.

Étant revenu en France en 1933, j'avais vu s'effondrer,
depuis 1931, les cours du riz indochinois qui venait à
pleins cargos, de Saigon à Marseille, alimenter notre
bétail et être vendu au Sénégal à qui nous livrions des
brisures de riz si bon marché qu'elles concurrençaient le
mil et le sorgho produits là-bas ; ainsi que nos céréales
secondaires de France : seigle, orge, maïs, avoine. Aussi
l'Association générale des producteurs de blé, l'AGPB,
fort puissant lobby, demandait-elle que l'on achetât
annuellement 500 000 tonnes de riz à Saigon, « pour les
jeter en mer de Chine... ». J'avais vu la malnutrition
chronique des « nhaqués » tonkinois, et je protestai dans
le bulletin des anciens de l'Agro... au moins « pour
sauver mon honneur » répondis-je à mon patron de
l'Agro, qui me disait : « Vous n'aboutirez à rien. »

Peu avant mon premier cours, Joseph Caillaux — qui
nous avait épargné la guerre en 1911, et créé l'impôt sur
le revenu — conseillait au Sénat de diminuer les crédits
de la vulgarisation agricole, « car la production ainsi
accrue encombrait les marchés ». C'était l'époque du
café brûlé dans les locomotives brésiliennes. Et nous
distillions betteraves, vin et pommes, pour un alcool
carburant très largement subventionné. A mes réserves
sans cesse accrues sur le « socialisme réel », se juxtapo-
sait déjà le constat d'un *échec global du capitalisme*,
incapable de soutenir le cours des denrées autrement
que par leur destruction en proportion croissante. Il a
fallu la guerre pour sortir de la crise : mais c'est là une
solution qui nous est désormais interdite, entre puissan-
ces nucléaires.

Ayant vécu dans la disette généralisée, j'écrivis à
Genève à la Société des Nations. A travers la documentation reçue j'y pris connaissance d'études révélant toute

la gravité, la généralité — alors bien peu reconnue — de la *malnutrition*, soulignant qu'elle menaçait surtout les enfants privés de protéines au sevrage, et les femmes enceintes et allaitantes — ce qu'on appelait les groupes vulnérables.

Tout cela confirmait mon rejet du *système économique dominant, certes efficace pour produire, mais incapable de distribuer, de répartir et la production et l'emploi.* Incapacité qui persiste et s'aggrave depuis plus d'un demi-siècle. Plus grave encore, ce système creusait l'écart entre les pays riches — qu'on n'appelait pas encore « développés » — et les autres. Le soulignant à un collègue, il me répondit que je n'étais point économiste. « C'est ce qui vous a sauvé, me disait Thomas Balogh, au moins vous avez gardé un minimum de bon sens, que les cours d'économie de votre Faculté de droit, en 1924, auraient gâché. »

En 1934 je rejoins le groupe d'économie distributive de Jacques Duboin, avec sa revue *le Droit au travail* : revendication de plus en plus actuelle. Bientôt je compris que le projet ne pouvait guère émerger du stade de l'utopie et qu'il n'arriverait pas à sortir d'un petit cercle d'initiés. Je publiai cependant un schéma d'une agriculture française qui refuserait le malthusianisme économique — schéma qui incitera Alfred Sauvy à conseiller à Jean Monnet de me recruter au Commissariat au Plan, en janvier 1946.

Après une année au parti socialiste, de 1933 à 1934, je le quittai surtout parce qu'il refusait l'anticolonialisme ; mais je resterai —, au moins jusqu'en 1981 — sympathisant, en temps que jauressien, donc non-communiste. Il me fallait me battre, c'est ma raison de vivre. De meeting en meeting, de 1934 à 1938, je participai à la bataille pacifiste, avec Félicien Challaye et Robert Jospin, et collaborai parfois à son journal *la Patrie humaine.* Nous y placions en exergue la devise de Bertrand Russell : « Pas un seul des maux qu'on veut éviter par la guerre n'est un mal plus grand que la guerre elle-même. » Hitler nous obligera à remettre cette belle devise en question. En octobre 1940, dans Paris occupé, je serai seul à l'Agro à protester en amphi contre la révocation d'un collègue israélite, le professeur Oualid. Refusant la collaboration, je ne participerai cependant pas à la résistance armée, en tant que non violent : ce qui peut aussi m'être reproché[1].

Revenons avant guerre : ayant assuré un intérim au cabinet de Georges Monnet, ministre de l'Agriculture, en l'été 1937, j'obtins en récompense une mission d'études du paysannat « indigène » en Afrique du Nord, de Tunis à Alger et Rabat. Je rédigeai un projet de réforme agraire en Algérie, que je remis à Le Beau, gouverneur général de l'Algérie (en main propre à son gendre et chef de cabinet M. Chapouton), mais il ne fut pas pris en considération. Sauf le 2 février 1956, quand le cabinet de Guy Mollet me fit « plancher » sur ce sujet à Matignon. Je terminais en précisant qu'un tel projet, politiquement valable en 1938, ne l'était plus du tout en 1956, où il fallait négocier avec les combattants...

N'anticipons pas. Au Commissariat au Plan, donc, nous préparons en 1946-1948 l'esquisse d'une politique agricole plus dynamique et moins protectionniste, qui heurte aussitôt le lobby betteravier. Coup de téléphone à la maison : « Dumont, s'il passe le long d'un canal, nous le foutrons à l'eau... » Notre projet restait, évidemment, dans le cadre du système dominant ; et la disette nous obligeait à pousser la production. De ma chaire de l'Agro, et sur le terrain autour de Lyon, je propage le labour des vieux prés dégradés, aux rende-

---

1. Le 6 octobre 1940, le chargé d'affaires de l'ambassade de l'URSS en France m'invite à dîner à la Tour d'Argent, car il doit faire un rapport sur la situation de l'agriculture et du ravitaillement en France. Après que je lui eus résumé la situation, il me dit fièrement : « Je suis le seul diplomate autorisé à venir de Vichy à Paris, vu nos bonnes relations avec les Allemands. » Pour le faire parler, j'invente : « — Dans dix ou quinze jours, mes amis à Vichy me l'ont dit, nous déclarons la guerre à l'Angleterre.
— Pourquoi, pourquoi ça ? répondit-il vivement et affolé.
— Parce que nous ne comprenons pas la politique de l'URSS, dis-je.
— C'est pourtant très simple, me dit-il, Allemands et Anglo-saxons vont longuement s'entre-détruire... De sorte que *nous resterons les maîtres du monde.* »

A notre droite, à notre gauche, deux tables occupées chacune par six officiers allemands. Il parlait bas. Hitler a réduit à néant un si beau plan, le 22 juin 1941... Cela ne lui a pas réussi.

ments dérisoires, pour y réaliser une « Révolution fourragère », alternant céréales, prés temporaires et maïs à ensiler : prolongée, une telle orientation eût pu nous épargner la dépendance du soja. C'était une thèse productiviste, qu'on peut rattacher à la *Révolution verte* du blé et du maïs — qui débute en même temps à Mexico (je fus le premier agronome européen à y aller voir Borlaugh, le futur prix Nobel de la paix) — et que suivra celle du riz. Même si je n'ai jamais cessé de prôner la fumure organique, il me faudra encore quelques années pour mieux comprendre tous les dangers que représente une agriculture trop mécanisée et trop chimisée pour les nappes phréatiques.

Nous avions gagné la bataille de la production, mais dès les premiers surplus, les cours baissèrent et le paysan, endetté par l'achat de son tracteur, l'utilisa pour barrer les routes. J'ai donc compris qu'il était plus urgent — et pour moi plus passionnant — de me détourner de ces problèmes de surabondance, pour me battre aux côtés des plus démunis, des plus exploités. Bataille d'abord politique : de 1946 à 1962 je luttai de toutes mes forces contre une guerre dramatique, celle *d'Indochine*, dont j'avais pressenti, de Yen Bay à Vinh, les premiers balbutiements. De Gaulle et d'Argenlieu l'ont déclenchée, quand Hô Chi Minh cherchait à négocier. Mais les démocrates chrétiens et les socialistes s'y sont aussi enlisés, et déshonorés. Lorsque Mendès France parvint à y mettre un terme, on le remercia comme un domestique dont on n'a plus l'usage. Lui seul eût pu nous éviter la *guerre d'Algérie*, mais Coty (qui le savait) préféra nommer Premier ministre Guy Mollet, qui s'effondra sous les coups des tomates d'Alger, en février 1956...

La IVᵉ République (que l'on ne peut charger de tous les péchés d'Israël) est morte de son manque de courage, en face du lobby colonialiste.

De Gaulle revenu, il aurait pu mettre fin plus tôt à la « sale guerre » ; mais c'étaient les partisans de cette guerre qui l'avaient ramené au pouvoir. Il lui fallut contourner les obstacles.

*
**

Revenons en arrière. Dès 1946, me voici reparti à travers le monde, des États-Unis au Maroc, puis dans toute l'Europe, sans oublier la Hongrie, la Tchécoslovaquie, la Roumanie, où je suivais de près la résistance héroïque des paysans, luttant contre une collectivisation imposée, qui n'avait plus le droit de s'appeler socialisme. La Yougoslavie titiste rejetait le stalinisme. Mais je fondais trop d'espoirs sur la jeune révolution chinoise, que j'avais pu longuement et assez librement étudier à l'automne 1955...

Dès 1956, je cessai d'étudier et d'enseigner l'agriculture française, surproductrice à nouveau. Invité à une conférence à Bogota en décembre 1956, le patron des associations agricoles, qui la présidait, me prévint dès l'abord que, si je prononçais le seul *mot* de Réforme agraire, la police m'expulserait aussitôt. Un mois plus tard, au Mexique, je reconnus que la Réforme agraire ne cessait pas d'y être *sabotée* par les puissants, les défenseurs de la grande *hacienda* ; et celle-ci continue à affamer l'Amérique latine, du Rio Bravo à la Terre de Feu — je la retrouverai même aux Philippines, qui fut aussi colonie espagnole, en 1985.

J'avais pu longuement étudier l'Afrique tropicale, du Congo belge au Nord-Cameroun ; puis du Soudan (Mali) au Sénégal, entre fin 1949 et 1951. J'y relevai de sanglants échecs, tant du colonialisme sauvage (le coton imposé au Tchad) que de ses formes modernistes, comme l'Office du Niger, ou encore la CGOT[1] d'arachide mécanisée en Casamance, que j'avais — en vain — essayé d'arrêter, avant même qu'elle débute, au Commissariat au Plan.

Après la Chine, un pays aux dimensions d'un continent, il me restait à découvrir l'Inde, lorsque les Nations unies nous envoient avec le Canadien M.G. Coldwell, la Britannique Margaret Read étudier son « développement communautaire » — mission demandée par Nehru, en 1958-1959. J'y rencontrerai Gunnar et Alva Myrdal. A New York, Julia Henderson, qui nous expliquait comment mener cette mission, nous confiait qu'un tel projet représentait « l'arme secrète anticommuniste la

---

1. *Cf.* III, 1.

plus puissante », pour l'ensemble de ce qu'on appelait déjà le tiers monde. Mais ce *Community Development* était en réalité un ersatz de réforme agraire ; il refusait de seulement aborder les problèmes d'exploitation — usure et métayage — qui rappelaient fort ceux que j'avais vus, de Hanoi au sud de la Chine. On pouvait, une fois de plus, en prévoir l'échec : seule une nouvelle bureaucratie en profitait. Et l'Inde n'en est pas encore dégagée, quoi qu'on en dise.

Ce fut pour moi un premier avertissement, au moment où je me battais pour l'indépendance de « nos » colonies. Je ne pouvais me réjouir de voir l'Inde, devenue indépendante, rester incapable de s'attaquer à la pauvreté, à la misère rurale, provenant principalement d'une structure « féodale », qui bloquait tout effort de production. Rien de comparable aux énormes investissements humains chinois ; mais déjà ceux-ci s'égaraient dans la première folie maoïste, le grand bond en avant...

Voici donc s'avancer les indépendances sanglantes d'Indochine en Algérie, plus pacifiques en Afrique tropicale, jusqu'au Congo. Les nouveaux pouvoirs s'y mettaient en place, et Foccart[1] veillait sur eux ; s'il fallait défendre nos protégés, l'armée française intervenait : au Cameroun, il m'était impossible de me rendre dans les bananeraies sans une escouade locale pour me protéger.

Cependant Pompidou, alors directeur de cabinet de De Gaulle, me fit nommer à deux postes essentiels, d'abord au *Comité pour la recherche scientifique et technique* (les 12 « sages de France », comme on les nommait). On me prie, dix-huit mois plus tard, de me retirer discrètement, à cause de ma signature aux « 121 », l'appel de Sartre contre la guerre d'Algérie. Au collègue qui me fait cette prière, je réponds que je ne veux pas non plus qu'éclate dans l'opinion le fait scandaleux qu'aucun de mes collègues de ce comité n'a pris ma défense...

Du même coup, j'avais été nommé membre du *Comité directeur du FAC* (Fonds d'aide et de coopération) visant à aider les jeunes États africains juste promus à une indépendance qui semblait surtout nominale. Dès 1958,

---

1. Le voici revenu au pouvoir, avril 1986.

le gouvernement m'envoya étudier les possibilités de développement rural à Madagascar ; puis, jusqu'en 1961, dans huit pays d'Afrique occidentale et centrale. De retour à Madagascar en 1961, j'y fais une conférence pour dénoncer l'oppression à l'encontre des paysans, à la fois de notre action néocoloniale, et de celles de minorités récemment promues au pouvoir. Michel Debré en reçoit une analyse et écrit à Pisani, ministre de l'Agriculture (dont dépend l'Agro), lui demandant « de prendre contre le professeur Dumont des sanctions qui n'aient pas seulement un caractère symbolique »... Il n'en fit rien !

Bien qu'on tente de m'y retenir, je donne alors ma démission du FAC. J'ai demandé des investissements bien plus importants tant pour l'agriculture que pour les industries en amont et en aval de cette branche, on me répond que c'est là le rôle du secteur privé.

C'est à cette époque qu'un ami travaillant à la Banque d'Indochine me passe un papier, où ladite Banque signale qu'en 1961, le *seul* investissement privé intéressant, en Afrique francophone, est la fabrication de la bière et des boissons carbonatées... Un projet qui fut réalisé...

Au Congo, Fulbert Youlou faisait venir par avion un banquet de chez Maxim's. Nos projets agricoles n'avaient aucune chance de succès, avec des « élites » grisées par leur subite ascension, qui pensaient d'abord à vivre « à l'occidentale » : grosses voitures et belles villas, voyages répétés. La balkanisation — « diviser pour mieux régner » —, suscitée à Paris, et approuvée à Abidjan et Libreville, entraînait des frais administratifs (douanes, armée, diplomatie, gouvernement, parlement) insupportables pour de trop petits États, si peu équipés. Les villes se mirent aussitôt à gaspiller les « aides » et à voler leurs paysans. Notre enseignement ne fabriquait guère qu'une bureaucratie parasitaire. L'échec, la catastrophe, la famine m'apparaissaient dès lors tellement inévitables, dans ce mélange de privilèges abusifs, d'inefficacité généralisée et d'oubli de l'agriculture, que je n'avais plus le droit de me taire. Je publiai donc, après *Terres vivantes* de cette collection Terre Humaine, *L'Afrique noire est mal partie*, mon best-seller. Le livre a été interdit — comme son auteur — en Afrique francophone. Dès qu'il a été traduit en anglais, j'ai été aussitôt invité par Nyerere et Kaunda. Ce livre est devenu un classique en Afrique. Quelle chaleur dans l'accueil que me réservèrent les cadres africains — jeunes agronomes, infirmiers, instituteurs, administrateurs, etc. — rencontrés dans les villages du Sahel, traversé en 1984.

Comme la Guinée était excommuniée, pour avoir dit « *non* » en 1958, Charles Bettelheim, Jacques Charrière et moi-même avions décidé de proposer nos services (chacun dans sa sphère de compétence) au gouvernement guinéen. Après un séjour d'étude sur le terrain pour mieux appréhender les réalités locales, nous rencontrons Sékou Touré à Conakry, en juillet 1959. Six ministres et une vingtaine de hauts fonctionnaires assistent à la rencontre. Après avoir « expliqué » à Bettelheim pendant trois quarts d'heure comment il fallait comprendre l'économie planifiée..., Sékou Touré ajoute, se tournant vers moi : « Il reste l'agriculture, mais ça n'a pas grande importance... » On pouvait pressentir l'avenir...

Me voici dès lors condamné au rôle de Cassandre. « Invité » en URSS en 1962, où l'on annonçait « le Communisme pour 1980 » — ce qui signifiait l'abondance pour tous — il était facile de prévoir, au vu de la pagaille bureaucratisée des kolkhozes et des sovkhoses, et avec la connaissance déjà répandue de l'existence des goulags et de la Nomenklatura, que cet objectif ne serait pas atteint. Je me trouve aussitôt confronté à *deux échecs* indiscutables. Rien de vraiment socialiste dans la collectivisation des grands moyens de production. Il s'agit encore du triptyque étatisation plus bureaucratisation plus répression. Seule la Chine développe son agriculture, surtout depuis qu'elle a eu le courage d'imposer à ses apparatchiks la *décollectivisation* : — J'irai donc l'étudier, avec Charlotte Paquet, en été 1982. Échec total dans l'ordre politique, social et culturel, du « socialisme réel », plus net encore depuis l'invasion de l'Afghanistan et la mise au pas de la Pologne. Échec très marqué dans l'ordre économique, total à nouveau, pour la dégradation du milieu naturel...

Nos libéraux, étonnés de leur succès en pays riches, ont du mal à reconnaître un autre échec, celui de ce qu'on appela longtemps le tiers monde, les pays *dominés et démunis*. Ils insistent sur les échecs des « socialistes pauvres », de l'Asie du Sud-Est à l'Éthiopie ; et encore aussi de l'Angola en Mozambique — mais l'Afrique du Sud en est responsable. Je n'ai pas manqué de dénoncer les erreurs de Cuba et certaines fautes du Nicaragua — sans oublier, dans ces deux cas, les responsabilités des États-Unis.

Ces responsabilités restent capitales dans la quasi-banqueroute de l'Amérique dite latine, car les Yankees y ont favorisé, du Brésil de 1964 au Chili de 1973, en passant par l'Argentine et l'Uruguay, d'abominables dictatures militaires. Dans ce livre, *Pour l'Afrique, j'accuse*, j'analyse l'effondrement de l'Afrique tropicale, « le Sahel en voie de destruction ». D'autre part, si Taiwan (voir mon article du *Monde diplomatique*, septembre 1985) et la Corée du Sud s'en sortent au prix d'un très dur effort, tout le sous-continent *indien*, nous dit Lester Brown (State of the World, 1985), *reste menacé*, à moyen terme, d'une effroyable catastrophe alimentaire. Car si les importations en Inde ont (provisoirement ?) cessé, le déboisement et les érosions détruisent le milieu naturel, la salinisation dégrade des irrigations mal conduites, et une malnutrition y reste la règle dans la majorité des villages. Des réserves énormes de grains, 28 millions de tonnes, sont plus ou moins bien stockées, en face de 360 millions de sous-alimentés — chômeurs et paysans sans terre démunis de pouvoir d'achat, car on y a refusé la réforme agraire. Chacun des 50 millions d'enfants et d'adolescents pauvres aurait besoin, en moyenne, de 30 kilos de grains de plus (en tout 1,5 million de tonnes) pour les sauver de la déchéance qui les attend. Mais on envisage d'exporter ces « surplus » en URSS à prix subventionné, comme on le fait en pays riches ! (*La lettre de Solagral*, stratégies alimentaires, déc. 1985.)

Quand le monde dit « libre » maintient et renforce la dépendance du tiers monde, nous devenons *responsables* de son échec, d'abord par l'échange inégal, la dégradation des termes de l'échange, etc. — que la Banque Mondiale elle-même ne nie plus. Notre domination culturelle aggrave cette responsabilité : elle les gêne fort dans la recherche de modèles de développement autres que le nôtre : on pensait alors, avec Rostov, qu'il suffirait de « rattraper » le « retard ». En septembre 1981, les pays les plus pauvres ont été baptisés « les moins avancés ».

Cependant notre « modèle » s'enlise dans une masse de difficultés qu'il n'arrive pas à régler. Une société qui refuse du travail à sa jeunesse ne peut se dire civilisée. D'autant moins qu'elle ne cesse d'accroître l'écart entre les pays riches et les pays pauvres, de par la loi du marché. Et celle-ci ne s'applique qu'aux produits agricoles et aux minerais des pays pauvres ; toutes les agricultures riches, par contre, pourtant bien mieux équipées, sont protégées.

Mais l'échec le plus redoutable de notre société de consommation est son effroyable *gaspillage des ressources rares* et non renouvelables de la planète. Il m'a fallu attendre les publications américaines de 1970, les travaux des Nations unies à Stockholm en 1972 sur l'environnement, et surtout celles du Club de Rome[1], pour en saisir l'extrême gravité. D'où mon second cri d'angoisse et de colère en 1973 et la publication de : *l'Utopie ou la mort.* J'y reprends l'ensemble des thèses du « Club », en ajoutant qu'il s'agit essentiellement d'un problème politique et en dénonçant le lien évident qui existe entre le gaspillage éhonté des pays développés et la misère du tiers monde. Une position qui a incité nombre de mouvements écologistes à me présenter aux élections présidentielles de 1974 : ce fut une belle bataille, et il en

---

1. Début mai 1964, je reviens d'Indochine et de Chine, et passe à Rome à la FAO. Le regretté Aurelio Peccei m'invite, entouré de son état-major, dans une vieille auberge romaine. « Nous sommes les conseillers des grands groupes économiques européens. Rejoignez notre équipe, nous allons diriger l'économie mondiale. » Après 1968, il a mieux compris — et fait comprendre — les dangers d'une économie délirante.

reste quelque chose ; je l'ai reprise en 1985-1986, avec moins d'appuis militants.

Les privilégiés du monde occidental jouissent d'un niveau de vie moralement *inacceptable*, du seul fait qu'il n'est pas *généralisable* à l'ensemble de la planète : car alors il la détruirait rapidement. Deux autos par famille, et voici que, de Los Angeles au Vermont (j'en reviens) et de Pologne aux Vosges et au Jura (je reviens de Besançon, où nous avons pleuré la mort de la forêt), les oxydes d'azote se transforment en ozone, lequel, ajouté aux pluies acides, *tue les arbres*, détruit nos forêts.

Une tonne de céréales par habitant et par an est gaspillée en Amérique du Nord, surtout comme aliment du bétail, en vue de la « grande bouffe ». Dans ce continent privilégié et peu peuplé, une agriculture mécanisée, consommant trop de carburants et de métaux, dégrade le *top soil*, les sols superficiels, et menace gravement les capacités de production du monde de demain, comme le souligne Lester Brown. La plus grave de toutes ces menaces reste *l'explosion démographique*, de laquelle le siècle prochain rendra responsable l'ensemble des natalistes, et d'abord l'Église catholique...

C'est sur ces bases nouvelles qu'il nous faut poser les problèmes politiques de notre fin de siècle. Elle risque fort de marquer la fin du règne de l'homme blanc, inscrite dans l'évolution démographique. Le bilan de sa gestion est si désastreux, qu'il est grand temps de lui soustraire les leviers de commande qu'il utilise à des fins destructrices, étendant ses arsenaux au monde entier et plus particulièrement à cette France un peu lointaine qu'on appelle curieusement « la France du Pacifique ». Appelé en consultation en Polynésie en 1970, j'y ai délivré un certificat de décès de l'agriculture de Tahiti, tuée par l'argent des essais nucléaires.

Nous voici donc confrontés à deux échecs. Le système économique dominant, nous a « gavés », en ruinant le tiers monde et en détruisant l'environnement. Il serait grand temps de le ramener à la raison. Il s'agit, cette fois, non plus seulement de la survie des enfants d'Éthiopie et d'Afrique (à court terme) ; mais de la nôtre, de nos descendants, à plus long terme. Échec donc du capitalisme, incapable de protéger l'environnement, qui est la base même de toute vie ; incapable également de répartir correctement et le travail et la production. A long terme, il me paraît condamné ; mais cela ne nous dit pas comment on pourra s'en dégager. Je me suis donné la tâche de stigmatiser toutes ces erreurs. J'ai esquissé des voies nouvelles, j'ai tracé une Utopie, c'est relativement facile. Mais nous savons en France, mieux encore depuis 1981, toutes les difficultés de la « rupture avec le capitalisme » — surtout en économie ouverte.

Reposons autrement la question : peut-on affirmer l'échec définitif de toute forme de socialisme ? Absolument pas : il n'y a échec que des grossières caricatures, qui usurpent le beau nom de socialisme. Le socialisme de Jean Jaurès, celui dont je cherche à me rapprocher, visait d'abord la paix dans le monde. C'est pourquoi nos « nationalitaires » l'ont assassiné, le 31 juillet 1914. Il recherche ensuite l'épanouissement de tous les hommes *et de toutes les femmes,* dans une démocratie garantissant les libertés d'information, d'expression, d'association, de participation, que les communistes ont trop vite rejetées en les baptisant « formelles ».

Soixante-douze ans plus tard, il y faut ajouter le droit au travail, sans lequel nos jeunes perdent leur dignité. Ce qui permettrait un jour de produire en priorité les besoins de base de l'ensemble de la population mondiale, et de les répartir équitablement. Ce programme ne devrait plus se limiter aux pays riches. Il y aurait enfin conciliation de la production et de la répartition au sein de cette nouvelle organisation, dont le préambule indispensable serait le respect de l'environnement. Il nous faudrait bien préserver nos forêts, les sols et les climats, les faunes, les flores, les airs et les eaux. Il est encore temps de juguler l'avancée *des déserts et de la faim.*

La rigueur et l'austérité : la formule n'est pas seulement valable pour la France de 1986, c'est une des bases d'un socialisme vrai où l'on respecterait à nouveau le pain[1] quotidien et ceux qui le produisent, l'ouvrier et aussi le paysan, tous les travailleurs, les chercheurs, les enseignants. Une science échevelée triomphe dans les œuvres de destruction. L'économie proclame qu'elle doit être *amorale*, car elle se prétend scientifique, mais elle est gardienne de *l'immoral statu quo*. L'économie est un art, qui n'offre jamais des solutions de vérité, mais des alternatives, subordonnées à l'art politique.

A ces droits, il nous faut associer les devoirs qui leur sont inhérents et que suppose la recherche d'un socialisme humaniste. (Je ne puis me résoudre à parler de néo-socialisme quand on sait les perversions qu'il a engendrées.) L'ensemble de ces devoirs repose sur une idée commune, celle du respect : le respect de l'environnement, du droit au travail et des besoins pour tous. Le respect d'autrui (qui devrait être la préoccupation essentielle des diverses communautés religieuses). Le respect de la nature, que l'homme n'en soit plus le prédateur mais qu'il en protège la faune et l'équilibre si fragile de son écosystème. Un autre de nos devoirs sera la limitation des consommations superflues. (Elle fut de règle jusqu'au XVIIIᵉ siècle.) Enfin et surtout « *Last but not least* », il nous faudra limiter les naissances et étendre cette règle aux pays développés, ceux-là mêmes qui ont érigé le gaspillage en système. Ils fabriquent dans leurs arsenaux la plus lourde des menaces, *l'arme atomique*. Pourquoi te tracasser ? me souffle un ami : nous allons bientôt atteindre le stade ultime de l'humanité : l'hiver nucléaire, que nous annonce le rejet de *Greenpeace*, duquel Charles Hernu m'a rapproché. Après, il n'y aura plus de problèmes. Et les Français, dans leur ensemble, n'ont nullement protesté quand Mitterrand s'est dit fort disposé à appuyer sur le bouton du nucléaire. Où est le Jaurès qui chercherait, jusqu'au sacrifice, à les arrêter ? Qui dénoncerait, dans *l'Humanité* (celle d'avant 1914), tous les dangers menaçant la Paix ? L'économie libérale si vantée ne se soucie nullement, ni de l'environnement, ni des générations futures, ni des inégalités croissantes entre les nations comme entre les classes ; ni de la paix, car les dépenses d'armement conditionnent sa vitalité.

---

1. Le riz, le maïs, les mils et sorghos...

Ayant participé devant l'Élysée, le 25 septembre 1985, à une manifestation contre les essais et les armements nucléaires en *tous* pays, nous avons été reçus par un conseiller de l'Élysée, Jean-Claude Barreau. Il nous a expliqué, en substance, que la France, en réalité puissance moyenne, n'était grande puissance que par son armement nucléaire et ses ventes d'armes. Cela rapporte, mais avons-nous lieu d'en être fiers ?

**
*

Depuis le début de ce siècle, nous avons accumulé la plus grande série de défaites, d'erreurs criminelles de l'histoire de l'humanité : les deux guerres mondiales, les guerres « coloniales » et postcoloniales, celles du fanatisme et du chauvinisme ; et enfin le génocide de la faim... Pour la première fois de notre histoire, la Science a remis entre les mains de politiciens et de puissants « mal responsables », la possibilité d'annihiler l'humanité. Il nous reste cependant l'espoir — dont l'essai que constitue ce livre se voudrait porteur — de résoudre nos plus grandes difficultés : sans en rechercher la solution dans un « sens de l'histoire » — désormais déboussolée. Dénonçons les principales raisons de nos échecs : les guerres qui ne cessent pas, les dictatures, les répressions, les tortures communes à tant de régimes politiques de tous bords ; les pollutions insoutenables ; le gaspillage des ressources rares non renouvelables ; les faillites généralisées de nos deux systèmes économique et financier, qui culminent dans les enfers des bidonvilles ; et enfin, *le génocide de la faim,* honte et suprême déshonneur de notre « civilisation »...

Les agronomes, les scientifiques, les économistes... doivent se sentir plus spécialement responsables de ces faillites ; seuls, ils sont dans l'incapacité d'y mettre fin. Les politiciens et les maîtres de l'économie, ceux des « Nomenklaturas » — communistes et capitalistes — sont les plus responsables, et donc les premiers agents des changements qui s'imposent et qu'il devient inévitable de *leur imposer.* Facile à dire, facile à écrire ; très difficile, mais pas impossible à réaliser à long terme...

Pourtant, les guerres, répressions, famines et destructions ne sont pas des phénomènes naturels : ils prennent leurs racines en nous, les hommes, et principalement en tous ceux qui détiennent les pouvoirs politiques, économiques, intellectuels, sociaux et religieux ; et qui, même s'ils refusent de l'admettre, en sont déshonorés. Le seul combat qui puisse être désormais mené dans la dignité, est celui qui aurait pour but une planète respectée, permettant une survie prolongée de l'humanité ; avec le pain, la paix, les libertés, le droit au travail ; et qu'il soit possible, pour des hommes et des femmes de culture *différente*, de poursuivre leur existence au sein de leur propre civilisation ; en pratiquant, s'ils le désirent, leurs religions traditionnelles. Que dire de l'ethnocide des Indiens des Amériques, de ceux des Bassaris du Sénégal et des Pygmées d'Afrique centrale ; ou encore de la plupart des tribus asiatiques, sans oublier les Kurdes et les Berbères ? C'est déjà une forme de *génocide*. L'homme d'aujourd'hui doit, et de toute urgence, apprendre à respecter les autres vies de notre planète, cesser de s'acharner à dominer la nature mais, tout au contraire, s'allier avec elle. Sinon, il est inéluctablement condamné à disparaître... demain, en l'an 2000, il sera peut-être déjà trop tard, insinue Lester Brown[1].

P.-S. : J'ai été candidat, tête de la liste des Verts-Écologie pour Paris aux Législatives ; nous y avons soutenu le tiers monde, l'environnement (un accent sur la mort des forêts) ; et combattu tous les armements nucléaires, qui sont défendus par un curieux consensus, de Le Pen à Marchais inclus... Nous n'oublions pas de réfléchir au chômage qui enlève la dignité, et nous prenons la défense des immigrés qui sont « nos potes », etc. Les partis, eux, ont parlé de cohabitation...

---

1. *State of the World 1985, op. cit.*

POSTFACE

par
Michel ROCARD

LE TIERS-MONDISME EST-IL L'AVENIR
DU SOCIALISME ?

On a sans doute tort d'appeler crise l'immense mutation que le monde vit depuis une quinzaine d'années. Mais il reste qu'il la vit mal, et que ce mot de crise décrit un ensemble de situations bloquées, ou à tout le moins incertaines.

A l'ouest, un chômage généralisé et massif menace de déstabiliser les équilibres sociaux.

A l'est la perspective d'une amélioration significative des conditions de vie et à travers elle d'un desserrement de l'étau que constitue le système politique s'estompe, et s'éloigne dans un avenir indéterminé, tel l'horizon quand on prétend s'en rapprocher.

Au sud, hors de rares exceptions, toutes asiatiques, les mécanismes du développement s'enrayent partout. La situation alimentaire se dégrade dans toute l'Afrique et la moitié nord de l'Amérique du Sud. La croissance est fréquemment entravée. Les écarts de revenus entre le Nord et le Sud et à l'intérieur des pays du tiers monde s'accroissent constamment. Dans bien des pays l'avenir est plutôt au sous-développement cumulatif qu'au décollage. L'orage menace.

De toutes ces situations, les gouvernements sont largement responsables, aussi bien par la nature ou au mieux par l'insuffisance de leur action interne que par la quasi-absence de concertation internationale réelle et d'action collective.

Mais je crois profondément, aussi bien en ce qui concerne les sociétés développées que le tiers monde, qu'il s'y ajoute un autre facteur responsable : nous n'avons pas fait assez usage de nos intelligences.

Dans le cas du tiers monde tout particulièrement, comme le montre le courageux livre de mon ami René Dumont pour lequel il m'a fait l'honneur de me demander cette post-face, il est clair que les blocages viennent moins de la technologie ou même de la

285

finance, que de comportements ou d'attitudes inadaptés au développement, voire de décisions qui, même découlant d'intentions louables, se révèlent désastreuses.

En fait, il s'agit d'une crise avant tout culturelle. Les idées, et souvent les certitudes, auxquelles nous nous sommes référés pendant des décennies craquent devant les faits. Et fréquemment certaines d'entre elles sont remises en question, parfois avec une cruauté presque masochiste, par ceux-là mêmes qui les proclamaient le plus fort.

A gauche, le tiers monde, malgré les déceptions et les déboires, semblait continuer d'être, au cœur de l'engagement militant, un îlot préservé. Il est vrai que celui-là avait eu souvent pour origine le rejet d'un vieil ordre colonial absurde et injuste.

Aujourd'hui la mode est de se gausser des « sanglots de l'homme blanc ». Pour avoir été de ceux qui ont considéré qu'il était indispensable de dépoussiérer le drapeau du socialisme, je crois avoir qualité pour dire avec fermeté que ce revirement intellectuel est grave.

Voilà pourquoi j'ai accepté de prendre la plume, ce qui n'est jamais facile après un homme aussi compétent et généreux que René Dumont.

Pour moi, le tiers monde et le socialisme peuvent former un couple durable et solide en dépit de la crise du tiers-mondisme, terme vague, ambigu, en qui trop d'espoirs ont été placés alors même que la réalité du tiers monde était parfois contrainte ou superbement ignorée.

Or, si on peut demander beaucoup aux mots, si on peut les tordre au point de leur faire perdre leur sens originel, on peut plus difficilement et avec plus de risque forcer la réalité.

Le livre que vous venez d'achever a en cela le mérite de rappeler quelques vérités élémentaires. Le tiers monde n'est pas un objet de curiosité intellectuelle ; c'est avant tout un espace où quotidiennement des populations luttent pour survivre.

Vous trouverez donc juste de relever avec moi que ce livre est rafraîchissant puisqu'il a la rigueur des hommes qui ne sacrifient pas aux modes. Je me bornerai à livrer trois réflexions qui m'habitent depuis longtemps et que ce texte vient de réveiller.

— Le tiers-mondisme n'a-t-il été qu'un alibi, un dérivatif à notre sentiment de culpabilité ?

— Le tiers-mondisme n'est-il pas devenu un épouvantail permettant d'exorciser notre incapacité collective à organiser des

28. « L'aide alimentaire… trop tardive, est insuffisante. »
(Page 208.) Photo : Mali, région de Dioula, juin 1983.

29. *La Banque Internationale pour la Reconstru*
« *J'accuse certains des experts internationaux de n'avoir absolument rien con*

...veloppement, Washington, 7 mai 1975.
...érences entre notre *développement et* celui des Africains. » *(Page 257.)*

30. « L'Afrique pourrait atteindre 1,5 milliard d'habitants en l'an 2025. » (P[

Mali, village de Azouena, sur les rives de ce qui fut le lac Faguibin, juin 1985.

1. Soudan, Khartoum, juin 1978. Siège de l'O.U.A. « J'accuse la grande majorité des dirigeants africains d'avoir d'abord profité des privilèges du pouvoir. » (Page 256.) Ci-dessus, la réalité. Vu dans une rue de Dakar (32).

33. *Sénégal, Dakar, Fêtes de l'Indépendance, 4 juin 19*

ndance accroît (d'abord) l'exploitation des paysans. » (Page 39.)

34. Au Sénégal, le pourcentage des services dans l'économie est beaucoup trop élevé.

35. *Sénégal. Queue pour l'embauche à l'usine d'arachides de Koussamou.*

36. *Sixième rallye Paris-Dakar, étape Bouna - Yamoussoukro - Kissidougou -*
Freetown, 15 janvier 1984. « Ce rallye est une indécente exhibition au milieu de
ceux qui ne pourront jamais jouir de ces monstrueux gadgets. » (Page 249.)

37. *Sénégal, marché de Kaolack. « (Au Sénégal), les services couvrent plus de la*
moitié du revenu national. Mais, quels services ! » (Page 139.)

38. *Niger, région de Birni N'Konni. Corvée de bois. « Et ce n'est là*
n'aient pas le te

rs tâches quotidiennes. Comment s'étonner que les petites filles l'école. » (Page 113.)

39. *René Dumont, au cours de ses enquêtes dans les villages, s'entretient avec le paysans de N'Diagne, près de Louga (Sénégal), petite agglomération « de 5 00 paysans Wolof. Ils ne récoltent presque rien depuis quatre ans. » (Page 148.)*

relations économiques et politiques normales entre le Nord et le Sud ?

— Le socialisme peut-il apporter des réponses au tiers-monde ?

Ma première remarque n'a pas pour but de heurter par gratuité. Je sais l'élan et l'enthousiasme de nombreux militants tiers-mondistes. Mais force est de constater que le tiers-mondisme a servi surtout à gauche à se démarquer de la politique menée jusqu'en 1981. Cela était d'autant plus facile que les politiques d'aides bâties à cette époque avaient explicitement pour objectif de favoriser la reproduction de notre modèle de développement. Lutter contre ces orientations établissait une frontière entre la gauche et la droite. C'était un vecteur puissant d'unité au sein de la gauche. Si le tiers-mondisme s'était arrêté là, je pourrais sans gêne aucune le revendiquer : tiers-mondiste je suis. Malheureusement le tiers-mondisme n'a pas résisté à l'idolâtrie. Trop souvent sans doute (est-ce la conséquence d'un sentiment de culpabilité ou la déception envers une révolution qui n'arrivait pas en Occident ?) le tiers monde et ses dirigeants ont été substitués au prolétariat dans l'univers de gauche. Le tiers-mondisme a alors cessé d'être un engagement collectif pour devenir un simple enjeu intellectuel, un sujet de joutes stériles. Le tiers monde continuait d'exister, de se transformer, le tiers-mondisme lui était de plus en plus étranger.

Ce découplage entre la réalité du tiers monde et le mot tiers-mondisme, lié à l'interrogation d'une partie de la gauche sur le socialisme, a conduit certaines figures de proue du tiers-mondisme à lancer l'idée saugrenue que le tiers monde, lui-même, était une invention, une abstraction. Brûlant sans vergogne ce qu'ils avaient adoré, ces nouveaux adeptes de la realpolitik considèrent que le tiers-mondisme a été un instrument aux mains de l'Union soviétique.

L'aveuglement de nos alliés américains devant l'impatience de changement dans le tiers monde, le soutien de Washington aux régimes de dictature militaire n'ont pas ébranlé leur foi nouvelle.

Le froid discours succède donc à l'enthousiasme. Je serais tenté à ce stade de me contenter de rappeler que ce qui est exagéré a dit Talleyrand, est insignifiant. Mais ce serait faire fi des vraies questions que soulève le rejet du tiers-mondisme.

La réalité n'a certes pas été à la mesure du rêve. Les pays du tiers monde — et je pense en particulier à l'Afrique noire — n'ont pas répondu à la soif d'absolu de nos tiers-mondistes. Certaines de leurs élites sont apparues médiocres, plus soucieuses de gloire et d'honneurs que de progrès pour leurs pays. Elles ont souvent sacrifié le long terme au court terme. Cette politique de myope a conduit l'Afrique à se naufrager.

Déjà troublés par le spectacle peu agréable des Idi Amin Dada et autres Bokassa, les émules du tiers-mondisme ont été ébranlés par le visage peu amène de régimes du tiers monde chaussant les bottes du « socialisme réel », je veux dire du communisme. En effet, une partie du tiers monde, à contre-courant de toute l'évolution de la gauche européenne, se mettait à célébrer les vertus de la collectivisation des terres, de l'industrialisation à marches forcées, par exemple.

Je peux comprendre le désarroi, puis le rejet d'une certaine forme de tiers-mondisme qui en résulte. Je ne puis, en revanche, accepter le mépris envers le tiers monde. Il est dangereux d'oublier que l'Indochine et le Chili ne sont que les deux extrêmes d'une longue chaîne. Il est également vain de fermer les yeux sur l'insuffisance alimentaire qui frappe plus d'un milliard et demi d'hommes.

Il est, enfin, stupide, par dépit, de nier que le tiers monde évolue, que progressivement des forces démocratiques, tolérantes politiquement, soucieuses de la création d'un nouvel ordre économique international s'affirment. Le refus d'un modèle de développement économique occidental pour la première fois ne s'accompagne pas de la mise en place de systèmes politiques proches de celui des pays de l'Est. Le tiers monde n'attend plus des réponses clés en main, mais a soif de dialogue.

Aussi je crois, et cela sera ma troisième réflexion, que le socialisme a des choses à dire au tiers monde.

Précisons les termes. Le socialisme auquel je me réfère c'est celui de la libération des forces créatrices, du respect pointilleux des droits de l'homme. C'est autant un processus qu'une finalité. Encore faut-il que des ensembles politiques s'expriment internationalement à partir de cette exigence. Je constate à ce propos que la progression des idées socialistes est forte en Europe. L'entrée de l'Espagne et du Portugal y contribue. Mais je ne me leurre pas. L'Europe est, certes, un continent où le socialisme est solidement ancré, mais il existe aussi une Europe conservatrice et un peu frileuse. Or, il s'agit de récuser la prétention de l'Occident à isoler les politiques d'aide publique de tout le mouvement économique mondial et de mettre en œuvre à sa place une vision intégrée du développement qui s'appuie à la fois sur l'aide publique, sur les mécanismes financiers internationaux, et sur les règles régissant le commerce et le crédit. Je suis persuadé que les États-Unis n'y *sont pas prêts et que, de ce fait, seule l'Europe pourra peser dans ce sens.*

Pour que ce vœu devienne réalité, la première étape est bien de renforcer l'assise du socialisme européen. Parler du tiers monde c'est aussi parler du mouvement socialiste ici. Tel était au Congrès de Toulouse mon souci.

L'Europe est trop attendue dans le monde, la France joue un rôle trop grand en Europe pour que nous, socialistes français, prenions le risque en nous isolant dans une culture d'opposition, de bloquer la réponse à cette attente.

Cette première étape franchie, ne renouons pas avec les illusions antérieures. L'Europe n'a pas un modèle à proposer au tiers monde. Elle doit plutôt agir aux côtés du tiers monde, et l'Afrique est naturellement au premier plan des priorités, pour inclure, en particulier, dans les règles du jeu économique mondial, la notion d'un droit à la protection pour les pays en développement.

Cette idée est iconoclaste. Mais elle est au cœur de toute la relation Nord-Sud. Sans elle, le tiers monde ne pourra pas se développer harmonieusement. Sans elle le cycle, que connaissent les pays africains et latino-américains, de la dette et de la récession imposée pour « assainir » l'économie se poursuivra : avec à terme, risque d'explosion généralisée du système.

Pour le reste, le tiers monde, et les plus éclairés de ses dirigeants, ont d'abord besoin de s'assurer que les transferts de technologie qui leur sont si nécessaires ne s'accompagnent pas, ou le moins possible, du transfert d'un modèle socio-culturel et d'organisation sociale qui, pour avoir plus ou moins bien réussi en Occident, ne correspond pour autant en rien aux attentes du tiers monde. C'est largement à nous, fils des pays riches, que de savoir y veiller.

Le développement harmonieux, c'est l'évolution progressive, patiente et homogène de tout un peuple dans sa capacité à maîtriser le changement et à assumer les techniques qui lui sont accessibles. L'industrie ne peut naître et prendre son essor que lorsque déjà l'agriculture et l'artisanat ont répandu une culture technique en progrès. De cette définition résulte le fait aujourd'hui évident que le développement ne se parachute pas. Cela fixe leurs bornes aussi bien à l'aide internationale qu'au développement des États nationaux dans le tiers monde. Il n'y a pas de développement sans l'influence d'innombrables agents locaux de terrain. C'est peut-être en matière de développement que l'étatisme fait ses dégâts les plus dévastateurs. Le développement exige une forte décentralisation et une autonomie significative des communautés de base.

Précisément parce qu'il intègre de plus en plus ces références au fédéralisme, à la décentralisation, à l'autogestion, à l'autonomie des acteurs du jeu social, le socialisme peut être porteur d'un message méthodologique pour le tiers monde, un message limité au bon usage de l'organisation sociale et à ses limites en même temps qu'à ses devoirs. Au-delà, on retomberait dans l'impérialisme culturel qu'il convient précisément de rejeter.

Je ne suis plus persuadé que le tiers monde est l'avenir du socialisme, mais voilà tracé en quelques lignes une forte ambition pour le socialisme et pour l'Europe. J'ai le sentiment d'avoir posé plus de questions qu'apporté de solutions. Ce que je sais, ce que je crois après mes années d'exercice du pouvoir, les enseignements tirés de mes fréquents et riches entretiens avec mes amis du tiers monde, me conduisent à penser qu'aujourd'hui le problème n'est plus d'agiter un mot, le tiers-mondisme. Il est d'agir pour qu'un socialisme éclairé sur ses responsabilités mondiales se renforce en Europe et que l'Europe puisse faire entendre sa voix dans le monde. On l'attend. Soyez-en sûrs.

Michel Rocard.

ANNEXES

SOMMAIRE

ANNEXE I

ESQUISSE POLITIQUE ET ÉCONOMIQUE DU BURKINA-FASO, DU MALI, DE LA MAURITANIE, DU NIGER ET DU SÉNÉGAL*
par Sophie BESSIS

Sophie Bessis, tunisienne ; historienne de formation, elle s'est spécialisée dans l'étude des problèmes économiques du tiers monde, après avoir enseigné quelques années en Afrique noire. Parallèlement au métier de journaliste qu'elle fait depuis 1975, elle a continué sa recherche sur l'économie politique des pays en développement, en publiant en particulier deux ouvrages :
— *l'Arme alimentaire* (F. Maspero, Paris, 1979, réédité en 1981 et, aux éditions La Découverte, Paris en 1985) ;
— *la Dernière Frontière,* les tiers mondes et la tentative de l'Occident (J.-C. Lattès, Paris, 1983).
Elle continue de publier analyses et enquêtes qui lui permettent d'effectuer de nombreux déplacements dans le tiers monde, dans plusieurs journaux et revues, en particulier dans l'hebdomadaire *Jeune Afrique.*

---

* J'ai demandé à Sophie Bessis d'analyser l'évolution politique et économique récente des cinq pays étudiés dans notre essai. Les textes qui suivent ont donc été rédigés par elle.

BURKINA-FASO

La patrie des hommes intègres : c'est un redoutable pari sur l'avenir qu'a fait le jeune capitaine Thomas Sankara en rebaptisant ainsi la Haute-Volta, devenue le Burkina-Faso depuis le 4 août 1984, premier anniversaire de sa prise du pouvoir. Étrange destin que celui de ce petit pays, l'un des plus démunis et, pendant longtemps, l'un des plus démocratiques d'Afrique francophone. Les Voltaïques, désormais les Burkinabè, ruraux et analphabètes dans leur écrasante majorité, héritiers d'un des royaumes les plus hiérarchisés et les plus centralisés de la région, semblaient en effet les moins enclins à écouter les chants des sirènes révolutionnaires entonnés dès le 4 août 1983 par Thomas Sankara et son équipe. Alors que les royaumes Mossi ont fait preuve, tout au long de leur histoire, d'un farouche esprit d'indépendance, résistant aux velléités de conquête des empires voisins et au prosélytisme d'un islam dominant dans la région, la puissance coloniale a longtemps ôté toute personnalité propre au territoire de la Haute-Volta en le rattachant à la riche colonie de Côte-d'Ivoire. La haute Côte-d'Ivoire, pauvre et relativement peuplée, devint ainsi un réservoir de main-d'œuvre pour les grandes plantations côtières, contribuant à enrichir ce qu'on appelait alors la « Basse Côte ».

Ce choix de la France a profondément marqué le destin de la colonie puisque les flux migratoires n'ont cessé de s'accentuer après l'indépendance, au point que l'on compte aujourd'hui en Côte-d'Ivoire près de deux millions de Voltaïques, essentiellement employés dans l'agriculture de plantations, les industries et les innombrables petits métiers urbains du secteur informel. Si un tel exode constitue une source non négligeable de revenus dans la mesure où les émigrants envoient de l'argent aux familles demeurées au pays ou reviennent avec d'importantes sommes nécessaires au paiement de la dot, ses conséquences sur l'économie sont beaucoup moins positives, puisque ce sont des hommes jeunes et dans la force de l'âge qui s'expatrient pour trouver les moyens de leur survie.

La France décide en définitive de faire de la Haute-Volta un territoire autonome en 1953, et c'est en tant que tel que celle-ci accède à l'indépendance en août 1960. Après six ans d'un pouvoir civil qui n'a pas laissé beaucoup de bons souvenirs, un coup d'État militaire porte au pouvoir le colonel Sangoulé Lamizana. Paradoxalement, s'ouvre alors la période la plus faste de la vie politique du jeune État. M. Lamizana est un des rares dirigeants militaires du tiers monde que l'on ait pu sans ironie qualifier de brave homme, et qui jouit encore dans son pays d'une incontestable popularité. Si son séjour de quatorze ans au pouvoir n'a guère permis au pays d'améliorer l'état de son économie, ni à la population de connaître un niveau de vie plus enviable, il a en revanche été marqué par un climat de liberté et de démocratie qu'ont envié à la Haute-Volta la plupart des autres Africains francophones, plutôt mal lotis dans ce domaine.

Est-ce pour cette raison qu'elle a été pendant des années un des États les plus aidés d'Afrique ? Elle apparaît en effet comme un pays idéal aux yeux des donateurs traditionnels : pauvre à souhait si l'on peut dire, gouvernée avec bonhomie par un régime qui proclame son attachement sans faille à l'Occident, doté d'une bureaucratie dirigeante moins corrompue qu'ailleurs, ce qui ne la rend d'ailleurs pas plus efficace, elle est la bonne conscience de tout le monde. De 1976 à 1982, elle reçoit 1,2 milliard de dollars d'aide publique au développement, soit près de 200 millions par an, ce qui représente quelque 33 dollars par an et par habitant, et dépasse la totalité de l'investissement intérieur brut. Hormis la France, dont l'influence à Ouagadougou est énorme jusqu'au coup d'État de 1983, les principaux donateurs sont la RFA, les Pays-Bas, les pays scandinaves, la Banque Mondiale et la CEE. La Haute-Volta est également la terre d'élection des organisations non gouvernementales, elles aussi attirées par la pauvreté du pays et la relative liberté d'action dont on y jouit, et par le dynamisme d'une grande partie de sa population rurale. Elles se sont d'autant plus volontiers implantées dans les campagnes voltaïques, favorisant la réalisation par les paysans de centaines de microprojets, que le pouvoir a très vite compris l'intérêt que représentait la captation de cette nouvelle forme de rente externe et a élevé plusieurs d'entre elles au rang d'interlocuteurs institutionnels.

Incapable cependant de résoudre les problèmes économiques les plus pressants, décuplés à partir des années 1970 par les effets de la sécheresse, miné par les incessantes rivalités politiciennes mettant aux prises les clans des principaux caciques de la vie publique, coupé d'une population indifférente aux querelles dont Ouagadougou est le théâtre (20 % à peine des électeurs allèrent voter aux élections présidentielles et législatives de 1978), le régime de Sangoulé Lamizana succombe au coup d'État militaire conduit le 27 novembre 1980 par le colonel Saye Zerbo. S'ouvre alors une période d'instabilité politique marquée par une succession de coups d'État. Le médecin commandant Jean-Baptiste Ouedraogo essaie bien, à partir de son arrivée au pouvoir le 7 novembre 1982, d'arrêter l'irrésistible ascension de Thomas Sankara, mais celui-ci s'installe aux commandes moins d'un an plus tard.

En changeant de nom, la Haute-Volta a depuis lors changé de visage. Le jeune capitaine-président fait partie, comme un Jerry Ramlings au Ghana, de cette nouvelle génération de militaires décidés à nettoyer les écuries d'Augias de leur pays. Tandis que des « comités de défense de la Révolution » sont chargés de porter partout la bonne parole et de généraliser l'enthousiasme révolutionnaire, les « tribunaux populaires révolutionnaires » jugent les corrompus et les traîtres au nouvel idéal. Tout le pays est mis au travail ; le pouvoir affirme sa volonté d'œuvrer à la satisfaction des besoins vitaux de la population et de donner enfin à la paysannerie les moyens de développer la production agricole.

En totale rupture de ban avec le passé, aussi bien au plan intérieur qu'au niveau international, le nouveau régime n'a pas encore fait ses preuves. Mais la voie est étroite pour le capitaine

Sankara entre une politique résolument orientée vers le développement économique et social sans pour autant tourner le dos à la démocratie, et la dérive vers un aventurisme masqué par une surenchère révolutionnaire purement verbale, qui a déjà provoqué des tragédies en Afrique. La population du Burkina, dont le pays est moins pauvre qu'on ne veut bien le dire, mérite qu'on l'aide enfin à s'occuper d'elle-même.

Date de l'indépendance : 5 août 1960.

Superficie : 274 000 km^2.

Monnaie : Franc CFA.

Population : 1983 : 7 millions d'habitants ; 2000 : 10 millions d'habitants.

Densité : 26/km^2.

Taux d'accroissement annuel moyen : 2,7 %.

Taux de natalité : 48 ‰.

Taux de mortalité : 21 ‰.

Espérance de vie à la naissance : 44 ans.

Pourcentage de la population urbaine : 11 %.

Population d'âge actif (15-64 ans) par rapport au total : 52 %.

Population active employée dans l'agriculture : 82 %.

Taux d'analphabétisme : 76 %.

ÉCONOMIE :

Produit intérieur brut : 1 000 millions de dollars.

PNB par habitant : 210 dollars.

Pourcentage de participation au PIB : Agriculture : 41 % ; Industrie : 16 % ; Services : 43 %.

Taux annuel de croissance de l'agriculture (1970-1982) : 1,4 %.

Taux de couverture des importations par les exportations : 16 %.

Part des produits agricoles dans les exportations : 85 %.

Part des produits alimentaires dans les importations : 25 %.

Part des pays industriels occidentaux parmi les destinataires des exportations : 64 %.

Dette publique extérieure : 335 millions de dollars.

CAPITALE :
Ouagadougou : 320 000 habitants.

299

MALI

Quand, en 1960, Modibo Keita rendit le nom de Mali à l'ex-Soudan français, il espérait sans doute redonner à son peuple le lustre des anciens siècles de gloire. Vingt-six ans plus tard, cet État aux vieilles traditions, aux civilisations brillantes et aux énormes richesses potentielles se débat toujours dans d'insurmontables difficultés économiques, qu'aucun des régimes en place depuis l'indépendance n'est parvenu à résoudre. Cet immense pays, situé au cœur de la zone soudano-sahélienne, a successivement abrité les plus grands empires de la région : le Mandingue du XIIe au XIVe siècle, puis le Songhaï jusqu'à la conquête marocaine de 1591, mais aussi les grands royaumes Bambara des XVIIe et XVIIIe siècles et enfin les empires théocratiques peuls du XIXe siècle, défaits par la conquête coloniale. Le Mali, ce sont les riches cités, les dynasties et les héros chantés à travers les siècles par les griots ; c'est Tombouctou, capitale intellectuelle du Sahel, qui accueillait les lettrés venus de tout le monde afro-musulman. C'est aussi la terre des grandes civilisations agraires aux cosmogonies sophistiquées comme celle des Dogon, la terre où ont fleuri des chefs-d'œuvre artistiques parmi les plus beaux d'Afrique... et un État confiné dans le sous-développement.

Modibo Keita choisit d'abord pour lui la voie du socialisme. Cet ancien instituteur, brillant lieutenant de Félix Houphouët-Boigny au RDA, qui fut un temps vice-président de l'Assemblée nationale française, a été tout au long de sa vie politique un farouche partisan d'une indépendance sans nuances ni compromis. Dès la rupture, en 1960, de la fédération du Mali tentée avec le Sénégal voisin, la volonté de « souveraineté absolue » du nouveau président se traduit par la fermeture en 1961 des quatre bases militaires françaises et la création en 1962 d'un franc malien détaché de la zone CFA. Parallèlement, un plan quinquennal 1960-1965 est élaboré dans la plus pure tradition du socialisme développementaliste de l'époque : il privilégie une industrialisation anarchique et peu adaptée aux réalités, nationalise tout ce qui peut l'être, désorganisant entre autres un commerce florissant, et mobilise contre leur gré des paysans peu soucieux d'accroître leur production agricole pour des rémunérations dérisoires.

L'échec du Plan n'empêche pas les responsables de persévérer dans cette voie, renforçant au contraire l'autoritarisme du chef de l'État, la mainmise du parti unique sur la totalité de l'espace politique, et une étatisation quasi totale de l'économie, aux conséquences tragiques pour l'ensemble des richesses du pays. Les voisins et la France qui n'a rien perdu de son influence dans la région, voient, quant à eux, d'un fort mauvais œil la consolidation de l'alliance de Bamako avec le bloc soviétique. Malgré le prestige personnel que conserve Modibo Keita au Mali et dans toute l'Afrique, le coup d'État du 19 novembre 1968 réalisé par de jeunes officiers, est accueilli avec soulagement par la population et par

Mali

Date de l'indépendance :
22 septembre 1960.
Superficie : 1 204 000 km².
Monnaie : Franc CFA.
Population : 1983 : 7 millions
d'habitants ; 2000 : 12 mil-
lions.
Densité : 6/km².
**Taux d'accroissement annuel
moyen :** 2,7 %.
Taux de natalité : 48 ‰.
Taux de mortalité : 21 ‰.
**Espérance de vie à la nais-
sance :** 45 ans.
**Pourcentage de la population
urbaine :** 19 %.
**Population d'âge actif
(15-64 ans) par rapport au
total :** 51 %.
**Population active employée
dans l'agriculture :** 73 %.
Taux d'analphabétisme :
74 %.

ÉCONOMIE :
Produit intérieur brut : 1 030
millions de dollars.
PNB par habitant : 180 dollars.
**Pourcentage de participation
au PIB :** Agriculture :
43 % ; Industrie : 10 % ;
Services : 47 %.
**Taux annuel de croissance de
l'agriculture (1970-1982) :**
3,8 % (en recul depuis).
**Taux de couverture des impor-
tations par les exporta-
tions :** 44 %.
**Importations d'aide alimen-
taire :** 67 000 tonnes.
**Aide publique au développe-
ment :** 195 millions de dollars (19 % du PNB).
**Part des pays industriels occi-
dentaux parmi les destinataires des exportations :**
62 %.
**Pourcentage du budget consa-
cré à :** défense : 11,1 % ;
éducation : 15,7 % ; santé :
3,1 %.

CAPITALE :
Bamako : 350 000 habitants.

l'ancienne puissance tutrice. Moussa Traoré avait à l'époque trente-deux ans.

Après avoir éliminé sans ménagements la plupart de ses compagnons de la première heure vite devenus des rivaux, il est dix-huit ans plus tard général et toujours chef de l'État. Mais le long règne des militaires n'a résolu aucun des problèmes cruciaux d'un pays pourtant richement doté par la nature, malgré les sécheresses répétées qu'il connaît depuis la fin des années 1960. Réprimant férocement toute velléité démocratique, emprisonnant sans jugement ses opposants (dont l'ancien président Modibo Keita mort en détention en 1977, dans des circonstances suspectes), le régime issu du coup d'État de 1968, s'est révélé en outre incapable de redresser une économie en pleine déconfiture. Toutes les réalisations existantes datent du début des années 1960 et les Maliens, qu'ils soient ruraux ou citadins, continuent de lutter quotidiennement pour leur survie. A l'image du pays, Bamako, la capitale, fait figure de ville à l'abandon, faute du moindre entretien. Seules les quelque 300 000 personnes qui constituent en gros la classe dirigeante, formée pour l'essentiel des agents de l'État et de leurs familles, puis des commerçants, profitent du marasme persistant.

Depuis 1981 toutefois, devant l'ampleur de la récession, l'énormité de la dette publique, l'accroissement préoccupant des importations alimentaires et la réticence de plus en plus nette des donateurs occidentaux à financer la survie d'un pays en déroute, les autorités se sont décidées à réagir. Ainsi le Mali a demandé sa réintégration au sein de l'Union monétaire ouest-africaine. Après de longues et difficiles négociations butant sur la volonté de la Haute-Volta de voir Bamako s'engager à régler son conflit frontalier avec elle, et la crainte des États de l'UMOA de subir les conséquences de la dette malienne, il est revenu au franc CFA le 1er juin 1984. Parallèlement, sous la double pression de la France qui demeure son principal bailleur de fonds et du FMI, à qui il a été contraint de faire appel, le Mali s'est engagé dans une politique d'assainissement économique axé sur la remise en ordre et la réduction du champ d'action du secteur public. Seule la libération du commerce est pour l'instant effective, mais le gouvernement s'est engagé à poursuivre dans cette voie et a déjà obtenu un satisfecit des États-Unis et des grandes institutions financières internationales pour son retour au « réalisme ».

Il paraît cependant difficile d'envisager que le régime actuel, soucieux de maintenir l'essentiel de ses privilèges, soit réellement décidé à engager dans tous les secteurs les profondes réformes indispensables au redémarrage de l'économie. Le nouveau départ dont ce grand pays a un urgent besoin ne pourra pas non plus se faire sans que le peuple, lassé par plus de vingt ans d'autoritarisme et de gabegie, ne retrouve un minimum de confiance dans ses institutions et dans ses dirigeants.

MAURITANIE

Depuis sa naissance officielle, le 28 novembre 1960, la Mauritanie a eu pour préoccupation essentielle de défendre puis d'affirmer son existence. Quand, en 1956, la loi-cadre Defferre accorde une personnalité autonome à ce territoire, personne ne songe à l'appeler un pays, moins encore une nation. Il n'a même pas de capitale, et c'est le jeune avocat Mokhtar Ould Daddah qui choisit, en 1957, Nouakchott, petit village perdu dans les sables au bord de la mer, pour en faire la métropole d'un État qui n'existe pas. Cette vaste étendue sahélo-désertique n'a même pas d'unité ethnique qui puisse constituer le ciment d'une construction nationale : le désert est le royaume des tribus nomades, d'origine arabe ou berbère, dont la civilisation était entièrement fondée sur l'élevage et la grande transhumance. La vallée du Sénégal, dont la rive droite se situe en Mauritanie, est en revanche peuplée de Noirs sédentaires et agriculteurs, dont le mode de vie est aux antipodes de ceux qui furent longtemps leurs maîtres. Les relations entre ces deux peuples si différents sont marquées par une profonde inimitié, et vingt-cinq ans d'indépendance n'ont pas réussi à mettre fin à la méfiance qu'éprouvent les Négro-Africains et les « haratine » (affranchis) envers les nomades du Nord. Les premiers affirment périodiquement, et parfois violemment, leur ressentiment vis-à-vis des dirigeants, presque tous Maures, qui ne leur accordent que de modestes strapontins dans l'appareil politique et administratif, alors qu'ils constituent près de la moitié de la population. La seule unité sur laquelle puisse s'appuyer le pays qui voit le jour en 1960 est celle de la religion : 99 % de ses ressortissants sont musulmans.

Mais c'est dès avant l'indépendance qu'est contesté à la Mauritanie le droit d'exister : le Maroc, indépendant depuis 1956, a pour but explicite de reconstituer le grand royaume du temps de sa splendeur dont il fixe la frontière « naturelle » aux rives du Sénégal. Après avoir échoué dans une tentative de conquête militaire en 1958, Rabat continue à réclamer par des voies politiques l'annexion de son voisin du Sud. Il faudra dix ans à M. Ould Daddah pour lever cette hypothèque, au prix d'un rapprochement avec les pays arabes, et c'est en 1969 seulement que le Maroc abandonne sa revendication territoriale et reconnaît officiellement la Mauritanie.

La paix n'est pas pour autant définitivement gagnée. L'intrusion du conflit saharien dans le délicat équilibre géo-stratégique de la région remet en cause les structures mêmes de l'État mauritanien. Après l'accord de novembre 1975 partageant l'ancienne colonie espagnole entre Rabat et Nouakchott, le front Polisario, luttant pour l'indépendance du territoire, concentre ses attaques sur la fragile Mauritanie plutôt que sur le puissant Maroc. Nouakchott manque d'être prise en juin 1976 et, désormais, l'essentiel des richesses du pays est consacré à la mise sur pied d'une armée jusqu'alors embryonnaire. Les résultats d'une telle déstabilisation ne se font pas attendre : le 10 juillet 1978, un « Comité militaire de redressement national » renverse le régime de Mokhtar Ould Daddah. Plusieurs révolutions de palais ont fait, depuis lors, changer le pouvoir de main, sans qu'il cesse d'être monopolisé par l'armée, les dirigeants devant à la fois faire face aux innombrables problèmes intérieurs et aux pressions contradictoires de Rabat et d'Alger. Il apparaît en tout cas certain que la stabilité intérieure ne pourra être retrouvée qu'avec le règlement de l'affaire saharienne.

En attendant une solution à court terme hypothétique, la situation économique continue à se dégrader. La sécheresse endémique qui sévit dans le Sahel depuis plus de quinze ans a porté un coup fatal à une agriculture déjà bien peu productive, tandis que les besoins d'une population qui s'urbanise à un rythme accéléré ne cessent d'augmenter. La mise en valeur des terres irrigables de la vallée du Sénégal, mal engagée, gérée à grands frais par une bureaucratie budgétivore, et bien trop lente au regard des besoins, n'a pu pour l'instant combler un déficit démesuré par rapport à une population demeurée relativement peu nombreuse. Le pays vit en partie grâce à une aide alimentaire massive qui a frisé les 100 000 tonnes en 1984, soit un peu plus de 60 kilos par habitant.

La Mauritanie ne manque pourtant pas totalement de ressources : ses côtes, parmi les plus poissonneuses du monde, sont, il est vrai, livrées à un constant pillage surtout de la part des chalutiers soviétiques, japonais et espagnols, et l'État n'a pas encore réussi à tirer de la pêche les revenus qu'il pourrait en attendre. Sa principale richesse demeure donc le fer d'excellente qualité dont regorge son sous-sol. Il procure au pays 85 % de ses ressources en devises et entre pour un quart dans la formation du PIB. Les recettes de la SNIM (Société nationale industrielle et minière), première entreprise du pays, ont cependant connu d'importantes oscillations au cours des dernières années : les attaques du Polisario contre la zone minière de Zouérate ont gravement compromis la production à la fin des années 1970, puis la mévente du fer a fait tomber les exportations à 7 millions de tonnes par an de 1981 à 1983 ; elles sont toutefois remontées à 9,5 millions de tonnes en 1984.

En fait, la Mauritanie vit depuis des années grâce à l'aide que lui octroient principalement la France et les pays arabes pétroliers, dont elle a entre autres attiré les faveurs par le rappel régulier de son islamisme et de son arabité, pourtant relative. Acculé par l'énormité de sa dette extérieure et par le rétrécissement de l'aide au développement à mettre en place en 1985 une politique d'austérité, on voit mal ce que le pouvoir issu du coup d'État de décembre 1984 pourrait sacrifier du niveau de vie d'une population réduite, dans sa majorité, à négocier quotidiennement sa survie.

Mauritanie

Date de l'indépendance : 28 novembre 1960.

Superficie : 1 032 000 km^2.

Monnaie : ouguiya (100 ouguiyas = 13 francs français en 1984).

Population : 1983 : 2 millions d'habitants ; 2000 : 3 millions.

Densité : 2/km^2.

Taux d'accroissement annuel moyen : 2,7 %.

Taux de natalité : 43 ‰.

Taux de mortalité : 19 ‰.

Espérance de vie à la naissance : 45 ans.

Pourcentage de la population urbaine : 26 %.

Population d'âge actif (15-64 ans) par rapport au total : 51 %.

Population active employée dans l'agriculture : 63 %.

Taux d'analphabétisme : 56 %.

ÉCONOMIE :

Produit intérieur brut : 640 millions de dollars.

PNB par habitant : 470 dollars.

Pourcentage de participation au PIB : Agriculture : 29 % ; Industrie : 25 % ; Services : 46 %.

Taux annuel de croissance de l'agriculture (1970-1982) : 3,4 %.

Taux de couverture des importations par les exportations : 85 %.

Aide publique au développement : 177 millions de dollars (26 % du PNB).

Part de l'OPEP en pourcentage du total de l'APD bilatérale : 52,5 %.

Part des pays industriels occidentaux parmi les destinataires des exportations : 95 %.

Dette publique extérieure : 1 milliard de dollars.

Dépenses militaires en 1982 : 68 millions de dollars.

CAPITALE :
Nouakchott : 250 000 habitants.

NIGER

Le Niger est, après la Mauritanie, le plus désertique des États sahéliens. Terre des grands nomades et de l'harmattan, pauvre en ressources naturelles jusqu'à la découverte et l'exploitation de l'uranium, il a été totalement négligé par la France qui, après une difficile pacification, terminée seulement au début des années 1920, abandonne pratiquement à son sort ce territoire sans grand intérêt pour elle. Développant la culture de l'arachide dans le « Niger utile » du Sud-Ouest, elle ne s'intéresse au Nord sahélo-saharien qu'en 1955, avec les premières prospections du Commissariat français à l'énergie atomique. Dans ce pays oublié, aux frontières tracées à la règle par le découpage colonial, la vie politique s'anime pourtant à partir de 1956 et de la promulgation de la loi-cadre Defferre. La section nigérienne du RDA dirigée par Hamani Diori voit en effet se dresser devant elle le parti ultra-nationaliste et marxisant Sawaba (patrie) de Djibo Bakary qui appelle à voter NON au référendum de 1958 sur la création de la Communauté. Il faut tout le soutien de la France pour faire triompher le parti progressiste nigérien d'Hamani Diori partisan du OUI.

L'évolution est alors analogue à celle des autres territoires de l'A-OF, et le Niger devient en août 1960 une République indépendante sous la houlette du francophile convaincu qu'est le président Diori. Le Sawaba, mis hors la loi dès 1959, ne disparaît toutefois de la scène qu'en 1965 après plusieurs tentatives, férocement réprimées, d'arracher le pouvoir aux nouveaux maîtres de Niamey. Jouissant d'un incontestable prestige au plan africain et international — il est avec Léopold Senghor et Habib Bourguiba l'un des trois fondateurs de la francophonie —, le chef de l'État se révèle rapidement incapable de changer le cours des choses à l'intérieur de son pays, l'un des plus désolés d'Afrique. Une corruption sans vergogne sévit au contraire dans l'entourage présidentiel, de moins en moins supportée par une population qui commence à souffrir dès la fin des années 1960 des premiers ravages de la sécheresse. L'exploitation de l'uranium à partir de 1970, loin de contribuer à améliorer le niveau de vie général, profite d'abord aux intérêts français, puis à l'étroite classe dirigeante qui s'enrichit ainsi grâce aux miettes que lui laisse en pâture l'ancienne métropole. Avec l'aggravation de la sécheresse et la disette qu'elle entraîne, la situation devient rapidement intolérable pour la majorité de la population.

Malgré la multiplication des mises en garde, y compris de la part de la modeste armée nationale, l'oligarchie trouve dans le détournement de l'aide alimentaire un nouveau moyen de s'enrichir. Les protestations qui s'étendent à travers le pays sont punies de lourdes peines de prison. Le 14 avril 1974, les forces armées se décident à agir et renversent le régime après une brève résistance dans laquelle l'épouse du chef de l'État, unanimement haïe pour l'immensité de sa fortune, trouve la mort. Le Niger est ainsi, avec

Niger

Date de l'indépendance : 3 août 1960.

Superficie : 1 267 000 km².

Monnaie : Franc CFA (1 F CFA = 0,02 F.F.).

Population : 1983 : 6 millions d'habitants ; 2000 : 11 millions d'habitants.

Densité : 5/km².

Taux d'accroissement annuel moyen : 3,3 %.

Taux de natalité : 52 ‰.

Taux de mortalité : 20 ‰.

Espérance de vie à la naissance : 45 ans.

Pourcentage de la population urbaine : 14 %.

Population d'âge actif (15-64 ans) par rapport au total : 51 %.

Population active employée dans l'agriculture : 91 %.

Taux d'analphabétisme : 78 %.

ÉCONOMIE :

Produit intérieur brut : 1 560 millions de dollars.

PNB par habitant : 310 dollars.

Pourcentage de participation au PIB : Agriculture : 31 % ; Industrie : 30 % ; Services : 39 %.

Taux annuel de croissance de l'agriculture (1970-1982) : − 2,4 %.

Taux de couverture des importations par les exportations : 75 %.

Part des produits agricoles dans les exportations : 17 %.

Part des produits alimentaires dans les importations : 23 %.

Part des pays industriels occidentaux parmi les destinataires des exportations : 76 %.

Dette publique extérieure : 650 millions de dollars.

Pourcentage du budget consacré à : défense : 3,8 % ; éducation : 18 % ; santé : 4,1 %.

CAPITALE :
Niamey : 260 000 habitants.

l'Éthiopie, un des deux États africains où la famine finit par avoir raison d'un pouvoir prédateur dont les agissements vont totalement à l'encontre des intérêts populaires.

A partir de 1974, c'est donc le Conseil militaire suprême dirigé par le colonel Seyni Kountché, qui préside aux destinées du pays. Il hérite d'une situation dramatique qu'il a bien du mal, depuis plus de dix ans, à redresser. Pratiquement dépourvu de voies de communication, doté d'une industrie manufacturière embryonnaire (10 % du PNB) cantonnée à la transformation des produits de l'agriculture et de l'élevage, et d'une agriculture déficiente — la production d'arachides et de denrées vivrières étant en chute libre —, le Niger semble, un temps, devoir être sauvé par l'uranium. Alors que la production passe de 470 tonnes en 1971 à 3 500 tonnes en 1979, la crise pétrolière entraîne un quintuplement des cours entre 1974 et 1979. L'exportation du minerai dont le Niger devient un des principaux producteurs mondiaux rapporte, en 1977, 12 milliards CFA, soit l'équivalent d'un tiers du budget. Pendant quelques années, le recul de la sécheresse et l'arrivée de cette manne miraculeuse autorisent tous les espoirs : un ambitieux plan de développement est élaboré qui ne lésine pas sur les investissements destinés à faire décoller l'économie. Sur le plan politique, le régime jouit d'une rassurante stabilité et, s'il ne paraît pas pressé de s'engager sur la voie de la démocratie, il associe de plus en plus la génération montante des technocrates civils au pouvoir. La conscience de sa solidité engage Seyni Kountché, dirigeant réputé rigoureux et austère, à libérer en avril 1980 les deux vieux leaders inconciliables, Ujibo Bakary et Hamani Diori.

Mais, à partir de 1980, le cours de l'uranium entame une chute jusqu'ici inexorable. Le réveil est dur pour les Nigériens qui voient fondre ainsi leur pactole à un moment où leur pays est à nouveau victime du retour en force de la sécheresse. Alors qu'une sage politique avait permis au Niger d'atteindre une quasi-autosuffisance vivrière à la fin des années 1970, il se retrouve depuis 1984 tributaire de l'aide alimentaire internationale. Les perspectives, pour n'être pas enthousiasmantes, sont toutefois moins sombres que chez le voisin malien. Le pouvoir a en effet engagé depuis quelques années une politique agricole volontariste, où la participation paysanne fait moins qu'ailleurs figure de formule incantatoire et qui, faute de pouvoir les conjurer, limite tout de même les effets de la sécheresse. Si l'hypothèque pluviométrique vient à peser moins lourd dans l'avenir, le Niger est un des seuls pays de la région où l'objectif d'autosuffisance peut être atteint dans un délai raisonnable. Pour y parvenir, le chef de l'État dirige un peu son pays comme une caserne, la libéralisation de la vie politique ne constituant visiblement pas, selon lui, une priorité. Mais la relative sagesse de sa politique en a fait un des dirigeants les plus écoutés d'une région où la rigueur est une denrée à peu près aussi rare que le mil en période de sécheresse...

SÉNÉGAL

S'il jouit aujourd'hui d'une excellente réputation hors de ses frontières, c'est pourtant sous de mauvais auspices que le Sénégal souverain voit le jour le 20 août 1960. L'accès à l'indépendance de cet État aux dimensions modestes, le plus occidental de l'Afrique noire, signifie d'abord pour son président, le poète Léopold Sédar Senghor, l'échec du vieux rêve fédéraliste ouest-africain. Parallèlement à la lutte pour l'émancipation, les dirigeants nationalistes des territoires de l'empire français se divisent, en effet, entre partisans et adversaires du maintien des deux grandes entités de l'ère coloniale, l'A-EF et l'A-OF. Le vote de la loi-cadre Defferre, en avril 1957, donne la victoire aux tenants de la « balkanisation », regroupés derrière l'Ivoirien Félix Houphouët-Boigny, en instaurant un pouvoir exécutif dans chaque territoire africain, mettant fin ainsi à l'hégémonie de Dakar sur l'ensemble de l'Ouest africain. Poursuivant son projet, Léopold Senghor parvient tout de même à créer la Fédération du Mali avec le Soudan français. Mais Modibo Keita demande le divorce après deux ans de cette brève union et, en 1960, chaque État entame seul une nouvelle étape de son histoire.

Il va encore falloir deux ans au chef de l'État sénégalais pour imposer un pouvoir sans partage : le bicéphalisme instauré entre le président de la République et son président du conseil Mamadou Dia se solde, en décembre 1962, par une tentative de coup d'État de ce dernier, avorté grâce au loyalisme d'une armée demeurée fidèle au pouvoir légal. Le maintien de l'armée à l'intérieur des casernes a d'ailleurs permis au Sénégal d'être le seul État sahélien à n'avoir pas connu de coup d'État militaire au cours du dernier quart de siècle et d'être, en 1985, l'unique régime civil de la zone soudano-sahélienne. Ce n'est pas là sa seule originalité. Si, en matière économique, le bilan de vingt-cinq ans d'indépendance est aussi désastreux qu'ailleurs, l'évolution politique du Sénégal est pratiquement unique en son genre, pour l'instant du moins, en Afrique au sud du Sahara.

Pendant onze ans, de 1963 à 1974, Léopold Senghor, chef de l'État et de l'Union progressiste sénégalaise, parti unique de fait, demeure le seul maître à bord d'une nation périodiquement secouée par de violentes tempêtes, du « mai 1968 » sénégalais marqué par une grave agitation universitaire et sociale, aux tentatives de jacqueries d'une paysannerie poussée à bout en 1970 par l'insensibilité du pouvoir devant les conséquences catastrophiques de la sécheresse. Pendant une décennie, toute tentative d'opposition au régime en place est énergiquement réprimée, tandis que la situation économique se dégrade inexorablement et que l'État vit de plus en plus d'expédients, notamment d'une assistance massive de l'ancienne puissance tutrice dont le Sénégal demeure l'un des plus fidèles alliés.

Est-ce pour conjurer de nouvelles crises ou par réel attachement à la démocratie que Senghor décide de libéraliser son régime à partir de 1974 ? Il y a sans doute des deux dans ce revirement qui aboutit à la révision constitutionnelle de 1976 autorisant l'existence de quatre partis politiques. Incarnant le « socialisme démocratique », l'UPS se transforme en 1976 en parti socialiste sénégalais et adhère à l'Internationale socialiste. Malgré le regain de tension sociale consécutif à la dégradation du niveau de vie, les premières élections pluralistes depuis l'indépendance se déroulent en février 1978 : le Parti démocratique sénégalais d'Abdoulaye Wade obtient 18 sièges sur 100 aux législatives et son chef 18 % des voix contre Senghor qui est réélu avec 82 % des suffrages. C'est à la consolidation de ce multipartisme surveillé, dont les limites suscitent d'ailleurs de vigoureuses protestations, que le président emploie les deux dernières années de son long séjour à la tête de l'État. Premier chef d'État africain à démissionner sans y avoir été contraint, il passe en effet la main le 1er janvier 1981 au jeune Abdou Diouf, Premier ministre depuis 1970.

A défaut de réelle évolution politique, on a assisté depuis lors à un changement de style et de génération, les vieux caciques de l'époque senghorienne ayant progressivement été éliminés du devant de la scène. Depuis 1981, le Sénégal vit sous un régime de pluripartisme intégral — on n'y compte pas moins de quatorze formations politiques pour la plupart groupusculaires —, ce qui n'a pas empêché les élections de 1983 de confirmer de façon éclatante, moyennant quelques manipulations, le pouvoir du PS et d'Abdou Diouf. En six ans de pouvoir, ce dernier a dû faire face à deux problèmes importants : la création de la confédération sénégambienne à la suite d'un coup d'État avorté à Banjul en juillet 1981, et le réveil de l'irrédentisme casamançais vis-à-vis duquel Dakar manie alternativement la carotte et le bâton.

Mais si l'évolution politique de cette jeune et encore timide démocratie, dans un environnement régional pour le moins hostile à ce genre d'expérience, est un enjeu majeur pour l'ensemble de l'Ouest africain, c'est du côté de l'économie que les nuages s'amoncellent et que l'actuel gouvernement doit faire face à de pressantes échéances. Car l'évolution dans ce domaine n'a rien d'exemplaire : l'essentiel des maigres ressources du pays provient du travail d'une paysannerie tragiquement appauvrie par les effets conjugués de la ponction opérée par les couches dominantes urbaines sur l'agriculture, et d'une sécheresse persistante dont on n'a pas su, ou pas voulu, limiter les conséquences. L'industrie n'a pas pris le relais d'une production agricole marquée par la stagnation, et ce qui en tient lieu est encore en majeure partie aux mains du capital étranger, français essentiellement. Le Sénégal importe près d'un demi-million de tonnes de riz et de blé par an, principalement destinés à nourrir des villes dont nul ne parvient à maîtriser la croissance. Pour tenter de résoudre le problème alimentaire, les responsables ont choisi de favoriser quelques gigantesques projets comme celui de la mise en valeur du fleuve Sénégal, au détriment d'un développement de l'ensemble du secteur rural. Une telle politique ayant provoqué un gonflement excessif du déficit des finances publiques et de la dette extérieure, le gouvernement s'est

Sénégal

Date de l'indépendance : 20 août 1960.

Superficie : 196 722 km².

Monnaie : Franc CFA (1 F CFA = 0,02 FF).

Population : 1983 : 6 millions d'habitants ; 2000 : 10 millions d'habitants.

Densité : 30,4/km².

Taux d'accroissement annuel moyen : 2,7 %.

Taux de natalité : 48 ‰.

Taux de mortalité : 21 ‰.

Espérance de vie à la naissance : 44 ans.

Pourcentage de la population urbaine : 34 %.

Population d'âge actif (15-64 ans) par rapport au total : 52 %.

Population active employée dans l'agriculture : 57 %.

Taux d'analphabétisme : 58 %.

ÉCONOMIE :

Produit intérieur brut : 2 510 millions de dollars.

PNB par habitant : 490 dollars.

Pourcentage de participation au PIB : Agriculture : 22 % ; Industrie : 25 % ; Services : 53 %.

Taux annuel de croissance de l'agriculture (1970-1982) : 1 %.

Taux de couverture des importations par les exportations (1982) : 49 %.

Part des produits agricoles dans les exportations : 29 %.

Part des produits alimentaires dans les importations : 28 %.

Part des pays industriels occidentaux dans les exportations : 65 %.

Dette extérieure publique : 1 329 millions de dollars.

Pourcentage du budget consacré à : défense : 15,6 % ; éducation : 21,3 % ; santé : 4,3 %.

CAPITALE :
Dakar : 1,4 million d'habitants.

résigné, sous la pression du FMI, à pratiquer une vigoureuse politique d'austérité depuis 1983, dont les conséquences se font durement sentir sur les couches les plus défavorisées de la population. Il faut toutefois signaler à son actif la nécessaire restructuration, menée fort prudemment il est vrai, des sociétés d'État, qui portent une lourde responsabilité dans la stagnation de l'agriculture, et l'augmentation substantielle des prix des denrées vivrières payés aux producteurs. Mais quelles que soient les déclarations d'intention des dirigeants et leur volonté affichée d'accorder la priorité à la production vivrière, la « dictature » de l'arachide n'a pas pris fin dans un pays dont l'essentiel de l'économie est encore tourné vers l'extérieur et qui n'a, dans ce domaine, rien remis en cause de l'héritage colonial.

Le Sénégal, rassurant par sa modération et sa stabilité, peut compter pour l'instant sur l'assistance de la France et de l'ensemble des pays occidentaux pour colmater les brèches les plus dangereuses d'un édifice économique branlant. Mais, après un quart de siècle de souveraineté, *il a encore tout à faire pour se donner les moyens d'une véritable indépendance.*

ANNEXE II

MALNUTRITION ET MÉDIOCRE ÉTAT DE SANTÉ DE LA PAYSANNERIE SAHÉLIENNE

par Thierry A. BRUN

Thierry A. Brun, ingénieur Agronome INA, Paris, doctorat de l'université de Californie (Berkeley). S'est spécialisé sur certains aspects de la sous-alimentation. A effectué des enquêtes ou des missions d'identification de projets au Pérou, en Bolivie, en Colombie, au Sénégal, au Niger, au Burkina, en Iran et un certain nombre de travaux dans d'autres pays, pour la FAO ou la coopération bilatérale. Étudie plus particulièrement, à l'heure actuelle, les effets des disettes et famines sur la capacité de travail et sur la dépense énergétique et est responsable d'un programme de recherche en coopération avec l'Institut de la santé de Pékin, financé par la Communauté européenne, en République populaire de Chine. Chargé de recherche à l'unité 1 de l'Institut national de la santé et de la recherche médicale (INSERM), Professeur invité à l'université de Cornwell (USA).

Lorsque le ciel pâlit à l'est sur le Sahel, et que l'on commence à distinguer la pesante silhouette des baobabs au-dessus de la brousse, quelque neuf millions de femmes et de fillettes se lèvent, du Tchad au Sénégal. Avant même que le soleil ne caresse la cime des manguiers, elles s'enveloppent d'un pagne et sortent de leurs cases dans des milliers de villages dispersés en brousse. Un grand nombre d'entre elles sont atteintes de maladies qui seraient rapidement soignées en ville. Maux de ventre, maux de tête, douleurs dentaires, courbatures, plaies infectées, mille maux qui gâchent le sommeil et que chaque paysanne et paysan de la brousse apprend vite à endurer.

Les plus matinales et les plus pieuses, en pays musulman, se seront déjà levées avant le jour, à l'appel du marabout, pour les premières prières de l'aube. Un peu d'eau pour les ablutions, et les voilà sur le chemin du puits ou du marigot. Il faut chercher de l'eau pour la toilette du mari, pour la vaisselle de la veille et pour la cuisine. Le mari lui-même, en saison de culture, part aux champs dès 5 h 30 ou 6 heures et ne mange que s'il lui reste de la bouillie de mil de la veille. Dans les cas contraires, une de ses épouses ou son épouse unique lui apportera au champ du mil préparé au milieu de la matinée.

Parfois, durant l'hivernage et après les récoltes, il fait frais. Les gamines, souvent à peine vêtues d'un simple pagne ou d'un slip, s'en vont pieds nus chercher de l'eau, frissonnantes de froid en hiver. Généralement les adultes se déchargent sur elles, dans les familles où il y a une fillette au moins, pour les corvées d'eau. Leurs aînées y participent seulement lorsque les plus jeunes ne parviennent pas à approvisionner toute la cour pour ses besoins domestiques. Les adultes portent de 30 à 40 kilos sur la tête, tandis que les fillettes de dix à douze ans dépassent fréquemment les 20 kilos. Elles font de trois à quatre aller et retour dans les villages visités au Burkina et au Sénégal. Cela est évidemment très variable, mais sur un échantillon de quelque sept cents femmes, il apparaissait que la moyenne est d'une demi-heure de corvée d'eau par jour pour chaque femme. Contrairement à l'apparence de facilité que donne le puisage, c'est une activité aussi épuisante que piocher ou porter des briques. Le pilage aussi est fatigant : chaque femme consacre environ une heure chaque jour à préparer le mil, dont une demi-heure à le piler.

En saison sèche — qui correspond à notre fin d'automne, hiver et début du printemps —, les puits les moins profonds s'assèchent, et il faut parfois parcourir plusieurs kilomètres pour aller chercher l'eau. Avant que la nuit ne tombe, toutes ces femmes du Sahel auront puisé à la main et transporté sur leur tête plus de trois cents millions de litres d'eau sur des distances dépassant parfois 10 kilomètres. Ces corvées absorbent donc une quantité importante du temps et de l'énergie des femmes, ainsi réduites dès l'enfance à une sorte d'*esclavage épuisant.*

Paradoxalement, l'eau très propre de certains puits creusés par le génie rural ou le Service de l'hydraulique, n'est pas toujours appréciée. Elle n'a aucun goût, aucun « arôme », nous disait un paysan Mossi. Lui, préférait l'eau du marigot. Certes, les feuilles en décomposition, le bétail qui vient s'y abreuver aux côtés des femmes qui puisent, donnent à l'eau de boisson une saveur que bien des Occidentaux ne savent pas « apprécier ». Malheureusement, c'est là une source d'infestation parasitaire. Par ailleurs, un nombre important de puits ont été dégradés par la descente des troupeaux peuls vers le sud, en raison de la sécheresse. Des mares, alimentées par de petites sources ont été tellement polluées par le bétail, que les sédentaires ne peuvent plus y puiser l'eau de boisson. A chaque sécheresse, les conflits se multiplient entre cultivateurs et éleveurs, pour l'eau, le passage des animaux et les déprédations aux cultures.

Chaque puits a son histoire, et des personnes précises les entretiennent. Il n'en est pas de même des puits creusés par les pouvoirs publics, sans concertation suffisante avec les populations concernées. Ils se dégradent fréquemment, faute d'entretien. C'est dangereux et délicat de descendre dans les puits pour les curer ; et les puisatiers se font rares. De plus, certains puits sont frappés d'interdits et de croyances qui en compliquent l'entretien et l'utilisation rationnelle.

Pourtant l'eau est le premier besoin alimentaire des hommes, au Sahel comme ailleurs. L'eau qui coûte tant d'efforts à trouver, puiser, transporter, conserver dans des jarres de terre cuite ou des fûts récupérés sur des chantiers. Une corvée quotidienne imposée aux plus *vulnérables* et aux plus *soumis* de la grande famille africaine, les fillettes.

L'EAU, L'ÉCOLE ET LA MORTALITÉ INFANTILE

Même les gamines qui vont à l'école partent à l'aube sur le chemin du marigot avec le seau ou la cuvette émaillée sur la tête. Un aller, deux allers, trois allers... et chaque fois revenir titubante avec une charge trop lourde sur la tête, les pieds parfois meurtris par les raidillons qui séparent la concession du marigot, par les épines et les branchages. Les piqûres de scorpion ou morsures de serpent ne sont pas rares. Après la corvée d'eau, il faut balayer la cour, faire la vaisselle de la veille et laver le linge.

Elles arrivent à l'école épuisées. Nous les avons souvent vues, les yeux mi-clos, prêtes à s'endormir. L'instituteur le sait bien. Il l'a dit et redit aux parents, ... « mais que voulez-vous, ajoute-t-il, c'est comme cela que les choses se passent ici. C'est déjà bien qu'il y ait des filles à l'école ».

Or, le manque de scolarisation des fillettes et l'absence d'éducation formelle des mères sont parmi les facteurs les plus importants de malnutrition infantile. Il a été amplement démontré que, même sans accroissement sensible du niveau de vie, une éducation plus complète des mères réduit considérablement la malnutrition infantile[1].

Au Sénégal, selon les chiffres officiels de 1981, seulement 38 % des fillettes sont inscrites à l'école primaire et celles-ci sont essentiellement des citadines. Au Mali, 20 %, au Niger 17 %, et en Haute-Volta 14 %. Ces taux figurent parmi les plus bas au monde ; tandis que ces pays du Sahel sont classés par l'UNICEF dans les pays qui ont la plus forte mortalité infantile. Sur 130 pays classés par cette organisation de protection à l'enfance, les 6 pays du Sahel figurent parmi les 22 les plus meurtriers, avec une mortalité infantile supérieure à 130 décès entre 0 et 1 an sur 1 000 naissances vivantes.

Au Sénégal, une enquête récente de l'ORSTOM sur 4 000 enfants de 0 à 5 ans à Niakhar, montrait une mortalité de 50 %. Un enfant sur deux, un véritable *génocide silencieux*, dans la plus grande indifférence nationale, qui s'est accoutumée à une mortalité de l'ordre de 250 pour 1 000 en année moyenne, pour cette tranche d'âge.

Cette mortalité infantile, de l'ordre de 140 pour 1 000 avant un an, place les pays du Sahel aux taux de l'Europe au début du siècle. A New York, la mortalité infantile était encore de 140 pour 1 000 en 1900. Comme en Europe, elle baissa de façon spectaculaire, en dessous de 50 en moins de 50 ans. Malheureusement pour les pays du Sahel, les perspectives ne sont pas aussi optimistes. Sur la base des tendances actuelles, l'ONU prévoit que la Haute-Volta (devenue le Burkina) aura encore, en l'an 2000, une mortalité infantile de 163 pour 1 000 ; le Mali, 117 ; le Niger, 110 ; la Mauritanie, 107 ; et le Tchad, 112. Plus d'un enfant sur dix mourra encore avant d'atteindre un an. On est loin de l'objectif de l'OMS et de l'UNICEF de descendre au-dessous de 50 pour 1 000. Or les moyens de sauver ces milliers d'enfants existent et ne sont pas coûteux.

SAHEL : FAMINE, OU SOUS-ALIMENTATION ?

Connu pour sa sécheresse, le Sahel est aussi le territoire de la faim. Non pas seulement de cette faim spectaculaire qui apparaît sur les écrans de télévision lors des disettes et famines. Malgré leur caractère dramatique, ces accidents sont moins importants que

---

1. En 1981, le PNB de la Chine par habitant était très inférieur à celui du Sénégal, 300 dollars contre 430 dollars ; mais la mortalité infantile y était trois fois moindre (41 pour 1 000). Et ceci, alors que dans les deux pays, les besoins alimentaires moyens en énergie étaient assez satisfaits, même si cela recouvre des disparités importantes entre les classes sociales qui apparaissent plus marquées au Sénégal. Mais, à l'exclusion des régions reculées, la quasi-totalité de la Chine (94 %) est scolarisée.

Par comparaison des pays tels que l'Inde scolarisent officiellement 63 % des filles, la Bolivie 78 % et la Tanzanie [?] 98 %.

cette *faim chronique*, insidieuse, qui affecte des millions d'enfants et d'adultes *chaque jour* : réduisant leur taille, leur activité, leur résistance aux infections et de façon générale leur *potentiel humain*. Car une majorité des habitants de cette région du monde mangent très médiocrement. Du fait de la colonisation et faute d'organisation adaptée, d'éducation rurale et de moyens pour utiliser la traction animale et les ressources en eau, des millions d'hommes, de femmes et d'enfants vivent dans l'incertitude de ce qu'ils mangeront la saison suivante, ou même le mois ou la semaine suivants.

Il faut chaque année arracher à cette terre aride entre 6 et 7 millions de tonnes de céréales, plus d'1 million de tonnes de pois et arachides et un certain nombre de dizaines de milliers de tonnes de viande de volaille, caprins et bovins. A cela s'ajoutent les fruits et feuilles de cueillette, que la brousse fournit bon an mal an, mais dont le tonnage recule avec l'avancée du désert.

Pour produire ces denrées, le paysan ne dispose le plus souvent d'aucune technique efficace pour améliorer la fourniture en eau ou en éléments fertilisants du sol. Dans les économies avancées, s'il ne pleut pas suffisamment, l'irrigation par pompage ou par dérivation des fleuves permet d'apporter aux plantes cultivées l'eau dont elles ont besoin. Ici, il est totalement dépendant des pluies, qui sont irrégulières et souvent mal réparties.

De même, dans les pays industrialisés, le paysan peut nourrir ses cultures à l'aide de la fumure animale ou minérale. Ici rien de tel. Le paysan n'a pas les moyens de l'un et bien peu de l'autre. Le seul facteur sur lequel il puisse agir efficacement est la compétition qui s'instaure entre les plantes qu'il veut cultiver et les adventices. Car, dès le semis, les mauvaises herbes envahissent les parcelles cultivées et il faut sarcler à plusieurs reprises, pour éviter que les plants de mil et de sorgho ne soient étouffés par les adventices. Et c'est à cela que le paysan du Sahel consacre la plus grande partie de son énergie. De cette énergie musculaire qu'il doit renouveler, jour après jour, pour pouvoir travailler aux champs.

A la différence des habitants des pays industrialisés, les habitants du Sahel, dans leur grande majorité, doivent effectuer des travaux pénibles, qui requièrent un surcroît de dépense physique. Ni les enfants ni les femmes enceintes et allaitantes ne sont épargnés, car chaque chef de famille mobilise toute la main-d'œuvre dont il peut disposer. C'est aussi pour avoir une main-d'œuvre plus abondante qu'il désirera une épouse supplémentaire, s'il peut en payer la dot. Le plus souvent les épouses ne peuvent travailler sur leurs parcelles, pour elles-mêmes, qu'après avoir passé un nombre d'heures fixé sur les champs du chef de famille. Celui-ci, en contrepartie doit assurer l'approvisionnement *en céréales* de ses épouses et descendants, durant tout le cycle annuel.

Durant cette dernière décennie, la production agricole de l'Ouest africain a crû moins vite que la population de cette région. Cependant les nutritionnistes eux-mêmes semblent partagés sur les tendances de l'évolution de l'état nutritionnel des habitants du Sahel. Cela est lié, en partie, à l'existence de périodes de sécheresse entraînant des disettes et des famines répétées, dont on ne sait pas si elles doivent être interprétées comme le signe d'une détérioration de la situation ou comme des accidents passagers.

Par ailleurs, nous manquons de données anciennes sur de grands échantillons de la population dans les États du Sahel. Ce qui est certain, c'est qu'une large frange de la population souffre de malnutrition. Par ailleurs, l'appauvrissement de la population rurale contraste avec une amélioration nette de la santé en ville. Au Sénégal, par exemple, on estime que 10 % des enfants ruraux sont au-dessous de 80 % des normes de poids pour la taille. Ce taux est inférieur de moitié en ville. Si l'on adopte le critère de poids pour l'âge, le pourcentage d'enfants malnutris est supérieur à 30 % en zone rurale.

L'écart ville-campagne s'accentue, même si certaines zones rurales situées à proximité des voies de communication s'améliorent. L'analyse d'une série d'enquêtes récentes au Sénégal, au Mali et au Burkina, de l'Organisme de recherches sur l'alimentation et la nutrition africaines (ORANA, Dakar), montre que de 10 à 30 % des enfants de 1 à 2 ans sont maigres ou sévèrement dénutris. Les cas les plus fréquents sont observés au nord du Mali et au Burkina. Pour l'enfant sevré, de 2 à 6 ans, la situation est moins critique ; de 10 à 15 ans, les taux ci-dessus ont diminué de moitié. Le plus souvent, en zone rurale, on ne connaît pas l'âge des enfants ; aussi les enquêteurs ne peuvent déterminer avec précision le retard de croissance. Un pédiatre avait enregistré à Khombole, à 100 kilomètres de Dakar, avant la sécheresse de 1973, qu'à l'âge de 18 mois, *seulement 20 % des enfants avaient un état nutritionnel satisfaisant.* Les autres présentaient une forme plus ou moins avancée de malnutrition, dont 5 % de cas graves. Durant ces dix dernières années, les témoignages et indications de disette se sont multipliés. L'aide alimentaire arrive rarement aux villages les plus sinistrés. Chaque fois que nous avons pu le contrôler, les fonctionnaires étaient servis en priorité. Il est vrai qu'ils nourrissent un nombre de dépendants important, et que la solidarité face à la disette est grande. Cependant, il est rare que le paysan déshérité reçoive autre chose qu'une aide symbolique ; et la plus grande partie de l'aide alimentaire aux pays du Sahel est utilisée à alimenter *les villes.* C'est d'ailleurs dans la logique des gouvernements de ces États, que de maintenir l'alimentation des urbains à un coût assez bas pour contenir les salaires et le mécontentement latent. Les prix payés au paysan sont systématiquement maintenus aux niveaux les plus bas, au profit des consommateurs urbains. Et les paysans ne sont pas suffisamment organisés pour s'y opposer.

Les anémies dues au manque de fer ou de certaines vitamines dans l'alimentation sont fréquentes en zone sahélienne. Les parasites intestinaux ou le paludisme contribuent également à épuiser les faibles réserves en fer des moins bien nourris. En utilisant les normes de l'Organisation mondiale de la santé, les chercheurs de l'ORANA trouvent dans leurs enquêtes que 20 à 50 % des habitants du Sahel ont une *anémie* modérée ou sévère. Si les États de cette région du globe le souhaitaient réellement, on pourrait faire régresser rapidement par une supplémentation systématique du régime des femmes enceintes et allaitantes, et de leurs nourrissons, ces anémies en fer et en folate, une vitamine qui intervient dans la formation des globules rouges.

Depuis le début de ce siècle, la place des produits de la chasse et de la cueillette n'a cessé de régresser dans l'alimentation. L'accroissement de la densité de la population sur le plateau Mossi s'est combiné à la descente des éleveurs, à la recherche de pâturages moins vulnérables à la sécheresse. Cela a réduit d'autant les zones giboyeuses. Les feux de brousse, la demande de bois de cuisine, l'usage de pesticides sur le coton et l'arachide, autant de facteurs qui ont affecté la faune sauvage. Mais également la perte progressive d'un savoir ancestral sur l'usage de plantes sauvages.

En comparant l'alimentation de trois catégories de villages dans l'est du Sénégal, nous observions une régression nette des feuilles et fruits de cueillette dans les villages proches des routes. Alors que la consommation d'huile, de riz, de sucre blanc, de boissons gazeuses augmente rapidement. Autant de calories pauvres ou dépourvues de vitamines. Déjà dans les villes africaines et les gros bourgs, l'*obésité*, le diabète sucré et les maladies cardiovasculaires ont pris une place importante dans la pathologie courante. Ce qui était réservé aux notables, aux fonctionnaires de Dakar est devenu fréquent, même en zone rurale. Les riches sont plus riches, les pauvres plus pauvres : malnutrition et obésité augmentant en parallèle.

Eric Bénéfice et ses collaborateurs[1] de l'ORANA de Dakar ont comparé la consommation alimentaire, étudiée en 1983 dans la moyenne vallée du Sénégal, à ce qui avait été enregistré en 1958 dans la même région. Ils constatent que la quantité de calories consommées par personne, qui était trop basse, est demeurée inchangée. L'alimentation actuelle contient des quantités insuffisantes de provitamine A, vitamine B_2, folate, calcium et zinc.

La consommation de poisson et de céréales a diminué, tandis qu'augmente celle de corps gras et de sucre. Le riz et le pain (de blé importé), remplacent en partie et de façon croissante le sorgho, le mil et le maïs locaux. En 1958, la part des aliments achetés ne représentait que 4 % des calories consommées et il n'y avait pas d'aide alimentaire. En vingt-cinq ans, le pourcentage de calories

---

1. Bénéfice *et al.* : « Étude de nutrition dans la moyenne vallée du Sénégal ». Bull. Soc. Path. Ex., 78, Paris 1985.

achetées est passé à 60 %, et seulement 30 % sont autoproduites, le reste, 10 %, provenant de l'aide alimentaire.

E. Bénéfice et ses collègues s'inquiètent à juste titre de la fragilité de cette *dépendance* du marché international, pour le riz et le blé, ainsi que du recours à l'aide alimentaire pour couvrir des besoins essentiels *en dehors des disettes*. Ils observent que la sécurité alimentaire du cultivateur de la moyenne vallée du Sénégal ne s'est pas améliorée, malgré les grands travaux d'équipement agricole et de création de périmètres irrigués. En un quart de siècle, la stratégie alimentaire du paysan du Sahel a changé profondément : plutôt que de cultiver ce dont il a besoin, pour lui et sa famille, il cultive pour commercialiser, et compte sur le marché pour s'approvisionner. A cette dépendance du marché des denrées, s'ajoute celle des revenus de l'émigration, très importante dans cette région.

L'argent dépensé pour manger est l'enjeu de la concurrence sans scrupule des industries alimentaires : c'est ainsi que la firme Nestlé, dont la stratégie commerciale en alimentation infantile avait été dénoncée et condamnée, met désormais l'accent sur le Nescafé et les cubes de bouillon Maggi. Or, les Sénégalais de milieu modeste attribuent à ces produits des qualités nutritionnelles qu'ils n'ont absolument pas. Une enquête de Michel Adrien[1], de l'université de Liège, à Pikine, banlieue de Dakar, montre qu'à l'âge de 18 mois, 30 % des enfants ont du Nescafé le matin au lever.

Quant au bouillon-cube Maggi, il est constitué à 50 % de sel, et les sauces qu'il remplace sont bien moins nutritives sur le plan vitaminique que les sauces traditionnelles. Plus généralement, la monétarisation entraîne une consommation accrue de boissons gazeuses, bière, tabac, et de produits dépourvus de valeur nutritionnelle : sucre, alcool, Nescafé... Faute d'éducation formelle, les consommateurs sont des proies faciles de la publicité, et à l'exemple des Occidentaux.

Il semble donc qu'une certaine *détérioration de l'alimentation* se produise du fait de l'occidentalisation ; sans que soit résolue l'insécurité alimentaire de ces régions.

LA MORT D'UN ENFANT

Abdou a deux ans et demi ; il est le troisième enfant vivant d'Aissa. Elle a eu cinq enfants, mais deux sont décédés.

Dans un texte préparé pour l'UNICEF, Joseph Ki Zerbo souligne l'importance de la fécondité pour la femme africaine. La maternité y est célébrée à toute occasion et la stérilité est le pire des maux qui puisse frapper une femme. Au contraire, la femme féconde est l'objet d'une attention toute particulière des femmes

---

1. Michel Adrien : « Éducation nutritionnelle : une étude des besoins à Pikine (Sénégal) ». Deuxièmes journées scientifiques internationales du GERM, Brighton, août 1985.

âgées de la famille. C'est pourquoi Aissa n'a jamais songé à éviter d'être enceinte.

Pour sevrer Abdou, sa mère l'a conduit chez le marabout. Celui-ci a prescrit des versets du Coran « pour que le nourrisson oublie le sein ». Un autre donne du « safara », que la mère mélange dans des beignets et l'enfant ne réclame plus le sein. Selon la coutume, ceci doit se faire dès que la mère se rend compte qu'elle attend un autre enfant. Dans le cas contraire son lait deviendrait « trop mauvais pour l'enfant, le nourrisson aurait la diarrhée et d'autres maladies mortelles ».

Depuis déjà quatre mois il a effectivement de la diarrhée et de la fièvre. Lorsque la famille s'assoit autour du plat familial de riz au poisson ou de couscous de mil, il se blottit entre les jambes croisées de sa mère qui le nourrit à la main. Mais il n'a plus d'appétit. Il passe la plus grande partie de la journée prostré près de sa grand-mère. La vieille Oulimata est aveugle et se plaint de ne pouvoir marcher sans aide. Aissa, le mois dernier, a demandé 200 francs (4 francs français) à son mari pour aller chercher des médicaments pour Abdou, mais le mari ne veut pas. Il lui dit qu'elle n'a qu'à vendre ses arachides. Mais elle tient à les garder comme semence pour la prochaine saison. Quant à sa coépouse, Fatoumata, elle a dit qu'elle n'a plus d'argent et qu'elle devra attendre le jour de marché, si elle peut vendre un de ses poulets.

Alors Aissa a mis Abdou sur son dos et a pris le chemin du dispensaire des religieuses, situé à 17 kilomètres du village. Elle a dû attendre longtemps car la sœur était retardée. Mais finalement sœur Madeleine lui a remis quatre cachets blancs et douze bleus à donner à Abdou durant la semaine. De retour au village, Aissa a consulté la vieille Oulimata qui lui a dit de ne pas utiliser les bleus car les mêmes lui avaient donné mal au ventre, à elle, l'année précédente. La vieille Konsibga lui a dit qu'il fallait préparer une tisane avec des feuilles de « thiay-thiay » et de farine de pain de singe (fruit du baobab). Abdou reçoit cette décoction durant une semaine. De la cendre et un bandeau noir autour de la tête sont destinés à faire tomber la fièvre. Il n'a pas faim. Dix jours plus tard il est très faible et lorsque sa mère l'enveloppe d'un pagne pour le porter jusqu'à la consultation du dispensaire religieux, il est déjà dans le coma. Sœur Madeleine ne pourra que constater qu'il est décédé en chemin.

En réalité le destin d'Abdou, dans ce petit village du Mali, s'est joué avant même sa naissance. Tout d'abord, la saison des pluies, deux ans avant, avait été mauvaise. Moussa, le mari d'Aissa, avait dit à ses deux épouses de ne préparer qu'un seul repas par jour. Il fallait que le grenier dure jusqu'à la récolte d'octobre. On était en juin.

Aissa était enceinte. Lorsque c'était son tour de cuisine, elle s'arrangeait pour acheter au marché une cuillère de concentré de tomate, une autre d'huile, parfois un petit tas de poisson séché, et à cueillir en brousse des feuilles de neverdie (Ben ailé ou *Moringa pterygosperma*) et autres condiments. Mais elle n'y parvenait pas tous les jours.

Malheureusement, ni le mil, ni le maïs, ni les sauces ne lui apportaient ce qu'il aurait fallu de fer, de calcium, de vitamine B$_2$ et de folate pour sa grossesse. A sa naissance, Abdou aurait dû peser 1 kilo de plus. A travers le placenta, sa mère, elle-même anémique, parasitée, ne put lui fournir le demi-gramme de fer dont il aurait eu besoin pour affronter la vie. Durant sept jours le bébé ne quitte pas la case de sa mère, et durant quarante jours il n'apparaît pas hors de la concession familiale. On craint qu'il soit victime d'un envoûtement. Sous son oreiller, on place un couteau pour éloigner les mauvais esprits. Comme le rappelle Joseph Ki Zerbo, des rites et sacrifices seront faits pour conjurer le mauvais sort et renforcer la protection des ancêtres. Mais ceci ne suffit pas : dès six mois, sa courbe de poids a chuté. Il s'est maintenu tant bien que mal, mis à la diète par sa mère, sur les conseils de la vieille, chaque fois qu'il était fiévreux. Pour que la santé d'Abdou s'améliore, le sorcier a prescrit des talismans à porter autour des reins.

Contre les diarrhées, jamais Aissa n'avait entendu parler des sachets de réhydratation (à base de sel et de sucre) de l'UNICEF ; ni des bouillies à préparer pour un enfant malade. La majorité des enfants ruraux n'ont accès, en Afrique de l'Ouest, à aucune assistance sanitaire moderne et efficace. Trop éloignée des dispensaires, Aissa ne pouvait y aller que rarement, dans les cas d'urgence. Et c'est ainsi qu'Abdou s'est éteint, doucement, ballotté dans le dos de sa mère qui marchait de son plus grand pas vers sœur Madeleine. Pour un enfant sur cinq, au village, c'est comme cela que les choses se passent.

On ignore trop souvent que les guérisseurs demeurent les seuls recours des populations rurales pauvres. Ils pratiquent une médecine traditionnelle à base d'interdits de formules, et surtout de plantes médicinales (J. Ki Zerbo). Si certains sont des charlatans, d'autres possèdent un savoir-faire qui pourrait être articulé avec celui de la médecine moderne, comme cela s'est fait en Chine. Malheureusement les tentatives africaines dans ce sens sont bien tardives et bien rares.

LE REPAS DU SOIR

Il fait presque nuit au Burkina, lorsque Alizetta rentre des champs. Les deux enfants, Madi et Issaka, marchent devant et elle-même porte le bébé, Karim, sur son dos. Ils ont passé toute la journée aux champs : elle, courbée à sarcler le mil ; les deux plus grands, à ramasser du « zabné », des petites gousses de légumineuses que l'on peut vendre au marché. Le bébé, quant à lui, était sous un manguier, mal protégé par un morceau d'étoffe. Cela n'a pas empêché les moustiques de s'acharner sur lui. Alizetta s'est interrompue plusieurs fois pour lui donner le sein, mais elle n'a plus beaucoup de lait.

Lorsque les pluies sont abondantes, les mauvaises herbes poussent beaucoup plus vite. Il faut sarcler sans cesse pour les empêcher d'étouffer les jeunes plants de mil. Très occupées par ces sarclages, les paysannes ont moins de temps pour s'occuper des enfants. Ceux-ci sont moins bien nourris, souvent plus exposés à la pluie, aux refroidissements et aux maladies respiratoires, aux moustiques, et à divers parasites intestinaux, dont la multiplication est favorisée par l'humidité. Aussi, paradoxalement, une bonne saison agricole, avec des pluies abondantes, est néfaste à la santé des enfants en bas âge. C'est pourquoi on a noté au Sénégal une mortalité infantile plus élevée, les années de bonne récolte céréalière.

Arrivée à la concession, Alizetta pose son bébé à terre et le confie à sa sœur aînée, âgée de sept ans. Elle doit maintenant chercher de l'eau au puits, et allumer le feu à même le sol, entre trois grosses pierres, dans le coin de la concession. Le mil a été pilé le matin même et laissé à fermenter légèrement. Accroupie sur la terre battue, Alizetta mélange l'eau à la farine et elle devra continuer de tourner vigoureusement la bouillie durant toute la cuisson.

La nuit est tombée. Alizetta et Ilboudo n'ont pas d'argent pour acheter du pétrole. Ils ont dû revendre la lampe que nous leur avions offerte l'année précédente. La cour de la concession n'est éclairée que par le foyer. Dans une marmite plus petite, posée aussi sur trois pierres, elle prépare une sauce gluante au gombo *(Hibiscus esculentus)*. Elle a acheté la veille une cuillerée de concentré de tomate au marché, qui ira dans la sauce avec quelques épices et des feuilles d'oseille de Guinée. Rarement elle peut acheter de la viande ; mais parfois un peu de poisson séché, pour donner du goût à la sauce.

Dans ce village, la coutume est de servir à chacun des hommes une gamelle. Les enfants mangent par groupes d'âge dans des plats séparés et les femmes avec leurs plus jeunes enfants également à part. Lorsque l'homme a plusieurs épouses, c'est celle qui est de tour de cuisine qui envoie un plat au mari et à ses éventuels invités. Les coépouses cuisinent pour elles-mêmes et leurs enfants. Pour le dîner, chacun est assis à même le sol, dans l'obscurité, et mange en silence. Le « tô », bouillie de mil épaisse, est peu appétissante pour nos palais occidentaux. Lourd, insipide et grossier, il apporte les calories et les protéines végétales quotidiennes. La sauce apporte les vitamines, et lorsqu'il y en a, des protéines de viande ou de poisson et un peu de graisse, à l'occasion. La variété du régime est très pauvre. L'alimentation est monotone et sa valeur nutritionnelle médiocre : manque de calcium, de fer, de riboflavine, de vitamine A et de folate. L'iode est souvent insuffisant, entraînant goitre et crétinisme.

L'ALIMENTATION EN MILIEU URBAIN

On semble reconnaître maintenant que la malnutrition ne provient pas principalement de manque d'aliments, mais plutôt du contexte infectieux, de l'ignorance et des croyances de la mère. A

Dakar même, on trouve des cas de malnutrition dans des familles de fonctionnaires ayant un revenu plus que suffisant. Ou alors des mères qui travaillent, gagnent assez pour vivre mais confient leur enfant à des parentes qui ne savent pas s'en occuper. Ces dernières sont très réticentes à faire des dépenses pour un enfant qui leur est confié et aussi à préparer quelque chose de particulier, comme une bouillie, alors qu'elles ont beaucoup à faire.

Un autre paradoxe est l'absence d'études sur les enfants qui survivent dans les bidonvilles. On connaît ceux qui sont conduits dans les dispensaires. Mais comment font les mères de ceux qui ne meurent pas ? Dans un milieu aussi difficile et infesté, sans ressources, comment réussissent-elles ? On ne le sait pas. Là où une personne éduquée, placée dans le même milieu, ne pourrait probablement pas élever un enfant, elles y parviennent.

Selon les nutritionnistes de Dakar, le développement de la consommation des farines lactées est inéluctable en zone urbaine. Puis progressivement dans les bourgades de l'intérieur. Ce qu'il faudrait, c'est prendre cette évolution de vitesse : créer et lancer un aliment de sevrage et des farines de fabrication locale bon marché, mais prisées même par les riches : ceux que l'on veut copier. L'Algérie, grâce à l'appui de l'UNICEF, a réussi à imposer une farine locale faite essentiellement de blé et de pois chiche. A Fada N'Gourma, au Burkina, un aliment de sevrage local est expérimenté. Malheureusement, le plus souvent, les pauvres ne cherchent qu'à copier les citadins ; et ce qui est préparé localement n'a pas de prestige.

Les pratiques actuelles, pour le sevrage, sont relativement bonnes dans l'ensemble ; on utilise presque systématiquement des bouillies de mil ; avant que les farines lactées importées n'envahissent le marché et les mœurs, il faudrait parvenir à généraliser l'enrichissement de ces bouillies avec du lait caillé, de l'huile, du sucre, comme le recommande le Dr Briend, qui était à l'ORANA.

LES RELATIONS VILLE-CAMPAGNE

Alors que la majorité des jeunes hommes ne trouvent pas de travail lorsqu'ils vont en ville, les femmes, elles, y parviennent plus souvent. Dans la région de Dakar, si elles ont un enfant sevré, elles le confient à la grand-mère au village ; en revanche, elles partent avec leur dernier-né sur le dos. A Dakar, elles sont lingères, domestiques, vendeuses d'eau ; elles pilent du riz et le revendent, tiennent un petit commerce sur les marchés...

Si cela est possible, elles travaillent avec leur bébé sur le dos, pour l'allaiter dans la journée. Mais parfois, le transport étant trop pénible, elles doivent le confier à une parente, une amie ou une relation avec qui elles s'organisent, travaillant à tour de rôle. Le bébé, souvent mal nourri, mal surveillé, en paie souvent le prix. Malade, il n'est ni soigné à temps, ni alimenté comme il le faudrait.

Face à la grossesse et la maternité, ces jeunes femmes sont

souvent seules. L'enquête de Michel Adrien dans la banlieue de Dakar montrait que 80 % des enfants malnutris, vus au dispensaire, venaient de familles « perturbées » par la maladie de la mère, par son absence, ou par l'absence du père, ou la perte de son emploi...

En juin 1984, Diallo, infirmier à Khombole, nous disait : « Cette année, pas une brindille pour les animaux, pas un grain pour les hommes. » La récolte de l'année précédente a été désastreuse. Ceux qui avaient des parents en ville leur réclamaient de l'aide. Ces derniers envoyaient du pain sec, qui était pilé au village pour une nouvelle préparation et aussi du riz, du sucre, de l'huile. Les jeunes femmes qui sont allées travailler à Dakar doivent aussi envoyer de l'argent à la famille, pour les parents et leur enfant laissé à la garde de la grand-mère.

La grande majorité des Dakarois ont des relations étroites avec leurs villages d'origine. Il y a un incessant courant d'échanges avec ceux du lignage, restés à la terre des ancêtres : échanges d'argent, d'information, de personnes, de produits.

Ainsi, en mars 1984, Michèle Odeye (sociologue attachée à l'ENDA) note que neuf sur dix des familles interrogées à Dakar reçoivent des produits de la brousse et hébergent des parents qui en viennent. Ceux qui arrivent de la campagne apportent des produits, alimentaires avant tout : du mil, de l'arachide et des fruits de cueillette ; mais aussi des gris-gris pour protéger ceux des villes contre les maléfices divers, de l'encens, de l'indigo, du henné, de la gomme. Cela se fait surtout au moment des récoltes et à l'occasion des mariages, des baptêmes ou des deuils. On trouve là l'occasion d'affirmer son appartenance à un même groupe.

Et ceux de Dakar, qu'envoient-ils ? Dans la même étude, Odeye montre qu'ils expédient avant tout de l'argent, mais aussi du sucre, des vêtements, du savon, de l'huile, du riz et des légumes. « Ne plus rien envoyer, ce serait les *condamner à mort* », dira une citadine interrogée. A l'inverse de ceux de la campagne, les urbains interrogés déclarent qu'ils envoient de l'argent, si possible à la fin de chaque mois, quand ils en ont les moyens. A cette époque, la situation alimentaire était très dure en brousse. « Sans nous, *ils mourraient de faim* », dit une autre personne. Il y a aussi, incontestablement, une inquiétude parfois avouée : « Si je n'envoie rien au village, mes parents seront très fatigués et quitteront (la brousse) pour me trouver à Dakar. » La crainte de devoir héberger pour longtemps la famille ruinée et affamée. Ces derniers temps (1984-1985), bien des familles de Dakar, appauvries par le chômage, ont dû réduire leurs envois, au moment où les besoins ruraux s'aggravaient.

LES FEMMES MARAÎCHÈRES DE KOUMBIDIA

L'exemple de Koumbidia, au Sénégal, montre combien les femmes sont efficaces et laborieuses lorsque les innovations qui leur sont proposées sont adaptées à leurs problèmes. Koumbidia se trouve non loin de Koungheul, petite ville de 3 600 habitants sur la route Kaolack-Tambacounda, qui mène vers le Mali. En raison de sa situation, il s'y tient un marché important.

A l'origine de l'activité maraîchère que l'on rencontre aujourd'hui à Koumbidia, on trouve, en 1970, l'action d'un agronome de l'IRAT (Institut de recherche en agronomie tropicale), chef d'une unité expérimentale, et d'un enquêteur, M. Semba Keita. Ils présentèrent cette activité comme un moyen de gagner un peu d'argent en saison sèche et d'améliorer l'alimentation des familles. Ils installèrent des pépinières, vendirent des plants, distribuèrent des semences et fournirent des arrosoirs à crédit.

Dès le départ, ce sont les femmes de l'ethnie Socè qui sont les plus nombreuses à se lancer dans cette production. Certains hommes confient la commercialisation des légumes à leurs femmes, mais peu à peu les hommes abandonnent. Les surfaces cultivées augmentent pourtant et les femmes obtiennent un meilleur emplacement sur le marché voisin de Kounghel où elles commercialisent sous le panneau : « Les jardins de Koumbidia ». Pour adopter le langage du GRET (Groupe de recherche et d'échange technologique), elles se sont « approprié » le maraîchage. Surtout les plus jeunes, au-dessous de trente-cinq ans. Il faut dire qu'elles agissent à un moment favorable, car depuis dix ans la consommation de légumes augmente à Koungheul, suivant le modèle urbain. Les citadines dépensent maintenant autant pour les légumes que pour les achats d'huile et de poisson frais ; bien qu'elles achètent ces légumes en dernier, une fois qu'elles ont pu payer le riz et les ingrédients principaux.

Dans l'un des quartiers de ce village, appelé Keur Lamine, l'Institut sénégalais de la recherche agronomique installa, en 1972, un système à puiser de l'eau à l'aide de la traction animale. Il s'agit du type Guéroult, dans lequel un câble, tiré par une paire de bœufs, actionne deux seaux volumineux qui élèvent alternativement l'eau d'un puits cimenté.

A l'origine, le système fut installé pour abreuver le bétail, et ce sont les hommes qui puisent l'eau sous la responsabilité des chefs de troupeaux. Cependant, il devint rapidement précieux aux cultivateurs, puis aux femmes qui voulurent faire du maraîchage en saison sèche. Son grand avantage est de ne pas dépendre du carburant ou des pièces détachées, comme les moteurs Diesel et les pompes. Il peut être réparé localement par les forgerons.

Pour une saison de production étudiée (1979-1980), le revenu moyen des productrices était de 280 francs français en tout, de décembre à avril. Un dixième seulement correspondait au coût de production et aux petits cadeaux à ceux qui avaient aidé. Lorsque la saison des pluies est mauvaise, ce supplément de revenu devient absolument essentiel pour les femmes.

Des pays du Sahel, le Sénégal présente la situation la plus caricaturale de la dépendance alimentaire établie lors de la colonisation et maintenue, pour son plus grand profit, par la bourgeoisie nationale. L'agriculture demeure dominée par l'arachide qui occupe plus d'un million d'hectares, presque la moitié des terres cultivées. Le déficit vivrier atteint, en année moyenne, 400 000 tonnes de céréales, dont 300 000 tonnes de riz.

Chaque année, le Sénégal dépense 20 milliards de francs CFA en devises pour importer des céréales. Cela représente la moitié du déficit de sa balance commerciale.

Cette dépendance est liée au développement de la culture arachidière à partir du milieu du siècle dernier. L'arachide était alors le seul moyen, pour le paysan, de payer l'impôt exigé par le colonisateur. Celui-ci, par ailleurs, opérait des importations croissantes de céréales en provenance de France et d'Asie. Après l'indépendance, non seulement la dépendance alimentaire n'a pas été réduite, mais elle a été accentuée. Le mil et le sorgho, céréales nationales, ont vu leur part dans la consommation nationale diminuer de 62 % en 1961-1965, à 55 % en 1971-1975. Le riz importé fournit 25 % des besoins de céréales ; et le blé, dont la consommation ne cesse de croître, a dépassé les 10 %.

ANNEXE III

(ILTA), IMAGE A LONG TERME DE L'AFRIQUE AU SUD DU SAHARA

Critique de René Dumont

Des dangers de se vouloir systématiquement optimiste :
ou la prévision déboussolée.

On se rappelle qu'en 1960, l'économiste « très distingué » W.W. Rostov avait « indiqué la voie » au tiers monde, naissant dans l'espérance. Par les *Quatre étapes de la croissance économique*, il lui dessinait magistralement les chemins par lesquels nous, « les développés », avions accédé à la consommation de masse généralisée, à la surabondance, qu'il n'appelait point gaspillage[1]. Il lui suffirait de suivre notre modèle de développement[2]...

Nous sommes un certain nombre à avoir montré, notamment avec Paul Bairoch, que ledit tiers monde est parti dans des conditions totalement différentes de l'Angleterre de 1780. En 1986, il n'a pas encore réalisé sa « révolution agricole » ; il n'a pas de quart monde à coloniser, à piller ; il se heurte à la concurrence de ses prédécesseurs en développement, qui ne cessent de le piller[3], etc.

Rostov bis, c'est pour nous Jean-Marie Cour, qui signe seul une étude intitulée *Image à long terme de l'Afrique au sud du Sahara*, en signalant « qu'elle a été réalisée par une équipe d'experts[4] de SCET international, de SCET agri et de la SEDES », dont il ne donne pas les noms. Cette étude fort coûteuse, paraît-il, est publiée par la Commission des communautés européennes et la Caisse des dépôts et consignations. Ce haut patronage, qui se porte garant du sérieux et de l'intérêt du travail signé par M. Cour, a évidemment de quoi impressionner, même un lecteur averti... Mais lisons plutôt (p. 26) : « L'urbanisation est un facteur favorable à l'autosuffisance alimentaire à terme (...) Les pays où la productivité par habitant primaire est relativement élevée, sont souvent [!] des pays à taux d'urbanisation élevé[5]. » ... Or, dans les cinq États du Sahel que nous avons étudiés ci-dessus, le Sénégal et la Mauritanie sont les plus urbanisés et sont aussi les plus déficients en production vivrière. Lisons encore : « Il n'est pas certain, il est même probablement [!] inexact que la ration alimentaire moyenne ait significativement *baissé* depuis dix ans comme tendraient à le prouver les statistiques[6]. »

Dans cette étude réalisée en 1984, pas un mot sur les famines d'Éthiopie et du Mozambique, sur les disettes accrues du Sahel à

---

1. Herman Kahn, de son côté, promettait par ses calculs, à toutes les familles japonaises de 2025, un revenu leur permettant d'acheter trois automobiles par mois, une fois satisfaits « leurs besoins de base très élargis ».

2. Ce que maintient dans le fond, aujourd'hui encore, l'équipe de Reagan, dans son apologie « du marché », donc du pot de fer...

3. Même s'ils s'essayent ensuite à « l'aider » — plutôt mal.

4. Ou tout au moins, qui s'intitulent eux-mêmes experts.

5. C'est, sans doute, pour appuyer cette thèse que cette étude a inclus l'Afrique du Sud (pays développé, tant en agriculture qu'en industrie) dans l'Afrique au sud du Sahara (sans même y mentionner l'Apartheid).

6. L'auteur aurait pu se renseigner aussi dans les villages et les bidonvilles (qui nous ont facilement confirmé leur paupérisation) au lieu de se cantonner dans l'étude des dossiers.

toute l'Afrique orientale. Quand on dessine une image de l'Afrique en 2010 ou 2030, un million de morts de faim, n'est-ce donc qu'un « épisode » ? Et s'il gêne une série très abstraite de raisonnements, de « cohérence », faut-il le passer sous silence ?

M. Cour nous promet qu'il y aura dans les villes d'Afrique au sud du Sahara, 56 % de la population totale, soit 535 millions d'habitants en l'an 2010 ; et même 960 millions, soit 67 % du total en l'an 2030 ! Cependant il pense que « il n'y a aucune angoisse particulière à avoir : la Côte-d'Ivoire comptait, en 1975, 48 000 emplois dans le secteur industriel et urbain, soit un emploi industriel pour 45 habitants urbains[1]... » M. Cour paraît ignorer le taux de chômage croissant — chômage déguisé inclus — des villages et des villes africaines. Quand il fait l'éloge du secteur informel, il ne parle pas de cette part si importante de la population de Kinshasa qui vit de la *corruption* et de la *prostitution*, ni du sort des bidonvilles de Nairobi et de Lagos. (On voit bien que M. Cour n'a pas lu *la Planète des bidonvilles* de Bernard Granotier[2].)

Dans ces villes, poursuit ce M. Rostov bis « ... les rémunérations, en particulier celles des responsables de la fonction publique et celles des cadres privés, sont comparables à celles du Nord » (p. 29). Quand les fonctionnaires de Bamako liront de telles « énormités » (mensonge ou ignorance ?), prétendant qu'ils gagnent autant qu'en pays développés, je crains que cela ne les console point de la modicité de leurs ressources. « Ce secteur moderne est inévitablement [!] proche du standing des économies du Nord », ose-t-il ajouter, sans chercher à justifier ce qui lui paraît une évidence !

Le niveau des importations alimentaires, dit-il « est faible et appelé à croître, ce qui n'est pas inquiétant (...) conséquence normale de l'augmentation du niveau de vie (...), de la modification des habitudes alimentaires induite par l'urbanisation ». M. Cour (et son équipe) ignorent toutes les études des nutritionnistes soulignant que, si la ration des riches des villes s'est améliorée, celle des pauvres s'est fortement *dégradée*. Quand on consomme, comme à Dakar, des boissons carbonatées et des chips, parfois importés de France, cette « modification des habitudes alimentaires, induite par l'urbanisation décuple le coût de la calorie et accroît la malnutrition...

M. Cour nous annonce un « doublement du PIB (produit intérieur brut) par habitant en trente ans... à peu près conforme à la tendance 1950-1975 ». Or, ce fut là une période sans précédent dans l'histoire économique mondiale. La suite, l'histoire de la dernière décennie, rend tout à fait improbable la réalisation, en pays démunis, des « trente années glorieuses »[3] de Fourastié qui n'ont eu lieu qu'en pays *développés* et en partie au prix du pillage du tiers monde. Il annonce ainsi un croît du PIB total de 5,5 % l'an

---

1. La Côte-d'Ivoire n'est pas typique du Sahel.
2. Le Seuil, Paris, 1980.
3. Jean Chesnaux les appelle les trente années *honteuses* en tiers monde.

sur un demi-siècle[1], et il oublie de nous indiquer où sont les ressources naturelles qui permettront de réaliser un tel miracle ! M. Cour a certainement oublié que le miracle brésilien s'est achevé en 1973 (il a duré sept ans), et le miracle ivoirien en 1978...

On reste confondu devant une telle *accumulation d'ignorance* et de *présomption*. A moins qu'il y ait un intérêt inconscient, à demi caché, à dissimuler la vérité.

M. Cour propose une masse énorme d'infrastructures « urbaines de communication et de transport », car pour lui, *l'urbanisation et les échanges sont les vrais moteurs du développement*. Il ajoute : « leurs coûts récurrents sont très élevés ». Mais, comme les pays développés les assument, « pourquoi n'en serait-il pas de même dans les pays en voie de peuplement[2] » ?

Évidemment, pourquoi « les pays les moins avancés », dans un tel raisonnement, s'obstinent-ils à rester « moins avancés » ? Pourquoi leur produit brut total, qui aurait crû de 3,5 % l'an en 1960-1973, n'a-t-il crû que de 1,7 % en 1973-1982, de sorte que le PIB par habitant a reculé ? Si vous lisez bien M. Cour, cela n'est pas *cohérent* avec leur taux d'urbanisation. L'agriculture, pour lui, n'est qu'une activité archaïque, dont la proportion *décroît avec le développement*... il oublie que ceci n'est vrai qu'après dépassement de l'abondance alimentaire, pas avant. Quelle ignorance !

Quant au développement rural, il dit se méfier « des agro-systèmes autosuffisants en tout et non différenciés (...) qui ont des rendements limités et *consomment le capital de fertilité*[3] » ! Il classe les niveaux de technologie agricole en :
— traditionnel,
— traditionnel avec intrants,
— moderne mécanisé,
— moderne hautement mécanisé.

Ce faisant, il oublie de rappeler tous les échecs de la mécanisation agricole en Afrique tropicale. A-t-il cherché à évaluer le coût, en pétrole et en minerais, d'une « agriculture mondiale hautement mécanisée » ? Aux États-Unis, une revue *Science* montrait, dès 1973, qu'elle était matériellement *irréalisable* à l'échelle mondiale. M. Cour ignore à peu près totalement la désertification, les vents de sable, les érosions, toutes les menaces sur le patrimoine foncier. Écrivant en 1984, il ignore la gravité des menaces qui s'accentuent chaque jour au Sahel et en Afrique orientale. Waldheim soulignait, en 1974, le risque de voir des régions entières, et même des pays entiers, disparaître de la carte. Pour Cour, l'urbanisation et les échanges vont tout résoudre.

Un seul point l'inquiète : cette « modernisation » est absolument impossible, *financièrement*. Il commence à comprendre que les politiques économiques FMI-Banque Mondiale — avec la

----

1. Un croît aussi élevé, aussi prolongé, n'a aucun précédent.

2. Il préfère dire « en voie de peuplement » plutôt que « en voie de développement ».

3. Les agricultures précoloniales l'ont bien moins consommé que les modernisations qui les ont suivies.

rigueur et l'austérité —, risquent de provoquer la *récession,* de bloquer le développement, de compromettre tous ces beaux projets. Il a donc trouvé une solution, que cette fois, nous aurions tendance à approuver : le financement à fonds perdus, par un transfert net et massif de ressources vers l'Afrique, dont « *le déficit est structurel pour plusieurs décennies* (...) à l'échelle du demi-siècle (...) transfert modeste par rapport aux flux de financements internationaux totaux ». Il propose donc que le FMI crée des DTS (droit de tirage spéciaux, une création de monnaie) « en fonction de l'objectif de transfert de ressources vers les pays en voie de développement ». Ce qui mettrait ce financement à la charge de l'économie mondiale, qui peut facilement le supporter (plus facilement encore si elle réduisait les dépenses d'armement). Bien, d'accord, mais quand on voit à quel point le FMI et les grandes banques sont en train *d'étrangler* l'économie des pays les plus endettés, surtout en Amérique latine, on peut douter qu'ils acceptent une telle proposition.

Nous comprenons bien que des bureaux d'études, comme ceux qui ont réalisé une telle « étude » (ou plutôt un tel escamotage), ont le plus grand intérêt à ce que l'on accroisse l'aide à l'Afrique, *car ils en vivent largement.* Il y a évidemment un besoin de crédits accrus ; à la condition, toutefois, que ces très hypothétiques fonds ne soient pas gérés dans des cadres tracés par de tels « experts », capables d'extrapolations aussi délirantes que celle que nous venons d'analyser.

On voit bien que M. Cour ne s'abaisse pas à lire les publications de l'ENDA, car elles dérangeraient ses belles constructions de cohérence, ses prévisions de « lendemains qui chantent », autrefois réservées aux communistes. S'il avait seulement lu la note de 1985 : « Lutte contre la faim en zone sahélo-somalienne », il aurait compris que le problème est plus complexe que sa « Programmation linéaire », facilité *mathématique* simpliste.

Rendez-vous dans une décennie, Jean-Marie Cour !

JACQUES GIRI, LUI, EST EXPERT

Ayant rédigé cette critique de l'*Image* (Cour), nous avons rencontré Jacques Giri, du Club du Sahel, dont nous avons déjà signalé le beau livre sur le Sahel. Il nous a communiqué sa critique[1] de cette fort malencontreuse et fort malvenue *Image de l'Afrique.* En voici quelques extraits qui apportent aussi des compléments d'information très sérieux, très intéressants :

« (...) parti pris d'optimisme (...) sous-estimation des problèmes de demain (...) risque d'entraîner une démobilisation (...) des effets contraires à ceux qu'attendent ses auteurs (...) L'urbanisation se fait à une vitesse fantastique, [par rapport à celle] des villes des pays industrialisés au plus beau temps de leur développement (...)

---

1. Giri a l'honnêteté de ne pas y inclure l'Afrique du Sud.

Les indicateurs économiques classiques des Organisations internationales concluent à *un appauvrissement généralisé de l'Afrique au sud du Sahara* entre 1960 et 1982 (...) [Celle-ci] s'est développée depuis 30 ans sur une base qui n'est pas saine, en accumulant les contradictions qui handicapent lourdement le développement futur ».

« Les importations commerciales de céréales, 0,3 million de tonnes en 1950, soit 1,6 % de la production locale, mais 6,6 millions de tonnes en 1980, soit 10 fois plus, 16 %. Il faut y ajouter une aide alimentaire de l'ordre de 2 millions de tonnes par an en croissance rapide (bien plus en 1984). Si l'on prend le système agricole global alimentaire et non alimentaire, il diminuerait de 4,6 milliards de dollars [de 1975 ?] en 1970 à 2,04 milliards en 1980 (...) Le moment est proche où ce bilan va devenir négatif (...) [ne permettant plus] de payer les importations d'énergie, de biens de consommation industriels et de biens d'équipement, dont l'Afrique a besoin ».

« [Malgré] un développement industriel important, des années 1950 au début de la décennie 1970 (...) le poids de cette région, dans l'industrie manufacturière mondiale, reste à 0,5 %, moins des 2/3 de la Belgique. Dans le commerce mondial de ces produits, l'Afrique au sud du Sahara fait 0,2 % (soit 5 % des exportations belges) ; son poids y est donc encore plus négligeable. Le secteur informel, très important, produit surtout des services, peu de biens manufacturés et ne rapporte aucune devise. » « Le secteur minier est aussi défaillant que l'agriculture (...) pétrole, dans un petit nombre de pays (...) Marché mondial du minerai de fer désormais dominé par le Brésil et l'Australie [aux dépens] de la côte occidentale d'Afrique. Pour les minerais et métaux non ferreux, la part de cette Afrique (...) est tombée de 10 % en 1970 à 5 % en 1980. L'exploitation de nouvelles ressources minières est fortement ralentie (...) et arrêtée dans certains pays. »

Contrairement à ce qu'affirme l'*Image* : « l'agglomération des hommes dans les villes est loin d'avoir (...) provoqué l'apparition d'un surplus agricole (...) *au contraire, les ruraux n'ont pas été motivés dans ce but* [de par] un bas prix des produits vivriers dans les villes. Les ruraux produisent des aliments pour leurs propres besoins et peu pour les marchés urbains (...) Si les villes sont passées de 28,2 millions d'habitants en 1960 à 102,8 millions en 1980 [donc multipliées par 3,6], les importations de céréales, aide incluse, sont passées de 1,6 million de tonnes à 8,8 millions de tonnes. Elles sont multipliées par 5,5, donc le surplus dégagé par le milieu rural n'a pas augmenté aussi vite que la population urbaine ».

« La croissance des importations d'aliments est, non pas un signe de développement (comme le prétend l'*Image*), mais un phénomène inquiétant. *L'Afrique au sud du Sahara est en voie d'être rayée de la carte du commerce international*[1]. La productivité des paysans n'a pas augmenté assez vite pour nourrir des populations

---

1. Souligné par Jacques Giri.

urbaines rapidement croissantes, développer les exportations et faire rentrer suffisamment de devises. »

« Le secteur public a effectué des prélèvements élevés, souvent exorbitants sur les paysans, ce qui ne les a pas motivés pour accroître leur productivité, leur laissant peu de revenus (...) Ce sont des marchés insignifiants pour l'industrie (...) L'industrie n'a, pour marché, qu'une minorité privilégiée urbaine (...) amateur de produits importés (...) Le secteur public, gonflé au-delà de ce que l'économie permettait, constitue un *poids* pour ces pays. Il absorbe la majorité des ressources et contribue à maintenir des coûts de production élevés qui rendent impossible un développement des industries d'exportation comme les industries asiatiques. »

« L'Afrique vit au-dessus de ses moyens grâce à l'endettement et à l'aide qui permet la *survie* ou contribue à faire vivre un secteur public disproportionné avec l'économie productive... et une classe de fonctionnaires qui bénéficie d'un niveau de vie relativement élevé (...) Aucune épargne interne, investissements pour le développement entièrement pris en charge par l'aide extérieure (...) [ce n'est pas] une base saine pour le développement. »

« Pour atteindre la situation décrite [par l'*Image*] pour l'an 2010, des changements drastiques dans les politiques africaines et les politiques d'aide sont nécessaires. Cette conclusion n'y est pas tirée (...) "l'Image 2010" proposée signifie que cette Afrique continuera à être très largement *dépendante* de l'aide extérieure, et pour sa *survie* et pour son développement. »

Et Jacques Giri conclut : « Les diagnostics sévères (Banque Mondiale, Club du Sahel, OUA) sont justifiés[1]. Les perspectives qu'ils font pèchent au contraire *par excès d'optimisme* en négligeant le fait que les tendances défavorables, identifiées aujourd'hui, réagiront les unes sur les autres, et dans un sens *toujours défavorable* : l'avenir du continent africain est plus sombre que ne le laisse supposer la seule extrapolation des tendances. Des changements extraordinaires et qui ne seront pas aisés à réaliser, sont nécessaires pour bâtir un avenir plus acceptable. "L'image à long terme", en donnant une vue d'un optimisme injustifié, risque d'encourager et les gouvernants et les sources d'aide, dans le *laxisme* qui caractérise leur action depuis une vingtaine d'années. Elle risque de retarder les prises de conscience qui commencent à se faire. Et en 2010, nous nous retrouverons face à une Afrique de plus en plus dépendante. La *maintenir en vie commencera à être, pour nos enfants, un fardeau pesant.* »

Enfin, un « expert » qui mérite son nom ! Ce n'est donc pas en déformant les réalités qu'on évitera *l'effroyable catastrophe qui a déjà commencé à s'abattre sur le continent africain, et que j'avais annoncée dès 1962.* Mais d'autres savent reconnaître les difficultés, sans se laisser abattre par elles. Ainsi Jacques Bugnicourt reconnaît que l'Afrique tropicale a encore besoin d'au moins deux décennies, avant de pouvoir sortir du tunnel. Et il cherche, avec son équipe, à promouvoir une tout autre stratégie.

---

1. Et c'est bien notre avis.

Mais ce drame, cet effondrement, n'est pas, hélas, limité au Sahel ni à l'Afrique au sud du Sahara, il s'étend à la majorité des pays démunis. Cependant que se développe une conception qui refuse à l'économie dominante toute responsabilité dans le *génocide de la faim* qui ne cesse de s'amplifier.

ANNEXE IV

« *LIBERTÉS SANS FRONTIÈRES* »

par René Dumont

Le droit à la vie, le premier des droits de l'homme.

Nous voici en janvier 1985. Chacun s'émeut d'une famine en Éthiopie, plus effroyable que celle de 1973 ; elle s'étend au Soudan, en Somalie, au Mozambique, etc., et attaque déjà le Sahel. Ceux qui se préoccupent vraiment des pays démunis cherchent à mieux comprendre les raisons du *désastre* africain, reconnu trop tardivement sous ce terme par les organisations internationales. Il ne suffit plus de secourir et soigner les affamés... mieux vaudrait, ici encore, une *médecine préventive* qu'une médecine curative. Depuis 1923, au Maroc, 1929 en Indochine, 1949 en Afrique noire, etc., je recherche âprement les causes de ces famines et les moyens de les prévenir. Mais nous[2] n'avons *pas été écoutés*, ce qui rend particulièrement *ridicules* les attaques dont nous venons d'être l'objet. Ces « *imposteurs*[3] » de « Libertés sans frontières » raisonnent comme si nous avions été au pouvoir, alors que nous n'avons cessé de le critiquer.

Donc, le 10 janvier 1985, dans *le Monde,* sans faire la moindre mention de ces catastrophes, certains dirigeants de « Médecins sans frontières » ont utilisé son crédit moral — sinon son appui financier, renforcé par une récente donation des États-Unis — pour lancer une « curieuse » « Fondation pour l'information sur les droits de l'homme et le développement », qui s'intitule (après Paysans sans frontières, Vétérinaires sans frontières, etc., qui sont, eux, très respectables), « Libertés sans frontières ». On y prétend que les *thèses* tiers-mondistes ont *provoqué* une situation catastrophique, tant sur le plan économique que sur celui des droits de l'homme. Une réunion de cette fondation a donc été organisée au Sénat, les 23 et 24 janvier 1985, où je n'étais ni invité ni visiblement désiré. J'ai pourtant estimé utile de m'y rendre.

Dans le dossier qui nous est remis dès l'entrée, je lis — non sans quelque surprise — « Un diagnostic marqué par le *catastrophisme*... (quelques titres d'ouvrages : *Nous allons à la famine* de René Dumont[4], *Comment meurt l'autre moitié du monde* de Susan George...). Ce *dolorisme* confirme l'autre moitié du monde (...) dans un rôle éternel et unique de victimes ! »

C'est donc au moment même où se déroule le *drame* effroyable que nous avons annoncé si longtemps à l'avance, en dénonçant ses principales causes et en cherchant, parfois presque avec l'énergie du désespoir, à essayer de le prévenir, que cette Fondation ose nous montrer du doigt, nous désigner comme responsables, avec tous ceux qui ont dénoncé le pillage du tiers monde par l'Occident et la détérioration des termes de l'échange. Malheur à celui par qui le scandale arrive... Tant qu'une *faute* n'est pas reconnue comme

---

1. Quand je leur ai dit au Sénat (*cf.* ci-dessous) « Vous êtes *une droite masquée*», ils ont baissé la tête à la tribune, et préféré ne pas relever.

2. Car ne je suis pas seul...

3. Terme renvoyé à nos accusateurs, car *Paris-Match* du 22 février 1985 titrait « Les impostures du tiers-mondisme ».

4. Bernard Rosier, coauteur de l'ouvrage, n'est pas cité.

telle, elle ne paraît pas grave ; mais si on la dénonce publiquement, elle devient un *scandale*.

J'ai beaucoup été critiqué, ce qui m'a souvent rendu de grands services. Mais quand, au Sénat, un certain Dr Malhuret[1] — qui semble avoir oublié le serment d'Hippocrate — se met à dénigrer et finalement *diffamer, par des accusations mensongères*, ceux qui ont cherché de toutes leurs forces à prévenir le désastre, j'ai quelques difficultés à garder mon calme. J'y parviens cependant et me lève pour indiquer seulement à l'auditoire que j'ai enfin compris qu'ayant (entre autres) dénoncé depuis quelque trente ans la gravité de la menace démographique (hélas, en pleine réalisation), et non seulement les causes mais l'arrivée des famines si on ne changeait pas de politique, je dois bien évidemment aujourd'hui m'en considérer comme un des principaux responsables[2].

Mais je ne suis plus seul : M. Saouma, directeur général de la FAO, a déclaré, le 28 janvier 1985 à TF1, que les recettes d'exportations de l'Afrique avaient diminué de 40 % en dix ans. La Banque Mondiale reconnaît également cette détérioration. Ce colloque prétend que nous avons « dégagé les habitants du tiers monde de toute responsabilité dans leur propre histoire ». A l'appui de cette thèse, ils ont oublié de citer *L'Afrique noire est mal partie*, où je dis tout juste le contraire. Et aussi *Terres vivantes*[3], où j'essayais de montrer quels drames se préparaient.

Dans cette « mémorable » séance au Sénat, à côté de personnes fort respectables, avec qui nous pouvions avoir certains désaccords, comme Paul Thibaud, Leroy-Ladurie, Alfred Sauvy, Jean-Luc Domenach[4], etc., et d'hommes de terrain comme Jacques Giri et même Gilbert Étienne, nous y avons entendu, suivant l'expression de Jean Pierre Cot : « quelques spécialistes mondains du ricanement sur le tiers monde », comme Pascal Bruckner et Jacques Broyelle[5], maoïste défroqué. Jean-François Revel attribue à « l'idéologie tiers-mondiste » une thèse, qu'il a simplement inventée : « Si on détruit les sociétés développées, on va permettre aux sociétés sous-développées de devenir riches. » A cette tribune, aucune femme, alors qu'on en trouve pourtant sur le terrain. Aucun représentant non plus des pays démunis qui sont pourtant les principaux intéressés. J'évoquais, à les voir, une réunion aux États-Unis du réarmement moral, avec des WASP (White Anglo-Saxon Protestants).

Ces « spécialistes mondains » ont, pour mieux la démolir, *bâti*

---

1. Depuis ministre des Droits de l'homme. Ce qui montre qu'il s'agissait d'une opération politique.

2. Les dirigeants du colloque en furent tellement gênés qu'ils m'ont invité à déjeuner, au restaurant du Sénat. (Dans l'espoir d'atténuer mes interventions ?)

3. Déjà cité ; paru dans cette collection *Terre Humaine* en 1961.

4. *Cf.* Son papier « L'anti-tiers-mondisme en question », *la Croix,* 12 février 1985. Il tient à se désolidariser de cette organisation.

5. Selon ce dernier, nous aurions dû renvoyer des soldats combattre au Vietnam à côté des Américains, dans la seconde guerre d'Indochine.

de toutes pièces ce qu'ils appellent « la vulgate tiers-mondiste », qu'ils font dériver de la vulgate marxiste par une filiation « lénino-stalinienne[1] ». Certains y ont ajouté du christianisme *abâtardi* — abâtardi, pour eux, dans la mesure où il s'occupe d'abord des plus démunis.

Ainsi, en pleine famine africaine, au moment où il faudrait réunir, sans les opposer, toutes les forces politiques et sociales valables de ce pays, sans intolérance ni dogmatisme, dans un effort pour éviter le *désastre africain* — le terme n'est pas de moi, mais de la Commission économique pour l'Afrique —, voici que certains médecins (on les sait souvent conservateurs[2]) et leurs alliés, préfèrent *dénoncer* ceux qui ont, de l'aide aux populations démunies, des conceptions différentes des leurs. Conceptions que l'on peut et que l'on doit discuter, ce que fait fort bien « Le développement en question », numéro spécial[3] de la revue *Tiers-Monde*, 1984. Mais alors discuter honnêtement, sérieusement, au lieu de calomnier, de dénigrer et de déformer *mensongèrement* la réalité.

On fatiguerait vite le lecteur en citant toutes les absurdités des documents de base du colloque, ou de certaines interventions à la tribune (d'autres restant fort valables). Citons seulement : « Les seules sociétés qui concilient libertés formelles et liberté réelle (...) correspondant aux seuls régimes démocratiques qui conjuguent une acceptation libérale des droits de l'homme à un *degré élevé d'évolution économique* ». On voit bien l'éloge de l'American way of life, du « succès » de Reagan. On oublie de rappeler qu'il n'est absolument pas *généralisable*, car il entraînerait vite des pollutions insoutenables — et l'épuisement des ressources rares non renouvelables de notre « petite planète ».

Dans sa présentation, le Dr Malhuret qui nous reprochait « d'alimenter une mauvaise conscience mettant parfois en cause des modes de vie et de consommation », refusait donc de comprendre ce que signifient, entre autres, *les pluies acides* ou les nuages de pollution, le smog sur la Ruhr. Ce colloque n'a pas cessé de dénoncer les échecs du « tiers monde » socialiste, laissant de côté les échecs de ceux qui se rattachent au monde dit libre, au système économique dominant, du Bangladesh au Sahel et en Amérique dite latine. Quand il défend les Indiens d'Amérique centrale, ce ne sont que les Miskitos du Nicaragua, mais il « oublie » le génocide, infiniment plus grave, des Indiens du Guatemala, du Honduras, de l'Amazonie et du Salvador, etc. Le mal est à gauche, le bien à droite, mais c'est nous qu'on accuse de simplisme — et d'« ignorer » la diversité du « tiers monde », que je commençais à exposer... dès 1953 ! Quel tissu d'ignorance et de mensonge, et dommage que de meilleures thèses aient cru pouvoir s'y mêler.

---

1. Ils situent le départ du tiers-mondisme au Congrès anticolonialiste de Bakou, en 1920.
2. Mais on pouvait espérer que ceux qui affrontent les plus grandes misères le soient moins.
3. N° 100, octobre-décembre 1984.

Dans *le Monde* du 24 janvier 1985, mon ami, le professeur Ignacy Sachs[1] dénonce « un amalgame de toutes les accusations réelles, imaginaires et même mensongères adressées au tiers monde par les courants les plus conservateurs aux États-Unis et en Europe occidentale, soucieux de justifier auprès de leur opinion publique une politique tout à fait indéfendable au plan moral ». Et il y conclut : « Plus que jamais un effort de coréflexion avec le tiers monde s'impose pour en dégager des propositions capables de sortir de l'impasse le dialogue Nord-Sud et de faire avancer le débat sur la réforme, combinaison nécessaire, du système international, bloquée par l'intransigeance américaine et l'indécision de l'Europe. Décidément la nouvelle fondation s'est trompée de cible[2]. »

Le Dr Desplats[3], lui aussi Médecin sans Frontières (qui se rend un mois par an au Mali aider ses collègues africains) se demande, dans une lettre parue dans *le Monde*, 9 février 1985 : « Cette polémique (...) est-ce opportun, nécessaire, vivifiant ? » Il explique comment domine désormais, au MSF « *le courant technicien*, qui a éliminé le courant *moraliste* parti à Médecins du Monde (Dr Kouchner) — le courant tiers-mondiste étant toujours resté suspect ». Aujourd'hui « les techniciens (...) sont fascinés par les technologies de la survie et les ordinateurs. La solution technique et pragmatique des problèmes existe, ils en sont persuadés. Caché par d'autres — comme les trains — *un nouveau mythe ethnocentrique n'est-il pas en train de naître ?* ».

Nous avons eu plusieurs fois l'occasion de rencontrer, sur le terrain, des équipes de Médecins sans Frontières, et de saluer leur courage, leur dévouement. A Bamako, en août 1984, une équipe belge travaillait dur en liaison très amicale avec le coordinateur des ONG, Jacques Moineau. Et aucun d'eux n'y dénigrait les diverses formes d'aide aux populations démunies, même si on pouvait en discuter.

*
**

A la suite de ce colloque, Rony Brauman, un des leaders de « Liberté sans frontières » s'écrie, dans une interview parue dans *Croissance des jeunes nations* de mars 1985 : « Nous avons tapé dans le mille ! ». Joyeux d'une victoire qu'il invente, il perd toute mesure et nous attribue une thèse, du reste déformée : « Cette idée réaffirmée de façon démagogique, de façon insidieusement raciste, que le premier des droits, pour les habitants du tiers monde, *c'est le droit à la nourriture, au logement, à la survie...* » On considère ainsi l'Afrique, l'Asie, l'Amérique latine comme « deux milliards et

---

1. Directeur d'études à l'école des hautes études en Sciences sociales.

2. Cf. *Libération* du 26 janvier 1985 (Pierre Haski) et *le Monde*, même jour (Gérard Viratelle) et du 29 janvier (Pierre Drouin).

3. Avec qui je m'entretiens souvent de ces problèmes, ainsi qu'avec un de ses amis, médecin africain, Dogon du Mali. Depuis bien d'autres MSF ont protesté contre ce colloque, et d'abord la section de Belgique.

demi d'estomacs qui sont incapables de réfléchir ». Dans *Crois-sance des jeunes nations* d'avril 1985, je réponds : « Un mensonge aussi grossier ne peut que vous déshonorer. » Et je titre cette réponse : « Priorité aux droits politiques pour les cadavres », puisqu'ils pourraient, si on les suit, ne pas survivre[1]...

Par ailleurs, *Paris-Match* du 22 février 1985 publie une interview des deux responsables de ce colloque, Brauman et Malhuret, sous le titre : « Les impostures du tiers-mondisme ». Ce « tiers-mondisme », ils commencent par le fabriquer artificiellement, en le déformant totalement, de façon à pouvoir le démolir plus aisément. Imposture : synonyme mensonge, dit le *Larousse*. Tandis qu'au colloque, ce soi-disant tiers-mondisme était seulement *en question*. Un amalgame pour commencer. « L'analyse des tiers-mondistes ne correspondait pas... » mais *quelle* analyse ?... il y en a eu des centaines..., la mettre au singulier est une bien curieuse déformation, disons une imposture. Continuons : « Les stratégies appliquées pour mettre fin à ces maux ne marchaient pas. » On suggère ici que les pouvoirs (disons pour simplifier, néocoloniaux) ont appliqué les stratégies prétendument « tiers-mondistes », qui furent presque toujours dans l'opposition. On continue sur l'échec de la Tanzanie, fort mal analysé, oubliant la responsabilité du modèle occidental de développement. On compare la baisse du prix du cacao à celle du blé, omettant que seules les agricultures des pays développés sont *protégées*, en Europe occidentale comme en Amérique du Nord et au Japon.

On parle du *miracle ivoirien*, passant sous silence la déforestation quasi totale de ce pays, la ruine de son environnement. C'est *Paris-Match* qui titre « Les pays démocratiques comme la Thaïlande » — pays où, chaque matin à la gare centrale, j'ai vu arriver des centaines de *très jeunes* paysannes venues de villages ruinés, dont beaucoup sont recrutées pour la prostitution... et droguées. Quand la revue déclare que je les accuse de représenter « une » nouvelle droite, leur réponse vaut son pesant d'or : « Je réfute complètement cette analyse. Je constate simplement que "la" nouvelle droite, au nom de la pureté de la race, de l'antiaméricanisme, de l'anticapitalisme, *converge avec le courant tiers-mondiste* ». Amalgame qui rappelle les procès de Moscou.

Le 7 novembre 1985, dans une annexe de l'Assemblée nationale

---

1. Dans un pamphlet de valeur fort inégale (il ignore la détérioration du milieu naturel, sous-estime la malnutrition, etc.) et où il ne cesse de déformer ce que j'ai dit, Yves Lacoste rapporte cet incident à sa manière — ambiguë, qui frise la malhonnêteté, en écrivant : « René Dumont, qui est pourtant un démocrate, commet la maladresse d'intituler sa réplique "Des droits politiques pour des cadavres". » Le lecteur qui n'a pas lu mon article de *Croissance des jeunes nations* d'avril 1985, peut alors m'attribuer de drôles de pensées. (*Contre les anti-tiers-mondistes et contre certains tiers-mondistes*, La Découverte, Paris, 1985.)

(encore à gauche !), nous avons vigoureusement répondu à cette attaque, dans un colloque[1] qui se préoccupait bien plus de défendre le tiers monde que les tiers-mondistes que nous sommes — et fiers de l'être, comme dit J.-P. Cot. Les thèses que nous y avons défendues se retrouvent largement dans cet essai.

*
* *

Agronomes sans frontières, par contre, veut *aider* les pays dominés et démunis. Cette association[2], fondée fin 1985 « a pour but de soutenir divers projets relatifs au développement agricole du tiers monde, et de promouvoir une réflexion sur les *conditions et modalités du développement dans les pays du Sud* ».

Elle est animée par Marcel Mazoyer et Marc Dufumier, qui enseignent à la chaire de développement agricole de l'Agro ; et on me propose d'en être le président d'honneur. J'espère ne pas me limiter à cet « honneur ».

---

1. « Contre le tiers-mondisme ou contre le tiers monde. »
2. 249, rue de la Glacière, 75013 Paris.

ANNEXE V

L'excès d'urbanisation constituant une des plus graves menaces pour l'avenir du tiers monde, nous reproduisons ici quelques passages d'une remarquable étude du professeur Paul BAIROCH, intitulée :

DE JÉRICHO A MEXICO[1]

Villes et économie dans l'histoire

---

1. Arcades, Gallimard, Paris, 1985.

« Nous sommes donc incontestablement en présence d'une urbanisation très différente de celle de l'Occident : d'une urbanisation non seulement *sans développement économique*, mais aussi *sans industrialisation.*

« Une urbanisation sans industrialisation, cela implique deux possibilités : soit un niveau élevé de *chômage*, soit la présence *d'autres types d'emplois.* Dans le tiers monde ces deux éléments se trouvent réunis. Nous verrons plus loin combien le chômage est important dans les villes ; nous verrons aussi que ces autres emplois sont ceux du tertiaire, mais d'*un tertiaire qui ne correspond pas du tout aux possibilités économiques.* Si l'on tient compte aussi de la présence plus massive d'agriculteurs dans les villes du tiers monde, on s'aperçoit qu'en définitive l'industrie occupe effectivement une place très restreinte. Seulement quelque 26-28 % des emplois des villes sont (en moyenne) ceux de l'industrie ; soit une proportion qui était celle des villes européennes du début du XIXe siècle.

« Une urbanisation sans développement, une urbanisation sans industrialisation, et aussi une urbanisation sans progression de la productivité agricole. »

« On assistera dans la prochaine génération à une augmentation massive du nombre de citadins. En l'espace d'une génération, durant les 30 prochaines années, viendront s'ajouter, au quelque 0,9 milliard de citadins que compte le tiers monde vers 1980, quelque 1,5-2 milliards de citadins supplémentaires. C'est-à-dire 2 à 3 fois plus que le monde entier n'en comptait vers 1950, moment où cette population urbaine résultait d'un processus d'urbanisation plusieurs fois séculaire.

« L'aspect régional : c'est en Afrique que l'explosion future des villes sera la plus forte. Le nombre de citadins sera presque multiplié par trois entre 1980 et 2000 et par sept entre 1980 et 2025. »

UN ÉCART IMPORTANT ENTRE REVENUS URBAINS ET REVENUS RURAUX

« De même que la forte densité des terres agricoles occupe une place privilégiée parmi les facteurs de "répulsion", de même les niveaux plus élevés des revenus urbains constituent un élément essentiel des facteurs d'"attraction". Or, il apparaît que, contrairement à ce qui était le cas en Occident au XIXe siècle, l'écart entre les revenus urbains et les revenus ruraux est très important dans le tiers monde, et ce dès les années 1950-1960. »

Un paradoxe : une expansion urbaine sans progression de la productivité agricole

« Se situant déjà à un niveau assez faible dans les années 1910-1920, la productivité de l'agriculture vivrière du tiers monde a même subi une *légère dégradation*, et ce, surtout dans la période 1920/1925 à 1946/1950. Malgré les minces progrès réalisés depuis le début des années 1950, actuellement la productivité dépasse de quelque *10-20 %* celle des années *1910-1920*. Dans la meilleure des hypothèses, il y a donc très peu de progrès, mais aussi, ce qui est encore plus grave, un niveau très faible de la productivité. Celle-ci se situe actuellement à un niveau qui, grosso modo, correspond à celui de l'Europe à la fin du XVIIIe siècle, c'est-à-dire de l'Europe avant les bouleversements de la révolution agricole.

« D'emblée une telle situation et une telle évolution posent le problème de la possibilité même d'une croissance urbaine. »

Des Romes sans empire

« Au chômage proprement dit, il convient d'ajouter le chômage *partiel et le sous-emploi*. Globalement, on peut estimer que l'inactivité totale est de l'ordre de 30 à 40 % du temps actif potentiel. Ceci est une situation qui n'a pas de précédent historique, sauf peut-être dans le cas de la Rome antique. Si l'on compare la situation du tiers monde actuel avec celle des pays développés au cours du XIXe siècle, on décèle deux différences fondamentales. Un taux de chômage beaucoup plus faible dans les villes des pays développés, de l'ordre de 4-6 % ; et, surtout, le fait qu'il s'agissait d'un chômage cyclique, c'est-à-dire un chômage concentré essentiellement dans les années de mauvaise conjoncture ; alors que, pour le tiers monde, il s'agit d'un chômage structurel. Ce chômage urbain du tiers monde, pour lequel nous avons proposé la notion de *surchômage*, est la conséquence naturelle d'un exode rural causé par le trop-plein de population rurale. Le jeune du tiers monde émigre vers la ville parce qu'il ne peut pas ou ne veut plus vivre en milieu rural ; le jeune Européen du XIXe siècle émigrait vers la ville attiré surtout par les emplois urbains... »

« On peut estimer que, déjà vers les années 1960-1970, nonobstant le faible niveau de vie du tiers monde, ses villes avaient une *plus forte* proportion d'emplois dans le tertiaire que les villes du monde *développé* : respectivement 60-65 % contre 55-60 % du total des emplois urbains. Si l'on tient compte des niveaux de développement (avec les grossières simplifications que cela implique), on peut dire que lorsque les pays développés se situaient au niveau des pays du tiers monde d'aujourd'hui, leurs villes n'avaient que 32-37 % d'emplois tertiaires. L'hypertrophie du tertiaire est très accusée en ce qui concerne les *services* ; mais le commerce et les transports sont également fort gonflés.

« Si les facteurs économiques (le chômage) expliquent cette

hypertrophie, il ne faut cependant pas négliger l'*aspect politique,* qui explique une grande partie du gonflement des administrations. Traditionnellement, en raison de la concentration des pouvoirs politiques et économiques dans les villes et du caractère urbain des grandes révolutions, on attachait une importante signification au mécontentement urbain, lui-même presque synonyme de mécontentement ouvrier. On est presque tenté de dire qu'entre les implications d'un mécontentement rural et celles d'un mécontentement urbain il y avait la distance qui sépare une *jacquerie* d'une *révolution.* »

TRÈS GRANDES VILLES ET VILLES GÉANTES

« On constate un sensible renforcement de la concentration, déjà excessive, de la population urbaine dans les *très grandes villes.* En 1980, les villes de plus d'un million d'habitants représentaient 33 % de la population urbaine. Vers l'an 2000, il s'agira de 46 %. En termes de chiffres absolus, la population de cette classe de taille des villes passera de 230 à 720 millions. Quant aux villes de plus de 5 millions d'habitants, leur nombre passera de quatorze à une quarantaine et leur population de 100 à 360 millions (vers 1950 il ne s'élevait qu'à 10 millions).

« Or il apparaît assez clairement que de telles grandes villes impliquent des conditions négatives tant du point de vue conditions générales de vie que de l'emploi ou du développement économique. Nous avons vu précédemment (voir les chapitres 21 et 30) les modalités actuelles de ce grave aspect du problème. Il y a peu de chances que, dans les prochaines années, les caractéristiques négatives de ces grandes villes s'atténuent sensiblement. Ces grandes villes (de plus de 1-2 millions d'habitants) seront plus défavorables au développement économique que les plus petites et l'on y vivra beaucoup plus mal. »

« A cela s'ajoutera encore le problème des *villes géantes.* Même si l'on prend nos estimations, le nombre de villes de plus de 10 millions d'habitants dans le tiers monde à économie de marché passera de 2 en 1980 à 12 en 2000 (à 18 selon les Nations unies). Et si nous pensons que Mexico — qui sera alors la plus grande ville du tiers monde (et du monde) — n'atteindra pas les 30-32 millions d'habitants comme le prévoient les projections des Nations unies, même avec disons 20-25 millions d'habitants, une telle taille impliquera des problèmes d'une ampleur sans précédent. Dans les pays développés, les villes ont atteint des tailles de l'ordre de 10 millions d'habitants à une étape de développement fort avancé. Ainsi, New York, la première ville à avoir atteint les 10 millions, a passé ce stade vers 1927/1929 à un moment où le PNB par habitant était de 1 700 dollars (en dollars et prix des États-Unis de 1960) ; Londres a atteint ce stade vers 1949/1950. Ces villes évoluent davantage vers une économie de *self-service* que vers une économie de services, les biens d'équipements ménagers l'emportant sur les services » (Simmie, 1983).

Comment rendre la ville plus habitable ? Voilà le problème essentiel dont les solutions ont été retardées par *l'automobile*, la toute-puissante automobile qui a si largement contribué à rendre la ville *inhabitable*. Mais ce sont, tout de même, des problèmes de riches, c'est-à-dire des problèmes solubles si l'on veut correctement les appréhender.

ANNEXE VI

Extrait du livre de Michel BENOIT, ORSTOM, Paris, 1982 :

OISEAUX DE MIL

Les Mossi du Bwama (Haute-Volta)

« Les sociétés du Sahel et des Savanes d'Afrique occidentale sont rarement observées et décrites avec le respect que la valeur des hommes devrait pourtant inspirer. Une sollicitude plus ou moins intéressée n'est pas absente de la littérature qui leur est consacrée mais les diagnostics qu'elle contient se réfèrent presque tous à des valeurs et des influences étrangères comme s'il était exclu qu'elles puissent maîtriser leur destin. Éternelles victimes au présent bousculé et à l'avenir incertain, ne sont-elles pas presque toujours considérées comme étant « en retard », « agressées » ou « mal pourvues » de ressources naturelles ? Que les Soudanais (et bien d'autres !) soient en retard par rapport à ceux qui se proclament unilatéralement à la pointe du « progrès » ne les inquiète guère et me rassure plutôt. Parler d'agression est plus sérieux. Elle est bien réelle et probablement plus violente qu'on ne le dit. Plus insidieuse aussi. Les façons dont elle se manifeste sont souvent insoupçonnées, et il est de bon ton d'ignorer ses effets[1] qui, il est vrai, ne sont pas toujours mortels car la capacité de résistance et de récupération des sociétés qu'ils affectent est parfois réelle. Quant à l'ingratitude de la nature, il faudrait la démontrer en se référant aux besoins locaux, ce qui n'a pas encore été fait. Elle ne serait d'ailleurs pas une nouveauté pour des Civilisations au passé prestigieux qui surent exister avec leurs ressources propres, sans détruire de lointains El Dorado.

Il faut refuser de voir a priori dans les Cultures africaines "traditionnelles" des versions sous-développées d'un modèle étranger d'ailleurs de plus en plus remis en question. C'est la moindre conséquence *du respect qui leur est dû.* Cependant, vouloir comprendre des hommes pour ce qu'ils ont choisi d'être ne signifie pas que la découverte de leur écologie est toujours rassurante. S'il est mal venu de juger, il est difficile de rester indifférent devant des comportements traditionnels qui créent *des situations alarmantes, compte tenu des réalités démographiques d'aujourd'hui.*

« Les *Mossi* et les *Bwawa* des savanes soudaniennes de Haute-Volta sont deux populations aux genres de vie différents. Les *Bwawa* étaient jusqu'à présent respectueux de leur sol, de la végétation et de la faune de leurs brousses à la faveur d'une densité humaine modeste et grâce à des pratiques agricoles de haute qualité. Or, ils assistent, depuis un demi-siècle, à une occupation progressive de leur région par les *Mossi* dont les visées sur la nature sont tout autres... »

---

1. L'idée égalitaire imposée par l'étranger à l'époque coloniale a — par exemple — bouleversé les sociétés hiérarchisées. Qui dénoncera la suppression du pillage et de l'esclavage, cause de la mort touarègue aujourd'hui ?

Extrait du livre de P. Jacquemot et M. Raffinot,
L'Harmattan, Paris, 1985 :

ACCUMULATION ET DÉVELOPPEMENT

La société lignagère africaine

LA LOGIQUE DU FONCTIONNEMENT D'UN SYSTÈME D'ORGANISATION
SOCIALE NON CAPITALISTE : LA SOCIÉTÉ LIGNAGÈRE AFRICAINE

Les études anthropologiques sur les sociétés d'autosubsistance africaines permettent de caractériser un mode de production non capitaliste typique. Dans la société lignagère, l'unité fondamentale de la vie sociale est organisée autour *de l'aîné* vers qui montent les produits du travail et qui les répartit ensuite selon les règles de *prestations* et de *redistribution* liant les divers membres en fonction de leur *statut*, selon l'âge, le sexe ou la caste. Il n'y a pas d'individualisation de la terre et des moyens de travail agricoles ou artisanaux.

Au sein de cette communauté, ordonnée autour de la généalogie, la couverture idéologique de la parenté sert en fait à perpétuer une *division des tâches* qui répond aux besoins de reproduction du groupe et aux conditions de production imposées par l'écosystème. Le contrôle économique de l'aîné sur ses cadets s'effectue en particulier par la répartition des terres : ce sont *les enfants* qui cultivent l'ensemble des terres du segment de lignage et le père assure la redistribution des produits vivriers, soit directement, soit par l'intermédiaire des hommes mariés. Ce contrôle s'exerce également lors du *mariage des cadets*. Des relations matrimoniales étroites unissent en effet la communauté, lui donnant sa cohésion et les moyens de sa reproduction. L'« acquisition » d'une femme et de la progéniture potentielle qu'elle représente est sanctionnée par le transfert en sens inverse d'une « *dot* ». Celle-ci est composée de biens d'une nature singulière : produits du travail des cadets *(aliments, bétail,* objets *artisanaux),* ils deviennent des « biens de prestige » une fois accaparés par les aînés. Ces biens ne circulent plus alors qu'à l'intérieur du sous-groupe des aînés, servant à asseoir leur *statut hégémonique*. Signes et instruments de pouvoir, les biens de prestige constituent une richesse conventionnelle associée au statut supérieur des aînés ; leur circulation hérétique en dehors du groupe dominant risque d'altérer et de menacer la cohésion de la communauté.

Lorsque la terre est abondante, les outils simples et l'homme la principale source d'énergie, comme c'était le cas dans les sociétés rurales africaines, le contrôle économique n'est pas fondé sur l'appropriation des moyens de production mais sur celle des producteurs directs eux-mêmes par le biais des relations lignagères *d'autorité et de soumission.*

Dans le mode de production lignager africain, comme dans tous les modes de production anté-capitalistes, le *groupe dominant* prélève donc un surplus sur les groupes des producteurs. Ce surplus est constitué de tout ce qui est produit au-delà de la consommation paysanne. Dans l'organisation lignagère simple, il est approprié sous la forme de prestations diverses : lors de la circulation des *femmes* (et donc de la dot en nature), *des funérailles* (destruction de biens lors de la mise en terre d'un chef de clan par exemple), de *corvées* ou encore de diverses cérémonies. Dans des systèmes sociaux plus complexes, il sera approprié sous la forme de la *rente foncière* lorsqu'il existe une propriété de type féodal, ou du *tribut* dans le cas d'un système de pouvoir de type quasi étatique (les *chefferies religieuses* par exemple dans les zones islamisées).

Il est essentiel de mettre l'accent sur la double qualité de ce surplus paysan. D'une part, il est sous le contrôle direct ou indirect du groupe des non-producteurs, il est donc bien un « surtravail » prélevé. D'autre part, ce groupe dominant traditionnel ne cherche pas à mettre en valeur ce surplus et *à le convertir en capital*. Rappelons ici cette observation simple selon laquelle si le capitaliste cherche toujours à échanger ses produits contre une contre-partie en valeur, le *détenteur d'une redevance* ou d'un *tribut* n'a pas quant à lui les mêmes objectifs : l'échange ne l'intéresse que pour les valeurs d'usage qu'il peut ainsi obtenir (pour une consommation *ostentatoire* ou pour une thésaurisation en biens de *prestige* qui confirmeront son statut symbolique de chef sur le groupe) et peu lui importe que la valeur marchande contenue dans chaque bien de prestige acquis baisse ou augmente...

ANNEXE VIII

Lettre de René Dumont au Dr Kouchner, à propos d'un projet de volontaires européens dans le tiers monde.

Ce 22 mars 1985,
De René Dumont au
Docteur Bernard Kouchner,
président de Médecins du Monde.

Vous m'avez communiqué, sur ma demande, votre projet de
« Service volontaire européen dans le tiers monde ». Ce projet
montre que vous ne limitez pas vos préoccupations à votre seule
action médicale — qui est tout à fait remarquable [...] Cependant,
il me laisse *très réservé* : Pourquoi ?

1. Vous prévoyiez au départ un encadrement *militaire*, ce qui me
paraît évoquer une forme de reconquête[1]. Une note manuscrite me
dit que vous hésitez sur ce point : et les ONG comme les Allemands vous ont dit leur opposition. J'y suis également totalement
opposé.

2. Dans le papier intitulé : « Les ateliers européens et l'aventure
humanitaire », vous mettez en premier vos préoccupations sur la
jeunesse *française* ; et vous soulignez que « par ce service humanitaire européen, nous ferons rencontrer la jeunesse européenne » ;
et vous concluez : « A partir de l'initiative française, nous contri-
buerons à construire l'Europe avec le tiers monde. » L'Europe, la
jeunesse française, ce sont *des* problèmes ; le tiers monde, c'est *le*
problème, qui commande la survie de l'humanité ; et doit être
traité en tant que tel, comme première préoccupation.

3. L'objet est la création de « chantiers de jeunes et de techniciens » pour « développer des pôles d'abord agricoles, technologiques, industriels et culturels. Nos productions (françaises) seront
présentes ». C'est là une préoccupation, à mon avis, trop « présente » dans l'aide française. Et quand vous ajoutez : « Les profits
dégagés devraient permettre aux pays tiers de rembourser les
dettes contractées en Europe », cette fois vous vous avancez. Les
déficits sont trop probables.

4. Vous parlez de projets « d'abord franco-allemands » ; et de
« liaison avec les gouvernements des pays pauvres ». A mon avis
les projets devraient *émaner* de ces gouvernements ; et mieux
encore des groupements villageois, dont les projets seraient coor-
donnés par leurs gouvernements.

5. Les premiers projets retenus pour 1985 sont des projets de
reforestation, que vous pensez être réalisés d'abord par les volontaires européens, avec des équipes « qui ne peuvent être uniquement européennes ». Mais le contexte les suppose bien à *dominante* européenne. En ce qui concerne la reforestation, tout arbre
qui n'est pas planté par les villageois n'est pas considéré par eux
comme leur appartenant. Seuls peuvent réussir les bois de village,
les plantations familiales, et surtout les arbres brise-vent et ceux
(néré, karité, acacia albioneems, etc.) dispersés dans les champs,
comme j'ai pu les observer dans la vallée de la Majjia et à
Yélalagane au Niger.

---

1. Cf. De l'aide à la recolonisation, du regretté Tibor Mende, le Seuil, Paris,
1972.

6. Le *sous-emploi rural* est grave, les *bras africains sont là.* S'ils manquent de nourriture, l'aide alimentaire en échange de travail (le *Food for Work*) peut leur suffire. Et tout l'argent prévu pour la majorité des VED[1] pourrait être consacré à l'achat d'outils de terrassement : pelles, pioches, charrettes, brouettes ; ou encore de fer à béton, de ciment pour les retenues d'eau, de matériel de forage, de buses pour les puits, d'exhaure de l'eau, de médicaments, etc.

7. Le plus urgent, comme je l'ai montré[2] dans mes rapports au Niger, au Burkina-Faso et à l'OMVS, est la *protection du patrimoine foncier* et aussi les *cultures de contre-saison.* Pour le premier, au reboisement et au brise-vent, il est urgent d'ajouter toutes les formes de luttes contre les érosions, les barrages de « koris » et d'oueds temporaires, les banquettes parallèles aux courbes de niveau, etc. Puis toutes les formes de fumure organique ; sans oublier la protection et l'aménagement des forêts naturelles, plus urgente encore — et souvent plus efficace que le reboisement : voire le beau projet USAID de Guesselbodi, près de l'aéroport de Niamey.

8. Dans le drame actuel, le Niger l'a bien compris, les *cultures de bas-fonds méritent la première priorité.* D'où l'urgente nécessité de multiplier l'aide à ces cultures : les puisards, les pompes à énergie humaine et surtout animale, les semences potagères, la sélection des tubercules (patate douce, puis manioc et igname), des céréales d'hiver, etc.

9. Je concevrais donc plutôt un Service de volontaires européens — jeunes comme retraités — comme un corps de « *coopérants-techniciens* à bas salaires ». Car les coopérants classiques, les experts, avec leurs salaires excessifs, surtout quand ils voisinent les misères actuelles, me paraissent discutables. Sans même parler des bureaux d'études, trop souvent parasitaires. Ce corps de volontaires-techniciens apporteraient, non pas tant leurs bras (sauf pour apprendre l'usage des techniques) que leur *savoir,* leur *technicité* ; avec leur dévouement, leur disponibilité à former et à aider...

10. Les pays du tiers monde, et même les villageois seraient ainsi incités à exprimer eux-mêmes leurs besoins spécifiques d'aide technique, et le corps de volontaires leur enverrait, non de braves boy-scouts, mais des jeunes *hommes* et des *femmes* déjà compétents, les mieux capables de les *aider à résoudre les problèmes qu'ils se posent,* et à mesure qu'ils se posent.

11. On pourrait donc penser à toute une série d'aides techniques : techniciens de l'horticulture, de l'arboriculture (arbres fruitiers et fourragers, haies vives) ; des agronomes, des zootechniciens et des forestiers de niveau *technique,* acceptant de vivre et de travailler *au village* ; des hydrologues, des puisatiers, des spécialistes de l'exhaure de l'eau ; des artisans capables d'améliorer et de montrer à fabriquer les outils à main et à traction animale, de la bêche à la herse et de la faux à la faucheuse ; tous les équipements

---

1. Volontaires européens de développement.
2. En 1984, et une fois de plus...

de transport, de la charrette à bras, à âne, à bœuf au vélo porteur ; des techniciens de travaux publics, de routes, de retenues d'eau, de petite hydraulique, etc. Sans oublier les médecins aux pieds nus, hommes et femmes, infirmiers et infirmières ; des linguistes pour les alphabétisations en langues nationales, etc.

12. Ces « volontaires-techniciens » seraient ainsi mis à la disposition des groupements villageois, *en accord* avec les pouvoirs, les administrations et les techniciens du pays, d'une part. Et surtout en accord avec les villageois, paysans et paysannes, *au service desquels ils chercheraient,* dans la mesure du possible, *à se mettre.*

13. En somme, ces volontaires permettraient, dans l'ensemble, de multiplier le travail actuel des ONG. Comme beaucoup d'entre eux n'auraient pas, au départ, assez de connaissances de terrain, le mieux serait souvent de les mettre d'abord au travail avec les meilleures des ONG, celles qui ont prouvé leur efficacité sur le terrain. Dans sa première version, votre projet, docteur Kouchner, risquerait de venir en compétition plus qu'en collaboration avec les ONG sur le terrain. Or, je pense que dans l'état actuel, la collaboration de ces ONG me paraît indispensable à l'efficacité de votre projet — une fois repensé — et j'ai essayé d'y réfléchir.

Voici donc, docteur Kouchner, la critique que je vous avais promise. En ce qui me concerne, ma préoccupation prioritaire dominante est ce qu'on appelle encore le tiers monde. J'ai donc essayé de montrer, par cette note trop rapide, dans quel cadre, à mon humble avis, des *techniciens* européens seraient le mieux à même d'aider ces pays. Et cela presse : la *faim monte,* le *désert gagne.* C'est pourquoi bien des idées de votre projet méritent réflexion, et non refus.

Sincèrement vôtre

René DUMONT

Copie à : Jacques Bugnicourt, ENDA, Dakar.
Jacques Lefort, conseiller technique, ministère de la Coopération.

L'INQUISITION RESSUSCITÉE : LA BANQUE MONDIALE ORDONNE LA DESTRUCTION D'UN RAPPORT DE CLAUDE REBOUL

Claude Reboul, ingénieur agronome, chercheur confirmé à l'Institut national de la recherche agronomique (INRA), a fait plusieurs études au Sénégal. En janvier-février 1974, la Banque Mondiale l'a chargé, avec d'autres « d'un examen du secteur agricole de l'économie sénégalaise ». Claude Reboul, ayant rédigé son rapport, en a fait tirer à l'INRA 50 exemplaires ; et il a demandé à la Banque l'autorisation de les diffuser.

Ci-joint la réponse de celle-ci, qui « s'oppose à toute diffusion de ce rapport et demande que les exemplaires déjà produits en soient *détruits* ». Inquisition pas morte ! Voici une note de Claude Reboul, puis les lettres de la Banque, une réponse de Claude Reboul ; et quelques extraits, les plus « politiques » de ce rapport : vous jugerez sur pièce.

MacNamara prétendait lutter contre la « pauvreté rurale ». Mais dès qu'un expert analyse les raisons de cette pauvreté, il est mis à l'index. En me communiquant ce dossier, en mars 1985, Claude Reboul précise :

« Je pense aussi que l'incompréhension sur ma façon même de raisonner, en insistant sur les structures de production des exploitations, était totale. Nous ne vivons pas dans le même monde d'analyse économique. Un "expert" s'étonnant du peu de tracteurs chez les paysans, comme je lui faisais remarquer, entre autres arguments, leur coût d'acquisition et de fonctionnement, me rétorquait : "Pourquoi n'empruntent-ils pas ? "Ils ont des oreilles pour entendre, et ils n'entendent pas", dit approximativement l'Évangile. Tes livres sont pour eux du chinois." »

C. Reboul

Extrait d'une lettre de la Banque Mondiale
à
Monsieur Claude Reboul

Le 19 juillet 1974

....

Malheureusement, tant la forme du rapport que vous nous soumettez que certaines de ses conclusions trop éloignées des nôtres, nous interdisent de faire en ce qui vous concerne une telle exception. Nous regrettons donc de devoir ici *nous opposer* à *toute diffusion de ce rapport* et demandons que les exemplaires déjà produits *en soient détruits*. En effet, l'emploi du temps de mes collaborateurs et l'importance des commentaires que nous serions amenés à faire, ne nous permettent pas de vous en proposer une version *amendée* dont nous pourrions autoriser la publication...

....

En regrettant de ne pouvoir donner une suite favorable à votre demande, je vous prie de croire, Cher Monsieur, en l'assurance de mon meilleur souvenir.

Réponse de Claude Reboul
à
Monsieur Francis Van Gigch
N.W., Washington,
D.C. 20433, U.S.A.

21 août 1974

Monsieur,

J'ai bien reçu votre lettre du 19 juillet 1974.

C'est bien parce que je me sens lié par mon contrat que j'ai demandé l'autorisation de diffuser la partie de l'étude consacrée à l'agriculture sénégalaise que j'ai rédigée.

J'ai pris du reste une telle initiative à la suite des assurances formelles qui m'avaient été faites oralement par mes collègues permanents de la Banque sur le libéralisme de votre organisme en ce qui concerne la publication à titre personnel d'informations réunies dans le cadre de missions de la Banque, à condition que l'autorisation en soit demandée, autorisation qui, m'a-t-on dit, était exceptionnellement refusée. Du reste, l'article 12 des « Duties and obligations of Staff Members » m'encourageait à le faire.

Vous me refusez cette autorisation de diffusion et je suis naturellement obligé d'y souscrire. Vous me permettrez cependant, je pense, quelques commentaires :

1) Vous invoquez : « tant la forme du rapport que vous nous soumettez que certaines de ses conclusions trop éloignées des nôtres » pour expliquer votre refus.

Il va de soi que la forme de mon rapport : présentation, citation des organismes et des personnes, etc., était soumise dans mon esprit autant à discussion que le fond.

C'était du reste le sens de l'intitulé : « Document de travail ». Vous conviendrez du reste que cette question de forme apparaît très secondaire à côté de celle du fond.

2) Voyons donc la question du fond.

En écrivant les conclusions de ma contribution en matière de politique agricole, notamment sur les investissements et leur ordre de priorité, je pense être resté fidèle à l'esprit du discours de R.S. Mac Namara, à Nairobi. Une phrase du « Plan of Action to Implement the Nairobi Speech », de l'Office Memorandum adressé par MM. C. Baum et E. Stern à M. R.S. Mac Namara, m'a guidé : « *In agriculture, key questions have become what can be done to overcome rural poverty and, as a first step, to raise output and income of small farmers* ».

Vous contestez mes conclusions et vous me dites que je connaîtrai les vôtres quand le rapport de la Banque sortira sous sa forme définitive. A ce moment, il sera trop tard pour en discuter. Je pense qu'il serait très dommageable pour les utilisateurs de ce rapport, et d'abord ses utilisateurs sénégalais, que la discussion scientifique soit éludée par un acte administratif.

Ce serait du reste bien mal tirer parti du fonds extrêmement riche d'informations rassemblé à l'occasion d'un voyage qui, tant par son organisation que par les personnes rencontrées, par les organismes visités, par les régions parcourues, nous a fourni un panorama de l'agriculture sénégalaise d'un extrême intérêt.

3) Par ailleurs, en tant que chercheur, n'ayant ménagé ni mon temps, ni ma peine pour écrire ma contribution, il me paraîtrait contraire à toutes les règles de la déontologie scientifique de ne pas recevoir un avis direct sur mon travail et d'avoir seulement un avis indirect dans le cadre du rapport définitif.

4) Comme vous me le demandez, je ne diffuserai donc pas, dans la limite des trois ans à laquelle mon contrat m'engage, le texte de ma contribution au rapport de la mission.

Je me permets cependant de vous faire remarquer que j'ai été en mission au Sénégal avant d'y être pour le compte de la Banque Mondiale et j'ai écrit une thèse sur les problèmes du développement de l'agriculture sénégalaise. Je lis régulièrement ce qui se publie sur ce pays. Sans faire en aucune manière état des informations spécifiques recueillies au cours de la mission de la Banque, ni référence à mon rapport, je me réserve le droit d'écrire à titre personnel mes opinions sur l'économie sénégalaise.

Je vous adresse mes meilleurs sentiments.

C. Reboul

Pour mieux en comprendre « les dangers », voici des extraits du rapport (à détruire !) de Claude Reboul :

CONCLUSIONS

Le bas niveau d'emploi des engrais et des équipements témoigne de la faible capacité d'investissement des petits paysans qui constituent la grosse majorité de la paysannerie. Le relèvement des prix des produits est un facteur fondamental de déblocage de la situation. On peut craindre toutefois que les relèvements qui ont été opérés ces dernières années soient insuffisants pour permettre autre chose que le nécessaire relèvement des niveaux de consommation...

L'installation de la compagnie BUD sur 500 ha en Casamance, sur l'ancien périmètre de la SODAICA, constitue cependant une grave menace pour l'avenir des petits producteurs de fruits et légumes...

Notons au passage que la loi foncière de 1964 offre aux agriculteurs riches des facilités abusives. Le slogan « la terre à celui qui la travaille » n'est socialiste que dans une perspective de répartition égalitaire des moyens de production. Actuellement, son application littérale permet à l'agriculteur riche, qui a les moyens techniques nécessaires, de s'approprier des terres appartenant à des petits paysans et que ceux-ci n'ont pas les moyens de mettre en valeur. Au nom de ce principe, la BUD a mis en culture ses 500 ha en maïs, pour couvrir le terrain, en attendant très probablement l'étape suivante : la mise en culture maraîchère. Le danger de concurrence, déjà observé au Cap Vert, tant pour les marchés extérieurs qu'intérieurs, est ici très sérieux pour les petits producteurs et susceptible de paralyser leur capacité de développement. Ajoutons que de telles entreprises, utilisant des techniques très modernes, n'ont généralement que très peu de valeur d'enseignement pour les petits paysans...

Les actions de développement tendent alors à évoluer dans le sens d'une aide sélective, réservée aux agriculteurs de « pointe », susceptibles de créer des foyers de développement.

Le phénomène spontané de la « koulakisation » tend ainsi à être renforcé par les services de développement et par de nombreuses mesures de politique agricole. Par exemple, subventionner les engrais revient à faire supporter à l'ensemble des agriculteurs une partie des frais de production des plus riches, les seuls capables d'utiliser des engrais...

Le développement de secteurs fortement capitalistiques en agriculture pourrait avoir l'intérêt d'approvisionner les villes à relativement bon marché par rapport aux importations et de combler le déficit vivrier. C'est du moins l'idée exprimée par les responsables officiels qui défendent de tels projets. Atteindre de pareils objectifs nationaux semble cependant nécessiter des investissements qui paraissent peu compatibles avec la santé financière du Sénégal, dans la mesure où leur rentabilité, comme c'est le cas actuellement pour les installations du Delta, n'apparaît nullement assurée. Cependant, même s'il s'avérait au moins dans certains secteurs, rentable, le développement d'entreprises de ce type présenterait de toute façon l'inconvénient d'avoir sans doute un très faible pouvoir d'entraînement pour la masse des paysans. Bien au contraire, il leur apporterait probablement un très grand risque, celui d'une concurrence désastreuse pour leurs excédents commercialisables, qui aurait pour résultat de les enfermer dans l'économie d'autosubsistance, avec à terme, en raison de la poussée démographique, la *perspective de la famine...*

Il est fortement probable que les phénomènes actuellement en cours de renforcement de l'individualisation des moyens de production et par conséquent des entreprises, ainsi que la formation d'une classe de paysans moyens, dans laquelle se concentrent l'appropriation des moyens de production et les actions de vulgarisation, continueront à s'accentuer dans l'avenir proche...

Des actions de vulgarisation intégrées ne peuvent être efficaces économiquement que dans la mesure où elles sont différenciées en fonction des *structures de production* des exploitations. En particulier, la mise au point *technique* de combinaisons des facteurs de production, telle qu'elle se pratique dans le cadre d'exploitations expérimentales en vraie grandeur, n'a de chance d'avoir un impact en matière de vulgarisation, que dans la mesure où elle s'appuie sur une connaissance *préalable* des structures des exploitations et des motivations des paysans...

Une telle orientation du développement n'a des chances d'aboutir que dans la mesure où la situation du Sénégal, sur le plan des échanges extérieurs, ne se dégrade pas. En particulier, aucune accumulation du capital au niveau des « koulaks » ne peut s'effectuer durablement si la détérioration des termes de l'échange sape la capacité d'investissement des paysans.

Au cas où cette situation continuerait à se dégrader, alors il est à prévoir inéluctablement des troubles sociaux qui pourraient s'organiser en *révolution*, une révolution qui trouverait tout naturellement ses leaders dans la pépinière de cadres honnêtes et compétents dont la formation constitue une des plus belles réussites du Sénégal depuis l'indépendance, et ses forces vives dans la conjonction des paysans pauvres et des koulaks ».

Alors que « la Banque » de 1975 prétendait ainsi « posséder la vérité » en ce qui concerne l'agriculture africaine, celle de 1984 se montre beaucoup plus modeste.

Ernest Stern, vice-président senior de la Banque Mondiale, dans un symposium sur l'agriculture, réuni à cette Banque le 13 janvier 1984, reconnaissait enfin :

« Tout comme les autres donateurs, je pense qu'il est honnête de dire que, parmi toutes nos réalisations, *nous avons échoué en Afrique*. Nous n'avons pas bien compris les problèmes ; nous n'avons pas identifié les priorités ; nous n'avons pas toujours conçu nos projets pour les adapter à la fois aux conditions agroclimatiques et aux structures sociales, culturelles et politiques de l'Afrique... Nous, et tous les autres[1], sommes encore dans l'incertitude au sujet de ce qui peut être fait pour l'agriculture de l'Afrique. » (Texte traduit par R.D.)

---

1. Dire que tous les autres sont aussi ignorants que les « experts » de la Banque mondiale me paraît osé.

ANNEXE X

« RENÉ DUMONT CONTRE LA BANQUE MONDIALE »

Le 31 mars 1982, je fus invité à donner à l'Institut de développement rattaché à la Banque Mondiale un exposé sur les problèmes de développement du tiers monde devant une quarantaine de diplomates appartenant aux délégations aux Nations unies de ces pays. J'avais donc ronéoté 20 exemplaires français et 20 exemplaires anglais de mon texte. Celui-ci ayant été considéré comme peu acceptable — j'avais cependant pu le donner oralement — cette distribution aux auditeurs me fut refusée. Je l'ai donc communiqué à *Jeune Afrique*, et en voici la reproduction (*Jeune Afrique-Économie*, 5 mai 1982). Au lieu de 40 exemplaires, il en a donc été diffusé 16 000[1].

---

1. En avril 1971, à la fin d'une étude en Sri Lanka — en plein milieu de la révolte des jeunes — je concluais mon rapport en conseillant au gouvernement de ce pays de répudier ses dettes, « puisque, par les trop bas prix prolongés du thé, le monde riche n'avait cessé de les "exploiter" ». Le représentant à Colombo des Nations unies, un Yankee, me dit qu'avec un tel rapport, je ne risquais guère d'avoir d'autres missions des Nations unies ; c'est bien ce qui s'est passé ; mais cela n'a pas suffi à relever la situation des pays démunis. (Cf. *Paysanneries aux abois,* Ceylan, Tunisie, Sénégal, le Seuil, Paris, 1972.)

Jamais, foi de financier, on n'avait entendu de tels propos à la Banque Mondiale. Il faut s'appeler René Dumont pour, dans les murs de cette vénérable institution, l'accuser, le 31 mars, de participer au pillage du tiers monde, notamment en poussant les paysans à abandonner des cultures vivrières. Qui d'autre que l'auteur de *L'Afrique noire est mal partie* pouvait lancer : *« Ce que j'avais compris à dix-neuf ans, en 1923, la Banque Mondiale ne l'a pas encore compris en 1982 ! »*

Répondant à une invitation conjointe de l'Institut des Nations unies pour la formation et la recherche et de l'Institut de développement économique de la Banque Mondiale, l'agronome français s'exprimait sur le thème : « Deux décennies d'échec en développement rural. » Dressant d'abord un réquisitoire sans concession, Dumont en appelle, *« pour en sortir »*, à une véritable *« libération paysanne »* dans le tiers monde. *Jeune Afrique-Économie* publie, en exclusivité, ce document explosif. Lucide et polémique, la thèse de Dumont apparaît comme une réponse argumentée au rapport Berg (J.A.E. n° 1), qui proposait à l'Afrique, au nom de la Banque Mondiale, les recettes du capitalisme à l'américaine comme remède au sous-développement. Rapport qui ne manque pas de susciter des réactions. Dernière en date, celle des gouverneurs africains de la Banque et du Fonds monétaire, dont nous rendrons compte dans notre prochain numéro.

René Dumont, cet homme seul, va-t-il fléchir la Banque Mondiale ? Ne rêvons pas. Encore que... Quinze jours après son « J'accuse » on a remarqué, dans un discours de A.W. Clausen à Lagos (première étape d'une tournée africaine qui devait le mener, du 15 au 24 avril, au Nigeria, au Niger et en Côte-d'Ivoire), des accents nouveaux. Le président de la Banque Mondiale y a notamment déclaré que *« le secteur privé ne peut tout faire »*, avant d'évoquer le rôle des cultures vivrières. Paroles sans lendemain ? Une affaire à suivre en tout cas. Et un débat qui concerne tous les Africains. (Voici le texte de la conférence René Dumont.)

AU MAROC, DÈS 1923, A 19 ANS, J'AVAIS COMPRIS

En été 1923, le jeune étudiant de « l'Agro » [Institut national agronomique de Paris] que j'étais s'en fut en stage au Maroc, pour voir et comprendre le monde extérieur. Au sud de ce pays, en région semi-aride, ± 250 mm de pluie aléatoire, les fellahs, les paysans, récoltaient une bonne moisson, 20 à 25 qx/ha d'orge ou de blé dur, tous les cinq ans environ ; suivaient deux récoltes médiocres, 4 à 8 qx, et 2 récoltes quasi nulles. Le large excédent de la bonne récolte était stocké dans des silos creusés dans un calcaire bien sec, les *matmoras*. Et les déficits suivants en étaient largement compensés.

En 1923, sous le protectorat français, arrivent dans cette région la route, le camion, le commerçant. Celui-ci offre d'acheter une large part de l'excédent, en échange d'articles d'importation plus ou moins utiles ou futiles. Les années suivantes, cette « intégration de l'économie paysanne au marché mondial » ayant vidé les réserves traditionnelles, accentue les disettes ou même provoque des famines. Cette intégration oblige en effet à payer de lourds frais de transport et de distribution, à l'import comme à l'export. Elle n'est donc supportable que si la production agricole est, au préalable, régularisée et fortement augmentée.

Ce que j'avais compris à 19 ans, en 1923, en tant que technicien agronome déjà soucieux des paysans, mais n'ayant fait aucune étude d'économie, la Banque Mondiale, dans sa grande majorité, en 1982, ne l'a pas encore compris. De ce fait, les économies paysannes du tiers monde, poussées vers les cultures de rente, sont de plus en plus ruinées, car elles permettent le pillage du tiers monde. Avec l'insuffisance des cultures vivrières qui en résulte, les importations céréalières se multiplient, plaçant des pays de plus en plus nombreux sous la dépendance du *food power*, de l'arme alimentaire, largement entre les mains des États-Unis. Malgré ces importations et des aides alimentaires (qui souvent ruinent les agricultures locales), la malnutrition, les maladies de carence, les famines même, ne cessent d'augmenter. Elles n'ont jamais cessé en Inde (qui exporte des grains), dans les Andes et le Nordeste du Brésil, à Java et même aux Philippines, berceau de la Révolution verte, etc. Avec son corollaire la course aux armements, la faim du monde est donc le plus grand problème de notre temps, plus essentiel encore que la rivalité Est-Ouest. Et vous[1] vous dites incapables de le résoudre, en mesurant déjà la pauvreté de l'an 2000 !

D'ALBANIE AUX BIDONVILLES DE RÉCIFE

Invité au cours de l'été 1981 en Albanie, j'ai vu un pays qui se proclame staliniste, avec tous les caractères d'une dictature totalitaire, d'un manque total de libertés, ce que je ne saurais absolument pas approuver. Des amis intellectuels me disent que c'est là-bas « le septième cercle de l'Enfer » de Dante, la pire des horreurs. Cependant, j'avais étudié avec Marie-France Mottin en 1980 les paysanneries ruinées et les *slums*, les bidonvilles du Mexique, de Colombie et du Brésil. Les ouvriers agricoles du Nordeste brésilien, les *boias frias* — qui cherchent à se vendre chaque matin aux « marchés aux esclaves » qui se tiennent avant l'aube blême dans les petites villes — sont souvent chômeurs, toujours très mal payés, ne pouvant nourrir leur famille... En 1870, les esclaves des plantations sucrières de cette région portaient des sacs de sucre de 80 kg : on les nourrissait aussi bien que les bœufs et les chevaux, car ils avaient une valeur vénale. Les salariés, ça ne

---

1. Vous, c'est la Banque.

se vend pas, ça se remplace. Quand j'y suis passé, en 1958, la taille des hommes avait diminué, nous dit le professeur Chavez, le grand nutritionniste. Et leur cerveau semi-atrophié n'avait pu faire son plein de neurones. Ils ne portaient plus que des sacs de 60 kg. En 1980, la faiblesse s'accentue, le sac ne contient plus que 50 kg... On fabrique des *sous-hommes vivants* (nous dit Dom Helder Camara) en conditions infra-humaines.

Dans les bidonvilles, de Rio à Salvador de Bahia, de Récife à Belém, par São Luís de Maranhão, la grande majorité de ces déshérités n'a pas de travail régulier, pas de revenus décents, mange à peine de quoi survivre ; pas d'eau potable, pas d'égouts, pas ou très peu d'écoles, de dispensaires, de docteurs... J'ai vu une pancarte à l'entrée de ces vrais enfers (on leur avait coupé l'eau) qui disait simplement : « Nous voulons bien mourir de faim, mais nous ne voulons pas mourir de soif. » Or ces bidonvilles sont une partie du monde dit « libre ». C'est l'arrière-cour de notre opulence et de nos gaspillages insensés, mes amis des États-Unis, « nous » (car je vis parmi vous) en sommes responsables. « Bon appétit, messieurs » (Victor Hugo).

Revenons à l'Albanie. Pas de libertés certes, mais où est la liberté du paysan, du *posseiro* brésilien sans terre, chassé par les mercenaires, sur les bords de l'Amazone, d'une terre qu'il a défrichée ? Où est la liberté de l'enfant du bidonville qui ne peut apprendre à lire : à cinq ans, des enfants de Bogota travaillent aux briqueteries. L'Albanie est (avec la Hongrie) la plus grande réussite agricole de l'Europe orientale : la production agricole a été multipliée par près de 5, tandis que doublait la population. Pas de queues, une bonne alimentation (moins de viande que nous, heureusement pour leur santé), du travail, de l'eau, des égouts, l'enseignement secondaire généralisé, des agronomes vivant au village... Et surtout, pas d'automobiles particulières, *ce cancer de notre civilisation, qui ruine le tiers monde.* L'*american way of life* n'est pas généralisable, donc il est inacceptable. Je ne suis pas stalinien, mais socialiste humaniste.

La faim gagne, la viande augmente

Une curieuse phrase dans votre « Rapport sur le développement dans le monde en 1981 » : « *Il n'y a pas de preuve que la famine elle-même ait progressé, mais le nombre de personnes sous-alimentées a probablement augmenté ; et il est possible que la situation de certains groupes et de certaines régions se soit gravement détériorée.* » Vous auriez pu écrire « il est certain ». J'en puis témoigner personnellement. Tous les rapports de la FAO signalent la montée de la malnutrition et bien des famines sont ignorées, car constantes, de Java au Bangladesh ; ou passent inaperçues, comme celle de *l'Éthiopie*[1] *qui dure dans certaines provinces depuis 1978.* Vous ajoutez : *« On ne peut écarter la possibilité d'une pénurie alimentaire mondiale. »*

Il s'agit là d'une redoutable erreur. Le 1,5 milliard de tonnes de céréales produit par an dans le monde suffit largement, si bien réparti, à fournir à chaque habitant de la planète près de 3 000 calories et 65 grammes de protéines (végétales) par jour. Le seul problème, et il n'est guère abordé dans vos études, est celui de la *répartition.* Le bétail des pays riches (porcs et volailles, bovins à viande et à lait...) consomme plus du tiers des céréales mondiales. Plus des dizaines de millions de tonnes de tourteaux de graines oléagineuses, soja et arachide en tête, qui peuvent être consommées directement par les hommes ; comme aussi les farines de poisson, etc. La France passe en 150 ans de 20 kg à 110 kg de viande consommée par tête et par an : au détriment de la santé[2].

Nous nous conduisons donc en véritables cannibales. Au Brésil le soja chasse le haricot noir, la protéine de base du pauvre. La canne pour l'alcool refoule les cultures vivrières, accapare les meilleures terres. Du reste, nous a-t-on dit dans les cercles officiels de ce pays : *« Les pauvres n'ont pas de pouvoir d'achat. »* Alors ! En Thaïlande, le manioc pour le bétail européen chasse les cultures alimentaires et la disette monte dans le nord-est de ce pays ; les forêts sont démolies.

On peut légitimement s'étonner dans ces conditions de voir le rapport Pearson, la commission Brandt et les divers rapports de la Banque Mondiale continuer à promouvoir les cultures d'exportation. Non, il ne faut point s'étonner. Ces cultures fournissent au monde riche des denrées à fort bon compte. Quand la CEE finance en Afrique tropicale le palmier à huile, la baisse des cours des oléagineux que cela entraîne lui rapporte beaucoup plus que ses investissements. On aime bien financer café et cacao, et voici le cours de ces deux denrées fort bas. En 1973, se développe à Paris, au cours d'une réunion mondiale des commerçants en sucre, une campagne de panique : « Le sucre va manquer au monde. » Les vendeurs de fabriques de sucre font de bonnes affaires... et le cours du sucre s'effondre à 11 cents la livre[3].

Les cultures d'exportation constituent l'un des maillons essentiels du *pillage du tiers monde.* En corollaire, les marchés solvables du tiers monde sont dominés par les produits vivriers d'importation. Avant d'aborder le « Que faire », nous allons d'abord étudier de près le rapport Elliot-Berg, intitulé *le Développement accéléré en Afrique au sud du Sahara.* Ce rapport (1981, Banque Mondiale) ne remet nullement en question la répartition des richesses à l'échelle mondiale. L'auteur de ce rapport ne sait évidemment pas qu'en 1700 l'écart entre les nations riches et les plus pauvres était de 2 à

---

1. Cela est écrit en 1982 : mais on refusait d'y voir une famine déjà montante.

2. En mauvaise année l'URSS produit assez de grains pour la consommation humaine directe. Ses besoins d'importations ne sont dus qu'aux excès de viande.

3. Il est à 3 cents en 1985, 7 à 8 en 1986.

1, ainsi que nous le dit Paul Bairoch. Et qu'il ne cesse d'augmenter, 50 à 1, dit encore Bairoch (vous dites plus, mais c'est faux) ; tout comme s'élèvent les écarts riches-pauvres dans le tiers monde. Au Brésil, nous disent les évêques, cet écart a doublé entre 1964 et 1979. Alors, s'il ignore l'essentiel, que propose-t-il, ce rapport ?

LE RAPPORT BERG PROLONGE LES MÊMES ERREURS !

Certes ce rapport reconnaît « *la dégradation des termes de l'échange qui représente une perte de pouvoir d'achat sans doute définitive surtout pour des exportations de minéraux* ». Pourquoi alors écrire : « *Malheureusement les régions marginales ne se prêtent qu'aux cultures vivrières* » ? Ce qui est indiquer que, pour l'auteur, celles-ci ne sont qu'un pis-aller. Ailleurs je lis : « *Les projets de développement rural devraient être articulés, dans toute la mesure du possible, autour d'une culture commerciale principale (coton, par exemple)... les projets basés entièrement sur les cultures vivrières devraient avoir un caractère pilote et une portée réduite.* »

Je lis encore : « *La prédominance de la production axée vers la subsistance présentait des obstacles particuliers au développement de l'agriculture. Il a fallu encourager les paysans à produire pour le marché, à prendre de nouveaux risques.* » Les risques, pour les paysans[1], peuvent être *sa mort de faim* ou celle de ses enfants.

La conclusion prône « *le développement d'une culture monétarisée plus productive* ». Voyez ce que je disais, en préambule, du Maroc de 1923 : une monétarisation prématurée peut signifier la famine. La plus redoutable proposition est : « *Une politique axée sur la sécurité alimentaire au prix d'une perte de vitesse des exportations présente un risque supplémentaire : la plupart des méthodes d'intensification comprennent un recours accru à des facteurs de production tels que les engrais, les insecticides et le carburant pour les pompes (dans les périmètres irrigués) : autrement dit, elles sont fortement tributaires de facteurs de production importés. Par conséquent, ces méthodes connues d'intensification des cultures rendent la production agricole plus sensible au déséquilibre extérieur. Si la recherche de l'autosuffisance alimentaire détourne des ressources des cultures d'exportation en faveur des cultures vivrières, la baisse des recettes d'exportation peut se solder par des problèmes de balance des paiements de nature à compromettre l'objectif d'autosuffisance lui-même. Le Soudan et la Tanzanie sont des pays qui ont délibérément sacrifié, ces dernières années, l'expansion des exportations pour accroître la production alimentaire. La crise de balance des paiements que ces pays traversent actuellement, qui est aussi grave que celle qui sévit chez certains exportateurs de minéraux, est en partie liée à cette politique.* » Je pourrais citer plus de vingt autres passages aussi absurdes, mais je m'arrête là, faute de temps.

Ce passage souligne déjà les difficultés économiques et sociales

---

1. Et les paysannes.

qu'a développées dans le monde la très célèbre — sinon trop célèbre — Révolution verte. Sur ce sujet, les « experts » (ou soi-disant experts, je préfère m'appeler plus simplement agronome) auraient pu prendre connaissance des études de l'UNRISD (Institut de recherches du développement social des Nations unies à Genève). Dans cette série, pour le Mexique, ils pourraient lire l'étude de mon amie Cynthia Hervitt de Alcantara, *Modernising mexican agriculture, socio-economic implications of technological change, 1940-1970.* Je cite seulement trois extraits, mais toute l'étude aboutit à une condamnation sans appel de la Révolution verte telle qu'elle y fut réalisée en pratique :

« *Le modèle de développement — inhumain mais à long terme efficace — de la société rurale en Grande-Bretagne ou aux États-Unis il y a une centaine d'années se révèle inhumain et inefficace dans le processus d'industrialisation des sociétés paysannes du xxᵉ siècle.* »

Cela pour le Mexique des années quarante aux années soixante-dix. Que fait-on ?

« *On considère les grands propriétaires comme mieux formés, plus sensibles aux incitations financières, plus ouverts aux innovations technologiques que la paysannerie. Ils sont par conséquent plus à même de produire efficacement, d'avoir moins besoin de l'aide de l'État, et de mettre sur le marché l'excédent nécessaire à une économie industrielle en développement. En bref ils sont "progressistes" alors que la paysannerie est "réactionnaire". Sur la base de tels arguments, les fonds publics commencent à affluer, d'abord vers le secteur d'exploitation privé après 1940. Et le rôle de la majorité des paysans pendant trente années d'industrialisation est réduit à assurer une économie de subsistance au plus grand nombre possible de membres de leur famille, les autres étant envoyés sur le marché du travail urbain, limitant ainsi les pressions sur le trésor national.* »

Le résultat ?

« *Une dégradation totale du niveau de vie des paysans ayant le plus faible niveau de revenus, pendant les dix années au cours desquelles l'attention la plus grande est portée sur la modernisation des centres privilégiés de commerce agricole ; la* concentration *de la pauvreté dans les campagnes et de la richesse dans les villes ; le déclin de la production et de la productivité des terres non irriguées ; la stagnation de la production de maïs et de haricots, régime de base de la majeure partie des habitants du pays ; la persistance de la* faim *sur des terres qui ont vu naître la "révolution verte"... Jusqu'en 1960, 83 % des agriculteurs du pays ne peuvent assurer à leur famille qu'un niveau de subsistance ou* d'infrasubsistance*, en dépit des milliards de pesos du budget national alloués à la modernisation de l'agriculture.* »

Et cela vaut pour l'ensemble des paysanneries tropicales. Dans un livre paru en 1970 (suite d'une enquête en 1966) j'avais annoncé « famine au Mexique en 1980 ». Un ami mexicain, Edmundo Flores, répond (et j'ai publié sa lettre) : « *L'œuvre du professeur Dumont m'a causé la même fascination que mon horoscope dans la page astrologique des journaux. Ses affirmations arbitraires, autoritaires, appartiennent à la même école littéraire que Nostradamus.* » En 1980, l'étude officielle du SAM (Système alimentaire mexicain) reconnaît une malnutrition grave pour 49 % des Mexicains et *83 % de la paysannerie.* J'ai annoncé en septembre 1980 dans la revue *Proceso* de Mexico l'échec de la nouvelle politique du SAM, mais je n'ai pu rencontrer Edmundo Flores...

En 1962, j'ai crié *L'Afrique noire est mal partie,* et on m'a pour cela déclaré persona non grata, le livre et moi, en Afrique francophone. Cependant que Nyerere et Kaunda m'ont appelé, dès qu'ils ont lu sa traduction anglaise, *False start in Africa.* En janvier 1982, Léopold Senghor reconnaît dans *le Soleil,* le grand journal de Dakar, qu'il a eu tort de ne pas m'écouter alors. « Vingt ans après », comme dirait Alexandre Dumas. Alors, faites un petit effort, vous de la BIRD, et acceptez d'écouter des vérités désagréables avant qu'il soit trop tard. Car dans tous vos rapports, vous reconnaissez que vous êtes et serez *incapables de venir à bout de la pauvreté, de la misère, de la faim,* en l'an 2000. Vous avez échoué et prétendez garder le pouvoir économique. « Revenir au secteur privé », dites-vous maintenant. Et certes les *parastatals* [secteur parapublic] du tiers monde sont une faillite, je l'ai écrit bien avant vous. Mais il faut aller plus loin, plus sérieusement. Car désormais les maux du tiers monde, chômage et inflation, gagnent chez nous. Nous ne nous sauverons pas tout seuls.

QUE FAIRE ?

Reconnaître que les dettes du tiers monde sont la légalisation de *nos vols.* Ces dettes augmentent à une vitesse elle-même croissante. Le Brésil dépasse 75 milliards de dollars. Le Mexique suit, etc. Les banques commencent à prêter de quoi rembourser les intérêts des emprunts précédents : bien curieuse pratique bancaire ! Reconnaissons d'abord que, dans la structure actuelle, avec les rapports de prix en cours entre inputs et produits primaires, ces pays ne pourront jamais rembourser quand ils n'ont pas de pétrole. Quand ils ont du pétrole, celui-ci ruine leur agriculture : ils la négligent, car ils peuvent importer (Venezuela, Algérie, Iran, Nigeria, etc.). S'ils n'ont pas de pétrole, pour pouvoir en acheter, ils doivent donner la préférence aux cultures d'exportation aux dépens des cultures vivrières. Alors, avec les achats incompressibles, surtout céréales et pétrole, plus la consommation somptuaire des privilégiés (les 3 V : voitures, villas, voyages) ; plus le service des dettes, on ne peut payer tout et voici que les États du tiers monde, les uns après les autres, sont en faillite totale (Mali) ou masquée (Ghana, Costa Rica, Soudan, Mozambique, etc.[1]). Donc ils ne rembourseront pas, et il serait honnête que votre Banque le reconnaisse publiquement.

Allons plus loin : ces dettes ne sont que des *vols* légalisés, prolongés depuis 1960 au moins par le paiement à prix dérisoires, humiliants, de leurs produits primaires. Et par la facturation

---

1. En 1985, la liste est bien plus longue.

abusive des produits fabriqués (souvent somptuaires), des biens d'équipement et des « services » (bancaires, assurances, courtage et commerce, fret, etc.). Moralement parlant (s'il est permis de *parler de morale dans le temple de l'argent*), je rappelais au gouvernement du Sri Lanka, en 1971, qu'il avait le droit de ne pas payer ses dettes, étant donné le scandale éhonté du prix du thé, qui ne permettait pas aux femmes Tamoul récoltant les feuilles et bourgeons de manger à leur faim : et cela pour un produit de luxe. On utilise 1 à 2 grammes de thé par tasse : quelle part va au producteur, dans le prix que vous payez à votre cafétéria ? Combien *a tea cup* ? Moins de un pour mille, me dit-on, va pour les salaires, la plantation et l'usine !

Certes une telle affirmation va vous poser de gros problèmes. Mais vous avez une nouvelle orientation, un président qui se dit plus réaliste, une cohorte « d'excellents » experts bien payés : vous serez bien capables de venir à bout de ces difficultés. Mais il faudrait raisonner plus simplement, plus sainement ; en « morale paysanne ».

CESSER LE PILLAGE, PLUTÔT QU'ACCROÎTRE L'AIDE

En essayant d'estimer les « justes prix » dont parlait saint Thomas, et qui seraient basés sur les coûts de production et des gains ou salaires simplement décents ; en cherchant aussi à réduire des inégalités qui ne cessent d'augmenter (avec votre politique économique), alors on s'apercevrait vite qu'on peut réellement en finir vite avec le pillage du tiers monde. Payer correctement ses produits primaires (outre les denrées agricoles, les minerais de fer, la bauxite et le cuivre) lui permettrait de bien s'équiper.

Quand l'Afrique sera capable de construire *ses* usines métallurgiques avec des capitaux *à elle* (et non ceux des multinationales ou des banques privées), ses meilleurs minerais auront déjà été utilisés — ou plutôt gaspillés par nous.

La France possède dans le sous-sol lorrain plus d'un milliard de tonnes de minette, minerai de fer à basse teneur. On a fermé les puits, liquidé le matériel et mis les hommes au chômage. Car pour la compétitivité, il fallait avoir du minerai « au meilleur prix ». On a donc été le chercher en Mauritanie, au besoin avec l'intervention de nos avions militaires, à Zouerate. Le prix payé à ce pays ne lui permet pas de développer son agriculture : que je viens tout juste de trouver en pleine débâcle, au début de l'année.

Payer correctement ce n'est plus laisser le prix des denrées et minerais ballotter « au libre jeu des forces du marché », lequel est le choc du pot de terre et du pot de fer. L'OPEP a rendu un immense service à l'humanité en relevant le prix du pétrole : nous le gaspillons moins, il en restera pour vos arrière-petits-enfants. Mais ce prix ayant été relevé seul, quand tous les autres restent scandaleux, ruine le tiers monde.

Il faut donc envisager, comme les « 77 » le demandent, l'organisation du marché des principaux produits d'exportation du tiers monde avant de pouvoir conseiller l'extension des cultures d'exportation. On me dira que c'est difficile, qu'il y a le problème des qualités de café et de cacao. Mais le pétrole aussi a bien des qualités différentes. Tâche difficile certes. Mais il vous faut vous y atteler, vous aussi : *la survie de l'humanité est en jeu.* L'économie actuelle, en recherchant d'abord le profit, néglige totalement *l'épargne des ressources rares, non renouvelables,* de la planète ; que l'Amérique du Nord, l'Europe et le Japon gaspillent. Tout en prêchant ensuite la morale aux autres. Quelle masse d'hypocrisie cela représente ?

ALORS SEULEMENT ON PARLERA DU SECTEUR PRIVÉ : LA VILLE EXPLOITE LES PAYSANS

Certes la critique des *parastatals* du tiers monde est bien justifiée, je l'ai faite dès 1960-1962. Mais conseiller comme le rapport Berg (page 78) *« d'élargir le rôle du secteur privé dans l'importation, l'achat et la distribution des facteurs de production... Cette dernière tâche revient aux grandes entreprises "commerciales" »...* Cette position revient à défendre les *multinationales,* sur lesquelles les Nations unies font à juste titre bien des réserves, et dont nous avons montré (avec Marie-France Mottin) le rôle si néfaste, tant en Afrique tropicale qu'en Amérique dite latine[1].

Certes les offices ont totalement échoué, certes il faut envisager d'autres structures ; mais le rôle du commerce, nous l'avons étudié de près. Quand, en Haute-Volta, le paysan pauvre[2] si mal payé de son coton manque de mil, c'est en été, lors des pluies et des grands travaux de binage des cultures, de lutte contre les herbes ; c'est peu avant la récolte, en périodes dites de soudure, que fait-il ? Il emprunte une « tine » [17 kg] de mil à son commerçant en juillet-août, mais il doit lui rendre deux tines après la récolte, en novembre : 100 % d'intérêt en 3 ou 4 mois, 300 à 400 % d'intérêt par an, cela s'appelle *de l'usure.* Usure et métayage sont la ruine des paysanneries asiatiques, comme je l'ai souligné en Inde. Le rapport Berg ignore tous ces problèmes : « Cachez ce sein que je ne saurais voir » disait Molière dans *Tartuffe.*

La ville domine et exploite la paysannerie, me rappelait (si tant est qu'il fût nécessaire de me le rappeler), à Fada N'Gourma, David Wilcock de l'US-AID en Haute-Volta. Dans ce pays, les aides dépassent le montant du budget national, elles profitent d'abord aux villes et surtout à la capitale. Et les privilégiés au pouvoir récupèrent vite, par le jeu des impôts, taxes de sortie sur le coton,

---

1. *L'Afrique étranglée,* éditions du Seuil, Paris, 1980. *Le Mal-développement en Amérique latine,* Seuil, 1981.
2. « Pauvreté rurale en Afrique tropicale francophone », publication de l'Organisation internationale du travail, Genève, 1981. Les travaux de l'OIT sont peu appréciés à la Banque Mondiale.

et surtout les bénéfices commerciaux, le peu d'aide qui était allée au village. L'aide augmente donc la population et les *besoins d'une capitale* si largement parasitaire. *L'aide accroît les besoins d'aide, donc la dépendance.* Et ne conduit nullement à l'indépendance. Beaucoup d'entre vous ont lu (et les autres doivent lire) le livre de mon ami Michael Lipton : *Why Poor People Stay Poor, A Study of Urban Bias in World Development*[1]. N'attendez pas 18 ans pour reconnaître vos erreurs, les conséquences en seraient trop graves.

LIBÉRATION PAYSANNE :
PREMIÈRE ÉTAPE DU DÉVELOPPEMENT RURAL

Dans tous les multiples « projets de développement » soutenus par l'aide extérieure, les bureaux d'études les élaborent d'abord à prix trop élevé. J'ai signalé en juin 1981 au président Abdou Diouf du Sénégal qu'une de ces études constituait une véritable insulte, un mépris total du gouvernement auquel on a osé le présenter ; on les prend alors, mes amis sénégalais, pour des idiots. L'étude promettait qu'une régie d'État mécanisée du riz, desservie par un barrage important et discutable, en Haute-Casamance, rapporterait au budget 1 839 millions de F CFA de bénéfices chaque année. Entre l'an 2000 et l'an 2020[2]. Or toutes les régies ont fait faillite au Sénégal, ça suffit.

Ensuite interviennent les donateurs, qui ont chacun leurs idées. Une tannerie existe à Kaédi en Mauritanie, qui n'a presque pas fonctionné. Alors l'Algérie fait cadeau à ce pays d'une autre tannerie. Combien d'usines arrêtées, inadaptées, en panne, inemployées...

Interviennent ensuite les bureaucraties : celles de l'administration, des *parastatals* (la pire) et du Parti. Un groupement paysan avait réalisé en Tanzanie, dès 1960, une Association de développement du Ruvuma, au sud du pays, avec de si beaux succès que, dans la célèbre déclaration d'Arusha, en février 1967, le président Nyerere l'avait citée en exemple à toute la nation. Quand ce pays décide, en 1969, de généraliser les villages Ujamaa, partiellement collectifs, le premier acte du Parti a été d'aller supprimer cette association ! Car la plus-value créée par ce groupement ne profitait qu'à leurs adhérents, les paysans. Le Parti voulait d'abord exploiter ceux-ci au profit du budget, donc des privilégiés, par le biais des cultures d'exportation. Donc soutenir la politique que recommande la Banque Mondiale.

Libération paysanne, base d'une nouvelle politique rurale au

---

1. Temple Smith, London, 1977.
2. Étude du projet Sodagri, réalisé par la société Electrowatt, ingénieurs conseils, Zurich, Dakar. Pourquoi 1 839 et non 1 840 millions ?

Sénégal est le titre du rapport, rédigé avec Marie-France Mottin[1], que nous avons remis en juin 1981 au président Abdou Diouf, qui avait eu le courage politique de nous le demander. Nous y rappelons d'abord l'urgence d'une révision totale des conceptions d'un enseignement trop occidental, trop urbain ; et surtout l'absolue nécessité de « *se mettre à l'écoute des paysans* », de respecter leurs connaissances ; et de les faire *participer*. Jusqu'ici les « éduqués » et les urbains ne leur ont guère fait confiance et ont méprisé « *leur énorme capital de connaissances* »... La catégorie la plus « *défavorisée, les paysannes... qui devraient être les premières bénéficiaires des technologies douces, charrettes à bras ou à traction animale... exhaure de l'eau par les animaux... Les petits vols, détournements lors des règlements des récoltes, des livraisons d'aide alimentaire dont les paysans sont l'objet de la part des coopératives, des sociétés d'État ; sinon des encadreurs et de certains fonctionnaires qui exigent cadeaux et repas à l'occasion de leurs visites* ».

Dans la nuit du 4 août 1789, les nobles de France ont abandonné une partie de leurs privilèges, surtout parce que les paysans avaient en juillet brûlé quelques-uns de leurs châteaux. Les privilégiés abusifs du tiers monde le savent, qui organisent une répression féroce, du Guatemala et du Salvador jusqu'en Argentine (avec quelques complicités) et dans l'ensemble de l'Afrique et de l'Asie tropicale grâce aux armes que nous leur vendons, et dont la recette nous permet de continuer nos gaspillages de pétrole, notre vie démentielle — celle de cette ville qui nous entoure ! Chaque fourniture d'armes constitue une forme d'accroissement de la répression de la paysannerie, donc des obstacles accrus aux possibilités de développement rural.

LES RESSOURCES DE L'AID DIMINUENT : L'HISTOIRE VOUS JUGERA

Seule l'agence internationale du développement (AID ou IDA) accorde des prêts très favorables — en réalité des quasi-dons — aux pays les moins avancés, les PMA. Mais voici que, pour le programme juillet 1980-juillet 1983, les ressources prévues pour l'AID, 12 milliards de dollars (dont 27 % devaient venir des États-Unis) ne se monteront sans doute qu'à 9 milliards de dollars, sinon moins. Ainsi les États-Unis, qui donnent moins que prévu, pourront accroître d'autant le montant de leurs dépenses de mort...

En l'an 2000, le tiers monde, plus largement majoritaire en nombre, s'il est en révolte, viendra remettre en cause par la force cette structure économique démentielle à laquelle vous présidez. Bien longtemps avant, une grande crise pourra avoir déjà (totalement ?) désorganisé l'économie des pays développés. Alors, au début du XXIe siècle (ou avant), l'Histoire vous jugera.

René Dumont

---

1. Publiée par l'Institut de recherche agronomique à Paris, republiée (augmentée) par l'ENDA à Dakar, BP 3370.

ANNEXE XI

Deux lettres de René Dumont
adressées à S.E. Abdou Diouf,
président de la République du Sénégal

Le Professeur René Dumont
à

Son Excellence Abdou Diouf
Président de la République du Sénégal
DAKAR

Dakar, le 22 juin 1981

Monsieur le Président,

Au cours de la longue audience que vous nous avez fait l'honneur, à M.-F. Mottin et à moi-même, de nous accorder vendredi dernier 19 juin 1981, je vous avais demandé de lire une lettre (confidentielle) où nous proposions un certain nombre de mesures. Elles visaient surtout à réduire les dépenses somptuaires et les gaspillages, trop coûteux dans l'état actuel de l'économie sénégalaise, de la minorité privilégiée, surtout urbaine, qui abuse des possibilités que lui donne la répartition actuelle des pouvoirs (politiques, économiques ou d'administration). Dakar et Pikine sont devenus de véritables cancers aux flancs de l'économie sénégalaise. Nous proposions aussi d'aider à « conscientiser », pour l'organiser en une sorte de contre-pouvoir politique, la majorité silencieuse et trop souvent diminuée : les *paysans* (et aussi les bidonvillois, les chômeurs, les jeunes).

Vous avez convenu que, si intéressantes que vous apparaissaient nos propositions, elles vous semblaient entraîner des changements si profonds, une véritable Révolution et que vous manquiez *d'appuis politiques* pour la mener à bien.

Vous avez parfaitement raison. J'avais trop raisonné en théoricien de tout ce qui paraît *désirable*, sans pouvoir bien mesurer ce qui est réellement *réalisable* ; et que vous seul êtes bien placé pour évaluer.

Cela dit, vous savez comme nous que toute prolongation un peu durable des errements actuels conduirait le pays à une *dépendance* accentuée, à une misère accrue, à une faillite totale et peut-être aussi à une jacquerie. Contre cette série de catastrophes encore évitables, il vous faut mesurer le *possible*. Nous allons essayer de vous redonner, sur ce point, non des conseils, mais notre opinion.

Nous pensons le moment venu, après les succès de l'ouverture de Taïf et du Sine-Saloum, d'*élargir la brèche*. Votre prédécesseur avait en quelque sorte « francisé » le pays, dans son système d'éducation, son protocole, sa vie quotidienne. Compte tenu des difficultés économiques, il serait maintenant possible de réduire toutes les dépenses somptuaires (voyages à l'intérieur et à l'étranger, fêtes et réceptions, etc.). Les Italiens reçus avec un tel luxe à l'ambassade du Sénégal à Rome sont ensuite gênés, m'ont-ils dit, quand ils se battent pour une aide accrue au tiers monde. Et les ministres sénégalais, à Rome, à Paris, à New York ou ailleurs, ne connaissent que les hôtels de grand luxe. Ceci peut changer sans « Révolution ».

On pourrait aussi *africaniser* progressivement le protocole à la Présidence et pour l'ensemble des réceptions. Que les ministres ne se déplacent plus en caravanes de gouverneurs, préfets, sous-

389

préfets, présidents de communautés rurales, notables et commerçants de toute sorte, pour écouter des discours de remerciements stéréotypés. Il leur faut aller — et vous aussi — directement au village, voir tel président d'Union paysanne[1], et aller s'asseoir avec eux dans les « carrés » ouolofs ou toucouleurs, diolas ou mandingues, sinon même bassaris.

Après de tels gestes, le président serait mieux écouté s'il cherchait à mobiliser la jeunesse de ce pays (et pas seulement la jeunesse dite socialiste), en vue d'aller faire, entre lycée et université, une ou deux années de *Service rural* (qui serait alors obligatoire pour accéder à l'université). Service qui viserait à alphabétiser et aider les paysans à s'organiser à leur manière pour se défendre contre leurs exploiteurs. Et à les soigner, en collaboration avec les guérisseurs traditionnels, que l'on a si longtemps méprisés à tort, spécialement ici ; et que l'OMS appelle les *tradipraticiens.*

Dans la même foulée, la réduction des dépenses somptuaires pourrait commencer à freiner les gaspillages les plus abusifs : interdiction d'importer des autos au-dessus de la 404 ou 12 Renault ; en attendant l'interdiction quasi totale, pendant deux ou trois ans, de l'importation d'autos particulières ; ceci au profit du chemin de fer, du bateau, des transports collectifs. Et l'interdiction de construire des villas dépassant certains coûts ; et la forte taxation de celles occupant trop de surface ; ce qui accroît trop les coûts de la desserte urbaine.

Presse, radio et télévision mettraient plus en valeur la « geste » paysanne (leurs efforts quotidiens, la dureté de leur vie...) que tel fait divers européen (ridicule, vu les drames du tiers monde), de starlettes, de princesses, ou de boxeurs. La technologie appropriée, les économies d'énergie, les énergies alternatives, toutes les formes d'innovations seraient alors valorisées ; et les thèses d'université orientées vers les problèmes nationaux les plus urgents. Les expériences d'autres pays africains seraient suivies de près ; et nous avons mis les problèmes de Zambie et de Tanzanie, dans notre livre *l'Afrique étranglée*, à la portée des lecteurs sénégalais.

Dans une politique d'ouverture de plus en plus approfondie, l'opposition aurait la possibilité, par une critique *constructive* (et vous avez reconnu que la nôtre l'était) de participer plus largement au développement du pays, qui requiert toutes les bonnes volontés.

Le moment est venu d'imaginer, de préciser les *stratégies* qui permettraient d'atteindre les objectifs jugés prioritaires : et nous avons ainsi classé la défense et la restauration des sols, la protection contre les formes d'érosion et de dégradation (donc la fumure organique), les reboisements, les brise-vent, les arbres fourragers et fruitiers...

Il n'y aura jamais de réalisation qui soit à l'échelle des besoins

---

1. L'UNICEF et l'ENDA pourraient vous donner des noms intéressants. Il serait important de reconnaître juridiquement les associations les plus solides — par exemple l'Association des paysans Sarakolés de Bakel.

énormes et urgents[1] dans ce domaine et bien d'autres (éducation et santé), sans une participation effective de l'ensemble de la population, seule base solide d'un *réel* développement. Le moment est donc venu d'envisager les moyens concrets de provoquer et d'amplifier cette *participation*, sans qu'elle soit récupérée par les notables, les commerçants, les diverses « autorités ». Il faudrait persuader les populations (et surtout les ruraux) que le développement du pays est leur affaire. Mais pour cela elles y doivent trouver un intérêt direct. Les rapports entre paysans et administration doivent être redéfinis, comme le rôle des divers (trop nombreux) intervenants au village.

Le Sénégal est en réalité, et sans qu'il le sache bien, en guerre pour la *survie*. Une « mobilisation générale » des paysans et des jeunes n'est possible qu'avec l'appui de toutes les bonnes volontés, de toutes les compétences. Dans les zones rurales, nous avons trouvé bien des fonctionnaires découragés ; ils réalisent que l'action poursuivie jusqu'ici est inefficace, donc frustrante, même pour eux. Ils se sentent souvent — et souvent avec raison — rejetés par les paysans.

Mais toute cette mobilisation, spécialement celle des jeunes, qui sont la majorité du pays, ne sera possible sans un *changement d'atmosphère au plus haut niveau*. Le dévouement, le travail acharné ne peuvent être demandés aux paysans et aux chômeurs les plus dépourvus, que s'ils sont pratiqués par tous, et d'abord à *Dakar* ; l'austérité n'est acceptable que lorsqu'elle est générale.

Après avoir enlevé un passage sur le « prétendu socialisme », pour ne pas donner d'armes à l'opposition, nous croyons que la publication de notre rapport[2] constituerait une preuve d'ouverture. L'essentiel de la thèse est déjà publié dans *l'Afrique étranglée*, et nous ne voyons vraiment pas comment l'opposition y trouverait des armes nouvelles.

En vous remerciant une fois de plus de la confiance que vous nous avez témoignée, nous sommes prêts, Monsieur le Président, à poursuivre ce dialogue, d'abord par correspondance.

Veuillez croire à nos sentiments respectueux.

René Dumont

---

1. Parler de reboiser 40 000 hectares par an... le siècle prochain, n'est pas sérieux.

2. Depuis, ce rapport a été publié, avec l'accord d'Abdou Diouf, sous le titre *le Défi sénégalais*, ENDA, Dakar, 1983.

René Dumont, professeur honoraire
à l'Institut national agronomique de Paris
à
Son Excellence Abdou Diouf
Président de la République du Sénégal

Paris, le 1er septembre 1984

Monsieur le Président,

Vous n'avez certes pas oublié le rapport que je vous ai présenté en 1981, et dont vous avez eu le courage politique d'autoriser la publication par l'ENDA, sous le titre *le Défi sénégalais.*

Trois ans ont passé depuis, les barrages de Diama et Manantali, sur le fleuve Sénégal, sont en cours de construction, et je n'ai plus qu'un souci : en assurer le plein emploi, le plus vite possible, dans l'intérêt des 3 pays. Aussi ai-je accepté la proposition d'étudier les problèmes ainsi posés, dans une mission que m'a confiée le haut-commissaire de l'OMVS, et qui se termine aujourd'hui. Mon rapport vous sera envoyé, mais comme vous n'aurez sans doute guère le temps de le lire, je vous en indique ici l'essentiel.

1. Le *rythme* actuel des aménagements pour l'irrigation reste tout à fait insuffisant. On ne voit pas quand le Sénégal atteindra les 3 000 hectares par an, compte tenu des abandons et réhabilitations des réseaux vite démolis. Or ces 3 000 hectares ne suffiraient pas à suivre les besoins, il en faudrait 5 000 ha/an : problème de financement, mais aussi choix prioritaires des sites moins chers, pour commencer. Ceci à cause des besoins d'une population trop rapidement croissante. Ce problème démographique, le Sénégal ne peut plus l'esquiver. C'est la plus grave menace, à long terme : « Gouverner, c'est prévoir », nous disait Mendès France. La Mauritanie en est à 400 hectares par an (500 aménagés, 100 abandonnés). Et le Mali n'a pas encore commencé.

2. Le prix actuel du paddy, 61 F, et demain 66 F le kilo, ne permet pas de couvrir les frais de production, et d'amortir les équipements. Jamais on n'amortira les aménagements. J'ai proposé 85 F, car le prix actuel ne permet pas aux producteurs d'amortir leurs équipements, donc de devenir économiquement autonomes, indépendants des trop lourdes tutelles qui pèsent encore sur eux. Si on reste dans les ornières actuelles, on va à l'échec ; car les bailleurs de fonds, après un gros effort pour les barrages, ralentissent déjà le financement. Et les organisations de mise en valeur (SAED) tardent à passer la gestion aux organisations paysannes — en partie du fait que l'alphabétisation fonctionnelle reste tout à fait insuffisante.

3. Si ces errements se prolongeaient quelque peu, ou même ne s'atténuaient que lentement, l'avenir me paraît, une fois de plus, très sombre. Le Sénégal de l'an 2000 ne produirait guère plus de la moitié de sa nourriture, ce qui correspondrait, vu la population accrue, à un fort accroissement de ses importations. On ne pourrait plus promettre honnêtement l'autosuffisance alimentaire.

4. A moins qu'intervienne une volonté politique, qui commen-

cerait par relever le prix du paddy à 85 F le kilo ; avec péréquation avec le prix du riz importé.

On continuerait par l'alphabétisation fonctionnelle (en langues nationales) généralisée, suivie d'une postalphabétisation, avec journaux mensuels, formation technique de base, etc. Ainsi les groupements de producteurs prendraient en main la gestion des petits périmètres, réseaux et motopompes, intrants, commercialisation... Avec une action parallèle sur les grands périmètres.

5. Une propagande soutenue pour la culture attelée, les cultures fourragères et les fumures organiques réduirait le poids, actuellement écrasant, des importations d'équipement, de matériel, de carburant, d'engrais chimiques et autres intrants. Cet ensemble d'actions, associé au relèvement du prix du paddy, permettrait aux groupements de producteurs de supporter enfin les charges de l'irrigation. Devenus financièrement autonomes, ils seraient alors maîtres de leurs décisions. Équipés de décortiqueuses (elles peuvent être mues à traction animale), ils commercialiseraient une partie au moins de leur paddy de surplus sous forme de riz.

6. Ces actions montreraient aux bailleurs de fonds la détermination des gouvernements intéressés à réaliser tout ce qui constitue, pour leur part, les bases indispensables de l'autosuffisance alimentaire. A ce moment, ils seront plus forts en face des bailleurs de fonds. Ces derniers ont demandé à ces gouvernements un engagement de mise en valeur agricole rapide de la vallée.

Pour tenir cet engagement, il faut un financement bien plus rapide qu'actuellement de cette mise en valeur. Par ailleurs, le coût de cette mise en valeur peut être largement réduit, si les paysans participent en plus forte proportion aux aménagements : ce qu'ils accepteraient plus volontiers, après le relèvement du prix du paddy.

7. La préférence donnée, pour les prochaines années, aux petits et moyens périmètres, réduirait encore les dépenses. Chaque village pourrait, dans la mesure du possible, recevoir, outre sa parcelle de *fondé* (bien légère pour le riz), une parcelle de *walo*, plus argileuse, plus adaptée à la riziculture.

On pourrait alors sortir de la dictature rizicole, imposée à tort aux paysans, même sur des terres peu aptes au riz. Et leur permettre de développer, à leur gré, sorgho, maïs et petit mil ; oignons, tomates, patates douces, gombos et autres légumes, épices et condiments... Plus tard les fruits, le coton, le sucre...

8. Une seule obligation se justifie, qui assurerait à la fois le maintien d'un certain élevage, son intégration à l'agriculture ; tout en garantissant, grâce aux fumiers, le maintien de la fertilité des sols : celle des *cultures fourragères*, permettant de développer les divers élevages — vaches laitières, bœufs de trait, bovins et petits ruminants d'embouche, etc. Mais ceci ne pourra être imposé qu'après une série d'essais pilotes, de démonstrations, répartis dans toute la vallée. Et après l'interdiction formelle de toute *divagation des animaux*, qui permettrait aux cultivateurs de ne plus clôturer à grands frais les parcelles irriguées. Ce qui détruit les

épineux utilisés en clôtures, accélère le déboisement, l'érosion, la désertification.

9. Du fait de cette désertification, les *vents de sable*, qui soufflent désormais même en plein mois d'août, ont pris en janvier-mars une telle intensité qu'ils compromettent la floraison du maïs de contre-saison chaude.

Les dunes vives sont en marche, surtout rive droite, mais aussi au Sénégal. Ce qui constitue une menace *d'ensablement de la vallée*, si on ne se presse pas de les arrêter ou de les ralentir. Une bande protectrice forestière, de quelques kilomètres de large, s'impose de toute urgence : en arrêter le déboisement, y établir des reboisements. Mais pas seulement aux abords immédiats de la vallée.

10. Bien des choses restent à dire, que vous pourrez trouver dans la note que j'ai remise à l'OMVS. Sans une *volonté politique*, qui peut se marquer d'abord par les mesures énumérées ci-dessus (prix du paddy, alphabétisation fonctionnelle, autonomie des producteurs, etc.), c'est la *survie même*, en tant que *nations indépendantes, de ces trois pays*, qui serait mise en question.

Je vous prie de croire, Monsieur le Président, à mon profond respect, avec mes meilleurs vœux pour votre santé.

René Dumont

A ces deux lettres, le président n'a pas répondu : je le comprends.

P.S. — 1er juin 1986. Le président Abdou Diouf, président en exercice de l'O.U.A., est à la réunion spéciale pour l'Afrique des Nations Unies, évoquée ci-dessus. Les télés, les radios et la quasi totalité des journaux n'en parlent pas, de ce drame africain. Le Mundial de Mexico, Roland-Garros, les 24 Heures du Mans sont le nouvel opium du peuple. « Le pain et les jeux », disait-on à Rome. Mais pour beaucoup le sorgho et le mil, le riz et le maïs, les haricots et le niébé, sans même parler de la viande et du poisson, en sont venus à manquer. De même que le bois pour les cuire, et les voici qui n'ont plus qu'un repas chaud par jour...

ANNEXE XII

Lettre ouverte à Lester Brown

René Dumont, professeur honoraire
à
M. Lester R. Brown, président
du Worldwatch Institute, Washington

Le 10 septembre 1985

Mon cher ami,

Vous m'avez envoyé, en 1984 et 1985, deux études tout à fait remarquables intitulées *State of the World*[1], dont il me paraîtrait fort utile de publier une traduction française. Vous avez réalisé, vers 1970, dans *Seeds of Change*, une apologie que j'avais trouvée trop optimiste de la Révolution verte car elle ne tenait pas suffisamment compte des difficultés d'application de ces remarquables progrès agronomiques[2], dans les milieux socio-économiques des pays démunis, parfois appelés tiers monde. Nous étions ensemble à Rome, en novembre 1974, à la Conférence mondiale de l'alimentation. Et je suis sûr que vous n'avez guère approuvé votre secrétaire d'État Henry Kissinger, quand il a fort imprudemment promis : « Dans 10 ans, pas un enfant dans le monde n'aura faim. »

Dans vos ouvrages récents, vous tenez, fort heureusement, le plus grand compte de la redoutable *dégradation des milieux naturels* : recul des forêts tropicales, disparition progressive des arbres des savanes et des couverts végétaux, dégradation des pâturages par le surpâturage ; par la culture continue, dégradation des sols avec le recul de leur teneur en matières organiques, etc.

Vous liez très justement cette dégradation à l'explosion démographique, dont je signale aussi, dans le livre que je fais paraître sur l'Afrique, le redoutable danger[3]. Vous soulignez que le déclin de l'Afrique, auquel vous consacrez une étude spéciale, peut vite tourner à la catastrophe la plus effroyable. Et que des calamités agricoles menacent le sous-continent indien, que des optimistes impénitents prétendent, un peu vite, déjà tiré d'affaire. Vous êtes plus optimiste vis-à-vis de la Chine, en partie à cause de sa politique — dure — d'un enfant par couple.

Tout cela est vrai, tout cela est fort bien dit, mais tout cela reste insuffisant. Vous ne prenez pas assez en compte les problèmes socio-économiques, et d'abord les inégalités croissantes entre pays riches et pays pauvres — et même appauvris. Ces inégalités, caractérisées par le « pillage du tiers monde », la dégradation des termes de l'échange, un endettement galopant, etc., se prolongent à l'intérieur des pays pauvres. Nos privilèges abusifs, nos gaspillages insensés, ruinent, *détruisent* et *polluent*, non seulement les milieux naturels, mais les *sociétés pastorales* et *paysannes*, à l'égard desquelles nos attitudes ont pu être qualifiées d'ethnocides.

---

1. Worldwatch Institute, W.W. Norton & Cy, New York, London.

2. J'ai été, en janvier 1957, un des premiers agronomes européens à aller voir, à Mexico, le Dr Borlaugh.

3. Je le précisais, dès 1930, dans la *Revue économique de l'Indochine* ; ce qui me fut reproché.

Quand vous soulignez la nécessité de mobiliser les populations d'Afrique pour protéger l'environnement, vous oubliez de signaler que ces paysans et ces paysannes, ces pasteurs et leurs compagnes, sont systématiquement privés de l'accès à une alphabétisation minimum, l'enseignement (du reste antiagricole) étant réservé à « l'élite » — souvent urbaine. Vous oubliez que la « loi du marché » ne s'applique guère qu'aux produits agricoles et minéraux des pays démunis — tandis que les agricultures « riches », les nôtres et les vôtres, sont protégées. De sorte que des paysanneries ruinées ne sont pas en mesure d'appliquer les excellents conseils (fourrages, fumiers, composts, apports organiques, luttes contre les érosions, reboisements, etc.) que nous ne cessons de leur prodiguer.

Tout cela me paraît bien dommage, car ces exclusions diminuent, à mon avis, aux yeux de bien de vos lecteurs, d'ici et d'ailleurs, la portée de vos études. Elles restent cependant d'une grande valeur, que je ne cesse de souligner dans mes écrits.

Cette « lettre ouverte » devant être publiée en Annexe dans le livre *L'Afrique se meurt, si...,* qui va paraître fin de cette année, j'y ajouterais volontiers votre réponse (si vous me l'envoyiez en anglais, et alors je la traduirais) si elle pouvait me parvenir au début d'octobre. Merci encore de votre livre.

Tout ceci n'entache en rien l'estime et l'amitié que je vous porte.

Bien sincèrement

Lester Brown me dit qu'il a probablement sous-estimé ces problèmes, et qu'il ne voit pas d'inconvénient à ce que je publie cette lettre. Dans le n° 1986 de State of the World, il stigmatise la course aux armements URSS-USA qui aboutirait, si elle se prolonge, à la domination du Japon sur l'économie mondiale. J'aurais aimé qu'il y voie aussi l'effondrement du Tiers Monde...

LETTRE DE JEAN MALAURIE

A

RENÉ DUMONT

DU DANGER DES IDÉES FAUSSES
DANS LES POLITIQUES
DE DÉVELOPPEMENT
EN AFRIQUE NOIRE

Mon cher René Dumont[1],

Terre Humaine est honorée de publier votre réquisitoire. Le tiers monde n'est pas une fatalité géographique et il est nécessaire qu'une grande voix indépendante comme la vôtre dénonce des responsabilités.

Permettez-moi de prolonger ici nos échanges de vue déjà anciens.

... Pour l'Afrique, j'accuse est un livre important. Parce que, sur un sujet controversé et essentiel, il dit la vérité. Le progrès — mais qu'est-ce que le progrès ? — appelle une pensée directrice, tenant compte de tous les impacts. En cas d'échec, les actions caritatives internationales ne peuvent tenir lieu de stratégie. L'Afrique Noire en est une affreuse illustration.

Vous êtes, chacun le sait, un agronome de grande compétence. Votre courage intellectuel, votre honnêteté, votre intégrité appellent le respect. Voici bientôt cinquante ans que vous dénoncez, en Asie, en France, en Afrique, des erreurs de conception dans les politiques agronomiques et les égoïsmes.

Votre passion, parfois, vous trompe. Votre immense qualité, votre jeunesse, c'est cette faculté d'écouter les autres et de vous remettre en question, quand la réalité de la vie vous invite à réviser votre jugement. A quatre-vingt-deux ans, vous n'avez pas renoncé à comprendre. Vous allez sur le terrain, habitez chez les paysans, vous asseyez parmi eux, écoutez avec humilité, quitte à vous mettre en contradiction avec vous-même. Il est assez pathétique de vous voir ne pas hésiter — et c'est si rare — à prendre le problème à bras-le-corps dans sa globalité technique, pédagogique, psychologique, économique et politique, et d'essayer d'apporter une solution. Interdit de séjour, vos livres frappés de censure : voilà votre Légion d'honneur. Vous êtes un aventurier de la recherche. Dans chacun de vos ouvrages vous nous faites part de vos indignations ; vous nous soumettez vos propositions, sonnant le tocsin dans nos sociétés anesthésiées par leur confort matériel.

L'Afrique noire est mal partie, L'Afrique étranglée, *ces livres dénonciateurs qui ont suscité l'agacement, pour ne pas dire la colère, de dirigeants africains et d'autorités françaises,*

---

1. Extraits d'une lettre de Jean Malaurie, publiés à la demande de René Dumont.

sont dans toutes les mémoires. Triste rôle que celui de Cassandre ! Car l'Histoire s'accélère et au malheur de la géographie — le Sahara progresse vers le sud de plusieurs kilomètres annuels — s'ajoutent les idées fausses et la cupidité de jeunes pouvoirs.

Nos mauvaises consciences de colonisateurs nous ont conduits à considérer que l'octroi de l'indépendance à des pays sous tutelle était la première condition de leur salut. Hélas ! L'Histoire contemporaine a montré que ce noble mot de liberté allait servir à masquer, souvent, des dominations claniques implacables, manipulées par des forces extérieures. De jeunes bourgeoisies urbaines et fonctionnariales, méprisantes à l'égard de cette paysannerie dont elles sont issues, prennent cyniquement le relais du néocolonialisme. Inattaquables parce qu'issues de pouvoirs indépendants, ces nouvelles classes possédantes filtrent l'aide au tiers monde et la planifient dans le sens de leurs intérêts particuliers. En de nombreux pays africains, l'échec est si patent que les populations rurales — premières et pitoyables victimes des oppressions — en arrivent à silencieusement regretter le temps ancien du colonialisme.

Le socialisme est l'une des convictions de votre vie. C'est l'autre mot clé qui a mobilisé une intelligentsia française pour le tiers monde. Hélas, c'est en Afrique Noire, soi-disant socialiste, que règnent trop souvent prévarication, bureaucratie et police, dénoncées par des leaders tels que le président Abdou Diouf. Que l'on songe à la riche Guinée et à la dictature sanglante de Sekou Touré ! Quel bilan, quand on le compare à celui de la Côte d'Ivoire qui disposait, à la veille de son indépendance, de chances moindres que celles de la Guinée. Dans l'indifférence, les scandales s'ajoutent les uns aux autres. Des palais des mille et une nuits pour des chefs d'État ; le couronnement ridicule, en présence d'autorités européennes, dans un pays exsangue, de l'empereur Bokassa ; des sacs de maïs, des médicaments, destinés aux affamés et détournés à des fins mercantiles par des intermédiaires sans scrupules. Dans certain pays sahélien, un quartier résidentiel récent, particulièrement luxueux, ne porte-t-il pas le nom évocateur de « quartier de la sécheresse » !

Vous avez le mérite d'avoir constamment réfléchi à ces affreux échecs. Assurément, il est des réussites et l'Afrique Noire, en certains pays, avance. Tout est loin d'être négatif et désastreux en Afrique. Dans le long terme, ce continent, de première importance sur le plan géostratégique, à très rapide évolution et à vive expansion démographique, surprendra peut-être l'Europe, au terme de sa douloureuse mutation, par sa faculté de transformer et d'adapter à l'africaine les modèles occidentaux proposés. Cela dit, il n'est pas possible de se taire devant le naufrage de certaines nations africaines.

Si vous demeurez fidèle à l'idéal de justice de Jaurès, vous savez, aussi, à quelles perversions et horreurs le pseudo-socialisme peut aboutir. L'ignorance a un front de bovin. C'est le Cambodge, l'Éthiopie et l'Ouganda. Mais il ne faut pas oublier que les lois de la jungle du marché, talon de fer, premières responsables de ces folles idéologies prétendument justicières, s'exercent toujours au détriment du plus faible.

Le partage du monde, aggravé par d'injustes termes d'échanges, est, évidemment, haïssable. Il n'est pas seulement haïssable, il est explosif à court terme. Et le tiers monde, un des plus grands défis auquel l'Occident conquérant est, aujourd'hui, confronté, n'est pas seulement le problème des Africains, c'est d'abord notre problème. Lorsque le tiers monde ne pourra plus rembourser ses dettes, il faudra bien en venir à repenser l'ensemble du système monétaire. C'est un Keynes, une théorie de l'emploi à l'échelle universelle que nous attendons tous.

Votre livre pose, à mon sens, deux questions fondamentales. La première : assurément, il est nécessaire que l'Afrique du Sahel se développe. La seconde : c'est avec le paysan, et avec lui seul, que l'Afrique sahélienne a une chance de se reconstruire. En homme de terrain, vous proposez des solutions simples que les Bureaux et les Politiques refusent même d'examiner.

Il est assez extraordinaire qu'après deux siècles de sciences économiques et politiques, on en arrive à soutenir pour seule philosophie : repartir à la case départ, c'est-à-dire au commencement du commencement : encourager la cellule paysanne traditionnelle à vivre en autogestion.

Dans l'Arctique où un récent tiers monde boréal s'est constitué, on n'a pas procédé autrement pendant cinquante années : nier les règles traditionnelles, ridiculiser les rites cérémoniels, les réduisant à du folklore ; puis, devant le désastre, s'interroger sur les chances de cette économie autochtone de chasse et de pêche qui n'a jamais été l'économie de production qu'on voudrait instaurer, de concours avec le « tourisme », mais d'abord une civilisation porteuse de sens.

Tout se passe, en Occident, comme si les sciences sociales étaient si secondaires — sciences « molles », sciences « ludiques », — pour les tenants des sciences exactes qui révèrent ce qui fonde le pouvoir, c'est-à-dire la puissance financière et technologique. Tout se passe comme si les sciences sociales qui s'attachent à l'étude de ce qui est à la base de la civilisation humaine n'étaient que d'un intérêt, disons-le, littéraire. Dans les « grandes écoles » françaises, les écoles d'administration du Mali, du Burkina-Faso, du Niger, du Sénégal, qui donc enseigne, avec précision — et non pas en pointillé — que ces sociétés paysannes africaines sont au cœur même de l'avenir de ces peuples, avec leurs croyances, leurs rites cérémoniels, leur pensée sauvage, leur vraie sagesse ? Comme le dit Marc Augé, « l'Afrique, c'est d'abord une mémoire » « ... ; le seul moyen de ne pas laisser dissoudre une modernité volatile et, pour beaucoup, illusoire, est d'en récupérer ce qui est récupérable pour l'investir dans le seul univers de sens qui tienne le coup ».

Aux États-unis, il est, comme en Angleterre, des organismes de réflexion, animés par des spécialistes des sciences sociales. Leurs travaux sont diffusés sous forme de livres blancs ; ils constituent un contre-pouvoir vis-à-vis des gouvernements. C'est le vœu que je formule à l'égard des autorités de ces quatre pays sahéliens. Le développement ne peut être conçu comme si l'homme n'existait pas. Développer, c'est aller dans le sens de l'Histoire et du génie d'un peuple. C'est, comme nous le rappelle Ballanche, dans sa Palingénésie, en revendiquant son passé — quel qu'il soit — qu'une société traditionnelle menacée invente un avenir.

Autre idée qui me paraît importante. Il est grand temps qu'on ne considère plus le tiers monde du seul point de vue économique : PNB, dette, budget en équilibre, investissements africains en Afrique. Depuis des millénaires, ces pays ont leur propre Histoire et la première règle élémentaire qui devrait dominer l'action de tout coopérant, de tout administrateur, est d'accepter d'être au service d'un peuple. La politique doit être africaine et pour l'Afrique. Or, il n'est de société traditionnelle que religieuse. Nous autres, Occidentaux, et les Africains à notre école, sous l'effet de notre rationalisme laïque et confortés par des religions révélées, regardons avec distance amusée ces pratiques religieuses traditionnelles millénaires. Or, on ne peut coopérer avec une société sans être en empathie avec ce qui constitue sa colonne vertébrale, c'est-à-dire ses mythes, sa tradition paysanne animique. Agir autrement, les considérer comme des superstitions d'un autre âge, c'est procéder en *ignorant et concourir à précipiter la décadence de peuples qui se clochardiseront bientôt dans les bidonvilles de leur capitale.*

Je sais, René Dumont, que vous serez attaqué par les indifférents de tous bords et les maîtres du "ya ka". Ces théoriciens du progrès dont les idées généreuses vont contre les intérêts immédiats des sociétés dont ils ont la charge. On connaît la litanie du long terme. Le temps n'est pas loin où ils en viendront à juger dans leurs vastes considérations sur l'Afrique et l'humanité que l'homme, l'Africain, les dérange. Utopistes, traditionnalistes, romantiques, vous, moi,... Ah ! Les bons apôtres ! Non, ce sont nous les réalistes. Car nous savons, hélas, que ce seront ces malheureux qui paieront les folies de nos savants planificateurs et que l'homme humilié, déraciné, arraché à sa culture, sera le furieux, le terroriste de demain. Il est plus : l'Afrique noire connaît encore un art de vivre que nous n'avons plus, hélas, nous Européens. Une société villageoise qui frappe tous ceux qui ont eu le bénéfice de partager son rire dans la quotidienneté. La convivialité, la solidarité familiale dans le malheur, l'ironie, l'humour, le respect d'autrui, l'art de conter, sont des vertus éminemment africaines. Il est à craindre que le « productionnisme », dans sa volonté d'arasement et selon des modèles importés d'un capitalisme libéral ou d'un socialisme d'Etat, ne participe à la destruction de ce si précieux art africain de vivre ensemble. La suite, on le devine : une société, en effet, peut aussi mourir d'ennui. Que nos éminents économistes, dans leurs épures, y songent parfois.

L'Afrique du Sahel qui connaît une explosion démographique sans précédent fait face à une récente désertification. Depuis des siècles, elle avait su, avec une moindre population, s'adapter aux aléas climatiques. Pour qu'elle ait une stratégie de défense, le Sahélien doit être debout. Renforcer une société traditionnelle au moment précis où elle est appelée à évoluer est le défi que les gouvernements africains devraient lancer à leurs populations rurales. Comment ? Mais... en revalorisant leurs productions. On ne peut aller de l'avant qu'en assurant les arrières. Miner, comme on le fait résolument à l'école primaire, secondaire, supérieure, et au marché, les structures mentales et économiques, c'est aggraver les conséquences des malheurs géoclimatiques. Faut-il prévoir que les pays du Sahel connaîtront le destin de la Mauritanie, jadis habitée par un peuple fier, aujourd'hui à soixante-dix pour cent assisté, et dont la capitale, Nouakchott, avec six cent mille malheureux, est le plus grand camp de réfugiés d'Afrique ?

De ces faits tragiques, la géographie n'est pas, seule, responsable. Il n'est de pire malheur qui s'abatte sur un peuple que les idées fausses. Le fellah égyptien, avec le barrage d'Assouan, commence à en goûter l'amère saveur. La terre ne peut devenir humaine que dans le respect des différences, mais pour les respecter, encore faut-il ne pas commencer, dans notre tête, à les nier...

Jean MALAURIE
Mars 1986

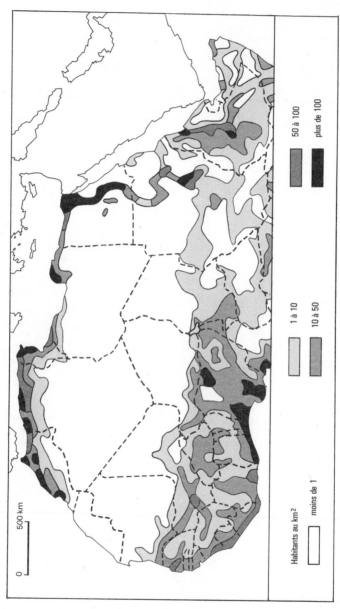

Densité de la population

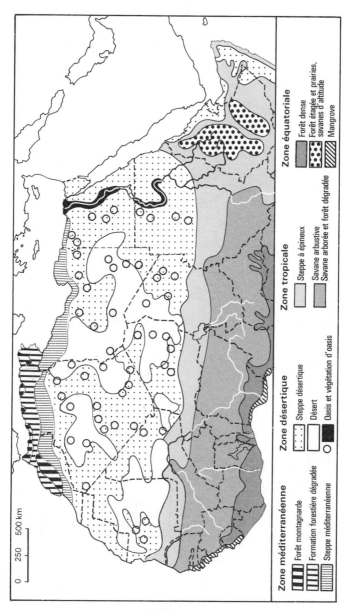

Végétation

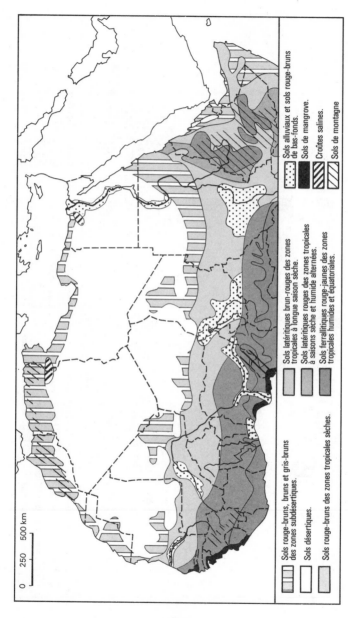

Sols

Légende:

Sols rouge-bruns, bruns et gris-bruns des zones subdésertiques.

Sols désertiques.

Sols rouge-bruns des zones tropicales sèches.

Sols latéritiques brun-rouges des zones tropicales à longue saison sèche.

Sols latéritiques rouges des zones tropicales à saisons sèche et humide alternées.

Sols ferrallitiques rouge-jaunes des zones tropicales humides et équatoriales.

Sols alluviaux et sols rouge-bruns de bas-fonds.

Sols de mangrove.

Croûtes salines.

Sols de montagne

0   250   500 km

GLOSSAIRE

Acacia : Arbre. Ce genre compte de nombreuses espèces précieuses par leur fixation d'azote, leurs gousses et feuilles fourragères, leur résistance à l'aridité. Les espèces les plus répandues au Sahel sont : *A. albida* (Gao au Niger, Cadd au Sénégal), *A. nilotica, A. raddiana, A. Senegal* (donne la gomme arabique), *A. Segal.*

Balanites aegyptiaca : Arbre encore plus résistant à la sécheresse que les acacias, précieuse ressource fourragère, par ses feuilles et ses fruits, de la zone semi-aride.

Bas-fonds : Vallées sèches, proches de la nappe phréatique et qui, de ce fait, peuvent être aisément arrosées en saison sèche, grâce à des puisards profonds de 5 à 10 m. Se cultivent souvent en légumes ; seraient d'un rendement plus nutritif si on y cultivait la patate douce.

Combretum : Petits arbres de la zone soudanienne appelés Kin Keliba *(C. Raimbaulti, C. micranthum),* utilisés pour le bois de feu et dont les feuilles sont largement utilisées en infusions pour combattre la fièvre.

Composts : Mélange d'herbes, de feuilles, de déchets des cuisines et de tous débris végétaux qui peuvent fermenter et suppléer au manque de fumier afin d'assurer la fourniture de matières organiques au sol.

Gabion : Treillis de grillage souvent de 2 m sur 1 et 0,50 m de haut, dans lesquels on entasse des pierres. On lie les gabions les uns aux autres pour former un mur qui arrête les eaux ruisselantes, les empêche de creuser les ravins d'érosion et les oueds.

Humus : Matière organique du sol, résultant de la fermentation des débris végétaux et animaux qui y ont été incorporés.

Intrants : Moyens de production nécessaires à la culture, comme engrais, semences, pesticides, matériel de cultures ou de pompage, outils divers, etc.

Jachère : Période de repos des champs lorsqu'on cesse de les cultiver pendant une ou plusieurs années, ce qui permet à la végétation naturelle de se développer. Celle-ci nourrit le bétail et, une fois enfouie à la remise en culture, regarnit les sols de la matière organique qui est indispensable au maintien de la fertilité.

Karité : *Butyrospermum Parkii,* arbre de la zone soudanienne spontané en savane boisée, une sapotacée qui produit des amandes riches en graisse et donne le beurre de karité.

Neem : *Azadirachta indica,* arbre introduit en Afrique à partir de l'Inde au début du siècle, propagé au Sénégal dès 1944, se répand vite dans tout le Sahel pour le bois de feu et le bois d'œuvre, les poteaux, l'ombrage.

Néré : Arbre, *Parkia biglobosa,* dont les gousses donnent une pulpe nourricière.

Oueds : Rivières temporaires qui coulent après les pluies, et quelquefois toute la saison des pluies, mais sont plus souvent à sec.

Savane : Région où il tombe entre 250 mm à 1 m de pluie. Elle était garnie de hautes graminées du type Andropogon, et d'arbres productifs, dispersés dans les champs, comme le karité. Avec le recul des pluies et le déboisement, elle tend vers la steppe.

Steppe : Espace au sud du désert, avec des pluies situées entre 100 et 250 mm. Après les pluies elle est recouverte d'herbes rases, parsemée d'arbustes épineux, trop souvent en voie de disparition.

Tamarinier : *Tamarindus indica,* arbre légumineuse qui produit en abondance des gousses à pulpe noirâtre, sucrée et acidulée, qui est utilisée pour les jus, limonades et confitures, et les purgatifs doux.

BIBLIOGRAPHIE SÉLECTIONNÉE

DES PROBLÈMES DU TIERS MONDE

ARNAUD, Pascal. *La dette du tiers monde,* La Découverte, Paris, 1984, 126 pages.

BAIROCH, Paul. *Le tiers monde dans l'impasse,* le démarrage économique du XVIIIᵉ siècle au XXᵉ siècle, Gallimard, Paris, 1971 et 1983.
Révolution industrielle et sous-développement, Sedes, Paris, 1961, 706 pages.
De Jéricho à Mexico : Villes et économie dans l'histoire, Gallimard, Paris, 1985.

BESSIS, Sophie. *La dernière frontière,* J.-C. Lattès, Paris, 1983, 298 pages.

BRISSET, Claire. *La santé dans le tiers monde,* La Découverte/le Monde, Paris, 1984, 256 pages.

Collectif CEDETIM. *Le non-alignement,* La Découverte, Paris, 1985, 149 pages.

COSMAO, Vincent. *Un monde en développement,* les Éditions ouvrières, Paris, 1984, 138 pages.

COT, Jean-Pierre. *À l'épreuve du pouvoir,* le tiers-mondisme, pour quoi faire ?, le Seuil, Paris, 1984, 220 pages.

FANON, Frantz. *Les damnés de la terre,* Maspero, Paris, 1961, 242 pages.

FURTADO, Celso. *Le mythe du développement économique,* Anthropos, Paris, 1976.

GALEANO, Eduardo. *Les veines ouvertes de l'Amérique latine,* Terre Humaine/Plon, Paris, 1981, 436 pages. (1971 en espagnol).

GARCIA, Rolando. *Systèmes alimentaires et société. Un défi conceptuel et méthodologique,* UNRISD, Genève, 1983.

GIRI, Jacques. *L'Afrique en panne,* Karthala, Paris, 1986, 204 pages.

GRANOTIER, Bernard. *La planète des bidonvilles,* Perspectives de l'explosion urbaine dans le tiers monde, le Seuil, Paris, 1980, 381 pages.

JACQUEMOT, P. et RAFFINOT, M. *Accumulation et développement,* L'Harmattan, Paris, 1985, 408 pages.

JALÉE, Pierre. *Le pillage du tiers monde,* Maspero, Paris, 1965.

JOUVE, Edmond. *Le tiers monde dans la vie internationale,* Berger-Levrault, Paris, 1983, 294 pages.

LACOSTE, Yves. *Géographie du sous-développement,* PUF, Paris, 1965.

LIPIETZ, Alain. *Mirages et miracles,* problèmes de l'industrialisation dans le tiers monde, La Découverte, Paris, 1985, 188 pages.

413

Lipton, Michael. *Why poor people stay poor ?* A study of urban bias in world development, Temple Smith, Londres, 1977.

Lombardi, Richard W. *Le piège bancaire,* dettes et développement, Flammarion, Paris, 1985, 342 pages.

Meister, Albert. *La participation pour le développement,* les Éditions ouvrières, Paris, 1977, 176 pages.

Mende, Tibor. *De l'aide à la recolonisation,* le Seuil, Paris, 1972.

Partant, François. *La fin du développement,* Maspero, Paris, 1982, 187 pages.

Pisani, Édgard. *La main et l'outil.* Le développement du tiers monde et l'Europe, Robert Laffont, Paris, 1984, 252 pages.

Raulin, H. et Raynaud, E. *L'aide au sous-développement,* PUF, Paris, 1980.

Rouillé d'Orfeuil, Henri. *Coopérer autrement,* L'Harmattan, Paris, 1984, 301 pages.

Sachs, Ignacy et alien. *Initiation à l'éco-développement,* Privat, Toulouse, 1981.

Schneider, Bertrand. *La Révolution aux pieds nus,* rapport au Club de Rome, Fayard, Paris, 1985, 344 pages.

Terre des femmes. Panorama de la situation des femmes dans le monde, La Découverte, Paris, 1982, 448 pages.

Timberlake (Lloyd). *L'Afrique en crise,* L'Harmattan, Paris, 1985, 292 pages.

Werner, David. *Là où il n'y a pas de docteur,* ENDA, Dakar, 1981, 442 pages.

Ziegler, Jean. *Vive le pouvoir !,* le Seuil, Paris, 1985, 282 pages.

Rapports annuels. Banque Mondiale.

Examen 1984. *Coopération pour le développement.* OCDE, Paris.

Revue tiers monde. IEDES, Paris et spécialement :
N° 51 : Le développement rural, n° 94 : Population et développement, n° 99 : La Dette du tiers monde, n° 100 : Le développement en question.

Ramses 83/84. IFRI-Economica, Paris, 1984.

Revue mensuelle *Croissance des Jeunes nations, Paris.*

Critiques de l'économie politique : *paysannerie et réformes agraires,* janvier-mars 1974.

LA FAIM DANS LE MONDE

Bessis, Sophie. *L'arme alimentaire,* Maspero, Paris, 1981.

Buchanan, Anne. *Food poverty and Power,* Spokesman, Londres, 1982.

Carfantan, J.-Y. Condamines, Ch. *Vaincre la faim c'est possible,* le Seuil, Paris, 1983.

De Castro, Josué. *La Géographie de la faim,* Boston, 1952, le Seuil, Paris, 1964.

Dumont, R. et Rosier, B. *Nous allons à la famine,* le Seuil, Paris, 1966, 279 pages.

ERARD, P., MOUNIER, Fr. *Les marchés de la faim.* L'aide alimentaire en question, La Découverte, Paris, 1984, 210 pages.

GEORGES, Susan. *Comment meurt l'autre moitié du monde ?* Robert Laffont, Paris, 1978.

LENOIR, René. *Le tiers monde peut se nourrir.* Rapport au club de Rome, Fayard, Paris, 1984, 210 pages.

LINHART, Robert. *Le sucre et la faim.* Région sucrière du nord-est brésilien, les Éditions de Minuit, Paris, 1980, 95 pages.

PROVENT, A., RAVIGNAN (DE), Fr. *Le nouvel ordre de la faim,* révolutions paysannes, le Seuil, Paris, 1977.

RAVIGNAN (DE), François. *La faim pourquoi ?* Syros, Paris, 1983, 125 pages.

Divers auteurs. *Famines et pénuries:* La faim dans le monde et les idées reçues, Maspero, Paris, 1982.

Rapports à la Commission indépendante sur les questions humanitaires internationales de Genève : Famine, la déforestation, la désertification, Berger-Levrault, Paris, 1985.

DES PROBLÈMES AFRICAINS

ACHEBE, Chinua. *Le monde s'effondre* (société précoloniale en Nigeria), Présence africaine, Paris, 1972.

ALLAND, Alexander. *La danse de l'araignée,* Terre Humaine/Plon, Paris, 1984, 340 pages.

ANDREIS, J.-Cl., LAMBERT, M.-L. *La Guinée Bissau,* Milcar Cabral à la reconstruction nationale, L'Harmattan, Paris, 1978.

BALANDIER, Georges. *L'Afrique ambiguë,* Terre Humaine/Plon, Paris, 1969.

BETI, Mongo. *Main basse sur le Cameroun,* Éditions québécoises, 1974, 218 pages.

BIARNÈS, Pierre. *L'Afrique aux Africains.* 20 ans d'indépendance en Afrique noire francophone, Armand Colin, Paris, 1980, 480 pages.

BUGNICOURT, Jacques. *Disparités régionales et aménagement du territoire en Afrique,* Armand Colin, Paris, 1971, 345 pages.

CABRAL, Amilcar. *Unité et lutte :* l'arme de la théorie ; la pratique des armes, Maspero, Paris, 1975-1980.

CHALIAND, Gérard. *Lutte armée en Afrique,* Maspero, Paris, 1967.

CHEIKH HAMIDOU, Kane. *L'aventure africaine,* Julliard, Paris, 1961.

COQUERY-VIDROVITCH, Catherine. *Afrique Noire.* Permanences et ruptures, Payot, Paris, 1985, 440 pages.

DEBLÉ, Isabelle, HUGON, Philippe, etc. *Vivre et survivre dans les villes africaines,* IEDES-PUF, Paris, 1982, 310 pages.

DUPRIEZ, H., DE LEENER, Ph. *Agriculture tropicale en milieu paysan africain.* Terres et vie, ENDA, L'Harmattan, Paris, 1983, 279 pages.

ELA, Jean-Marie. *La ville en Afrique noire,* Karthala, Paris, 1983, 219 pages.

GHAI, DHARAM et RADWAN. *Agrarian policies and rural poverty in Africa,* B.I.T. Genève, 1980.

GOSSELIN, Gabrielle. *L'Afrique désenchantée.* Sociétés et stratégie de transition en Afrique tropicale, Anthropos, Paris, 1978, 374 pages.

HAUBERT, Maxime et alien. *Politiques alimentaires et structures sociales en Afrique noire,* IEDES-PUF, Paris, 1985.

HOCHET, Anne-Marie. *Afrique de l'Ouest. Les paysans ces « ignorants » efficaces,* L'Harmattan, Paris, 1985, 171 pages.

JOINET, Bernard. *Tanzanie,* Manger d'abord, Karthala, Paris, 1981, 261 pages.

KODJO, Edem. *Et demain l'Afrique,* Stock, Paris, 1985, 362 pages.

LABONNE, Michel. *Sur la question alimentaire en Afrique,* INRA, Paris, 1984.

LE BRIS, LE ROY et LEIMDORFER. *Enjeux fonciers en Afrique noire,* ORSTOM Karthala, Paris, 1983, 425 pages.

LUSIGNAN (DE), Guy. *L'Afrique noire depuis l'indépendance,* l'évolution des États francophones, Fayard, Paris, 1970, 410 pages.

MALDANT, R. HAUBERT, M. *Croissance et conjoncture dans l'Ouest africain,* IEDES-PUF, Paris, 1973, 350 pages.

MAQUET, Jacques. *Les civilisations noires,* Marabout, Bruxelles, 1966, 317 pages.

M'BOKOLO, Elikia. *L'Afrique au XXe siècle,* le continent convoité, le Seuil, Paris, 1985, 391 pages.

MÉRAND, Patrick. *La vie quotidienne en Afrique noire* à travers la littérature africaine, L'Harmattan, Paris, 1984, 239 pages.

MISKÉ, Ahmed Baba. *Lettre ouverte aux élites du tiers monde,* Le Sycomore, Paris, 1981, 148 pages.

MONTEIL, Vincent. *L'Islam noir,* le Seuil, Paris, 1964, 367 pages.

SEYDOU, Badian. *Les dirigeants africains face à leur peuple,* Maspero, Paris, 1964, 183 pages.

TENAILLE, Frank. *Les 56 Afriques,* Guide politique, Maspero, Paris, 1979, 2 volumes, 225 et 248 pages.

La France contre l'Afrique. Tricontinentale, Maspero, Paris, 1981, 271 pages.

Ministère de l'Agriculture, Burkina-Faso. *Séminaire national sur la mise en œuvre de la politique agricole,* mars 1985.

TOYNBEE, A.J. *Afrique arabe, Afrique noire,* Sindbad, Paris, 1972.

Revue *Politique africaine,* Paris, et surtout :
N° 2 : L'Afrique dans le système international, n° 14 : Les paysans et le pouvoir en Afrique noire.

Revue tiers monde, Paris, 1978, n° 73 : Environnement et développement en Afrique. Direction Jacques Bugnicourt.

Cahiers ORSTOM, Paris, Séries Sciences humaines : nombreuses études géographiques, sociologiques, démographiques, anthropologiques, dont beaucoup sur l'Afrique.

Banque Mondiale.

416

— Le développement *accéléré*[1] de l'Afrique au sud du Sahara (Rapport Elliot Berg), 1981.

— L'Afrique au sud du Sahara : Rapport intérimaire sur les perspectives et programmes de développement, 1983.

— Un programme d'action concerté pour le développement *stable*[1] de l'Afrique au sud du Sahara, 1984.

Publications de l'ENDA (B.P. 3370, Dakar) et plus spécialement :

Avril 1975. Numéro spécial sur la sécheresse, 133 pages.

Avril 1977. Éducation environnementale et développement en Afrique. Jacques Bugnicourt.

Nov. 1977. *Agriculture africaine :* problèmes nouveaux, solutions anciennes, 354 pages.

Nov. 1979. Tilba Mostafa. État de l'environnement.

Nov. 1981. Enfance-jeunesse dans les environnements soudano-sahéliens, 639 pages.

Revues

— *Institut français d'Afrique noire.* IFAN devenu depuis Institut fondamental d'Afrique noire (pour garder les initiales)

— *Cahiers d'études africaines.* CNRS, Paris.

— *Afrique contemporaine.* La Documentation française, Paris.

— *Politique africaine,* surtout les n° 14 et n° 20 (Karthala), Paris.

— *Présence africaine, Paris.*

— *Le mois en Afrique, Paris.*

— *Jeune Afrique, Paris.*

— *Afrique-Asie, Paris.*

— *África* (Dakar).

— *La lettre de Solagral* (Rennes).

— *Le défi* (Terres des hommes), Paris.

— Les publications de Frères des Hommes, Peuples solidaires.

DES PROBLÈMES DU SAHEL

ADAMS, Adrian. *Le long voyage des gens du Fleuve,* Maspero, Paris, 1977, 222 pages.
La terre et les gens du Fleuve, L'Harmattan, Paris, 1985, 243 pages.

BA, Moctar. *Approche éco-énergétique d'un écosystème sahélien.* Plaine de M'Pourié, Mauritanie, ENDA, Dakar, 1979.

BELLONCLE, Guy. *Le chemin des villages,* L'Harmattan-ACCT, Paris, 1979, 286 pages.
·*Jeunes ruraux du Sahel,* L'Harmattan, 1979, 239 pages.
Femmes et développement en Afrique sahélienne. Nouvelles Éditions africaines et les Éditions ouvrières, Paris, 1980, 212 pages.
La question paysanne en Afrique noire, Karthala, Paris, 1982.
Paysanneries sahéliennes en péril, L'Harmattan, Paris, 1985, 246 pages.

---

1. Notez : « stable » ; et non plus : « accéléré ». C'est plus modeste !

417

BENOIT, Michel. *Le chemin des Peuls du Boobola ;* contribution à l'écologie du pastoralisme en Afrique des savanes, ORSTOM, Paris, 1979, 208 pages.
Oiseaux de mil, ORSTOM, Paris, 1982, 117 pages.
BERNUS, Edmond et Suzanne. *Du sel et des dattes.* Introduction à l'étude de la communauté d'In Gall et de Tegida n' Tessent, Études nigériennes, Niamey, 1972, 128 pages.
CHLECQ, Jean-Louis, DUPRIEZ, Hugues, *Métiers de l'eau du Sahel, eau et terres en fuite,* Terres et Vie, ENDA, L'Harmattan, Paris, 1984, 128 pages.
CISSÉ, Moussa. et alien. *Mali,* Le paysan et l'État, L'Harmattan, Paris, 1981, 197 pages.
COPANS, Jean et alien. I. *Sécheresse et famines du Sahel,* 156 pages ; II. *Paysans et nomades,* 144 pages, Maspero, Paris, 1975.
COULIBALY, Augustin Sondé. *Les Dieux délinquants,* Imprimerie nationale, Ouagadougou, 1974.
DECRAENE, Philippe. *Le Mali,* PUF - Que sais-Je ?, Paris, 1980, 125 pages.
DERRIENNIC, Hervé. *Famines et dominations en Afrique noire,* paysans et éleveurs du Sahel sous le joug, L'Harmattan, Paris, 1977, 286 pages.
DIA, Oumar et COLIN-NOGUÉS, Renée. *Yakari,* l'autobiographie d'Oumar, Maspero, Paris, 1982, 250 pages.
DIOP, Abdoulaye Bara. *Société Toucouleur et migration.* L'émigration Toucouleur à Dakar, IFAN, Dakar, 1965.
DIOP, Ousmane Blondin. *Les héritiers d'une indépendance,* Les nouvelles éditions africaines, Dakar, 1982, 108 pages.
DUMONT, René, MOTTIN, Marie-France, *Le défi sénégalais,* ENDA, Dakar, 1983.
ELA, Jean-Marc. *L'Afrique des villages,* Karthala, Paris, 1982, 228 pages.
FIÉLOUX, Michelle. *Les sentiers de la nuit.* Les migrations rurales des Lobi de la Haute-Volta vers la Côte-d'Ivoire, ORSTOM, Paris, 1980, 189 pages.
GALLAIS, Jean. *Hommes du Sahel,* Flammarion, Paris, 1984, 289 pages.
GIRI, Jacques. *Le Sahel demain.* Catastrophe ou renaissance ? Karthala, Paris, 1983, 325 pages.
KEITA, Thérèse. « Développement de la riziculture » (Étude socio-économique de Namadé). Étude MDR-FED, Niamey, août 1983.
LEYNAUD, E. et CISSÉ, Y. *Paysans Malinké du Haut-Niger.* Traditions et développement rural en Afrique soudanaise, Imprimerie populaire du Mali, 1978, 451 pages.
MAGASA, Amidou. *Papa commandant a jeté un grand filet devant nous.* Les exploités des rives du Niger 1902-1962, Maspero, Paris, 1978, 163 pages.
N'DONGO, Sally. *Coopération et néocolonialisme,* Maspero, Paris, 1976, 199 pages.
NICOLAS, DOUMESCHE, MOUCHÉ. *Étude socio-économique de deux*

villages Hausa, vallée de Maradi Niger, IFAN, Niger, et CNRS Paris, 1968, 257 pages.

SAGLIO, Christian. *Sénégal.* Petite planète, le Seuil, Paris, 1980, 191 pages.

SAGLIO et DESJEUX. *Casamance,* L'Harmattan, Paris, 1984, 70 pages.

SCHREYGER, Emil. *L'Office du Niger au Mali,* Steiner et L'Harmattan, Paris, 1983, 394 pages.

SCHWARTZ, Alfred. *La vie quotidienne dans un village Guéré,* INADES, Abidjan, 1981, 178 pages.

TRINCAZ, Jacqueline. *Colonisations et religions en Afrique noire.* L'exemple de Zinguinchor, L'Harmattan-CNRS, Paris, 1980.

WATA, Issoufou. *Régression de la gommeraie et désertification au Niger,* ENDA, Dakar, 1979.

Paroles de brousse. Des villageois africains racontent, GRAAP, Bobo-Diolasso et Karthala, Paris, 1982, 115 pages.

Comprendre une économie rurale. Institut panafricain pour le développement, L'Harmattan, Paris, 1981, 170 pages.

INDEX

INDEX DES ORGANISMES
ET DES CONFÉRENCES

INDEX DES LIEUX

INDEX DES NOMS

433

INDEX THÉMATIQUE

438

440

Production laitière p. 27
Arachide p. 31
Champ des femmes p. 32
Mil p. 27
Culture attelée p. 42
Sorgho p. 110
Paddy p. 134
Patate douce p. 151
Riz p. 168

PRODUCTIVITÉ : voir PRODUCTION AGRICOLE

PROTECTION DES SOLS : voir aussi DÉBOISEMENT, DÉGRADATION DES SOLS, DÉSERTIFICATION, ÉROSION, REBOISEMENT, SÉCHERESSE, SURPATURAGE, SURPOPULATION
Nécessité des clôtures p. 23 voir aussi PRIX
Banquettes anti-érosives pp. 59, 60, 78, 102
Brise-vent pp. 24, 78, 101, 174, 394
Jardins irrigués en bas fond p. 78
Barrage de Gabion p. 78
Épandage p. 99
Fixation des dunes pp. 100, 174
Prix de conscience des femmes p. 116
Autodiscipline d'un peul voir ETHNIE
Mise en dépens p. 101
Discipline du bétail pp. 23, 101
Régénération des forêts p. 102
Ligneuse p. 107
Culture fourragère p. 190
Culture attelée p. 190
Élevage intensif p. 190
Protection du patrimoine p. 364

R

REBOISEMENT : voir aussi AGRICULTURE, ARBRE, DÉBOISEMENT, PROTECTION DES SOLS
Création de bocages pp. 102, 103, 104, 390
Enseignement p. 162
Difficultés p. 363

RELIGION : voir aussi MARABOUT, ORGANISATIONS RELIGIEUSES
Évangélisation pp. 51, 164
Chefferie religieuse p. 360
Secte voir aussi ETHNIE, pp. 27, 37, 106, 108, 144, 147, 164, 300, 315

REVENU : voir aussi COMMERCE, ÉCONOMIE, PROFIT
Afrique p. 202
Inégalité nord/sud p. 285 voir aussi EXPORTATION
Inégalité ville/campagne pp. 41, 44, 389

S

SALAIRE : voir aussi COMMERCE, ÉCONOMIE, REVENU
Producteur d'arachide p. 41
Vulgarisateur p. 60

SANTÉ : voir aussi MÉDECINE
Mauvais conseils pp. 322, 323
Mortalité : infantile pp. 82, 236, 252, 257, 315, 317, 321, 324 voir aussi ENFANT ; de la femme pp. 117, 121, voir aussi FEMME
Maladies nutritionnelles pp. 320, 322, 324, 325, 376
Infections parasitaires pp. 315, 324

SÉCHERESSE : voir aussi DÉBOISEMENT, DÉGRADATION DES SOLS, DÉSERTIFICATION, ÉROSION, PLUVIOMÉTRIE
Dates marquantes p. 19
Burkina-Faso p. 297
Mali p. 128
Niger p. 308
Sahel pp. 304, 306, 320
Sénégal p. 309

SOCIÉTÉ D'ÉTAT, ENTREPRISES NATIONALISÉES : voir aussi COLLECTIVISATION AGRICOLE, ÉCONOMIE, FERME D'ÉTAT
Inertie p. 65
Des terres p. 79
Corporatisme p. 91
Étatisme p. 289

SOLS : voir aussi AGRICULTURE, CULTURES, DÉGRADATION DES SOLS, PRAIRIES, PROTECTION DES SOLS
Terre fondée p. 187
Hollaldes p. 187
Dunes vives pp. 99, 100

SUBVENTION : voir aussi AIDE INTERNATIONALE, COOPÉRATION, EXPERTS
Des facteurs de production importé pp. 47, 48, 190
Des pâturages pp. 105, 106
De l'eau p. 109
De la culture attelée p. 190
De l'élevage intensif p. 190
De la culture fourragère p. 190
Effets pp. 177, 178, 179, 268

SURPATURAGE : voir aussi DÉBOISEMENT, DÉGRADATION DES SOLS, DÉSERTIFICATION, ÉROSION
Divagation du bétail pp. 23, 125, 393
Conséquences pp. 26, 55, 214

PRINCIPAUX OUVRAGES DE RENÉ DUMONT

La culture du riz dans le delta du Tonkin.[*][1] Société d'éditions géographiques, maritimes et coloniales, 1935, 435 pages.
Misère ou prospérité paysanne ?[*] Éditions Fustier, 1936. 183 pages.
Le problème agricole français.[*] Éditions nouvelles, 1946, 382 pages.
Les leçons de l'agriculture américaine.[*] Flammarion, 1949, 368 pages.
Voyages en France d'un agronome. Librairie de Médicis, 1951, 466 pages.
Économie agricole dans le Monde.[*] Dalloz, 1954, 597 pages.
Révolution dans les campagnes chinoises.[*] Le Seuil, Collection Esprit, 1957, 463 pages.
Évolution des campagnes malgaches.[*] Imprimerie officielle Tananarive, 1959, 235 pages.
Terres vivantes. Plon, Collection Terre humaine, 1961, 334 pages.
Reconversion de l'économie agricole : Guinée, Côte-d'Ivoire, Mali.[*]Cahiers tiers monde IEDES-PUF, 1961, 212 pages.
L'Afrique noire est mal partie. Le Seuil, Collection Esprit, 1962, 287 pages, Collection Points, 1966, 254 pages.
Sovkhoz, Kolkhoz ou le problématique communisme.[*] Le Seuil, Collection Esprit, 1964, 380 pages.
Cuba, Socialisme et Développement. Le Seuil, Collection Esprit, 1964, 190 pages.
Chine surpeuplée, tiers monde affamé. Le Seuil, Collection Esprit, 1965, 313 pages.
Nous allons à la famine (avec Bernard Rosier). Le Seuil, Collection Esprit, 1966, 280 pages.
Développement et Socialismes (avec Marcel Mazoyer). Le Seuil, Collection Esprit, 1969, 330 pages.
Cuba est-il socialiste ? Le Seuil, Collection Points politique, 1970, 249 pages.
Paysanneries aux abois, Ceylan, Tunisie, Sénégal.[*] Le Seuil, Collection Esprit, 1972, 254 pages.
L'Utopie ou la mort ! Le Seuil, Collection l'Histoire immédiate, 1973, 258 pages. Collection Points politique, 1974, 190 pages.
L'Agronome de la Faim.[*] Robert Laffont, Collection Un homme et son métier, 1974, 394 pages.
La croissance de la famine. Le Seuil Collection techno-critique, 1975, 191 pages. Collection Points politique, 1980, 185 pages.
Chine, la révolution culturelle. Le Seuil, Collection l'Histoire immédiate, 1976, 220 pages.

---

1. Les ouvrages épuisés sont marqués d'un astérisque.

Seule une écologie socialiste...* Robert Laffont, 1977, 286 pages.

Nouveaux voyages dans les campagnes françaises (avec François de Ravignan). Le Seuil, Collection l'Histoire immédiate, 1977, 318 pages.

Paysans écrasés, terres massacrées (Équateur, Inde, Bangladesh, Thaïlande, Haute-Volta).* Robert Laffont, 1978, 359 pages.

L'Afrique étranglée (avec M.-F. Mottin). Le Seuil, Collection l'Histoire immédiate, 1980, 264 pages. Collection Points politique, 1982, 283 pages.

Le mal développement en Amérique latine, Mexique, Colombie, Brésil (avec M.-F. Mottin), le Seuil, Collection l'Histoire immédiate, 1981, 282 pages. Collection Points politique, 1983, 282 pages.

Le défi sénégalais (avec M.-F. Mottin), Éditions ENDA, série études et recherches, 1982, 68 pages.

Une série *Finis les lendemains qui chantent,* Éditions du Seuil, Collection l'Histoire immédiate

Tome 1 : *Albanie-Pologne-Nicaragua,* 1983, 312 pages

Tome 2 : *La Chine décollectivise,* 1984, 334 pages

Tome 3 : *Bangladesh-Népal, « l'aide » contre le développement,* (avec Charlotte Paquet), 1985, 285 pages.

Les raisons de la colère, ou l'utopie et les Verts (avec Charlotte Paquet) Éditions Entente, 1986, 137 pages.

TABLE DES ILLUSTRATIONS IN TEXTE

TABLE DES ILLUSTRATIONS HORS TEXTE

449

5. Mali, région de Gao, juin 1983. Un camp de réfugiés : « Michel Diabo pense que, si cela continue, au siècle prochain, le Mali sera rayé de la carte. » (Page 127). *(Ph. Sebastiao Salgado jr. -Magnum).*

6. « En mars 1984, 200 000 bovins sont condamnés à mourir. » (Page 57). Sahel, juin 1973. *(Ph. Alain Noguès - Agence Sygma).*

7. Éthiopie, région du Tigré, avril 1985 : « La migration vers le sud y prenait (plateau Mossi), fin 1984, l'allure d'une débandade panique. » (Page 83). *(Ph. Sebastiao Salgado jr. - Magnum).*

8. Mali, région de Gao, le fleuve Niger, juin 1985 : « Pour la première fois depuis qu'on en repère le débit, le fleuve Niger a cessé de couler en juin 1985. » (Page 21). *(Ph. Sebastiao Salgado jr. - Magnum).*

9. Mali, région de Gourma Rarhous, les rives du fleuve Niger, juin 1985. *(Ph. Sebastiao Salgado jr. - Magnum).*

10. « L'aide a, surtout, développé le secteur tertiaire, une économie parasitaire dans les villes. » (Page 49). Niger, Agadès, 1973. *(Ph. Sebastiao Salgado jr. - Magnum).*

11. « Cinq ouvriers en train de battre à grands coups de bâton. Le fléau de nos ancêtres conviendrait mieux. » (Page 183). Niger, 1963. *(Ph. Marc Riboud - Magnum).*

12. « Il y a trois catégories de femmes (pour porter l'eau), celles qui ont des ânes, celles qui ont des puisettes, celles qui n'ont rien. » (Page 116). Burkina-Faso, vallée de Kou, 1970. *(Ph. Banoun/Caracciolo - FAO).*

13. « C'est le puits qui nous tue... » Le bois d'un puits, strié d'encoches par le frottement des cordes. (Page 113). Niger, Maradi, 1984. *(Ph. M. Kergoat).*

14. Sahel, Sénégal, juillet 1978 : « Le Sénégal perdrait, ainsi, 75 000 hectares de forêt par an. » (Page 29). *(Photo Alain Noguès - Sygma).*

15. Sénégal, région de Dakar, 1982 : Ravitaillement en bois de chauffage. *(Ph. Claude Vaugelade).*

16. Sénégal, région de Dakar, 1982 : Transport du charbon de bois. *(Ph. Claude Vaugelade).*

17. Sénégal, 1986, l'immense barrage de Diama : « Les bureaux d'études auraient dû, par courtoisie envers les dirigeants politiques, présenter différentes alternatives. » (Page 169). *(Ph. Boubacar Ba - Agence Hoa-Qui).*

18. « Il y a, partout, grand intérêt à accorder la priorité à la petite hydraulique. » (Page 78). Burkina-Faso, vallée de Kou, 1970. *(Ph. Banoun/Caracciolo - FAO).*

19. Niger, région de Niamey, 1974. « De tels travaux ont été réalisés sans prendre en compte la priorité des communautés villageoises. » (Page 111). *(Ph. Paul Pairault - Magnum).*

20. Dispensaire africain. *(Ph. D. Henrioud - OMS).*

21. École africaine en plein air. Nigeria, 1970. *(Ph. Abbas -Magnum).*

22. « Je n'ai donc jamais été en état de comprendre ce que je récitais à longueur de journée, à longueur d'année. » (Page 154).

École coranique, N'Diagne, Sénégal, 1984. *(Ph. Charlotte Paquet).*

23. Des pompes peu onéreuses, telles que ce bélier hydraulique, pouvant être construites à peu de frais avec des canalisations ordinaires, permettent d'amener l'eau à proximité des habitations, ce qui allège la corvée d'eau, l'une des tâches les plus pénibles et les plus longues que doit accomplir la femme africaine des zones rurales. Kenya, Karen, Centre de projets et de recherche en matière de technologie rurale. 1975. *(Ph. UNICEF).*

24. L'eau de pluie peut être recueillie des toits et conservée dans de simples jarres comme celle-ci, qui est construite en coulant du ciment sur un moule fait d'un sac de toile rembourré et ce, pour un dixième du coût des réservoirs traditionnels. Kenya, Karen, Centre de projets et de recherche en matière de technologie rurale. 1975. *(Ph. UNICEF).*

25. Ces pompes mues par une bicyclette permettent à peu de frais de fournir une énergie accrue, que ce soit pour l'irrigation ou pour la mouture des céréales. Kenya, Karen, Centre de projets et de recherche en matière de technologie rurale. 1975. *(Ph. UNICEF).*

26. Une éolienne est une autre solution. Grâce à elle, le vent peut être maîtrisé pour l'irrigation, comme avec cette éolienne crétoise à voilure de toile... Kenya, Karen, Centre de projets et de recherche en matière de technologie rurale. 1975. *(Ph. UNICEF).*

27. Foyer en terre locale qui donne encore 40 % du combustible. Kenya, Karen, Centre de projets et de recherche en matière de technologie rurale. 1975. *(Ph. UNICEF).*

28. « L'aide alimentaire, ... trop tardive, est insuffisante. » (Page 208). Mali, région de Dioula, juin 1983. *(Ph. Sebastiao Salgado jr. - Magnum).*

29. La Banque Internationale pour la Reconstruction et le Développement, Washington, 7 mai 1975. « J'accuse certains des experts internationaux de n'avoir absolument rien compris aux différences entre *notre* développement et *celui des Africains.* (Page 257). *(Ph. G. Franchini - Banque Mondiale).*

30. « L'Afrique pourrait atteindre 1,5 milliard d'habitants en l'an 2025. » (Page 35). Mali, village de Azouena, sur les rives de ce qui fut le lac Faguibin, juin 1985. *(Ph. Sebastiao Salgado jr. -Magnum).*

31. Soudan, Khartoum, juin 1978. Siège de l'O.U.A. « J'accuse la grande majorité des dirigeants africains d'avoir d'abord profité des privilèges du pouvoir. » (Page 256). *(Ph. Catherine Leroy -Gamma).*

32. Au-dessus, la réalité. Vu dans une rue de Dakar, 1982. *(Ph. Joël Arpaillange - Agence Hoa-Qui).*

33. Sénégal, Dakar, Fêtes de l'Indépendance, 4 juin 1976. « L'indépendance accroît (d'abord) l'exploitation des paysans. » (Page 39). *(Ph. M. Renaudeau, Dakar).*

34. Au Sénégal, le pourcentage des services dans l'économie est beaucoup trop élevé. Dakar. *(Ph. M. Huet - Agence Hoa-Qui).*

35. Sénégal. Queue pour l'embauche à l'usine d'arachides de Koussamou. *(Ph. M. Huet - Agence Hoa-Qui).*
36. Sixième rallye Paris-Dakar, étape Yamoussoukro -Bouna -Kissidougou-Freetown, 15 janvier 1984. « Ce rallye est une indécente exhibition au milieu de ceux qui ne pourront jamais jouir de ces monstrueux gadgets. » (Page 249). *(Ph. Thierry Rannou - Gamma).*
37. Sénégal, Dakar, marché de Kaolack, 1983. « (Au Sénégal), les services couvrent plus de la moitié du revenu national. Mais, quels services ! » (Page 139). *(Ph. Patrick Frilet - Agence Hoa-Qui).*
38. Niger, région de Birni N'Konni, 1963. Corvée de bois. « Et ce n'est là qu'une de leurs tâches quotidiennes. Comment s'étonner que les petites filles n'aient pas le temps d'aller à l'école. » (Page 113). *(Ph. Marc Riboud - Magnum).*
39. René Dumont, au cours de ses enquêtes dans les villages, s'entretient avec les paysans de N'Diagne, près de Louga (Sénégal, janvier 1985), petite agglomération « de 5 000 paysans Wolof. Ils ne récoltent presque rien depuis quatre ans ». (Page 148). *(Ph. Charlotte Paquet).*

TABLE DES CARTES

TABLE DES MATIÈRES

453

455

Achevé d'imprimer le 12 septembre 1986
dans les ateliers de Normandie Impression S.A. à Alençon (Orne)
N° d'éditeur : 11459. N° d'imprimeur : 86-1273. Dépôt légal : juillet 1986

La difficile exploration humaine est à jamais condamnée si elle prétend devenir une « science exacte » ou procéder par affinités électives.

C'est dans sa mouvante complexité que réside son unité. Aussi la collection TERRE HUMAINE se fonde-t-elle sur la confrontation. Confrontation d'idées avec des faits, de sociétés archaïques avec des civilisations modernes, de l'homme avec lui-même. Les itinéraires intérieurs les plus divers, voire les plus opposés, s'y rejoignent. Comme en contrepoint de la réalité, chacun de ces regards, tel le faisceau d'un prisme, tout en la déformant, la recrée : regard d'un Indien Hopi, d'un anthropologue ou d'un agronome français, d'un modeste instituteur turc, d'un capitaine de pêche ou d'un poète...

Pensées primitives, instinctives ou élaborées en interrogeant l'histoire témoignent de leurs propres mouvements. Et ces réflexions sont d'autant plus aiguës que l'auteur, soit comme acteur de l'expérience, soit au travers des méandres d'un « voyage philosophique », se situe dans un moment où la société qu'il décrit vit une brutale mutation.

Comme l'affirme James AGEE, sans doute le plus visionnaire des écrivains de cette collection :

« Toute chose est plus riche de signification à mesure qu'elle est mieux perçue de nous, à la fois dans ses propres termes de singularité et dans la famille de ramifications qui la lie à toute autre réalité, probablement par identification cachée. »

Tissée de ces « ramifications » liées selon un même principe d'intériorité à une commune perspective, TERRE HUMAINE retient toute approche qui contribue à une plus large intelligence de l'homme.

Ettore Biocca. — Yanoama. *Récit d'une jeune femme brésilienne enlevée par les Indiens.*

Mary F. Smith et Baba Giwa. — Baba de Karo. *L'autobiographie d'une musulmane haoussa du Nigeria.*

Richard Lancaster. — Piegan. *Chronique de la mort lente. La réserve indienne des Pieds-Noirs.*

William H. Hinton. — Fanshen. *La révolution communiste dans un village chinois.*

James Agee et Walker Evans. — Louons maintenant les grands hommes. *Trois familles de métayers en 1936 en Alabama.*

Pierre Clastres. — Chronique des Indiens Guayaki. *Ce que savent les Aché, chasseurs nomades du Paraguay.*

Selim Abou. — Liban déraciné. *Autobiographies de quatre Argentins d'origine libanaise.*

Francis A. J. Ianni. — Des affaires de famille. La Mafia à New York. *Liens de parenté et contrôle social dans le crime organisé.*

Gaston Roupnel. — Histoire de la campagne française.

Tewfik El Hakim. — Un substitut de campagne en Egypte. *Journal d'un substitut de procureur égyptien.*

Bruce Jackson. — Leurs prisons. *Autobiographies de prisonniers et d'ex-détenus américains.*

Pierre-Jakez Hélias. — Le Cheval d'orgueil. *Mémoires d'un Breton du pays bigouden.*

Jacques Lacarrière. — L'Eté grec. *Une Grèce quotidienne de quatre mille ans.*

Adélaïde Blasquez. — Gaston Lucas, serrurier. *Chronique de l'anti-héros.*

Tahca Ushte et Richard Erdoes. — De mémoire indienne. *La vie d'un Sioux, voyant et guérisseur.*

Luis Gonzalez. — Les Barrières de la solitude. *Histoire universelle de San José de Gracia, village mexicain.*

Jean Recher. — Le Grand Métier. *Journal d'un capitaine de pêche de Fécamp.*

Wilfred Thesiger. — Le Désert des Déserts. *Avec les Bédouins, derniers nomades de l'Arabie du Sud.*

Josef Erlich. — La Flamme du Shabbath. *Le Shabbath — moment d'éternité — dans une famille juive polonaise.*

C.F. Ramuz. — La Pensée remonte les fleuves. *Essais et réflexions.*

Antoine Sylvère. — Toinou. *Le cri d'un enfant auvergnat. Pays d'Ambert.*

Eduardo Galeano. — Les Veines ouvertes de l'Amérique latine. *Une contre-histoire.*

Eric de Rosny. — Les Yeux de ma chèvre. *Sur les pas des maîtres de la nuit en pays Douala (Cameroun).*

Amicale d'Oranienburg-Sachsenhausen. — Sachso. *Au cœur du Système concentrationnaire nazi.*

Pierre Gourou. — Terres de bonne espérance. *Le monde tropical.*

Wilfred Thesiger. — Les Arabes des marais. *Tigre et Euphrate.*

Margit Gari. — Le Vinaigre et le Fiel. *La vie d'une paysanne hongroise.*

Alexander Alland Jr. — La Danse de l'araignée. *Un ethnologue américain chez les Abron (Côte d'Ivoire).*

Bruce Jackson et Diane Christian. — Le Quartier de la Mort. *Expier au Texas.*